ΕΓΚΥΚΛΟΠΑΙΔΙΚΟ ΠΡΟΣΩΠΟΓΡΑΦΙΚΟ ΛΕΞΙΚΟ
ΒΥΖΑΝΤΙΝΗΣ ΙΣΤΟΡΙΑΣ
ΚΑΙ ΠΟΛΙΤΙΣΜΟΥ

ENCYCLOPAEDIC PROSOPOGRAPHICAL LEXICON OF BYZANTINE HISTORY AND CIVILISATION

EDITOR
ALEXIS G. C. SAVVIDES

VOLUME I:
Aamr - Alphios

METRON/IOLCOS PUBLICATIONS
1996

ΕΓΚΥΚΛΟΠΑΙΔΙΚΟ ΠΡΟΣΩΠΟΓΡΑΦΙΚΟ ΛΕΞΙΚΟ ΒΥΖΑΝΤΙΝΗΣ ΙΣΤΟΡΙΑΣ ΚΑΙ ΠΟΛΙΤΙΣΜΟΥ

ΕΠΙΜΕΛΕΙΑ ΕΚΔΟΣΗΣ
ΑΛΕΞΗΣ Γ. Κ. ΣΑΒΒΙΔΗΣ

ΤΟΜΟΣ Α΄:
Άαμρ - Άλφιος

ΕΚΔΟΣΕΙΣ ΜΕΤΡΟΝ/ΙΩΛΚΟΣ
1996

ΕΓΚΥΚΛΟΠΑΙΔΙΚΟ ΠΡΟΣΩΠΟΓΡΑΦΙΚΟ ΛΕΞΙΚΟ
ΒΥΖΑΝΤΙΝΗΣ ΙΣΤΟΡΙΑΣ ΚΑΙ ΠΟΛΙΤΙΣΜΟΥ
ΤΟΜΟΣ Α΄: Άαμρ - Άλφιος
ΕΠΙΜΕΛΕΙΑ ΕΚΔΟΣΗΣ ΑΛΕΞΗΣ Γ. Κ. ΣΑΒΒΙΔΗΣ

ΕΚΔΟΣΕΙΣ «ΙΩΛΚΟΣ»
Βαλτετσίου 15 και Ιπποκράτους, Αθήνα 106 80,
τηλ.: 3618-684, 3624-952, φαξ: 3625-019
E-mail: che@athena.compulink.gr
ΕΚΔΟΣΕΙΣ «ΜΕΤΡΟΝ»
Τροίας 30, Αθήνα 112 57, τηλ-φαξ: 8219-953

Κεντρική διάθεση: Εκδόσεις «Ιωλκός»
Βαλτετσίου 15 και Ιπποκράτους

ISBN 960-426-028-6
SET 960-426-029-4

ΕΓΚΥΚΛΟΠΑΙΔΙΚΟ ΠΡΟΣΩΠΟΓΡΑΦΙΚΟ ΛΕΞΙΚΟ ΒΥΖΑΝΤΙΝΗΣ ΙΣΤΟΡΙΑΣ ΚΑΙ ΠΟΛΙΤΙΣΜΟΥ
ΤΟΜΟΣ ΠΡΩΤΟΣ: Ἀαμρ - Ἀλφιος
ΕΠΙΜΕΛΗΤΗΣ ΕΚΔΟΣΗΣ: ΑΛΕΞΗΣ Γ.Κ. ΣΑΒΒΙΔΗΣ

Οι συνεργάτες του τόμου:

Μανόλης Βαρβούνης (Μ.Β.)	Λαογράφος. Πτυχ. ιστορίας-αρχαιολογίας και Δρ.Φ. Παν/μίου Αθηνών (λαογραφία). Λέκτορας Παν/μίου Θράκης (Κομοτηνή).
Φωτεινή Βλαχοπούλου (Φ.Β.)	Εκπαιδευτικός. Πτυχ. Παιδαγωγικής Ακαδημίας Λαμίας.
Δημήτρης Κασαπίδης (Δ.Κ.)	Ιστοριοδίφης - συγγραφέας.
Στέλιος Λαμπάκης (Σ.Λ.)	Φιλόλογος. Πτυχ. φιλολογίας Παν/μίου Αθηνών, Δρ.Φ. Παν/μίου Ιωαννίνων (βυζαντινή φιλολογία). Επίκ. ερευνητής Κέντρου Βυζαντινών Ερευνών Ε.Ι.Ε.
Εύη Μαλάμογλου (Ε.Μ.)	Ιστορικός. Μ.Α. Παν/μίου Μ. Λομονόσοφ Μόσχας (βυζαντινή ιστορία).
Φλορίν Μαρινέσκου (Φ.Μ.)	Ιστορικός-παλαιογράφος. Πτυχ. ιστορίας και Δρ.Φ. Παν/μίου Βουκουρεστίου. Επιστ. ερευνητής Κέντρου Νεοελληνικών Ερευνών Ε.Ι.Ε.
Γεωργία Ματθιοπούλου (Γ.Μ.)	Φιλόλογος-εκπαιδευτικός. Πτυχ. φιλολογίας Παν/μίου Αθηνών.
Κοσμάς Μεγαλομμάτης (Κ.Μ.)	Ιστορικός-αρχαιολόγος (ασσυριολόγος-αιγυπτιολόγος). Πτυχ. ιστορίας-αρχαιολογίας

Παν/μίου Αθηνών, Maitrise Παν/μίου Παρισιού IV, M.Phil. Παν/μίου Λονδίνου, Δρ.Φ. Παν/μίου Münster.

Στέλιος Μουζάκης (Σ.Μ.) — Πολιτικός μηχανικός - ιστοριοδίφης. Πτυχ. Εθνικού Μετσοβείου Πολυτεχνείου Αθηνών.

Κλίφφορντ Έντμουντ Μπόσουορθ (C.E.B.)

(Clifford Edmund Bosworth) — Ιστορικός-ισλαμολόγος. Πτυχ. ιστορίας Παν/μίου Οξφόρδης, Δρ.Φ. ισλαμολογίας Παν/μίου Εδιμβούργου. Καθηγητής Αραβικών Σπουδών Παν/μίου Μάντσεστερ. Επιμ. έκδ. *Journal of Semitic Studies, Iran* και *Encyclopaedia of Islam*².

Παύλος Νιαβής (Π.Ν.) — Φιλόλογος-θεολόγος-ιστορικός. Πτυχ. θεολογίας και ιστορίας-αρχαιολογίας Παν/μίου Αθηνών, Δρ.Φ. Παν/μίου Εδιμβούργου (βυζαντινή ιστορία).

Νίκος Νικολούδης (Ν.Ν.) — Ιστορικός. Πτυχ. ιστορίας-αρχαιολογίας Παν/μίου Αθηνών, Δρ.Φ. Παν/μίου Λονδίνου (βυζαντινή ιστορία).

Ξανθή Προεστάκη (Ξ.Π.) — Πτυχ. ιστορίας - αρχαιολογίας και υποψ. Δρ. Φ. Παν/μίου Ιωαννίνων (βυζαντινή και μεταβυζαντινή τέχνη).

Ραντίβογιε Ράντιτς (Ρ.Ρ.)

(Radivoje Radić) — Ιστορικός. Μ.Α. και Δρ.Φ.

	Παν/μίου Βελιγραδίου (βυζαντινή ιστορία). Επιστ. ερευνητής Βυζαντινολογικού Ινστιτούτου Σερβικής Ακαδημίας Επιστημών και Τεχνών Βελιγραδίου.
Αλέξης Σαββίδης (Α.Σ.)	Φιλόλογος-ιστορικός. Πτυχ. φιλολογίας Παν/μίου Αθηνών, M.Phil. Παν/μίου Λονδίνου, Δρ.Φ. Παν/μίου Θεσσαλονίκης (βυζαντινή ιστορία). Επίκ. ερευνητής Κέντρου Βυζαντινών Ερευνών Ε.Ι.Ε. Επιμ. έκδ. *Βυζαντινού Δόμου.*

Στους επόμενους τόμους του ΕΠΛΒΙΠ συνεργάζονται επίσης, μεταξύ άλλων, οι: Παναγιώτης Γιαννόπουλος (Bruxelles και Louvain - la - Neuve),Σταύρος Γουλούλης (Λάρισα), Ανέτα Π. Ιλίεβα (Aneta P. Ilieva, Sofija), Χάρης Κουτελάκης (Αθήνα), Ιωάννης Λασκαράτος (Αθήνα), Χρατς Μ. Μπαρτικιάν (Hratch M. Bartikian, Erevan), Νινοσλάβα Ραντόσεβιτς (Ninoslava Radošević, Beograd), Αθανάσιος Φωτόπουλος (Αθήνα), Μπέντζαμιν Χέντρικς (Benjamin Hendrickx, Johannesburg), Θέκλα Σανσαρίδου-Hendrickx (Johannesburg) και Κάρολ Χίλλεμπραντ (Carole Hillenbrand, Edinburgh).

ΠΡΟΛΕΓΟΜΕΝΑ

Το *Εγκυκλοπαιδικό Προσωπογραφικό Λεξικό Βυζαντινής Ιστορίας και Πολιτισμού (ΕΠΛΒΙΠ),* του οποίου τα πρώτα στάδια προετοιμασίας ξεκίνησαν το 1987, βασικό και πρωταρχικό του σκοπό έχει την ενημέρωση του Έλληνα φιλίστορα αναγνώστη - με άλλοτε σύντομα και άλλοτε εκτενέστερα - βιογραφικά σημειώματα των προσωπικοτήτων που διαδραμάτισαν πρωτεύοντα ή δευτερεύοντα λόγο στις πολιτικο-στρατιωτικές, θρησκευτικές-δογματικές, πνευματικές-καλλιτεχνικές, φιλοσοφικές, κοινωνικές και οικονομικές εξελίξεις κατά τη διάρκεια της υπερχιλιόχρονης Βυζαντινής ή Μεσαιωνικής Ελληνικής Αυτοκρατορίας. Παράλληλα φιλοδοξεί - λόγω της διάταξης της ύλης των λημμάτων, όπου υπάρχουν πλούσιες βιβλιογραφικές παραπομπές - να χρησιμεύσει και ως βασικό πληροφοριακό Compendium Μεσαιωνικής Ελληνικής Ιστορίας και Πολιτισμού καθώς και ως έργο αναφοράς (reference work) στην επιστημονική κοινότητα, ελληνική και ξένη. Η χρονολογική περίοδος που καλύπτει το *ΕΠΛΒΙΠ* κυμαίνεται σε γενικές γραμμές ανάμεσα στο 300 και το 1500 μ.Χ. Το έργο έχει κατά βάση "ελληνοκεντρική" δομή και θεματολογία, συμπεριλαμβάνονται όμως σε ευρεία έκταση και ξένα πρόσωπα ή ομάδες προσώπων (π.χ. δυναστικοί οίκοι), άμεσα ή έμμεσα συνδεδεμένων με το μεσαιωνικό ελληνικό κράτος και τον πολιτισμό του.

Ποικίλους τομείς καλύπτει διαμέσου της προσωπογραφικής-λεξικογραφικής της μορφής η θεματολογία του *ΕΠΛΒΙΠ,* όπως αγιολογία, αρχαιολογία, αρχιτεκτονική, τέχνη, αγιογραφία, ζωγραφική, γενεαλογία, γλυπτική, γεωγραφίατοπογραφία, θρησκεία-θεολογία, ιστοριογραφία-χρονογραφία, λογοτεχνία, επιστήμες, ιατρική, αστρονομία, μουσική-υμνογραφία, φιλολογία, φιλοσοφία, πολιτικο-στρατιωτική ιστορία, κοινωνία, οικονομία, πνευματικό βίο, γράμματα, γλώσσα κ.λπ. Τα περιεχόμενα λήμματα και τα σχετικά με αυτά στοιχεία έχουν αυστηρά πληροφοριακή μορφή (matter-of-fact). Η ουσιαστική αυτή πληροφόρηση επιτυγχάνεται με το χωρισμό των λημμάτων σε δύο βασικές (συνήθως) ενότητες: η πρώτη περιλαμβάνει τα βασικά βιογραφικά στοιχεία (χρονολογίες-γενικά περί της δράσης) και μια γενική αξιολόγηση της προσφοράς, θετικής ή αρνητικής, του λημματογραφούμενου προσώπου, ενώ η δεύτερη περιλαμβάνει εργογραφία (αν υπάρχει) και ανάλυση (περιεκτική) του έργου αυτού, ανάλογα με τον τομέα που καλύπτει. Στα λεγόμενα "ομαδικά λήμματα" (δηλ. δυναστείες, κατάλογοι, γενεαλογίες "οίκων" κ.λπ.) υπάρχουν σχετικοί πίνακες υπό τη μορφή παραρτημάτων μέσα στα σχετικά λήμματα. Τα σημειούμενα με πλάγια στοιχεία ονόματα παραπέμπουν απευθείας στα αντίστοιχα λήμματα μέσα στα πλαίσια του έργου.

Στην αρχή του έργου υπάρχει γενικός πίνακας βραχυγραφιών-βασικής βιβλιογραφίας (περιοδικά, σειρές εκδόσεων πηγών, εγκυκλοπαίδειες, λεξικά), που χρησιμοποιούνται στις βιβλιογραφίες των λημμάτων, οι οποίες συνήθως είναι λεπτομερείς και εκτενείς, με αναφορές κυρίως στις πηγές, αλλά και σε βοηθήματα, ελληνικά και ξενόγλωσσα. Όπου υπάρχουν ελληνικές μεταφράσεις των βιβλιογραφουμένων έργων, αυτές συνήθως προτιμούνται στις παραπομπές από το ξενόγλωσσο πρωτότυπο, αφού το όλο έργο απευθύνεται κυρίως στο ελληνόγλωσσο κοινό. Σε ορισμένες περιπτώσεις υπάρχουν μέσα στο κείμενο των λημμάτων παρενθετικές παραπομπές, ιδιαίτερα στις πρωτότυπες πηγές, ενώ - τέλος - όπου μνημονεύονται έργα στις βιβλιογραφίες, τα οποία είναι γραμμένα σε μη λατινογενείς ή λατινογράμματες γλώσσες (π.χ. σλαβονικά, σερβοκροατικά, ουγγρικά, τουρκικά κ.λπ.), αυτά παραπέμπονται με μεταφρασμένους τους τίτλους τους στα ελληνικά και με παρενθετική ένδειξη της πρωτότυπης γλώσσας.

Όπως είναι εύλογο, τα βασικά γενεαλογικά-προσωπογραφικά επιστημονικά έργα, όπως το *Prosopography of the Later Roman Empire (PLRE)* των A. Jones, J. Martindale και J. Morris, το *Prosopographisches Lexikon der Palaiologenzeit (PLP)* του E. Trapp και των συνεργατών του, καθώς και οι διάφορες πολύτιμες μονογραφίες και ειδικές μελέτες διαφόρων επιστημόνων γύρω από ποικίλους οίκους*, δυναστικούς ή μη, αποτελούν βασικό οδηγό και "πιλότο" στη σύνταξη του παρόντος εγκυκλοπαιδικού λεξικού, το οποίο έχει συμβουλευθεί και αρκετά άλλα σημαντικά εγκυκλοπαιδικής υφής έργα (π.χ. *Encyclopaedia of Islam, Dictionaire d' Histoire et de Géographie Ecclésiastique, Dictionary of the Middle Ages, Lexikon des Mittelalters, Oxford Dictionary of Byzantium,* κ.ά.)**, όπως φαίνεται στις βιβλιογραφίες των λημμάτων. Θα έπρεπε επίσης εδώ να αναφερθεί το υπό επεξεργασία και εξέλιξη προσωπογραφικό αρχείο του προγράμματος *"Τράπεζα Πληροφοριών Βυζαντινής Ιστορίας" (Βυζαντινή Χρονογραφία)* [*ΤΠΒΙ (ΒΧ)*], που λειτουργεί από το 1981 στο Κέντρο Βυζαντινών Ερευνών του Εθνικού Ιδρύματος Ερευνών στην Αθήνα· το προαναφερόμενο προσωπογραφικό αρχείο είχε καταλογογραφημένα στις αρχές του 1995 περίπου έξι χιλιάδες πρόσωπα με λεπτομερείς χρονολογίες και ενδείξεις των ιδιοτήτων τους.***

Τέλος, όσον αφορά στις περιπτώσεις των αναπόφευκτων σε τέτοιου είδους έργα ελλείψεων ή παραλείψεων προσώπων (για παράδειγμα, σε χιλιάδες ανέρχονται τα γνωστά κατά τη βυζαντινή εποχή πρόσωπα για τα οποία το μόνο σχεδόν που γνωρίζουμε είναι το όνομά τους, και αυτό όχι πάντα πλήρες), προβλέφθηκε να υπάρξει στο τέλος του *ΕΠΛΒΙΠ* ένθετο συμπλήρωμα (supplement). Το όλο έργο θα κλείσει με ειδική βιβλιογραφία ιδιαίτερα προσωπογραφικών έργων, αλλά και άλλων γνωστών και ευρέως χρησιμοποιουμένων στο *ΕΠΛΒΙΠ* βυζαντινολογικών συγγραμμάτων, πλήρη κατάλογο ονομάτων των συνεργατών-λημματογράφων καθώς και με λεπτομερές ονομαστικό ευρετήριο όλων των λημματογραφουμένων προσώπων.

Αθήνα, Πάσχα 1995

ΟΙ ΕΚΔΟΤΕΣ Ο ΕΠΙΜΕΛΗΤΗΣ ΕΚΔΟΣΗΣ

---

* Πρέπει εδώ να σημειωθεί ότι μάλλον ανεπαρκές πρέπει να θεωρηθεί το πρόσφατο εγχειρίδιο του D.M. Nicol, A biographical dictionary of the Byzantine Empire (Λονδίνο 1991), που μεταφράστηκε πρόσφατα και στα ελληνικά (Αθήνα 1993) (=Nicol, ΒΛ). Γενικά για μια βιβλιογραφική επισκόπηση της μεσοβυζαντινής και υστεροβυζαντινής προσωπογραφίας (των διαφόρων "οίκων") βλ. A. Savvides, Bibliographical advances in Byzantine prosopography of the middle and later periods, part 1, MP 13.1 (1992), 67-154· βλ. επίσης του ιδ., The development of Byzantine prosopographical and genealogical studies, Βυζκ 13 (1993), 161-9 (με ειδικότερη αναφορά στο Oxford Dictionary of Byzantium και στο πρόγραμμα του ΚΒΕ/ΕΙΕ "Τράπεζα Πληροφοριών Βυζαντινής Ιστορίας", που αναφέρονται παρακάτω). Τέλος, κυκλοφόρησε σε δακτυλόγραφη μορφή στα πλαίσια των πρακτικών του 18ου Διεθνούς Βυζαντινολογικού Συνεδρίου στη Μόσχα (Αύγουστος 1991) η ανακοίνωση του J. Martindale, The Prosopography of the Byzantine Empire, ACIEB/AICBS XVIII, Rapports pléniers/Major Papers (Μόσχα 1991), 299-313.

** Ιδιαίτερα σημειώνονται τα ακόλουθα ελληνικά εγκυκλοπαιδικά έργα: Μεγάλη Ελληνική Εγκυκλοπαιδεία ΠΥΡΣΟΥ *(ΜΕΕ)*, Εγκυκλοπαιδικό Λεξικόν Ελευθερουδάκη *(ΕΛΕ)*, Θρησκευτική και Ηθική Εγκυκλοπαιδεία *(ΘΗΕ)*, Μεγάλη Σοβιετική Εγκυκλοπαίδεια *(ΜΣΕ)*, Μεγάλη Γενική Εγκυκλοπαίδεια ΥΔΡΙΑ *(ΜΓΕ)*, Εγκυκλοπαίδεια ΠΑΠΥΡΟΣ-ΛΑΡΟΥΣ-ΜΠΡΙΤΑΝΝΙΚΑ *(ΕΠΛΜ)*, Εγκυκλοπαίδεια του Ποντιακού Ελληνισμού *(ΕΠΕ)*. Επίσης, η Μεγάλη Κυπριακή Εγκυκλοπαίδεια *(ΜΚΕ)*. Η έκδοση των παραπάνω εγκυκλοπαιδειών, σε γενικές γραμμές αναγνωρισμένης προσφοράς, καταδεικνύει την άνοδο και ακμή της νεοελληνικής τάσης εγκυκλοπαιδισμού, παρά τα κατά καιρούς και περιπτώσεις μειονεκτήματα καθώς και τις ελλείψεις που παρουσιάζονται.

*** Βλ. τις σχετικές εκθέσεις για το πρόγραμμα αυτό στον ΒΔ 1 (1987), 83 - 7· 3 (1989), 81 - 5 και 5 - 6 (1991 - 92), 149 - 50. Για τις πρόσφατες τεχνολογικές του εξελίξεις βλ. ΒΔ 7 (1993 - 94), 77 - 87 και για μια γενική θεώρηση της 15χρονης ιστορίας του βλ. ΒΔ 7 (1993 - 94), 39 - 50 (κείμενο του προγραμματάρχη του και δ/ντή ερευνών στο ΚΒΕ/ΕΙΕ, Τηλέμαχου Λουγγή).

ΒΡΑΧΥΓΡΑΦΙΕΣ

(Περιοδικά-επετηρίδες, συλλογές πηγών/μεταφράσεων πηγών, σειρές μελετών/εγχειριδίων, εγκυκλοπαίδειες/λεξικά, κ.ά.)

α) **Ελληνικές**

ΑΑΑ	: Αρχαιολογικά Ανάλεκτα εξ Αθηνών
ΑΒλ	: Ανάλεκτα Βλατάδων Πατριαρχικού Ιδρύματος Πατερικών Μελετών (Θεσσαλονίκη)
ΑΒΜΕ	: Αρχείον Βυζαντινών Μνημείων Ελλάδος (Α. Ορλάνδος, Αθήνα)
ΑΔ	: Αρχαιολογικόν Δελτίον (Αθήνα)
ΑΕ	: Αρχαιολογική Εφημερίς (Αθήνα)
ΑΕΚΔ	: Αρχείον Εκκλησιαστικού και Κανονικού Δικαίου
ΑΕΜ	: Αρχείον Ευβοϊκών Μελετών (Αθήνα)
Αθ	: Αθηνά (Αθήνα)
ΑΘεσΜ	: Αρχείον Θεσσαλικών Μελετών (Βόλος)
ΑΙΣ	: Ανάλεκτα Ιεροσολυμιτικής Σταχυολογίας (Α. Παπαδόπουλος-Κεραμεύς, 5 τόμ., Πετρούπολη)
ΑΠ	: Αρχείον Πόντου (Αθήνα)
ΑπΒ	: Απόστολος Βαρνάβας (Λευκωσία)
Αρ	: Αριάδνη (Ρέθυμνο)
Αρχ	: Αρχαιολογία (Αθήνα)
ΑΣτΜ	: Αρχείον Στερεοελλαδικών Μελετών (Αθήνα)
ΒΑΔΕ	: Βιβλιοθήκη Αποστολικής Διακονίας Ελλάδος

(Αθήνα)

ΒΒ	: Βαλκανική Βιβλιογραφία (Θεσσαλονίκη)
ΒΒΑετ	: Βασική Βιβλιοθήκη «Αετού» (Αθήνα)
ΒΔ	: Βυζαντινός Δόμος (Αθήνα)
ΒΕΠΕΣ	: Βιβλιοθήκη Ελλήνων Πατέρων και Εκκλησιαστικών Συγγραφέων (Αθήνα)
ΒΚΜ	: Βυζαντινά Κείμενα και Μελέται (Θεσσαλονίκη)
ΒΜ	: Βυζαντιναί Μελέται (Αθήνα)
ΒΝΕΜ	: Βυζαντινή και Νεοελληνική Μυριόβιβλος, 15 τεύχη (Αθήνα 1981 - 90)
ΒΣ	: Βαλκανικά Σύμμεικτα (ΙΜΧΑ, Θεσσαλονίκη)
Βυζ	: Βυζαντινά (Θεσσαλονίκη)
Βυζκ	: Βυζαντιακά (Θεσσαλονίκη)
ΓρΠ	: Γρηγόριος ο Παλαμάς (Θεσσαλονίκη)
ΔΕΓΕΕ	: Δελτίον Εραλδικής και Γενεαλογικής Εταιρείας Ελλάδος (Αθήνα)
Δημητράκος	: Δ. Δημητράκος, Μέγα Λεξικόν της Ελληνικής Γλώσσας, 9 τ. (1939-50[1], 1963[2])
ΔΙΕΕΕ	: Δελτίον Ιστορικής και Εθνολογικής Εταιρείας Ελλάδος (Αθήνα)
Δίπτ	: Δίπτυχα Εταιρείας Βυζαντινών και Μεταβυζαντινών Μελετών (Αθήνα)
ΔΚΜΣ	: Δελτίο Κέντρου Μικρασιατικών Σπουδών (Αθήνα)
ΔΠΒΑ	: Δελτίον Πατριαρχικής Βιβλιοθήκης Αλεξανδρείας
ΔΧ	: Δωδεκανησιακά Χρονικά (Αθήνα)
ΔΧΑΕ	: Δελτίον Χριστιανικής Αρχαιολογικής Εταιρείας

(Αθήνα)

Δωδ : Δωδώνη (Ιωάννινα)

ΕΑ : Εκκλησιαστική Αλήθεια (Κωνσταντινούπολη)

ΕΑΙΕΔ : Επετηρίς Αρχείου Ιστορίας Ελληνικού Δικαίου (Αθήνα)

ΕΕΑΣΠΘ : Επιστημονική Επετηρίς Αρχιτεκτονικής Σχολής Πανεπιστημίου Θεσσαλονίκης

ΕΕΒΣ : Επετηρίς Εταιρείας Βυζαντινών Σπουδών (Αθήνα)

ΕΕΒοιΜ : Επετηρίς Εταιρείας Βοιωτικών Μελετών (Αθήνα)

ΕΕΘΣΠΑ/ΠΘ : Επιστημονική Επετηρίς Θεολογικής Σχολής Πανεπιστημίου Αθηνών/Παν. Θεσσαλονίκης

ΕΕΚρΣ : Επετηρίς Εταιρείας Κρητικών Σπουδών (Αθήνα)

ΕΕΛΜ : Επετηρίς Εταιρείας Λευκαδικών Μελετών (Αθήνα)

ΕΕΠΣΠΘ : Επιστημονική Επετηρίς Πολυτεχνικής Σχολής Πανεπιστημίου Θεσσαλονίκης

ΕΕΣτΜ : Επετηρίς Εταιρείας Στερεοελλαδικών Μελετών (Αθήνα)

ΕΕΦΣΠΑ : Επιστημονική Επετηρίς Φιλοσοφικής Σχολής Πανεπιστημίου Αθηνών

ΕΕΦΣΠΘ : Επιστημονική Επετηρίς Φιλοσοφικής Σχολής Πανεπιστημίου Θεσσαλονίκης

ΕΚΕΕΚ : Επετηρίς Κέντρου Επιστημονικών Ερευνών Κύπρου (Λευκωσία)

ΕΛΕ : Εγκυκλοπαιδικόν Λεξικόν Ελευθερουδάκη, 12 τ. (Αθήνα 1927-31[1], 1962-5[2])

ΕΛΗ : Εγκυκλοπαιδικόν Λεξικόν «Ηλίου» (Αθήνα)

Ελλ : Ελληνικά (Θεσσαλονίκη)

ΕΜΑ(ΑΑ) : Επετηρίς Μεσαιωνικού Αρχείου (Ακαδημίας Αθηνών) (πβ. *ΜΝΕ*)

ΕΜΣ : Εταιρεία Μακεδονικών Σπουδών (Θεσσαλονίκη)

ΕΠΕ : Εγκυκλοπαίδεια του Ποντιακού Ελληνισμού, 6 τ. (Θεσσαλονίκη 1988 - 92)

ΕΠΛΜ : Εγκυλοπαίδεια «Πάπυρος-Λαρούς-Μπριτάννικα» (Αθήνα)

ΕΣ : Επιστημονική Σκέψη (Αθήνα)

ΕΦ : Εκκλησιαστικός Φάρος (Πατριαρχείου Αλεξανδρείας, έκδ. Johannesburg)

ΕΦΣΚ : Ελληνικός Φιλολογικός Σύλλογος Κωνσταντινουπόλεως

ΗΕ : Ηπειρωτική Εστία (Ιωάννινα)

ΗΧ : Ηπειρωτικά Χρονικά (Ιωάννινα)

Θεολ : Θεολογία (Αθήνα)

ΘεσΧ : Θεσσαλικά Χρονικά (Αθήνα)

ΘΗ : Θεσσαλικό Ημερολόγιο (Λάρισα)

ΘΗΕ : Θρησκευτική και Ηθική Εγκυκλοπαίδεια, 12 τ. (Αθήνα 1962-8)

Θησ : Θησαυρίσματα (Βενετία)

Θρ : Θρακικά (Αθήνα)

ΘΧΕ : Θρησκευτική και Χριστιανική Εγκυκλοπαιδεία (Αθήνα)

ΙΕΕ : Ιστορία Ελληνικού Έθνους (Εκδοτικής Αθηνών)

ΙΜΧΑ : Ίδρυμα Μελετών Χερσονήσου Αίμου (Θεσσαλονίκη)

ΙστΓεωγρ : Ιστορικογεωγραφικά (Ιωάννινα-Θεσσαλονίκη)

Καραγιαννόπουλος: Ι.Ε. Καραγιαννόπουλος, Πηγαί Βυζαντινής Ιστορίας (Θεσσαλονίκη 1975[3]: *ΒΚΜ* 2, 1987[5])

ΚΒΕ/ΑΠΘ : Κέντρο Βυζαντινών Ερευνών Αριστοτελείου Παν/μίου Θεσσαλονίκης

ΚΒΕ/ΕΙΕ : Κέντρο Βυζαντινών Ερευνών Εθνικού Ιδρύματος Ερευνών (Αθήνα)

ΚεφΧ : Κεφαλληνιακά Χρονικά (Αργοστόλι)

Κληρ : Κληρονομία (Θεσσαλονίκη)

ΚρΣ : Κρητικαί Σπουδαί (Αθήνα)

ΚρΧ : Κρητικά Χρονικά (Ηράκλειο)

Κρητ : Κρητολογία (Ηράκλειο)

Κριαράς : Εμ. Κριαράς κ.ά., Λεξικό της Μεσαιωνικής Ελληνικής Δημώδους Γραμματείας 1100-1669 (Θεσσαλονίκη 1969 εξ.)

Κρουμβάχερ : Κ. Κρουμβάχερ (C. Krumbacher), Ιστορία Βυζαντινής Λογοτεχνίας, 3 τ. (Αθήνα 1974 ανατ.)

ΚυπρΣ : Κυπριακαί Σπουδαί (Λευκωσία)

Λαογρ : Λαογραφία (Αθήνα)

ΛΣ : Λακωνικαί Σπουδαί (Αθήνα)

Lidell-Scott : H. Lidell-R. Scott, Μέγα Λεξικόν της Ελληνικής Γλώσσας, 4 τ. (Αθήνα 1901)

Μακεδ : Μακεδονικά (Θεσσαλονίκη)

ΜΒ : Μεσαιωνική Βιβλιοθήκη (Κ. Σάθας, 7 τ., 1872-94, Παρίσι-Βενετία, ανατ. Αθήνα 1972)

ΜΓΕ : Μεγάλη Ελληνική Εγκυκλοπαίδεια «Υδρία», 55 τ. (Αθήνα 1978 - 88)

MEE	: Μεγάλη Ελληνική Εγκυκλοπαίδεια «Πυρσού», 24 τ. (Αθήνα 1927-34 και 1964²)
MEI	: Μνημεία Ελληνικής Ιστορίας (Κ. Σάθας, 9 τ., Παρίσι 1880-90)
MIET	: Μορφωτικό Ίδρυμα Εθνικής Τραπέζης (Αθήνα)
MKE	: Μεγάλη Κυπριακή Εγκυκλοπαίδεια (Λευκωσία)
ΜΜυρ	: Μικρή Μυριόβιβλος (Αθήνα)
MNE	: Μεσαιωνικά και Νέα Ελληνικά (Ακαδημία Αθηνών) (πβ. *EMA*)
Μνημ	: Μνημοσύνη (Αθήνα)
ΜΠΕΠΛ	: Μεγάλη Παγκόσμια Εγκυκλοπαίδεια «Πάπυρος-Λαρούς», 12 τ. (Αθήνα 1963-4)
ΜΣΕ	: Μεγάλη Σοβιετική Εγκυκλοπαίδεια, 34 τ. (Αθήνα 1978-83)
MX	: Μικρασιατικά Χρονικά (Αθήνα)
Ναυπ	: Ναυπακτιακά (Αθήνα)
NE	: Νέος Ελληνομνήμων, 21 τ. (Σπυρ. Λάμπρος, Αθήνα 1904 - 27)
ΝΕστ	: Νέα Εστία (Αθήνα)
ΝΠ	: Νέος Ποιμήν (Κωνσταντινούπολη)
ΝΣ	: Νέα Σιών (Ιερουσαλήμ)
ΟΕΔΒ	: Οργανισμός Εκδόσεως Διδακτικών Βιβλίων (Αθήνα)
Ονόμ	: Ονόματα (Αθήνα)
Ορθ	: Ορθοδοξία, 38 τ. (Κωνσταντινούπολη)
ΠΑΑ	: Πρακτικά Ακαδημίας Αθηνών
ΠΑΕ	: Πρακτικά Αρχαιολογικής Εταιρείας (Αθήνα)

Πανδ : Πανδώρα, 22 τ. (Αθήνα)

Παρν : Παρνασσός (Αθήνα)

ΠΒΛ/ΕΕΕ : Παγκόσμιο Βιογραφικό Λεξικό/Ελληνική Εκπαιδευτική Εγκυκλοπαίδεια, 10 τ. (Εκδοτική Αθηνών 1983 - 88)

Π(Δ)Σ : Πρακτικά (Διεθνούς Συνεδρίου)

ΠΔΣΒΣ : Πρακτικά Διεθνούς Συνεδρίου Βυζαντινών Σπουδών (πβ. *AICBS*)

ΠΕ : Ποντιακαί Έρευναι (Αθήνα)

Πελ : Πελοποννησιακά (Αθήνα)

ΠΕστ : Ποντιακή Εστία (Αθήνα)

ΠΙ : Παγκόσμια Ιστορία (Εκδοτικής Αθηνών, 2 τ., 1990, ανατ. 1992)

ΠΠ : Παλαιολόγεια και Πελοποννησιακά, 4 τ. (Σπ. Λάμπρος, Αθήνα 1912/23-30)

ΠΣΓΕΕ : Πανελλήνιο Συμπόσιο Γενεαλογικής και Εραλδικής Επιστήμης

ΠΦ : Ποντιακά Φύλλα

Ράλλης-Ποτλής : Γ. Ράλλης-Μ. Ποτλής, Σύνταγμα των Θείων και Ιερών Κανόνων, 6 τ. (Αθήνα 1852-9)

Σύμμ : Σύμμεικτα Κέντρου Βυζαντινών Ερευνών/Εθνικού Ιδρύματος Ερευνών (Αθήνα)

Τετρ : Τετράμηνα (Άμφισσα-Αθήνα)

ΤΠΒΙ(ΒΧ) : Τράπεζα Πληροφοριών Βυζαντινής Ιστορίας (Βυζαντινή Χρονογραφία) (ΚΒΕ/ΕΙΕ)

ΧΑΕ : Χριστιανική Αρχαιολογική Εταιρεία (Αθήνα)

ΧΧρ : Χιακά Χρονικά (Αθήνα)

Τρ : Τρικαλινά (Τρίκαλα)

Φιλοσ : Φιλοσοφία (Αθήνα)

ΦΧ : Φωκικά Χρονικά (Άμφισσα)

β) Ξενόγλωσσες

AA : Acta Antiqua Academiae Scientiarum Hungariae (Βουδαπέστη)

AAlb : Acta et Diplomata Res Albaniae Mediae Aetatis illustrantia, 2 τ. (L. Thallôczy - C. Jireček - E. Sufflan, Βιέννη 1913-18)

AASS : Acta Sanctorum Socii J. Bollandi (Παρίσι-Βρυξέλλες)

AB : Analecta Bollandiana (Παρίσι-Βρυξέλλες)

ABAW : Abhandlungen der Bayerisches Akademie der Wissenschaft (Μόναχο) (πβ. *SBAW*)

ABSA : Annual of the British School (of Archaeology) at Athens

ACIEB : Actes du congrès international des études byzantines

ACO : Acta Conciliorum Oecumenicorum (E. Schwartz - J. Straub, Στρασβούργο-Βερολίνο)

ADSV : Antičnaja Drenvost i Srednije Veka (Σβερντλόφσκ)

AE : Allgemeine Enkyklopädie der Wissenschaften und Künste (Βερολίνο)

AEp : L'Année Epigraphique (Παρίσι)

AEPHE : Annuaire de l École Pratique des Hautes Études/Section des Sciences Historiques et Philologiques (Παρίσι)

Aev : Aevum (Μιλάνο)

AG : Anecdota Graeca, 5 τ. (J.F. Boisonade, Παρίσι 1829-33)

AHist : Acta Historica Academiae Scientiarum Hungaricae (Βουδαπέστη)

AHG : Analecta Hymnica Graeca (Ρώμη)

AHR : American Historical Review (Νέα Υόρκη-Λονδίνο)

AIBL : Academie des Inscriptions et Belles Lettres (Παρίσι)

A(I)C : Acts of the (International) Congress

AICBS : Acts of the International Congress of Byzantine Studies (πβ. *ΠΔΣΒΣ*)

AIESEE : Association Internationale des Études Sud-Est Européennes (Βουκουρέστι)

AIMA : Antiquitates Italicae Medii Aevi (L.A. Muratori, Μιλάνο)

AIPHOS : Annuaire de l'Institut de Philologie et d'Histoire Orientales et Slaves (Βρυξέλλες)

AJA : American Journal of Archaeology

AM : Annales Muslemici (Κοπεγχάγη)

AOr : Acta Orientalia

AOrL : Archives de l'Orient Latin (Παρίσι)

AOt : Archivum Ottomanicum (Χάγη)

APh : L'Année Philologique (Παρίσι)

ASI : Archivio Storico Italiano (Φλωρεντία)

ASt : Anatolian Studies (Άγκυρα)

ASV : Archivio di Stato di Venezia

BA	: Byzantinisches Archiv (Λειψία-Μόναχο)
BBA	: Berliner Byzantinistische Arbeiten
BBul	: Byzantinobulgarica (Σόφια)
BCH	: Bulletin de Correspondance Hellénique (Αθήνα-Παρίσι)
Beck	: H.G. Beck, Kirche und Theologische Literatur in Byzantinischen Reich (Μόναχο 1959, ανατ. 1977: *HA*, II, 1)
Bel	: Belleten (Άγκυρα)
Bes	: Bessarione (Ρώμη)
BF	: Byzantinische Forschungen (Άμστερνταμ)
BG	: Bolletino (della Badia Graeca) di Grottaferrata
BGA	: Bibliotheca Geographorum Arabicorum, 8 τ. (Λέιντεν)
ByzGesch	: Byzantinische Geschichtsschreiber (Γκρατς-Βιέννη-Κολωνία)
BGV	: Bibliotheque Grecque Vulgaire (E. Legrand)
BH	: Bulletin Hispanique (Μπορντώ)
BHG	: Bibliotheca Hagiographica Graeca, 3 τ. (F. Halkin, Βρυξέλλες 1957[3])
BIC	: Bulletin d'Information et de Coordination/ Association Internationale des Études Byzantines
BJRL	: Bulletin/John Rylands Library (Μάντσεστερ)
BK	: Bedi Kart(h)lisa (Παρίσι)
BMB	: Byzantina-Metabyzantina, 2 τ. (Νέα Υόρκη)
BMGS	: Byzantine and Modern Greek Studies (Οξφόρδη-Birmingham)

BNH	: Byzantion-Nea Hellas (Σαντιάγο)
BNJ	: Byzantinisch-Neugriechische Jahrbücher (Βερολίνο-Αθήνα)
BS/EB	: Byzantine Studies/Études Byzantines (Pittsburg .Pens.-Tempe Ariz.)
BSic	: Byzantino-Sicula (Παλέρμο)
BSl	: Byzantinoslavica (Πράγα)
BSOAS	: Bulletin/School of Oriental and African Studies (Λονδίνο)
BSt	: Balkan Studies (Θεσσαλονίκη)
Budé	: Collection de Guillaume Budé/Les Belles Lettres (Παρίσι)
BV	: Byzantina Vindobonensia
Byz	: Byzantion (Παρίσι/Βρυξέλλες)
BZ	: Byzantinische Zeitschrift (Λειψία/Μόναχο/ Στουττγάρδη)
CAH	: Cambridge Ancient History
CBR/HNRF	: Centre for Byzantine Research/Hellenic National Research Foundation (Αθήνα)
CCM	: Cahiers de Civilisation Mediévale (Παρίσι)
CEHE	: Cambridge Economic History of Europe
CF(HB)	: Corpus Fontium (Historiae Byzantinae) (Ουάσιγκτον, Βερολίνο, Νέα Υόρκη, Βρυξέλλες, Βιέννη, Θεσσαλονίκη, Ρώμη, Παρίσι, Αθηνα)
CGUM	: Corpus der Griechischer Urkunden des Mittelalters (und der Neuen Zeit) (Βερολίνο-Μόναχο) (βλ. *DR*)
CHA	: Collection des Historiens Arméniens (Πετρούπολη)

ChE	: Chamber's Encyclopaedia (Λονδίνο 1952[2])
CHFMA	: Les Classiques de l'Histoire de France au Moyen Age
CHI	: Cambridge History of Islam
CHIr	: Cambridge History of Iran
ChHist	: Church History
CHM	: Cahiers d'Histoire Mondiale (Παρίσι)
CIG	: Corpus Inscriptionum Graecarum (Βερολίνο)
CIL	: Corpus Inscriptionum Latinarum (Βερολίνο)
CM	: Classica et Medievalia
CMH	: Cambridge Medieval History
CR	: Classical Review (Λονδίνο)
CS(HB)	: Corpus Scriptorum (Historicae Byzantinae) (Βόννη)
CSCO	: Corpus Scriptorum Christianorum Orientalium
CSEL	: Corpus Scriptorum Ecclesiasticorum Latinorum (Βιέννη)
CyrMeth	: Cyrillomethodianum (Θεσσαλονίκη)
DA	: Deutsches Archiv (zur Erforschung des Mittelalters) (Κολωνία-Βιέννη)
DACL	: Dictionaire d'Archéologie Chrétienne et de Liturgie (Παρίσι)
DBI	: Dizionario Biografico degli Italiani (Ρώμη)
DDC	: Dictionaire du Droit Canonique (Παρίσι)
DeRev	: Deutsche Revue über das Gesammte Nationale Leben der Gegenwart
DHGE	: Dictionaire d'Histoire et de Géographie

Ecclésiastique (Παρίσι)

DI : Der Islam (Βερολίνο)

DIR : Documente privind Istoria României (Βουκουρέστι)

DLit : Deutsche Literaturzeitung

DMA : Dictionary of the Middle Ages, A.D. 500-1500, 13 τ. (Νέα Υόρκη 1982 - 89)

DOB : Dumbarton Oaks Bibliographies (Ουάσιγκτον)

DOP : Dumbarton Oaks Papers (Καίμπριτζ Μασσ.-Ουάσιγκτον)

DOS : Dumbarton Oaks Studies (Ουάσιγκτον-Καίμπριτζ Μασσ.)

DOT : Dumbarton Oaks Texts

DR : F. Dölger, Regesten der Kaiserurkunden des Oströmischen Reiches, 5 τ. (Βερολίνο-Μόναχο 1924-65, ο 3ος τ. 1977[2], ο 2ος τ. 1995[2])

DRH : Documenta Romaniae Historica (Βουκουρέστι)

DS : Dictionaire de Spiritualité (Παρίσι)

DTC : Dictionaire de Théologie Catholique (Παρίσι)

EBalk : Études Balkaniques (Σόφια)

EBPB : Études Byzantines et Post Byzantines (Βουκουρέστι)

EBr : Encyclopedia Britannica (Σικάγο 1980[15])

EEQ : East European Quarterly

EHR : English Historical Review (Λονδίνο)

EI[1-2] : Encyclopedia of Islam[1-2]. A Dictionary of the Geography, Ethnography and Biography of the Muhammadan *(sic)* Peoples (Λονδίνο-Λέιντεν)

EIt : Enciclopedia Italiana di Scienze, Lettere ed Arti (Ρώμη)

EO : Échos d'Orient (Παρίσι)

FBRG : Forschungen zur Byzantinischen Rechtsgeschichte

FGH : Die Fragmente der Griechischer Historiker, 3 τ. (F. Jacoby, Βερολίνο-Λέιντεν 1923-54)

FHDR : Fontes Historiae Daco-Romanae (Βουκουρέστι)

FHG : Fragmenta Historicorum Graecorum, 5 τ. (C. Müller, Παρίσι 1878-85)

FHIT : Fontes Historiae Imperii Trapezuntini (A. Παπαδόπουλος-Κεραμεύς, Πετρούπολη 1897, ανατ. Άμστερνταμ 1965)

FM : Fontes Minores (Φραγκφούρτη)

FOEG : Forschungen zur Osteuropäischen Geschichte

GCS : (Die) Griechischen Christlichen Schriftsteller (Λειψία-Βερολίνο)

GEL : Grande Encyclopédie «Larousse» (Παρίσι)

GGM : Geographi Graeci Minores, 2 τ. (C. Müller, Παρίσι 1855-61)

GOTR : The Greek Orthodox Theological Review (Μπρούκλιν, Μασσ.)

GR : V. Grumel, Les Regestes des Actes du Patriarcat de Constantinople, 3 τ. (Παρίσι 1932 - 47)

GrArab : Graeco-Arabica (Αθήνα)

GRBS : Greek Roman and Byzantine Studies (Texas-Durham, N. Carolina)

HA : Handbuch der Altertumwissenschaft (W. Otto-H. Bengtson, Μόναχο-Μύνστερ-Φράιμπουργκ)

HC	: L'Hellénisme Contemporain (Παρίσι-Αθήνα)
HGM	: Historici Graeci Minores, 2 τ. (L. Dindorf, Λειψία 1870-1)
HistEgl	: Histoire de l'Église depuis des origines jusqu' à nos jours (A. Fliche-V. Martin, Παρίσι)
HJ	: Historisches Jahrbuch (der Götres Gesellschaft)
HSSt	: Harvard Slavic Studies
HT	: History Today (Λονδίνο)
Hunger	: H. Hunger, Die Hochsprachliche Profane Literatur der Byzantiner, 2 τ. (Μόναχο 1978: *HA* XII.5, 1-2). Ελλην. μετ., Η λογία κοσμική γραμματεία των Βυζαντινών, 3 τ. (Αθήνα 1987-94: ΜΙΕΤ), Α´ (1987, 1991[2]), Β´ (1992) και Γ´ (1994)
HUSt	: Harvard Ukrainian Studies (Καίμπριτζ Μασσ.)
HZ	: Historische Zeitschrift (Μόναχο-Βερολίνο)
IA	: Islam Ansiklopedisi (Κωνσταντινούπολη)
IF	: Istanbuler Forschungen
IG	: Inscriptiones Graecae (Βερολίνο)
IJMES	: International Journal of Middle Eastern Studies (Καίμπριτζ-Λονδίνο)
IRAIK	: Izvestija Russkago Archeologicheskago Instituta Konstantinopole (Σόφια-Οδησσός)
IstGl	: Istoriski Glasnik (Βελιγράδι)
JA	: Journal Asiatique (Παρίσι)
JAChr	: Jahrbuch für Antike und Christentum
Jaffé	: P. Jaffé, Regesta Pontificorum Romanorum ab condita Ecclesia ad annum p.C. natum 1198, 2 τ. (1885-8[2])

JAOS : Journal of the American Oriental Society (New Haven)

JEcclH : Journal of Ecclesiastical History (Οξφόρδη)

JEcH : Journal of Economic History (Ν. Υόρκη)

JESHO : Journal of the Economic and Social History of the Orient (Λέιντεν)

JGR : Jus Graeco-Romanum, 8 τ. (Ι. και Π. Ζέπος, Αθήνα 1931, ανατ. Darmstadt 1962)

JHS : Journal of Hellenic Studies (Λονδίνο)

JIAN : Journal Internationale d'Archéologie et Numismatique

JNES : Journal of Near Eastern Studies (Σικάγο)

JOAS : Journal of Oriental and African Studies (Αθήνα)

JÖB : Jahrbuch der Österreichischen Byzantinistik (Βιέννη)

JÖBG : Jahrbuch der Österreichischen Byzantinischen Gesellschaft (Βιέννη)

JRAS : Journal of the Royal Asiatic Society (of Great Britain) (Λονδίνο)

JRS : Journal of Roman Studies (Λονδίνο)

JS : Journal des Savants

JTS : Journal of Theological Studies (Λονδίνο)

Karayannopoulos-Weiss: J. Karayannopoulos-G. Weiss, Quellenkunde zur Geschichte von Byzanz (Βισμπάντεν 1982)

LM : Lexikon des Mittelalters (Μόναχο-Ζυρίχη)

Loeb : Loeb Classical Library (Λονδίνο)

LTK : Lexikon für Theologie und Kirche (Φράιμπουργκ)

MA	: Le Moyen Age (Παρίσι)
MacS	: Macedonian Studies (Βιέννη)
Mansi	: J. Mansi, Sacrorum Consiliorum Nova et Amplissima Collectio (Φλωρεντία 1769-98, ανατ. Γκρατς 1960-61)
MBM	: Miscellanea Byzantina Monacensia
MGH	: Monumenta Germaniae Historica (Αννόβερο-Βερολίνο)
MH	: Medievalia et Humanistica (Boulder, Colorado)
MHH	: Monumenta Hungariae Historica (Βουδαπέστη)
MM	: F. Miklosich-J. Müller, Acta et Diplomata Graeca Sacra et Profana, 6 τ. (Βιέννη 1860-90, ανατ. Αθήνα 1968 και 1996)
MMB	: Monumenta Musicae Byzantinae (Κοπεγχάγη)
MP	: Medieval Prosopography (Παν/μιο Michigan, Kalamozoo)
Moravcsik	: G. Moravcsik Byzantinoturcica, 2 τ. (Βερολίνο 1958[2]: *BBA* 10,11 και Λέιντεν 1983[3])
NC	: The Numismatic Circular
NH	: Neo-Hellenica (Austin, Texas)
Nicol, ΒΛ	: D.M. Nicol, Βιογραφικό λεξικό της Βυζαντινής Αυτοκρατορίας, ελλην. μετ. (Αθήνα 1993)
NMS	: Nottingham Medieval Studies (Παν/μιο Νόττιγχαμ)
NPB	: Nova Patrum Bibliotheca (A. Mai-J. Cozza-Luzi, Ρώμη)
OCA	: Orientalia Christiana Analecta (Ρώμη)
OCD	: Oxford Classical Dictionary (1984[2])

OCP : Orientalia Christiana Periodica (Ρώμη)

ODB : Oxford Dictionary of Byzantium, γεν. επιμ. A. Kazhdan, 3 τ. (Νέα Υόρκη - Οξφόρδη 1991)

ODChrC : Oxford Dictionary of the Christian Church (F.L. Cross, 1957)

ODS : Oxford Dictionary of Saints (D.H. Farmer, 1978)

Or : Oriens (Λέιντεν)

OrChr : Oriens Christianus (Λειψία)

PC : Penguin Classics (Harmondsworth)

PCL : Penguin Companion to Literature (Harmondsworth)

PG : Patrologia Graeca, 161 τ. (J.P. Migne, Παρίσι 1857-66, ανατ. Brepols, Turnhout 1981)

PL : Patrologia Latina, 215 τ. (J.P. Migne, Παρίσι 1844-55)

PLP : Prosopographisches Lexikon der Palaiologenzeit, 12 τεύχη (E. Trapp κ.ά., Βιέννη 1976 - 94)

PLRE : Prosopography of the Later Roman Empire, 3 τ. (A. Jones-J. Martindale-J. Morris, Καίμπριτζ 1971 - 92)

PO : Patrologia Orientalis (Παρίσι)

PP : Past and Present (Οξφόρδη)

PPS : Pravoslavnij Palestinskij Sbornik

RA : Revue Archéologique (Παρίσι)

RAChr : Reallexikon für Antike und Christentum (Στουττγάρδη)

RAM : Revue d'Ascétique et de Mystique

RB : Reallexikon für Byzantinistik (Άμστερνταμ)

RBK	: Reallexikon für Byzantinischen Kunst (Στουττγάρδη)
RCC	: Revue des Cours et Conférences (Παρίσι)
RDAC	: Report(s) of the Department of Antiquities of Cyprus
RE	: Real-Encyklopädie der Classischen Altertumwissenschaft (A. Pauly-G. Wissova, κ.ά., Στουττγάρδη, κ.α.)
REA	: Revue des Études Arméniennes (Παρίσι)
REB	: Revue des Études Byzantines (Παρίσι)
REG	: Revue des Études Grecques (Παρίσι)
REI	: Revue des Études Islamiques (Παρίσι)
REL	: Revue des Études Latines
REPTK	: Real Enzyklopädie für Protestantische Theologie und Kirche
RESEE	: Revue des Études Sud-Est Européennes (Βουκουρέστι)
RH	: Revue Historique (Παρίσι)
RHC	: Recueil des Historiens des Croisades (ανατ. Farnborough, Hunts. 1967)
RHE	: Revue d'Histoire Ecclésiastique (Λουβαίν)
RHPR	: Revue d'Histoire et de Philosophie Religieuses (Παρίσι)
RHSEE	: Revue Historique du Sud-Européen (Βουκουρέστι)
RI	: Revista de Istorie (Βουκουρέστι)
RISS	: Rerum Italicarum Scriptores (Μιλάνο-Φλωρεντία-Βενετία-Μπολόνια)
RMM	: Revue du Monde Musulman

RN	: Revue Numismatique (Παρίσι)
ROChr	: Revue de l'Orient Chrétien (Παρίσι)
ROL	: Revue de l'Orient Latin (Παρίσι)
RRH	: Revue Roumaine d'Histoire (Βουκουρέστι)
RS	: Rolls Series
RSBN	: βλ. παρακάτω (R)SBN
RSBS	: Rivista di Studi Bizantini e Slavi (Μπολόνια)
RSI	: Rivista Storica Italiana (Νάπολη)
SAD	: Selçuklu Araştirmalari Dergisi (Άγκυρα)
SB	: Scriptores Byzantini (Βουκουρέστι)
SBAW	: Sitzungsberichte (Philosophisch-Philologisch und Historische Klasse) der Bayerischen Akademie der Wissenschaften (Μόναχο) (πβ. *ABAW*)
(R)SBN	: (Rivista di) Studi Bizantini e Neoellenici (Ρώμη, Νεάπολη)
SC	: Scrittura e Civiltà (Τορίνο)
SChr	: Sources Chrétiennes (Παρίσι)
SCIAM	: Settimane di Studio del Centro Italiano di Studi sull'alto Medioevo (Σπολέτο)
SCIV	: Studii şi Cercetări de Istorie Veche (Βουκουρέστι)
Script	: Scriptorium (Βρυξέλλες)
SEER	: Slavonic and East European Review (Λονδίνο)
SF	: Südost-Forschungen (Μόναχο)
SG	: Siculorum Gymnasium (Κατάνια)
SI	: Studia Islamica (Παρίσι)
SK	: Seminarium Kondakovianum (Πράγα-Βελιγράδι)

SM : Studi Medievali

SMRH : Studies in Medieval and Renaissance History

Sophocles : E. Sophocles, Greek Lexicon of the Roman and Byzantine Periods, 146 B.C. - 1100 A.D. (Καίμπριτζ Μασσ. 1870[1], 1914[2], ανατ. 1957[2])

Spec : Speculum (Καίμπριτζ Μασσ.)

SR : Slavic Review

ST : Studi e Testi (Βατικανό)

StAlb : Studia Albanica (Τίρανα)

SV : Studi Veneziani (Βενετία)

SVNC : Scriptorum Veterum Nova Collectio (A. Mai, Ρώμη)

TAD : Tarih Araştĭrmalarĭ Dergisi (Άγκυρα)

Teubner : Bibliotheca Scriptorum Graecorum et Romanorum Teubneriana (Λειψία-Στουττγάρδη)

TF : Texte und Forschungen (zur Byzantinisch-Neugriechischen Philologie/N. Bees, Αθήνα-Βερολίνο)

TIB : Tabula Imperii Byzantini (Βιέννη)

TL : Tusculum - Lexikon Griechischer und Lateinischer Autoren des Altertums und des Mittelalters (Μόναχο-Ζυρίχη 1982[3]) - ελλην. μετ., τόμ. Α΄ (Έλληνες συγγραφείς) (Αθήνα 1993)

TM : Travaux et Mémoires (Παρίσι)

Trad : Traditio (Νέα Υόρκη)

TRE : Theologische Realenzyklopädie (Βερόλίνο-Ν. Υόρκη)

T-Th : G. Tafel-G. Thomas, Urkunden zur älteren

Handels- und Staatsgeschichte der Republik Venedig..., 3 τ. (Βιέννη 1856-7, ανατ. Άμστερνταμ 1964)

TU	: Texte und Untersuchungen (zur Geschichte der Altchristhichen Literatur) (Λειψία-Βερολίνο)
Turc	: Turcica (Παρίσι)
UBHJ	: University of Birmingham Historical Journal
VR	: Variorum Reprints (collected studies series) (Λονδίνο)
VV	: Vizantiiski Vremennik (Πετρούπολη/Λένινγκραντ-Μόσχα)
WBS	: Wiener Byzantinistische Studien
WZKM	: Wiener Zeitschrift für die Kunde des Morgenlandes
ZB	: Zeitschrift für Balkanologie
ZChrK	: Zeitschrift für Christliche Kunst
ZDMG	: Zeitschrift der Deutschen Morgenländischen Gesellschaft (Λειψία)
ZFF	: Zbornik Filosofshkog Fakulteta (Βελιγράδι)
ZKG	: Zeitschrift für Kirchengeschichte
ZMNP	: Zhurnal Ministerstva Narodnago Prosveshchenija (Πετρούπολη)
ZRVI	: Zbornik Radova Vizantoloshkog Instituta (Βελιγράδι)

A

῾Ααμρ ιμπν αλ-῾Αας (c.570-663), ο «῾Αμβρος» των βυζαντινών πηγών. Σύγχρονος του *Μωάμεθ*, κουραϊσιτικής καταγωγής, ο οποίος συμμετέσχε στην πορεία προς τη Μεδίνα (: κατ' εξοχήν «Πόλη» λόγω της αποδοχής του Προφήτη, τότε Γιαθρίμπ) και σε άλλες μάχες των πρώτων ισλαμικών χρόνων. Ο κύριος ρόλος του αρχίζει όμως γύρω στο 629/30. Μέχρι το θάνατο του Προφήτη είχε δραστηριοποιηθεί στο Χαντραμάουντ (σημ. Ν. Υεμένη) και στο Ομάν, όπου είχε κατορθώσει την στο Ισλάμ προσχώρηση των αδελφών ηγεμόνων Ντζαϊφάρ και Αμπάντ ιμπν Ντζουλάντα. Το 633 ο *Αμπού Μπακρ* τον έστειλε επικεφαλής στρατεύματος στη Ν. Ιορδανία, της οποίας η κατάληψη αποτελεί αποκλειστικώς έργο του Α. Ο ίδιος είχε άλλωστε συμμετάσχει στις μάχες του Ατζναντάϊν και του Ιερομίακα (Γιαρμούκ) κατά των Βυζαντινών (636), καθώς και στην κατάληψη της Δαμασκού. Ο Α. παρέμεινε στην ιστορία κυρίως ως κατακτητής της Αιγύπτου και πρώτος Μουσουλμάνος κυβερνήτης της. Η μεθοδική κατάκτηση (640: νίκη επί των βυζαντινών στρατευμάτων στην Ηλιούπολη, 641: κατάληψη της Βαβυλώνας της Αιγύπτου, δηλ. του προϊσλαμικού Καΐρου, 642: κατάληψη της Αλεξάνδρειας) πιστοποιεί ότι ο Α. ήταν ο ικανότερος ως προς τη σύλληψη στρατηγικών σχεδίων ῞Αραβας στρατιωτικός του πρώιμου Ισλάμ. Ο ίδιος θεμελίωσε το Φουστάτ δίπλα στη Βαβυλώνα, το οποίο μόλις τον 4ο αι. Εγίρας (10ο αι.) μετονομάσθηκε σε Κάιρο (αλ-Καΐρα). Είναι περισσότερο η αντιστρατιωτική και αντιπολιτική τάση των οπαδών του *Αλί* ο λόγος της βαθμιαίας προσχώρησης του Α. στους σουνίτες *Οθμάν* και *Ομάρ* και στη συνέχεια στον Ομεϋάδη ψευδομουσουλμάνο *Μωαβία*. Αν και πτωχός διανοητής, ο Α. επινόησε τη σωτηρία των ηττουμένων στο Σιφίν ομεϋαδικών στρατευμάτων, θέτοντας στην άκρη των ξιφών των στρατιωτών του φύλλα χειρογράφου Κορανίου και αναγκάζοντας με αυτό το τέχνασμα τον Αλί να διακόψει κάθε εναντίον τους επίθεση, η οποία, αν εκδηλωνόταν, θα σήμαινε το οριστικό τέλος της σουνιτικής παράταξης μέσα στην ιστορία. Ο Α. έπεσε τελικά θύμα του αντισιιτικού μένους τους, δολοφονημένος από πράκτορες του χαριτζιτικού κλάδου των Σιιτών. Ο δολοφόνος, πριν ξεψυχήσει ο Α., είχε πει: «Εγώ ήθελα τον ΄Ααμρ, ο Θεός όμως ήθελε τον Χαρίτζα».

ΒΙΒΛ.: A.J. Wensinck, ΕΙ[1] και ΕΙ[2].- Τ. Nagel, LM 1, στήλ. 544.- F.M. Donner, The Early Islamic Conquests (Παν/μιο Πρίνστον 1981), 113 εξ., 129 εξ., 151 εξ.- του ιδ., DMA 1 (1982), 236-8.- Ph. Hitti, Hist. of the Arabs (Λονδίνο 1982[10]), 159 εξ.- H. Kennedy, The Prophet and the age of the Caliphates (Λονδίνο - Ν. Υόρκη 1986), 60 εξ., 64 εξ. Επίσης Murtaza Mutahhari, The Burning of Libraries in Iran and Alexandria (Τεχεράνη 1983): αναλυτική παρουσίαση εκ μέρους της σύγχρονης μουσουλμανικής ιστοριογραφίας της παραδοσιακής ισλαμικής απόδοσης της πυρπόλησης της βιβλιοθήκης της Αλεξάνδρειας σε Χριστιανούς, και της περσικής, εξίσου πλούσιας, βιβλιοθήκης του Τζοντ-ε Σαπούρ, κοντά στα Σούσα, σε Ζωροάστρες, αμφότερους πρώιμους αντικαθεστωτικούς του πρώτου Χαλιφάτου. Βλ., ακόμη, πρόσφατα W.E. Kaegi, Amr, ODB, 82 και Byzantium and the early Islamic conquests, Παν/μιο Καίμπριτζ 1992.

Κ.Μ.

Ααρών βλ. Χαρούν αλ-Ρασίντ

Ααρών Αλεξανδρεύς (1ο μισό 7ου αι.). Ελληνικής καταγωγής Χριστιανός ιερωμένος και ιατροφιλόσοφος με χρόνους ακμής την εποχή του *Ηράκλειου Α΄*. ΄Εδρασε την περ.c.627-42 και παρέμεινε στην Αλεξάνδρεια μετά την αραβ. κατάκτηση (639/42), όπου συνέχισε το ευεργετικό έργο του της περίθαλψης των πασχόντων. Το σύγγραμμά του «Πανδέκται» (σε 31 μέρη), που έγινε βασικό βοήθημα των γιατρών της εποχής του, καταχωρεί και επεξεργάζεται ποικίλες ιατρ. γνώσεις από προγενέστερα έργα αλλά και από προσωπικές εμπειρίες του Α., ιδιαίτερα πάνω στη θεραπεία της επιληψίας, του εξανθηματικού πυρετού και της ευλογιάς, για την οποία άφησε λεπτομερή περιγραφή. Νεότεροι μελετητές πάντως, εκφράζουν αμφιβολίες για το αν υπήρξε ο πρώτος που άφησε τέτοια περιγραφή (Ευτυχιάδης). Αποσπάσματα του έργου, που μεταφράστηκε λίγο αργότερα στα συριακά και αραβικά, διασώζονται στο «Περί Ευλογιάς» έργο του Μουσουλμάνου γιατρού αλ-Ραζί (9ου-10ου αι.).

ΒΙΒΛ.: Ραζή του θαυμαστού ιατρού λόγος περί λοιμικής από της Σύρων διαλέκτου εξελληνισθείς, εκδ. Jacobi Goupyli, Bibliotheca Regia (Λουτετία 1658), 243-59. - ΕΛΕ 1,6. - Αριστοτέλης Ευτυχιάδης, Εισαγωγή στην βυζαντινή θεραπευτική (Αθήνα 1983), 290. - Histoire de la médecine, Collection dirigée par Jacques Poulet, Jean - Charles Sourniaet, Marcel Martiny, Β΄ (1977), 60.- Γ. Πουρναρόπουλος, Συμβολή εις την ιστορ. της βυζ. ιατρικής (Αθήνα 1942). - K. Vogel, CMH 4/2 (1967), 289. - ΜΓΕ 1(1978), 17.

Σ.Μ. - Α.Σ.

Ααρών Ισαάκ († μετά το 1185). Βυζ. αξιωματούχος εβραϊκής καταγωγής από την Κόρινθο με δράση επί των Κομνηνών *Μανουήλ Α΄*, *Αλέξιου Β΄* και *Ανδρόνικου Α΄*. Σε νεαρή ηλικία απήχθη από τη γενέτειρά του κατά τη νορμανδική εισβολή του 1147 και μεταφέρθηκε στη Σικελία, όπου έμεινε αρκετά χρόνια και έμαθε πολύ καλά λατινικά. Επιστρέφοντας στο Βυζάντιο, έγινε αρχηγός της αυτοκρατορ. φρουράς των Βαράγγων και διερμηνέας της αυλής του Μανουήλ Α΄. Το 1167 υπήρξε ο κύριος κατήγορος του Αλέξιου *Αξούχου* και συντέλεσε αποφασιστικά στην πτώση του τελευταίου από την εξουσία. Περί το 1172 κατά τη διάρκεια επίσημης υποδοχής πρέσβεων από τη Δύση, η αυτοκράτειρα *Μαρία* της Αντιόχειας, δυτ. καταγωγής, αντιλήφθηκε ότι ο Α. παραποιούσε στη μετάφραση του τα λόγια του αυτοκράτορα και το κατήγγειλε στον σύζυγό της, με αποτέλεσμα να συλληφθεί αμέσως ο Α. και να υποστεί τη μαρτυρική ποινή της τύφλωσης. Η μετέπειτα τύχη του, όμως, υπήρξε ακόμη τραγικότερη: όταν ανήλθε στην εξουσία ο *Ανδρόνικος Α΄ Κομνηνός*, ο τυφλός Α., που φαίνεται ότι παλινορθώθηκε στα ανάκτορα, τον συμβούλεψε να μην αρκείται ποτέ μόνο στην τύφλωση των επικίνδυνων αντιπάλων του, αλλά να προβαίνει και στη γλωσσοκοπή τους, πράγμα που εφαρμόστηκε πάνω στον ίδιο με μεγάλη σκληρότητα, όταν ο *Ισαάκιος Β΄ Αγγελος* κατέλαβε την εξουσία ανατρέποντας τον Ανδρόνικο Α΄.

ΒΙΒΛ.: Νικήτ. Χωνιάτης, Ιστορ., *CF*, 144, 146 εξ. - Σκουταριώτης, 264 εξ. - Κίνναμος, CS, 284, 288. - F. Chalandon, Les Comnène, Β΄ (Παρίσι 1912, ανατ. Ν. Υόρκη 1960), 228, 319 εξ. - A. Hohlweg, Verwaltungsgeschichte des Oström. Reiches unter den Komnenen (Μόναχο 1965:MBM, 1), 50. - C. Brand, Byzantium confronts the West, 1180-1204 (Καίμπριτζ Μασσ. 1968), 59. - Κ. Βαρζός, Γενεαλογία Κομνηνών, Α΄ (Θεσ/νίκη 1984: BKM, 20α), 460 και Β΄ (1984: BKM, 20β), 131. - M. Angold, The Byz. Empire... 1025-1204 (Λονδίνο - Ν. Υόρκη 1984), 204, 222-3. - A. Kazhdan, ODB, 1β. - J. - Cl. Cheynet, Pouvoir et contestations à Byzance, 963 - 1210 (Παρίσι 1990), 109, 110 αρ. 149. - P. Madgalino, The Empire of Manuel I Komnenos 1143-80 (Παν/μιο Καίμπριτζ 1993), 223, 379 και ευρετ. Βλ. επίσης πρόσφατα A. Savvides, Notes on 12th-century Byzantine prosopography: Aaron Isaacius - Stephanus Hagiochristophorites, Βυζκ 14 (1994) 339-53, ιδιαίτ. 341 εξ.

Α.Σ.

Ααρών Κομητόπουλος († 14 Ιουν. 987). Βούλγαρος πρίγκηπας, ανιψιός του τσάρου *Πέτρου* († 969) και τριτότοκος γιος του διοικητή της επαρχίας Μακεδονίας, «κόμητος» Νικολάου (από τον οποίο και το επίθετο *«Κομητόπουλος»*), που σύμφωνα με ορισμένους μελετητές ήταν αρμενικής καταγωγής, ενώ η άποψη του R. Jenkins ότι λόγω του ονόματός του (όπως εξάλλου και των ονομάτων των 3 άλλων αδελφών του, Δαβίδ, Μωϋσή και του νεότερου, *Σαμουήλ*, του μεταγενέστερου τσάρου) δεν αποκλείεται να ήταν εβραϊκής καταγωγής θα άξιζε να ερευνηθεί περισσότερο. Άλλοι, πάλι, ερευνητές υποστηρίζουν ότι ο οίκος των *Κομητοπούλων* καταγόταν από τους απογόνους του κόμη - βοεβόδα του Τιρνόβου, Σισμάν. Μετά το θάνατο του βυζ. αυτοκρ. *Ιωάννη Α΄ Τζιμισκή* († 976), ο οποίος είχε ενσωματώσει στην αυτοκρατορία μεγάλο τμήμα της Βουλγαρίας το 971, οι 4 Κομητόπουλοι επαναστάτησαν και μέσα στη 10ετία 976-86 είχαν σημαντικές στρατιωτικές επιτυχίες κατά των δυνάμεων του *Βασίλειου Β΄ «Βουλγαροκτόνου»*, κατορθώνοντας μάλιστα να ιδρύσουν βουλγ. κράτος στη σημ. Ν. Γιουγκοσλαβία. Τελικά όμως ο Α. φαίνεται ότι έγινε όργανο των Βυζαντινών («τα Ρωμαίων φρονών»), κάτι που έκανε τον πιο ικανό από τα 4 αδέλφια, τον τσάρο Σαμουήλ, να τον εξοντώσει μαζί με όλα τα μέλη της οικογένειάς του, κατηγορώντας τον για συνωμοσία κατά της ζωής του. Παρόμοια τύχη είχαν και τα δύο μεγαλύτερα αδέλφια του. Ο πρωτότοκος γιος του Α., Ιωάννης *Βλαδισθλάβος* (Ιβαν Βλαδισλάβ), έγινε ο τελευταίος ηγεμόνας του Α΄ Βουλγαρικού Βασιλείου, το οποίο έμελλε να ενσωματωθεί από τον Βασίλειο Β΄ το 1014-18, ο δευτερότοκος *Αλουσιάνος* πήρε μέρος το 1040/41 στο κίνημα του Πέτρου *Δελεάνου* κατά της βυζαντ. εξουσίας στα Βαλκάνια και την κεντρο-δυτική Ελλάδα, ενώ, τέλος, ο εγγονός του, *Ααρών Ραδομηρός* (που ήταν τριτότοκος γιος του Ιωάννη Βλαδισθλάβου), έγινε γυναικάδελφος του Βυζαντ. αυτοκρ. *Ισαάκιου Α΄ Κομνηνού* και απέκτησε σημαντικά αξιώματα στην αυτοκρ. αυλή λίγο πριν τα μέσα του 11ου αι.

ΒΙΒΛ.: Πηγές: Σκυλίτζης, CF, 255, 328 = Κεδρηνός, CS, Β΄, 346, 434. - Ζωναράς, CS, Γ΄, 495, 547. Βοηθήματα: V. Zlatarsky, Ιστορία (βουλγ.), Α΄/2 (Σόφια 1927), 590 εξ., 632 εξ., 658 εξ., 667 εξ., 672 εξ. - Πβ. G. Schlumberger, Βυζαντ. εποποιία, Β΄, ανατ. Αθήνα 1977, 302 εξ., ιδιαίτ. 310. - G. Ostrogorsky, Ιστορ. βυζ. κράτ., Β΄ (Αθήνα 1979), 183-4, ιδιαίτ. σημ. 214 με αναφορά στα έργα των N. Adonz και N. Blagoev. - J. Ferluga, Le soulèvement des Comitopules, ZRVI 9 (1966), 75-84. - I. Dujčev, LM I (1977), στήλ. 6. Βλ. επίσης R. Jenkins, Byzantium... 610-1071 (Λονδίνο ανατ. 1969), 313. - Γ. Κορδάτος, Ιστορ. Βυζ. Αυτοκρ., Α΄ (1959), 425, 429. - A. Vlasto, The Entry of the Slavs into Christendom (Καίμπριτζ 1970), 180. - Δ. Ζακυθηνός, Βυζαντ. ιστορ., Α΄ (Αθήνα 1977[2], ανατ. 1989), 425, 427-8. - Ι. Καραγιαννόπουλος, Ιστορ. βυζ. κράτ., Β΄ (Θεσ/νίκη 1991[2], ανατ.), 434, 498. - Ν. Οικονομίδης στην ΙΕΕ 8 (1979), 118 εξ. - Αικ. Χριστοφιλοπούλου, Βυζ. ιστορ., Β΄, 2 (Αθήνα 1988), 160 εξ. με τις σημ. Άλλη βιβλιογρ. στον Kazhdan Kometopouloi, ODB, 1140-41.

Α.Σ.

Ααρών μπεν Ελίγια (c. 1300, Κάιρο ή c. 1328, Νικομήδεια - c. 1369, Κων/πολη). Εβραίος θεολόγος και φιλόσοφος, οπαδός της ιουδαϊκής αίρεσης των Καραϊτών, οι οποίοι αρνούνταν την ραββινική (ταλμουδική) ερμηνεία της Βίβλου. Εζησε κυρίως στη Νικομήδεια, αλλά και στην Κων/πολη την εποχή των *Παλαιολόγων*. Κυριώτερα έργα του είναι: «Το Δέντρο της Ζωής» (1346), στο οποίο αντικρούει με ισχυρά επιχειρήματα την άποψη του Εβραίου φιλοσόφου του 12ου αι., Μαϊμονίδη, ότι ο αριστοτελισμός δεν έρχεται σε αντίθεση με την ιουδαϊκή θρησκεία, «Ο κήπος της Εδέμ» (1354) νομοκανονικού περιεχομένου, «Καραϊτικός Κώδικας» (1354) και το «Στέμμα του νόμου» (1362), που περιέχει σχόλια στην Πεντάτευχο (βλ. EBr 1, 2-3).

ΒΙΒΛ.: Ειδικά περί των Καραϊτών βλ. Zvi Ankori, Karaites in Byzantium: the Formative Years, 970 - 1100 (Νέα Υόρκη 1959). Βλ. επίσης Joshua Starr, The Jews in the Byzantine Empire, 641 - 1204 (Αθήνα 1939). - Andrew Sharf, Byzantine Jewry from Justinian to the 4th Crusade (Λονδίνο 1971). - Steven Bowman, The Jews of Byzantium, 1204 - 1453 (Παν/μιο Αλαμπάμα 1987). - S. Bowman, Jews, Karaites, ODB, 1040-41 και 1106.

Φ.Β.

Ααρών Ραδομηρός. Όνομα 2 Βουλγάρων πριγκήπων που

έδρασαν στο Βυζάντιο την περίοδο μετά την ενσωμάτωση του Α΄ Βουλγαρικού Βασιλείου το 1018.

1. († μετά το 1059). Κυβερνήτης της αρμεν. πρωτεύουσαν Ανί μετά το 1018 για λογαριασμό του Βυζαντίου, ήταν γιος του τελευταίου Βούλγαρου τσάρου του Α΄ Βουλγ. Βασιλείου, Ιωάννη *Βλαδισθλάβου* και αδελφός του *Προυσιάνου*. Πήρε τον τίτλο του πατρικίου και διορίστηκε βέστης και δουξ Βαασπρακανίας (Βασπουρακάν) και Ανω Μηδίας. Περί το 1025 η αδελφή του, *Αικατερίνη*, παντρεύτηκε τον αξιωματούχο Ισαάκιο Κομνηνό, το μετέπειτα αυτοκράτορα *Ισαάκιο Α΄* (Ν. Βρυέννιος, CF, 77). Το 1048 ο Α. με το στρατηγό Ανίου και Ιβηρίας, Κατακαλών *Κεκαυμένο* [βλ. λ., αρ. 3], αντιμετώπισαν με επιτυχία το Σελτζούκο επιδρομέα φύλαρχο *Ασάν-Αρσλάν* στη Βαασπρακανία (Σκυλίτζης, CF, 448-9 = Κεδρηνός, CS, Β΄, 573-4) και στη συνέχεια αντιμετώπισαν ένα άλλο Σελτζούκο αξιωματούχο (εμίρη) σταλμένο από τον *Τογρούλ Μπεγ*, τον *Ιμπραχίμ Ινάλ*. Ο *Κωνσταντίνος Θ΄ Μονομάχος* έστειλε σε ενίσχυσή τους τον Αρμένιο «τοπάρχη» Μεσχία*Λιπαρίτ,* αλλά, ενώ στη μάχη που έγινε στην τοποθεσία Καπετρόν/ Kaputru (19 Σεπτ. 1049) οι Α. και Κεκαυμένος νίκησαν τους απέναντι τους Τούρκους (Σκυλ., 452-3 = Κεδρ., Β΄, 579-80. - Ατταλειάτης, CS, 45), η επακολουθήσασα σύλληψη του Λιπαρίτ έκανε το αποτέλεσμα της μάχης αμφισβητούμενο. Ο Αρμένιος χρονικογράφος *Αριστακές* Λαστιβερτσί, πάντως, γράφει πως η υποχώρηση του Α. σε κρίσιμο σημείο της σύγκρουσης έδωσε θάρρος στους εχθρούς για να αντεπιτεθούν (στον Shepard, 278). Μετά τη μάχη ο Α. επέστρεψε στο Βαν, πρωτεύουσα της Βαασπρακανίας, για να διαχειμάσει. Το 1057 διορίστηκε μάγιστρος και δουξ Έδεσσας/Ούρφας (G. Schlumberger, Sigillographie de l' Empire Byzantin, Παρίσι 1884, ανατ. Τορίνο 1963, 317) και προσπάθησε χωρίς επιτυχία να υπερασπίσει τον *Μιχαήλ ΣΤ΄* κατά του κινήματος που ανέβασε στο θρόνο τον *Ισαάκιο Α΄ Κομνηνό* (Σκυλ., 493

εξ. = Κεδρ., Β΄ 628 εξ. - Καλλιόπη Μπουρδάρα, Καθοσίωσις και τυραννίς..., 1056-81, Αθήνα 1984, 13). Η «Διαθήκη» του Ευστάθιου *Βοϊλά* (Απρ. 1059) τον αναφέρει επίσης ως δούκα Μεσοποταμίας (έκδ. P. Lemerle, Cinq études sur le 11e siècle byzantin, Παρίσι 1977, 39. - Μάρθα Γρηγορίου - Ιωαννίδου, Παρακμή και πτώση του θεματικού θεσμού..., Παν/μιο Θεσ/νίκης 1985, 69, σημ. 124). Το γεγονός ότι ο Α. δεν υπέστη κυρώσεις για την υποστήριξη που παρέσχε στο Μιχαήλ ΣΤ΄ μπορεί να εξηγηθεί, αφού ήταν κουνιάδος του Ισαάκιου Α΄ και η αδελφή του Αικατερίνη, τώρα αυτοκράτειρα, θα μεσολάβησε υπέρ του.

ΒΙΒΛ.: G. Schlumberger, Βυζαντινή εποποιία, Δ΄ (Αθήνα 1906, ανατ. 1977), 646 εξ., 649-50, 657-8. - M. Lascaris, Sceau de Radomir Aaron, Bsl 3 (1931), 406 εξ. - V. Laurent, La prosopographie de l' Empire Byzantin, EO 33 (1934), 391-4. - Κ Αμαντος, Ιστορ. βυζ. κράτ., Β΄ (Αθήνα 1957^2, ανατ. 1977), 194. - Sp. Vryonis, Decline of Medieval Hellenism in Asia Minor... 11th - 15th cent. (Παν/μιο Καλιφόρνιας 1971, ανατ. 1986), 86. - Δ. Ζακυθηνός, Βυζ. ιστορ., Α΄ (Αθήνα 1977^2, ανατ. 1989), 437, 453, 487. - Α. Σαββίδης, Το Βυζάντιο και οι Σελτζούκοι Τούρκοι τον 11ο αι. (Αθήνα 1988^2), 26-7. - W. Felix, Byzanz und die islamische Welt im früheren 11. Jahr. (Βιέννη 1981), 129, 164, σημ. 96, 168 εξ. - Ι. Καραγιαννόπουλος, Ιστορ., Α΄ (Θεσ/νίκη 1991 ανατ.), 522-3. - Οι Α. πηγές (ιδιαίτ. Αριστακές) στον J. Shepard, Scylitzes on Armenia in the 1040s and the role of Catacalon Cecaumenos, JÖB 11 (1975/6), 271 εξ., 274 εξ. Η γενεαλογία του Α. στον Κ. Βαρζό, Γενεαλογία Κομνηνών, Α΄ (Θεσ/νίκη 1984), 41, 88, σημ. 17 (πίν.). Βλ. και Αικ. Χριστοφιλοπούλου, Βυζ. ιστ., Β΄, 2 (Αθήνα 1988), 173, σημ. 3, 227, σημ. 2. - A. Kazhdan, ODB, 1 (Aaronios, με γενεαλ. πίνακα).

2. († μετά το 1108). Πιθανώς γιος του προηγ. (και εγγονός του Ιωάννη *Βλαδισθλάβου).* Σε νεαρή ηλικία πιάστηκε αιχμάλωτος από τους Σελτζούκους, μάλλον κατά τη διάρκεια των πολέμων του πατέρα του εναντίον τους, και αργότερα συμμετέσχε στους αγώνες του *Αλέξιου Α΄ Κομνηνού* κατά των Πατζινάκων (Πετσενέγγων). Το 1107/8, λίγο πριν από την οριστική νίκη του Αλέξιου Α΄ κατά του Νορμανδού *Βοημούνδου*, η Άννα Κομνηνή (Γ΄, 88 εξ.) τον αναφέρει ως συνωμότη σε αποτυχημένη «επιβουλή» κατά της ζωής του αυτοκράτορα. Η μητέρα του Α. περιορίστηκε στους Χοιροβάκχους, ο αδελφός του Θεόδωρος Ραδομηρός εξορίστηκε στην Αγχίαλο, ενώ άγνωστος είναι ο τόπος εξορίας του ίδιου του Α.

ΒΙΒΛ.: F. Chalandon, Les Comnène, Α΄ (Παρίσι 1900, ανατ. Ν. Υόρκη 1960), 244. - B. Leib, Complots à Byzance contre Alexis I Comnène, Bsl 23 (1962), 271 εξ. - Καλλιόπη Μπουρδάρα, Το έγκλημα καθοσιώσεως στην εποχή των Κομνηνών, 1081 - 1185, Αφιέρωμα στον Ν. Σβορώνο 1 (Ρέθυμνο 1986), 216. - B. Skoulatos, Les personnages byzantins de l' Alexiade (Λουβαίν 1980), 3-4.

Α.Σ.

Αβαλάντης ή **Βαλάντης, Λέων** († τέλη 969). Βυζ. αξιωματούχος («ταξίαρχος») και αρχισυνωμότης στο κίνημα του *Ιωάννη Α΄ Τζιμισκή* κατά του *Νικηφόρου Β΄ Φωκά*, που κατέληξε στον άγριο σφαγιασμό του τελευταίου τη νύκτα της 10ης-11ης Δεκ. 969 στο βασιλικό κοιτώνα του ανακτόρου του Βουκολέοντα. Σύμφωνα με τις πηγές ο Α. επέφερε την πρώτη φονική σπαθιά στο κεφάλι του στρατηλάτη - αυτοκράτορα, το οποίο στη συνέχεια έκοψε ο συνεργάτης του *Ατζυποθεόδωρος*. Όταν η άνομη δολοφονία είχε επιτελεστεί, ο Α. χρησιμοποιήθηκε - κάτω από τις πιέσεις του πατριάρχη *Πολύευκτου* - ως εξιλαστήριο θύμα από τον Τζιμισκή και εκτελέστηκε, ενώ οι υπόλοιποι συνωμότες (*Ατζυποθεόδωρος*, Μιχαήλ *Βούρτζης*, Ισαάκ του Βαχράμ ο Αρμένιος, Λέων *Πεδιάσιμος*) εξορίστηκαν.

ΒΙΒΛ.: Πηγές: Λέων Διάκονος, CS, 87 εξ. - Σκυλίτζης/Thurn, 279-80 = Κεδρηνός, CS, Β΄, 375-6. - Ζωναράς, CS, Γ΄, 516 εξ. Πβ. G. Schlumberger, Βυζ. Εποποιία, Α΄ (Αθήνα 1905, ανατ. 1977), 864 εξ., 868-9. - Κ. Παπαρρηγόπουλος, Ιστ. Ελλην. Εθν., Δ΄ 1 (Αθήνα 1932^{6}), 141, 146 (λανθασμένα αναφέρεται εξορία του Α.). - R. Guilland, Le Palais de Bukolèon. L' assassinat de Nicéphore II Phocas, Bsl 13 (1952), 101-36. - J. - Cl. Cheynet, Pouvoir et contestations à Byzance, 963 - 1210 (Παρίσι 1990), 23, 328.

Α.Σ.

΄Αβαντος ή **΄Αμαντος** (2ο μισό 3ου-1ο μισό 4ου αι., † μετά το 324). Ναύαρχος επικεφαλής του στόλου (350 πλοίων) του αυτοκράτορα *Λικίνιου*, γνώρισε τη συντριβή από τα 200 πλοία του *Κωνσταντίνου Α΄* υπό το γιο του τελευταίου, *Κρίσπο*, σε μεγάλη ναυμαχία που έλαβε χώρα στο στόμιο των στενών του Ελλήσποντου κοντά στη χερσόνησο της Καλλίπολης τον Ιούλ. - Αύγ. του 324, λίγο πριν από την οριστική ήττα του Λικίνιου στη μάχη της Χρυσούπολης (18 Σεπτ. 324). Ο τύπος *Αβαντος* παραδίδεται από τον Ζώσιμο και ο τύπος Αμαντος (Amandus λατ.) από τον Ανών. Valesianus.

ΒΙΒΛ.: PLRE, Α΄. 50.- Πολύμνια Αθανασιάδη - Fowden, ΙΕΕ 7 (1978), 33. - Ι.

Καραγιαννόπουλος, Ιστ. βυζ. κρ., Α΄ (Θεσ/νίκη 1978, ανατ. 1991), 641.

Α.Σ.

Αββασίδες. Όνομα 2 δυναστειών. Οι Α. της Βαγδάτης κατάγονται από τον Αμπάς ιμπν Αμπντ αλ-Μουθάλεμπ ιμπν Χασέμ, ενώ οι Α. της Περσίας είναι περισσότερο γνωστοί ως «σαφαβιδική δυναστεία» (Σαφαβίδες) και κατέλαβαν την εξουσία το 1587.

Οι Α. της Βαγδάτης ανήλθαν στην εξουσία το 132 μ.Ε. (= 749/50 μ.Χ.) με την ανατροπή του Χαλιφάτου των *Ομαϋαδών* της Δαμασκού. Ο προαναφερόμενος Αμπάς... ιμπν Χασέμ είχε υπάρξει θείος του Προφήτη *Μωάμεθ*. Η διαμόρφωση του Β΄ Χαλιφάτου (των Α.) με πρωτεύουσα την Βαγδάτη υπήρξε μια ιδαίτερα σύνθετη διαδικασία, καθώς η αντιπαλότητα με τους Ομαϋάδες της Δαμασκού δεν υπήρχε μέχρι το καθοριστικό γεγονός της Κερμπαλά και την εκεί δολοφονία του ΧουσεΖν, τρίτου ιμάμη. Μέχρι λοιπόν το 39 Ε. (661) οι απόγονοι του αλ Αμπάς ήσαν πιστοί σιίτες και εμάχοντο υπέρ των δικαιωμάτων του πρώτου ιμάμη, *Αλί,* καθώς και των δύο γιων και διαδόχων του στο Ιμαμάτο. Τότε οι απόγονοι του αλ-Αμπάς αντιλήφθηκαν ότι οι Αλίδες στερούταν πολιτικού ρεαλισμού απαραίτητου για να εκπαραθυρωθεί η αντιισλαμική δυναστεία της Δαμασκού. Σιιτικά στελέχη πάντοτε οι ίδιοι είχαν διαμορφσει ένα δίκτυο στελεχών από την Χετζάζη μέχρι το Ιράκ (Αραμπί: το γνωστό σήμερα ως Ιράκ και το Ιρακ Ατζαμί, δηλ. την Περσία) και το Χορασάν. Η ιδεολογική (σιιτική - σουνιτική) αντιπαλότητα συνδυάσθηκε με την τοπογραφική αντιπαράθεση Συρίας-Μεσοποταμίας, η οποία αντανακλούσε πρότερες θρησκευτικές-ιδεολογικές αντιπαραθέσεις είτε διαφορετικών μιθραϊσμών και γνωστικισμών, είτε διαφορετικών ανατολικών χριστιανισμών. Για περίπου 6 δεκαετίες οι απόγονοι του αλ-Αμπάς ακολούθησαν τους Αλίδες κατά συνθήκην, όντας στην πραγματικότητα ένα ιδιότυπο σιιτικό ρεύμα, το οποίο έδιδε στην πολιτική - στρατιωτική εξουσία βάρος πολύ περισσότερο του της πνευματικής - ενορασιακής. Το 129 Ε. (Ιούνιος 747) ξέσπασε μια εξέγερση στο Χορασάν κατά των Ομαϋαδών, στην οποία βέβαια προσεχώρησαν οι ανευρόντες στο σιιτικό πνεύμα μορφή αντιαραβικής αντίστασης Πέρσες. Τα ομαϋαδικά στρατεύματα συντρίφτηκαν, αλλά την επόμενη χρονιά ο χαλίφης *Μαρουάν Β΄* συλλάμβανε αιχμάλωτο τον Ιμπραΐμ, Αββασίδη ηγέτη, γιο του δισέγγονου του αλ-Αμπάς. Η διοίκηση των αββασιδικών στρατευμάτων ανατέθηκε στα αδέλφια τους Αμπού αλ-Αμπάς και Αμπού Ντζάφαρ. Ήδη το 749 ο πρώτος ανακηρύχθηκε σε χαλίφη μετά την κατάληψη της Κούφας, προβάλλοντας προκλητικά την αντιομαϋαδική αντιπαράθεσή του. Μία σύγκρουση στη Β. Μεσοποταμία (δίπλα στην όχθη του Μεγάλου Ζαμπ) υπήρξε μοιραία για τον *Μαρουάν Β΄*, του οποίου τα εναπομένοντα και προς την Αίγυπτο καταφεύγοντα στρατεύματα διαλύθηκαν σε μία τελευταία σύντομη μάχη, όπου ο ίδιος σκοτώθηκε. Ο Αμπού αλ Αμπάς επονομάσθηκε «αλ-Σαφάχ» και στέφθηκε επίσημα στην Βαγδάτη, ενώ όσοι Ομαϋάδες διέφυγαν στην Ισπανία διαμόρφωσαν εκεί την δεύτερη ομαϋαδική δυναστεία. Η άνοδος των Α. στην εξουσία δεν έγινε αποδεκτή από τους σιίτες Αλίδες. Η αντιπαράθεση επήλθε αμέσως και η αββασιδική δυναστεία αναγκάσθηκε να στηριχθεί στο σουνιτικό ιερατείο, για να παραμείνει στην εξουσία. Η αντισιιτική δράση της εντάθηκε καθώς αναμενόταν ότι ο Δωδέκατος Ιμάμης θα στερέωνε απ' άκρου εις άκρον της γης το σιιτικό Ισλάμ. Τα χρόνια ωστόσο των Α. συμπίπτουν με τον σχηματισμό και το απόγειο που καθ' αυτό ισλαμικού πολιτισμού, του κακώς και εσφαλμένως αποκληθέντος «αραβικού», εφόσον οι περισσότεροι συντελεστές του δεν ήσαν αραβικής καταγωγής. Η ακμή των Α. άρχισε να υποχωρεί, όταν στα μέσα του 10ου αι. διαμορφώθηκε η *Φατιμιδική* δυναστεία της Αιγύπτου, πρώτη σιιτική κρατική εξουσία. Η ανεξαρτητοποίηση των *Μπουιδών* της Περσίας, η άφιξη των *Σελτζούκων*, η επέλαση των Σταυροφόρων και, τελικά η μογγολική λαίλαπα του *Χουλάγκου* το 1258 έθεσαν ένα πραγματικό τέλος στους Α. Οι τότε διαφυγόντες στο μαμελουκικό κράτος της Αιγύπτου διατήρησαν τον τίτλο και τα διάσημα του Χαλίφη, τα οποία το 1515 αποδόθηκαν από τον εικονικό Χαλίφη αλ-Μουταουακίλ Γ΄ στον Σελίμ Α΄, τον σουλτάνο των *Οθωμανών* Τούρκων.

ΠΙΝΑΚΑΣ: ΟΙ ΑΒΒΑΣΙΔΕΣ ΤΗΣ ΒΑΓΔΑΤΗΣ

μ.Ε.	μ.Χ.		μ.Ε.	μ.Χ.	
132	750	αλ-Σαφάχ	322	934	αλ-Ραζί
136	754	αλ-Μανσούρ	329	940	αλ-Μουτακί
158	775	αλ-Μαχντί	333	944	αλ-Μουστακφί
169	785	αλ-Χαντί	334	946	αλ-Μουτία
170	786	αλ-Ρασίντ (Χαρούν)	363	974	αλ-Τααΐα
193	809	αλ-Αμίν	381	991	αλ-Κάντερ
198	813	αλ-Μααμούν	422	1031	αλ-Καΐμ
218	833	αλ-Μουτάσεμ	467	1075	αλ-Μουκταντί
227	842	αλ-Ουαθίκ	487	1094	αλ-Μουσταζέρ
232	847	αλ-Μουταουακίλ	512	1118	αλ-Μουσταρσίντ
247	861	αλ-Μουντάσερ	529	1135	αλ-Ρασίντ
248	862	αλ-Μουσταΐν	530	1136	αλ-Μουκταφί
252	866	αλ-Μοντάτς	555	1160	αλ-Μουσταντζίντ
255	869	αλ-Μουχταντί	566	1170	αλ-Μουσταδία
256	870	αλ-Μουτάμιντ	575	1180	αλ-Νάσερ
279	892	αλ-Μουτάντιντ	622	1225	αλ-Ζάχερ
289	902	αλ-Μουκταφί	623	1226	αλ-Μουστάνσερ
295	908	αλ-Μουκτάντερ	640-656	1242-1258	αλ-Μουσταασίμ
320	932	αλ-Καΐρ			

ΒΙΒΛ.: K.V. Zettersteen, EI[1],1,14εξ. - B. Lewis, EI[2], 1, 15εξ. - EI[1], συμπλ. τόμ. με γενεαλ. πίν. - T. Nagel, LM 1, 11εξ. - J. Lassner, DMA 1 (1982), 6 εξ. - C.E. Bosworth, The Islamic Dynasties (Εδιμβούργο 1967), 7-10 (πίνακες), - W. Muir, The Caliphate: its Rise, Decline and Fall (Εδιμβούργο 1924). - C. Brockelmann, Hist. of the Islamic Peoples (Ν. Υόρκη 1947, ανατ. 1973, 1980). - G. E. Kirk, A short history of the Middle East (Λονδίνο 1966). - B. Lewis, The Arabs in History (Λονδίνο 1950, 1975[5]). - Ph. Hitti, Hist. of the Arabs (Λονδίνο 1982[10]). - R. Ettinghausen, From Byzantium to Sassanian Iran and the Islamic World (Λέϊντεν1972: Mayer Memorial Series, 3). - A.-Th.Khoury, Polémique Byzantine contre l΄ Islam (Λέϊντεν 1972). - M. A. Shaban, The Abbasid Revolution, (Καίμπριτζ 1970). - του ιδ., Islamic History, 2: A.D. 750 - 1055 (Καίμπριτζ 1976, ανατ. 1978). - M. Sharon, Black Banners from the East. The Establishment of the Abbasid State (Λέϊντεν 1983). - H. Kennedy, The Prophet and the Age of the Caliphates (Λονδίνο - Ν.Υόρκη 1986: Hist. of the Near East, 1). -B. Spuler (γεν. εκδ.), Handbuck der Orientalistik, 1, τόμ.6: Geschichte der Islamischer Länder, μέρη 5/6 (Λέιντεν 1979, 1977). - W. Kaegi, ODB 1,2.

K.M.

Αβδαλλάχ μπ. Σαντ ιμπν Άμπι Σαρ (6ος αι.). Σύντροφος και συμπολεμιστής του Προφήτη *Μωάμεθ*, κυβερνήτης της Αιγύπτου και ικανός στρατιωτικός αρχηγός. Η καταγωγή του ήταν από τη Μέκκα και ήταν θετός αδελφός του τρίτου "Πατριαρχικού" χαλίφη *Οθμάν*. Πιθανώς να λειτούργησε ως γραμματέας (έμπιστος) του Προφήτη για την καταγραφή των αποκαλυπτικών οραμάτων του τελευταίου, η θέση του όμως ενισχύθηκε κατά την περίοδο χαλιφείας του Οθμάν. Είχε συμμετάσχει στην αραβική εισβολή κατά της βυζαντινής Αιγύπτου το 640-42 και, κατά πάσα πιθανότητα, είχε κυβερνήσει τμήμα της την εποχή εξουσίας του δεύτερου χαλίφη *Ομάρ*. Ως κυβερνήτης του τελευταίου, ο Α. αύξησε την φορολογία της Αιγύπτου, διαπραγματεύτηκε με τα χριστιανικά βασίλεια την Νουβίας και οδήγησε στρατιωτικές επιδρομές κατά της βυζαντινής Β.Αφρικής μέχρι την Καρχηδόνα. Το μεγαλύτερό του επίτευγμα, όμως, υπήρξε η ναυτική του νίκη γνωστή στις αραβικές πηγές ως «ναυμαχία των ιστών» (αραβ. Ντχάτ αλ-Σαουάρι) το 655 ή λίγο νωρίτερα, όταν ο στόλος του Βυζαντινού αυτοκράτορα *Κώνσταντα Β΄ «Πωγωνάτου»* γνώρισε μεγάλη καταστροφή έξω από τις ακτές της μικρασιατικής Λυκίας (η γνωστή στις βυζ. πηγές «ναυμαχία του Φοίνικα»). Καθώς οι εμφύλιες συρράξεις αυξήθηκαν προς το τέλος της χαλιφείας του Οθμάν, ο Α. παρέμεινε ένας από τους ισχυρότερους υποστηρικτές του, γύρω στο 656, πάντως, πέθανε λίγο πριν από την δολοφονία του χαλίφη.

ΒΙΒΛ.: Οι κύριες αραβικές πηγές: οι ιστοριογράφοι Τάμπαρι, Ιμπν αλ-Αθίρ, Ιμπν Ταγριμπιρντί και ο βιογράφος Ιμπν Σαντ. βλ. επίσης A. Butler, The Arab conquest of Egypt... (Οξφόρδη 1978[2]), 465-95 και τις βιβλιογρ. στους C. Becker, Abdallah b. Sad ibn Abι Sahr, EI[2] και C.E. Bosworth, Dhat al-Sawari, EI[2] συμπλ. τόμ. Τέλος, βλ. λεπτομέρειες στου Y. Hashmi, Dhatu s-Sawari, a naval engagement between the Arabs and the Byzantines, Islamic Quarterly 6 (1961), 55-64. - A. Stratos, The naval engagement at Phoenix, P. Charanis Studies (New Brunswick 1981), 229-47. -V. Christides, The naval engagement of Dhat as - Sawari A.H. 34/ A.D. 655-6: a classical example of naval warfare incompetence, Βυζ 13.2 (1985), 1331-45. - Επίσης βλ. W.Kaegi, Byzantium and the early

Islamic conquests (Παν/μιο Καίμπριτζ 1992).

C.E.B.

Αβδαλλάχ βλ. Αμπντάλλα

Αβδαλμαλίκ βλ. Αμπντ αλ-Μαλίκ

Αβδάς-Αβδαίος (Άγιος, 2ο μισό 4ου - 1ο μισό 5ου αι.) Ιερομάρτυρας (εορτ. 5 Σεπτ.), Χριστιανός Πέρσης επίσκοπος της πόλης Χορμισδαρδασίρ, κοντά στην Κτησιφώντα, με χρόνους δράσης τη βασιλεία του *Θεοδόσιου Β΄* Μικρού. Θανατώθηκε με διαταγή του Σασανίδη βασιλιά *Ισδιγέρδη Α΄* (339-420) -ή κατ' άλλους του *Ισδιγέρδη Β΄* (c.438-57) -για τη δράση του κατά του Ζωροαστρισμού και για την καταστροφή του "πυρείου" του ζωροαστρικού ναού της έδρας του.

ΒΙΒΛ.: Οι πηγές (Σωκράτης, Θεοδώρητος) στους P. Peeters, Une passion arménienne, AB 28 (1909), 399 εξ. - J. Labourt, Le Christianisme dans l´ Empire Perse (Παρίσι 1904[2]), 105 εξ. - A. Christensen, L' Iran sous les Sassanides (Κοπεγχάγη 1944[2]), 272. -ΘΗΕ, 1, 38. - ΜΓΕ 1 (1978), 59-60. - Κατερ. Συνέλλη, Διπλωμ. σχέσεις Βυζαντίου - Περσίας έως τον 6ο αι. (Αθήνα 1986), 48, 137.

Α.Σ.

Αβδελαζίζ ή Αμπντ αλ-Αζίζ ιμπν Σουαγιούμπ αλ -Κουρτούμπι (=ο εκ της Κόρδοβας) (10ος αι.), ο τελευταίος Μουσουλμάνος εμίρης (c. 945-61) του εμιράτου της Κρήτης, γνωστός στους Βυζ. ιστοριογράφους (Κων/νος Πορφυρογέννητος, Συνεχιστές Θεοφάνη, Λέων Διάκονος, Σκυλίτζης, Κεδρηνός) ως "Κουρουπάς" ή "Κουρούπης". Υπεράσπισε τον Χάνδακα κατά τη μεγάλη βυζ. επιχείρηση του 960-61 υπό τον *Νικηφόρο (Β΄) Φωκά* και στις 7 Μαρτίου 961 αναγκάστηκε να παραδοθεί στους Βυζαντινούς μαζί με το γιο του, αλ-Νουμάν, που στις ελλην. πηγές αναφέρεται ως "Ανεμάς". Θα πρέπει τότε να ήταν σε αρκετά προχωρημένη ηλικία. Μαζί με τον γιο του κόσμησε το «θρίαμβο» του Νικηφόρου στη Κων/πολη και κατόπιν τους δόθηκαν γαίες και εισοδήματα στο Βυζάντιο. Ο «Ανεμάς», μάλιστα, έγινε Χριστιανός και διακρίθηκε στους πολεμικούς αγώνες της Αυτοκρατορίας κατά των Ρώσων, σε μάχη κατά των οποίων σκοτώθηκε το 971/2 επί βασιλείας *Ιωάννη Α΄ Τσιμισκή*.

ΒΙΒΛ.: Ι. Παπαδόπουλος, Η Κρήτη υπό τους Σαρακηνούς, 824-961 (Αθήνα 1948), 95, 98-9 με παρατηρήσεις για το όνομα του Α.-G. Schlumberger, Αυτοκράτωρ Νικηφόρος Φωκάς (ανατ. Αθήνα 1977), 99 εξ. -Β. Καλαϊτζάκης, Κρήτη και Σαρακηνοί 827-961 (Αθήνα 1984), 96 εξ. -V.Christides, The Conquest of Crete by the Arabs, c. 824 (Αθήνα 1984), 8, 119. - Θεοχ. Δετοράκης, Ιστ. Κρήτης (Αθήνα 1986), 150 εξ. -D. Tsougarakes, Byz. Crete, 5th cent. to the Venetian conquest (Αθήνα 1988), 68, 73-4. -πβ. F. Giese, Crete, EI[1], Suppl. - M. Canard, Ikritish, EI[2]. - 'Αμαντος, Ιστορ., Β΄ (1977[2]), 116. -Κορδάτος, Α΄, 378. -Ζακυθηνός, Α΄, 376-7. -Καραγιαννόπουλος, Β΄, 387. -Ostrogorsky, Β΄, 164, σημ. 188. -Χριστοφιλοπούλου, Β΄2,113. - Σ. Πατούρα, Οι αιχμάλωτοι ως παράγοντες επικοινωνίας και πληροφόρησης, 4ος-10ος αι. (Αθήνα 1994), 121.

Α.Σ.

Αβδουραχμάν (Αμπντ αλ-Ραχμάν). Ονομα 3 *Ομαϋαδών* ηγεμόνων της Ισπανίας στην Κόρδοβα τους 8ο-10ο αι., των οποίων ο 3ος πήρε τον τίτλο του χαλίφη.

1. *Α.Ρ. ο Α΄* (756-88). Ομαϋάδης πρίγκηπας συριακής καταγωγής, εγγονός του χαλίφη της Δαμασκού *Χισάμ*. Μετά την αββασιδική επανάσταση (749-50) διέφυγε από τη Δαμασκό στην Ισπανία, όπου εγκαθίδρυσε τη δυναστεία των Ομαϋαδών της Κόρδοβας (756-1031). Συμβολικά φύτεψε το 1ο φοινικόδεντρο στην Ισπανία για να θυμάται την πατρίδα του και άρχισε το κτίσιμο του μεγαλοπρεπούς τζαμιού της Δαμασκού. Αντιμετώπισε επιτυχώς πολλές τοπικές εξεγέρσεις και το 763 συνέτριψε το στρατό του Αββασίδη χαλίφη της Βαγδάτης, αλ-*Μανσούρ*, ο οποίος είχε επιχειρήσει να κατακτήσει την Ισπανία. Το 777 ο Φράγκος ηγεμόνας *Καρλομάγνος* εισέβαλε στη Ισπανία και πολιόρκησε τον Α. στη Σαραγόσσα, αλλά οι υποχρεώσεις του σε άλλα μέτωπα τον ανάγκασαν να αποσυρθεί σύντομα.
2. *Α.Ρ. ο Β΄* (822-52). Επί της εποχής του επικράτησε μακροχρόνια ειρήνη και αναδιοργανώθηκε το εμιράτο της Κόρδοβας πάνω σε αββασιδικά γραφειοκρατικά πρότυπα. Προστάτευσε τα Γράμματα, έφερε πλήθος ανθρώπους του Πνεύματος καθώς και βιβλία από την Α., ενισχύοντας έτσι τις πολιτισμικές σχέσεις ανάμεσα στα κέντρα του παλαιού ισλαμ. πολιτισμού κα της αραβόφωνης Ισπανίας. Επί της βασιλείας του ο

Χριστιανός αρχιεπίσκοπος Σεβίλλης μετέφρασε και σχολίασε τη Βίβλο στα αραβικά για να χρησιμοποιείται από τους αραβόφ. Χριστιανούς και Εβραίους (τους Οζαράμπ). Το 839 αναφέρεται στις μουσουλμ. πηγές πρεσβεία του Βυζ. αυτοκρ. *Θεόφιλου* προς τον Α. στα πλαίσια της προσπάθειας του Βυζαντίου για εξασφάλιση συμμάχων κατά των Μουσουλμάνων κατακτητών της Σικελίας (A. Vasilev - M. Canard, Byzance et les Arabes A΄, Βρυξέλλες 1935, 185 εξ. M. Anastos, CMH 4/1, 1966, 103. - Ι. Καραγιαννόπουλος, Ιστορ. βυζ. κρ. Β΄, Θεσ/νίκη 1991[2] ανατ., 255. - Αικ. Χριστοφιλοπούλου, Βυζ. ιστ. Β΄, 1, Θεσ/νικη 1993[2], 207. -DR, A΄, αρ. 439).

3. *Α.Ρ. ο Γ΄* (912-61, χαλίφης από το 929). Ο σημαντικότερος Μουσουλμάνος ηγεμόνας της Ισπανίας, επί της εποχής του οποίου επιτεύχθηκε η προσωρινή ένωση των μουσουλμ. κτήσεων της περιοχής. Με σειρά πολέμων νίκησε τους Χριστιανούς ηγεμόνες και διέκοψε κάθε σχέση με τους *Αββασίδες* της Βαγδάτης. Η αποδοχή εκ μέρους των υπολοίπων ηγεμόνων της Ισπανίας της επικυριαρχίας του Α. συνέβαλε στη πολιτική σταθερότητα και την εσωτερική ειρήνη στο χαλιφάτο του. Το 958 οι Χριστ. βασιλείς της Ναβάρρας και Λεόν ικέτευσαν την επιείκιά του πέφτοντας στα πόδια του στα ανάκτορα της Κόρδοβας. Την εποχή του Α. παρουσιάζεται ανάγλυφα ο ιδιαίτερος χαρακτήρας του ισπανο-αραβ. πολιτισμού κατά τον οποίο η κλασική αραβ. παράδοση των χρόνων του Προφήτη *Μωάμεθ* και των διαδόχων του επηρεάστηκε σημαντικά από τις λεπτεπίλεπτες επιδράσεις του ντόπιου κρατικού μηχανισμού και των διαφόρων καλλιτεχνικών εκφάνσεων. Οι διπλωματικές σχέσεις με το Βυζάντιο (επί Κωνσταντίνου Ζ΄ Πορφυρογέννητου) την περ. 949-50 αυξήθηκαν (ακμή εμπορίου Ισπανίας - Βυζαντίου - Μ. Ανατολής), καθώς επίσης και οι πνευματικές ανταλλαγές, οι οποίες συνέβαλαν στη διαφυγή προς την Ισπανία αρχαίων ελλην. χειρογράφων (G.Ostrogorsky,Ιστορ. βυζ. κράτ., Β΄,

Αθήνα 1979, 162. - DR, Α΄, αρ. 657. - R. Jenkins, Byzantium: Imperial Centuries, 610-1071, Λονδίνο 1966, ανατ. 1969, 262, 265-6. - Δ. Ζακυθηνός, Βυζ. ιστ., Α΄, Αθήνα 1977^2 ανατ. 1989, 395. - Ν. Οικονομίδης, ΙΕΕ 8, 1979, 126). Αναφέρονται, τέλος, διπλωματικές σχέσεις με το Γερμανό ηγεμόνα της Αγ. Ρωμ. Αυτοκρ., *Όθωνα Α΄* (T. Khalidi, EBr, I,7).

ΒΙΒΛ.: C. Seybold, EI[1], 53. - E. Lévi-Provençal EI[2], 1, 84-6. - Οι πηγές στα έργα του E. Lévi-Provençal, L' Espange musulmane au 10e s. (Παρίσι 1932) και Hist. de l' Espagne musulmane, 2 τ. (Παρίσι 1950-3^2). - Ph. Hitti, Hist. Arabs (Λονδίνο 1982^{10}), 505 εξ., 513 εξ., 520 εξ., 529 εξ. - C. Brockelman, Hist. Islamic Peoples (N.Υόρκη 1973, ανατ. 1980), 181 εξ., 188 εξ.

Α.Σ.

Αβδουραχμάν (Αμπντ αλ-Ραχμάν ιμπν Αμπνταλλάχ αλ-Γκαφίκι) († 732). Άραβας κυβερνήτης της Ισπανίας/Ανδαλουσίας διορισμένος από τον Ομαϋάδη χαλίφη της Δαμασκού, *Χισάμ*. Κατόρθωσε να υποτάξει τους επαναστατημένους Βέρβερους (Β.Αφρικής), που είχαν δημιουργήσει προβλήματα στην ένωση της μουσουλμ. Ισπανίας, και το 732 με μικτή δύναμη 80 χιλ. Αραβο-Βερβέρων πέρασε τα Πυρηναία και εισέβαλε στη Γαλλία, νικώντας τον Εύδη της Ακουϊτανίας στην Τουλούζη. Στις 7 Οκτ. συνάντησε το Φράγκο μαγιορδόμο *Κάρολο Μαρτέλλο*, μεταξύ της Τουρ και του Πουατιέ, σε μεγάλη μάχη, κατά την οποία βρήκε το θάνατο και ο στρατός του είχε τόσο μεγάλες απώλειες, ώστε οι Μουσουλ. χρονικογράφοι αποκάλεσαν τη σύγκρουση εκείνη «οδό των μαρτύρων».

ΒΙΒΛ.: C. Seybold, EI[1], 53. - E.Lévi-Provençal, EI[2], 1(ανατ. 1975), 89. - C. Brockelmann, Hist. Islam. Peoples (N.Υόρκη 1973, ανατ. 1980), 97-8. - Ph. Hitti, Hist. Arabs (Λονδίνο 1982^{10}), 500-1. - J. Saunders, Hist. Mediev. Islam (Λονδίνο 1965, ανατ. 1978), 92. - Laura Vaglieri, CHI, 1, 95. - A. Miranda, CHI, 2, 408. Βλ. και *Κάρολος Μαρτέλλος*.

Α.Σ.

Αβερρόης (αραβ. Ιμπν Ρούσντ, 1126-98). Ο μεγαλύτερος Μουσουλμάνος φιλόσοφος της Δύσης (Μαγρέμπ) και -μαζί με τον *Αβικέννα*- κορυφαίος πανεπιστήμων των μέσων ισλαμικών αι. Γεννήθηκε στην Κόρδοβα, όπου ο πάππος και ο πατέρας του ήταν διαδοχικά καδήδες. Μετά πολυετείς σπουδές, κατά τις οποίες είχε την τύχη να έχει δάσκαλο το φημισμένο Αμπού

Τζάφαρ Χαρούν του Τρουχίλλο, ταξίδευσε σε ηλικία 28 ετών στο Μαρόκο. Εκεί συνάντησε μια πλειάδα Μουσουλμάνων φιλοσόφων και κορυφαίων της γνώσης, ανάμεσα στους οποίους συγκαταλεγόταν ο Ιμπν Τουφάϊλ, που του έδωσε τη συμβουλή να ασχοληθεί με κριτική και πραγματική ανάλυση του Αριστοτέλη. Οι σχέσεις του Α. με τους Αλμοαδίδες υπήρξαν πάντοτε ασταθείς, καθώς ο φιλόσοφος δεχόταν πολλές κριτικές από τους Μουσουλμάνους θεολόγους και τους διαθέτοντες μεγάλη επιρροή μέσα στην Αυλή ιμάμηδες. Μετά από πολλά χρόνια έρευνας και φιλοσοφικής ενασχόλησης, ανέλαβε καθήκοντα καδή στη Σεβίλλη (1169) και Κόρδοβα (1171). Αυτή η περίοδος χαρακτηρίστηκε από την ιδιαίτερα παραγωγική συγγραφή του, παρά τα πολλά διοικητικά καθήκοντα. Σε μεγάλη ηλικία είδε πολλά από τα βιβλία του να καίγονται, ιδιαίτερα στα χρόνια του Γιακούμπ αλ-Μανσούρ, καθώς οι έριδές του με τυπολάτρες Μουσουλμάνους θεολόγους της Ισπανίας είχαν φτάσει σε προωθημένο και γενικευμένο επίπεδο και η αποδοχή του φιλοσόφου στον αφρικανικό άτλαντα -όπου πάντοτε το Ισλάμ υπήρξε πιο ουσιαστικό και λιγότερο τυπολατρευτικό- τόνιζε την εθνο-θρησκευτική αντιπαράθεση ΒΔ. Αφρικής - Ιβηρικής. Πολιτικοί λόγοι είχαν εξίσου μεσολαβήσει, καθώς η θρησκευτική υποστήριξη ήταν καθοριστική για τον συνεχιστή του αντικαθολικού ιερού πολέμου στη ΒΑ.Ιβηρική. Ο Α. έζησε μια σύντομη τελική περίοδο αποδοχής στο Μαρόκο τα 3 τελευταία του χρόνια. Τάφηκε μπροστά στον πύργο του Ταγαζούτ στο Μαρακές.

Το μέγιστο τμήμα του έργου του έχει χαθεί, καθώς πυρπολήθηκε ενόσω ο Α. ζούσε ακόμα. Διασώθηκαν στα αραβικά τα έργα του «Ματαιότης Ματαιοτήτων» (Ταχαφούρ αλ-Ταχαφούρ), «Ματαιότης των Φιλοσόφων» (Ταχαφούρ αλ-Φαλασίφα), τα σχόλιά του στην «Ποιητική» και τη «Ρητορική» του Αριστοτέλη, τα σχόλιά του στα αποσπάσματα της «Μεταφυσικής» του Αλεξάνδρου της Αφροδισιάδος, αποσπασματικά σωζόμενα σχόλιά του σε διάφορα άλλα έργα του Αριστοτέλη και 2 εξαιρετικά ενδιαφέρουσες πραγματείες για τις σχέσεις φιλοσοφίας-θρησκείας (Κιτάμπ Φάζλ αλ-Μακάλ και Κιτάμπ Κάσφ αλ-Μαναχίτζ). Σώζονται, εξάλλου, στα αραβικά (με εβραϊκούς χαρακτήρες) εκτεταμένα σχόλια του Α. σε ποικίλα έργα του Αριστοτέλη. Καθώς τα αβερροϊκά σχόλια προορίζονταν όχι για απλή ανάγνωση αλλά ως εγχειρίδιο φοιτητών, τα μικρότερα σε έκταση προορίζονταν για το 1ο, τα μεγαλύτερα για το 2ο και τα περισσότερο εκτεταμένα για το 3ο έτος σπουδών. Έχουν, τέλος, σωθεί λατινικές και εβραϊκές μεταφράσεις σχολίων και πραγματειών φιλοσοφικού, φυσιογνωστικού και ιατρικού περιεχομένου. Η «Συνολική Ιατρική» (αλ-Κουλλιγυάτ) αποδόθηκε στα λατινικά ως «Colliget» (Cod. Granada στον Dozy, ZDMG 36, 1882, 343 εξ.).

Η φιλοσοφία του Α. δεν αποτελεί αυθεντική, πρωτότυπη ανάλυση. Πρόκειται, όπως άλλωστε για τις περιπτώσεις του αλ-*Κιντί*, του αλ-*Φαραμπί* και του *Αβικέννα*, για μια ύστατη σύνθεση της αρχαίας ανατολικής, της ελληνιστικής, της γνωστικιστικής και της ισλαμικής νόησης, όπου μόνο η μέθοδος είναι κλασική ελληνική (αριστοτελική). Στην εποχή του το φιλοσοφικό αυτό σύστημα χρησίμεψε ως αντιπαράθεση στον τυπολατρευτικό Μουσουλμανισμό, ο οποίος αποτελούσε ένα είδος ισλαμικού Μεσαίωνα. Γι' αυτό, άλλωστε, ο Α. δεν συγκρούστηκε με τον αλ-*Γαζαλί*, αλλά και τους επισκόπους Οξφόρδης, Κάντερμπερυ και Παρισίων. Δεν παύει, ωστόσο, να αποτελεί την τελική φιλοσοφική σύνθεση του προ-καρτεσιανού κόσμου. Μέσα στη φιλοσοφική αναζήτηση του Α. ξεχωρίζει η πιο αυθεντική μονοθεϊστική άποψη περί της *μη εκ του μηδενός Δημιουργίας*, η οποία βρίσκει την αυθεντική πηγή της στο ασσυροβαβυλωνικό έπος «Ενούμα Ελίς». Η διάκριση μεταξύ Ψυχής και Νοός υπήρξε καθοριστική μέσα στο έργο του Α., οποίος προσδιόρισε τον ανθρώπινο νου ως «παθητική πλευρά» του Νοός. Ο κορυφαίος φιλόσοφος απασχολήθηκε ιδιαίτερα με τον Μύθο. Προκαθόρισε -πολλούς αι. πρίν από την επιστημονική προσέγγιση- την ανάγκη αποκωδικοποίησης της μυθικής εκφρασεολογίας με σκοπό την εις βάθος πραγματική κατανόηση των μυθικών αληθειών. Από την άποψη αυτή θεωρείται αναμφίβολα «πατέρας της (επιστήμης της) Μυθολογίας».

·ΒΙΒΛ.: Corpus Commentariorum Averrois in Aristotelem, 10 τόμ. (Λέϊντεν 1949-72). A.Die Epitome der Metaphysik, εισαγ. -γερμ. μετ. σχόλ. S. van den Bergh (Λέϊντεν 1970). -Ibn Rushd's Metaphysics, εισαγ. -αγγλ. μετ. -σχόλ. Ch. Genequand (Λέϊντεν 1986, σειρ. Islamic Philosophy, Studies and Texts, γεν. εκδ. H. Daiber). 'Αλλη βιβλιογρ. στα λ. Ibn Rushd των Carra de Vaux,EI[1] και R. Arnalder, EI[2]. Επίσης πρόσφατα O.Leaman, Averroes and his philosophy (N.Υόρκη 1988). - B. Kogan, A. and the metaphysics of causation (Ώλμπανυ N.Y. 1985).

Κ.Μ.

Αβιηνός (Postumius Avienius Rufius Festus, 2ο μισό 4ου αι.). Λατίνος παγανιστής ποιητής και γεωγράφος από το Volsinii. Σύμφωνα με ορισμένες πληροφορίες (κυρίως επιγραφικές) υπήρξε ανθύπατος στις περιοχές της Αφρικής (366) και Αχαΐας (372). Στα ποιητικά του έργα συμπεριλαμβάνονται μια έμμετρη μετάφραση στα λατινικά του έργου του Διονυσίου Περιηγητή «Οικουμένης Περιήγησις» με τίτλο «Περιγραφή της Γης» (Descriptio Orbis Terrae), λατ. μετ. του έργου «Φαινόμενα του Αράτου» (Arateia Phaenomena), καθώς και διασκευές των έργων «Προγνωστικά» (Prognostica) και «Χώρες Παράλιες» (Ora Maritima»), που αποτελεί περιγραφή των μεσογειακών παραλίων και του Ατλαντικού από τις Ηράκλειες Στήλες ως τη Μασσαλία. Αν και βασισμένο σε παλαιότερα γεωγραφικά συγγράμματα, παρέχει χρήσιμες πληροφορίες για τη γεωγραφία της Δ.Ευρώπης. Αναφέρεται επίσης ότι διασκεύασε έμμετρα την ιστορία του Τίτου Λίβιου. Ανάμεσα στους προγόνους του Α. γνωστοί είναι ο Στωικός φιλόσοφος Μουσόνιος Ρούφος, που έζησε την εποχή του Νέρωνα και του Βεσπασιανού, και ο Αβιηνός, ίσως πατέρας του.

ΒΙΒΛ.: Εκδ. ποιημάτων W.Holder, Poetae Latini Minores (1886). -Οι ..ιγρ. πηγές στο PLRE, A΄, 336-7. Βλ. επίσης ΜΕΕ 1,80.-Γ.Παπαδημητρόπουλος, ΜΓΕ 1 (1978), 90.

Φ.Β.

Αβιηνός, Γεννάδιος (5ος αι.) Ύπατος Δύσης (μετά το 450) επί *Βαλεντινιανού Γ΄*. Το οικογενειακό του όνομα πιθανόν, να ήταν Κορβίνος (Corvinus) και ο Βαλέριος Μεσσάλας Κορβίνος μάλλον υπήρξε πρόγονός του. Από τους συγγενείς του γνωστοί είναι τα παιδιά του Ανίκιος Πρόβος Φαύστος και Στεφανία και ο εγγονός του Ρούφιος Φαύστος Μάγνος Αβιηνός. Κατά τον Συνεχιστή του *Ιερώνυμου, Πρόσπερο*, το 452 συνόδευσε τον πάπα *Λέοντα Α΄* σε αποστολή προς τον *Αττίλα* για να αποτρέψει ουννική επίθεση στη Ρώμη. Απέκτησε αρκετές διακρίσεις και κατείχε πολιτικό γραφείο. Σύμφωνα με τον Σιδώνιο *Απολλινάριο*, που επισκέφθηκε τη Ρώμη το 467, ο Α. μαζί με τον Καικίνα Βασίλειο είχαν καταστεί οι ισχυρότεροι μετά τον αυτοκράτορα *(Ανθέμιο)* άνδρες στο Δ. κράτος. Ο Α. πάντως χρησιμοποιούσε την επιρροή του περισσότερο για τους συγγενείς του και λιγότερο για όσους ζητούσαν τη βοήθεια του (οι πηγές στο PLRE Β΄, 193-4).

Φ.Β.

Αβικέννας (αραβ. Ιμπν Σινά, εβρ. Αβέν Σινά, λατ. Avicenna, 980-1037.) Ο μεγαλύτερος φιλόσοφος του Ισλάμ, γνωστός από τα διακριτικά επίθετα «αλ-Σεΐχ» και «αρ-Ραΐς», τα οποία τον περιγράφουν ως πρίγκηπα όλων των επιστημών. Γεννήθηκε στην Αφσνά , κοντά στην Μπουχάρα, και πέθανε στο Χαμεντάν (αρχ. ελλ. Εκβάτανα), όταν συνόδευσε τον Αλά αντ-Ντάουλα ενάντια σε μια τοπική εξέγερση.

Περσικής καταγωγής ο Α. είχε ασφαλώς δεσμούς (αν δεν ανήκε ο ίδιος) με τον ισμαϊλιτικό κλάδο του σιϊτικού Ισλάμ, τους γνωστούς και από τον *Μάρκο Πόλο* Χασάσιν- Assassins, τους «Χασικλήδες - Δολοφόνους», οι οποίου είχαν το κέντρο τους στο Ελμπούρζ. Στον κλάδο αυτό ενεργώς - αν και πάντοτε κρυφίως - ανήκε ο πατέρας του, διοικητής της κωμόπολης Χαρμαϊτά. Οι σπουδές του Α. άρχισαν από πολύ νωρίς (Κοράνι, Χαντίθ, Φίκχ) και μεταγενέστερα ανατέθηκαν στον λόγιο Αμπού Αμπνταλλάχ αν-Νατιλί, σχετικά με Λογική, Γεωμετρία, Αστρονομία, Φυσική, Μεταφυσική, Ιατρική. Η μελέτη του αλ-*Φαραμπί* είχε βοηθήσει ως προπαιδεία για την εμβάνθυση σε νεοπλατωνικά σχόλια αριστοτελικών κειμένων. Το 1001, γνωστός για την ιατρική του κατάρτιση, ο Α. κλήθηκε να υπηρετήσει από σοβαρά πόστα την σαμανιδική διοίκηση. Ήδη απασχολείτο ιδιαίτερα με την συγγραφή. Το 1004 έγινε τιμητικά - για το νεαρό της ηλικίας του - δεκτός από τη μααμουνιδική αυλή της Χορεσμίας, όπου συναναστράφηκε κορυφαίους της ισλαμικής γνώσης, όπως τον Αμπού Σαχλ Αχμέντ Σουχεϊλί και τον *Μπιρούνι*. Περιστάσεις αντίξοες για την ισμαϊλιτική παράταξη ανάγκασαν τον Α. να είναι συνεχώς υπ' ατμόν: μετακινήθηκε ιδιαίτερα πάνω σε ένα άξονα ΒΑ-ΒΔ: Γκοργκάν, Ρέϋ (αρχ. ελλ. Ραγαί), Κατζβίν, Χαμεντάν, Ισφαχάν (αρχ. ελλην. Ασπάδανα). Στο Ρέϋ έγινε ο βεζύρης του Μπουΐδη Σάμς αντ-Ντάουλα. Παρά τις επαναλαμβανόμενες συλλήψεις, φυλακίσεις, και βασανιστήρια, ο Α. δεν έπαυσε να συγγράφει και να είναι ριζοσπαστικών σιιτικών απόψεων. Η επιβολή του στον τομέα της γνώσης και της σοφίας τον τοποθέτησε σε περίοπτη θέση στην αυλή του Νταϋλαμίτη Αλά αντ-Ντάουλα στο Ισφαχάν κατά τα τελευταία του χρόνια, όπου ολοκλήρωσε το συγγραφικό του έργο. Ο Α. έγραψε στα αραβικά (την διεθνή ισλαμική γλώσσα) και στα περσικά, την μητρική του γλώσσα. Ξεχωρίζουν τα επόμενα έργα του γραμμένα στα αραβικά: (Κανούν φιλ-Τίμπ) «Κανόνες Ιατρικής» («θεραπεύοντας» ενν. από το λάθος: τίτλος φιλοσοφικής εγκυκλοπαίδειας) (Κιτάμπ αλ-Σίφα) και το ώριμης ηλικίας γραμμένο στα περσικά έργο του Ιλαχίγυατ: «Μεταφυσικά» (Ντανίς Νάμα ι-ουλάϊ). Ο Α. υπήρξε ο πιο αριστοτελικός ισλαμικός φιλόσοφος, αυτό όμως αφορά τη μορφή και τη μέθοδο προσέγγισης, όχι το περιεχόμενο. Είναι φυσιολογικό ότι στα «Φυσικά» του είναι πολύ πιο προσεκτικός, σωστός και προχωρημένος από τον Σταγειρίτη, η σύγκρουσή του όμως στο θέμα της Ενεργού Αρχής και της εξ' αυτής προέλευσης του «είναι» και του «γίγνεσθαι» είναι καθολική. Στο θέμα αυτό παρουσιάζει μια ανάλογη με τους Νεοπλατωνικούς θέση, η ενέργεια όμως κατά τον Α. είναι κατ' εξοχήν χαρακτηριστικό του Υπέρτατου Νοός. Στον τομέα της μεθόδου είναι σαφές ότι ο *Φαραμπί* έφερε τον Α. στον Αριστοτέλη, στα «Μεταφυσικά» του όμως φαίνεται η καθοριστική επίδραση του περσικού ζωροαστρικού υπόβαθρου. Ο δυαλισμός στην περίπτωσή του παίρνει τη μορφή αντιπαράθεσης ύλης-πνεύματος, τα χαρακτηριστικά όμως είναι ζωροαστρικά. Ασφαλώς ο Α. είναι ένας ισλαμικός φιλόσοφος, όπως άλλωστε ο *Φερντοουσί*, εθνικός ποιητής της Περσίας. Στις κορυφαίες όμως αυτές περιπτώσεις εκφράστηκε η περσική παιδεία και διάθεση εκπερσισμού του Ισλάμ, κάτι το οποίο σε λαϊκό επίπεδο είχε σε μεγάλο βαθμό επιτελεσθεί με την προσχώρηση της Περσίας στον πρώϊμο ήδη σιϊτισμό. Οπωσδήποτε η εποχή των Α., Φερντοουσί και Μπιρούνι σημαίνει την απόλυτη περσική πνευματική κυριαρχία μέσα στο χώρο του Ισλάμ και το ρεύμα έχει σαφώς περισσότερη σημασία από τα πρόσωπα.

Η επίδραση του Α. στη Δύση υπήρξε μεγάλη και στο Χορέσμιο φιλόσοφο οφείλει ο Θωμάς *Ακινάτης* την επίλυση των κύριων προβλημάτων του. Η επίδραση του «Σιρά» πάνω στο «De Ente et Essentia» είναι απόλυτη και αδιαμφισβήτητη και η δυτική διάκριση ανάμεσα στην ουσία και την ύπαρξη δεν προέρχεται καθόλου από τη σταγειριτική προσέγγιση του θέματος. Στην Ανατολή η σφραγίδα του Α. διατηρήθηκε κυρίως στους μέσους ισλαμικούς αιώνες, στα νεότερα όμως χρόνια εξαφανίστηκε σιγά-σιγά και ο Α. περιβλήθηκε μέσα στην αχλύ του μύθου τα διάσημα του «Μάγου».

ΒΙΒΛ.: Αγγλ. μετ.-σχόλ. των «Μεταφυσικών»: Parviz Morewedge, The Metaphysica of A. A critical Translation, Commentary and Analysis of the Fundamental Arguments in A's Metaphysica in the Danish -Nama-i ala' i (The book of Scientific Knowledge) (Λονδίνο 1973: Persian Heritage Series, 13). - A.M.Goichon, Lexique de la langue philosophique d' Ibn Sina (A.) (Παρίσι 1938). -N. Tusi, Asas al-iqtibas («Αρχές της Λογικής»), έκδ. T.M. Radwi (Παν/μιο Τεχεράνης 1948). G.M.Wickens, Some Aspects of A's Work, στο Avicenna: Scientist and Philosopher (Λονδίνο 1952). - S. Pinès, La philosophie orientale d' A. et sa polemique contre les Bagdadiens (Παρίσι 1953), 5-37. -J. Finnegan, A's Refutation of Porphyrius, στο A. Commemoration Vol. (Καλκούτα 1956), 187 εξ. -S.H.Nasr, An Introduction to Islamic Cosmological Doctrine (Καίμπριτζ Μασσ. 1964). Του ιδ., Three Muslim Sages: A. -Suhrawardi - Ibn Arabi (Καίμπριτζ Μασσ. 1964). -G.F.Hourani, Ibn Sina's Essay on the Secret of Destiny (Qadar Risala al-Qadar), BSOAS 29 (1966), 25-48. - M.A.F. von Mehren, Traités mystiques d' Abou Ali al-Hosain ben Abdallah ben Sina ou d' Avicenne, αραβ. κείμ. -γαλλ. σχόλ., 3 τόμ. (Λέϊντεν 1894). Λήμματα των A.M.Goichon, EI^2 και T.J. de Boer, EI^1 με βιβλιογρ.

Κ.Μ.

Άβιτος, Επάρχιος Άριτος (Φλάβιος) (c.400-59, ηγεμ. 9 Ιουλ.

455 - 17 Οκτ. 456). Δ. Ρωμαίος αυτοκράτορας, ευγενούς καταγωγής από οικογένεια συγκλητικών. Είχε αξιόλογη στρατιωτ. καριέρα (magister militum per Gallias το 437, praefectus praetorio per Gallias το 439 και magister militum praesentalis το 455) και διατηρούσε στενές σχέσεις με τους *Βησιγότθους*, κατορθώνοντας μάλιστα να πείσει τον ηγεμόνα των τελευταίων, *Θεοδώριχο Α΄*, να συμμετάσχει στο πλευρό του *Αέτιου* κατά τη μάχη των Καταλαυνικών πεδίων εναντίον των *Ούννων* του *Αττίλα* το 451. Μετά το θάνατο του Δ. αυτοκράτορα Πετρόνιου Μάξιμου (455) ο Α. ανέβηκε στι θρόνο της Ρώμης με την ενίσχυση του Βησιγότθου βασιλιά *Θεοδώριχου Β΄*, έχοντας αναλάβει την υποχρέωση απέναντι στον τελευταίο να πολεμήσει τους *Βανδάλους* της Β. Αφρικής, αλλά τελικά ο βυζ. αυτοκρ. *Μαρκιανός* δεν αναγνώρισε τη νομιμότητα της διαδοχής του Α., αρνούμενος να τον ενισχύσει σε επιχειρήσεις κατά των Βανδάλων. Τελικά μετά από 13 μηνών περίπου βασιλεία ο Α. νικήθηκε και αιχμαλωτίστηκε από τον περιβόητο Αρειανιστή Σουήβο στρατηλάτη, *Ρικίμερο*, στη μάχη της Πλακεντίας, για να αναγκαστεί να γίνει μοναχός και - κατόπιν - επίσκοπος Πλακεντίας και να πεθάνει λίγα χρόνια μετά στην ιδιαίτερη πατρίδα του, Ωβέρνη. Ανάμεσα στις σημαντικότερες πηγές για τον Α. υπήρξε ο γαμπρός του, ποιητής Σιδώνιος *Απολλινάριος*. Ο μετέπειτα γνωστός ΄Αγ. *΄Αβιτος*, επίσκοπος Βιέννης, υπήρξε πιθανόν συγγενής του.

ΒΙΒΛ.: Οι πηγές (Σιδ. Απολ., Γρηγόριος Τουρ, Ευάγριος, Υδάτιος, Θεοφάνης κ.ά.) στους J. Bury, Later Roman Empire, 395-565, Α΄ (Ν.Υόρκη 1958), 250, 292, 326 εξ. E. Stein, Hist. du Bas-Empire, Α΄ (1949), 368 εξ. -PLRE, Β΄, 196-8.

Α.Σ.

΄Αβιτος, Σέξτος ΄Αλκιμος Εκδίκιος, ΄Αγιος (εορτ. 5 Φεβρ.) (450-c.518). Πιθανόν συγγενής του Δ. Ρωμαίου ηγεμόνα *΄Αβιτου* και επίσκοπος Βιέννης από το 494-c.518, με αξιόλογη δράση και πλούσιο (κυρίως έμμετρο) συγγραφικό έργο κατά των αιρετικών δοξασιών των Αρειανιστών, Σαβελλιανών, Πελαγιανών Νεστοριανών και Μονοφυσιτών (Ευτυχιανών).

ΒΙΒΛ.: Εκδ. PL 59, 191 εξ. -πβ. PLRE, Β΄, 195-6. - ΜΕΕ 1,86. -ΘΗΕ 1,54. -Γ.

Παπαδημητρόπουλος, ΜΓΕ 1(1978), 98. - Π. Χρήστου, Εκκλησ. γραμματολογία, Α΄ (1992), 389.

Α.Σ.

Αβλάβιος (c.288, Ρώμη-338). Κρητικής καταγωγής ανώτατος αξιωματούχος στην αυλή του *Κωνσταντίνου Α΄*, πρώτα στη Ρώμη και -από το 330- στην Κων/πολη. Παρά την άσημη καταγωγή του κέρδισε την εμπιστοσύνη του αυτοκράτορα, που μνήστευσε τον πρίγκηπα Κωνστάντιο (Β΄) με την κόρη του Α., Ολυμπιάδα. Το 314 ως αντιπρόσωπος του Κων/νου συγκάλεσε τη Σύνοδο της Αρλέτης που ασχολήθηκε με το πρόβλημα των αιρετικών Δονατιστών [βλ. λ. *Δόνατος, Καικιλιανός*]. Το 315 έγινε επίτροπος (procurator)Ιταλίας, περί το 320 praefectus praetorii και το 331 ύπαρχος αυλής με τον ΄Αννιο Βάσσο. Οταν ο Κων/νος Α΄ σκότωσε το 326 τη 2η γυναίκα του *Φαύστα*, ο Α. είχε την τολμηρή έμπνευση να χαράξει στην αυλή του ανακτόρου της Κων/πολης σκωπτικό δίστιχο που παρομοίαζε την εποχή του με τις ημέρες του ακόλαστου Ρωμαίου αυτοκράτορα Νέρωνα. Του αποδίδεται επίσης (Ζώσιμος) κύρια ευθύνη για τη δολοφονία του «εθνικού» σοφιστή *Σώπατρου*. Μετά το θάνατο του Μ.Κων/νου ο Α. έχασε τα αξιώματα και τη δύναμή του και αποσύρθηκε στα κτήματά του, στη Βιθυνία, όπου τελικά δολοφονήθηκε με εντολή του *Κωνστάντιου Β΄*, που φρόντισε να παντρέψει την κόρη του Α., Ολυμπία, με τον Αρμένιο Αρσακίδη ηγεμόνα *Αρσάκη Β΄(Γ΄)*.

ΒΙΒΛ.: Οι πηγές (Λιβάνιος, Ευνάπιος, Αμμιανός Μαρκελλίνος, Ζώσιμος, Παλλάδιος) στην PLRE, Α΄, 3-4. Επίσης ΘΗΕ 1,54-5. - Γ. Παπαδημητρόπουλος, ΜΓΕ 1 (1978), 98-9. Περί των Αβλαβίων βλ. A. Kazhdan, ODB, 5a.

Α.Σ.

Αβού βλ. Αμπού

Αβουσερίγιε (13ος αι.) Γεωργιανός επίσκοπος του Τβελί, έμεινε γνωστός από δυο του έργα: στο 1ο, καθαρά ιστορικό, περιέγραψε τις εισβολές των Χορεσμιανών Τούρκων της Κεντρικής Ασίας στην Γεωργία-Αβασγία στην 10ετία 1220-30 (βλ.*Μωάμεθ Β΄ Χορεσμίας, Τζελαλεντίν Μανγκομπιρντί)*, ενώ στο 2ο, επιστημονικής φύσεως, έγραψε τις απόψεις για το ημερολόγιο και τις μεθόδους χρονολόγησης (οι εκδόσεις-μεταφράσεις στην CMH 4/1, 1966,991).

Α.Σ.

Αβοχάραβος/Αμπού Χαρίμπ (1ο μισό 6ου αι.) Άραβας φύλαρχος της Παλαιστίνης που στάλθηκε από τον *Ιουστινιανό Α΄* το 529 για να βοηθήσει το στρατηγό και δούκα Παλαιστίνης Θεόδωρο Σίμο στην κατάπνιξη του κινήματος των αιρετικών Σαμαρειτών, που υπό τον αιρεσιάρχη τους *Ιουλιανό*, είχαν επαναστατήσει στην Νεάπολη της Παλαιστίνης ελπίζοντας σε ενισχύσεις από τον Πέρση ηγεμόνα *Καβάδη Α΄*, την οποία όμως δεν πήραν. Μετά την ήττα των Σαμαρειτών και το θάνατο του Ιουλιανού, ο Α. πούλησε χιλιάδες από τους οπαδούς του τελευταίου στα σκλαβοπάζαρα της Περσίας και των Ινδιών.

ΒΙΒΛ.: Οι πηγές (Προκόπιος, Μαλάλας, Θεοφάνης) στους J.Bury, Later Roman Empire, 395-565. Β΄ (Ν.Υόρκη 1958), 365. -E.Stein, Hist. Bas-Empire, Β΄ (1949), 287-8, 297,299. -Ι.Καραγιαννόπουλος, Ιστ. βυζ. κρ. Α΄ (Θεσ/νίκη 1978, ανατ. 1991), 397-8. -Α.Σαββίδης, Οικουμ. βυζ. κράτος και εμφάνιση Ισλάμ (Αθήνα 1990^2), 59. - I. Shahîd, Byzantium and the Arabs in the 5th Cent. (Ουάσιγκτον 1989), 89 εξ.

Α.Σ.

Αβράμης ή **Άβραμος** (1ο μισό 6ου αι.). Ιερωμένος και διπλωμάτης του Βυζαντίου, γιος του αξιωματούχου Ευφράσιου και πατέρας του ιστοριογράφου *Νόννοσου*, σύμφωνα με τις πληροφορίες του οποίου (FHG 4, 179) στάλθηκε σε 2 αποστολές, την 1η από τον *Ιουστίνο Α΄* το 523/4 στον ηγεμόνα των Γασσανιδών (βυζ. -περσ. σύνορα στη Συρία), *Αλαμούνδαρο*, όπου πέτυχε την απελευθέρωση των βυζ. στρατηγών Τομόστρατου και Ιωάννη, και τη 2η από τον *Ιουστινιανό Α΄* στον Καΐση, ηγεμόνα της Κίντα (Αραβίας) το 528 και το 531 για τη διαπραγμάτευση ειρήνης. Το 531, μάλιστα, ο Α. επέστρεψε στην Κων/πολη συνοδευόμενος από τον Καΐση.

ΒΙΒΛ.: PLRE, Β΄, 3. -J.Bury, Later Roman Empire, 395-565, Β΄ (Ν.Υόρκη 1958), 326. -I.Shahîd (Kawar), Byzantium and Kinda, BZ 53 (1960), 58, 59 εξ., 66 εξ. -του ιδ., Procopius and Kinda, BZ 53 (1960), 75, -M.Sartre, Trois études sur l' Arabie romaine et byzantine (Βρυξέλλες 1982), 174, 175. -Δ. Λέτσιος, Βυζάντιο και Ερυθρά θάλασσα (Αθήνα 1988), 252-3, 261, 265, 272.

Α.Σ.

Αβράμιος ή **Αβραάμης**. Όνομα επτά (7) οσιομαρτύρων της Α. Ορθόδοξης Εκκλησίας κατά την πρωτοβυζαντινή περίοδο.

1. *Α. ο Κιδυναίος ή Εδεσσηνός* (c. 296-366, εορτ. 29 Οκτ.). Καταγόταν από τη συριακή Έδεσσα/Ούρφα, ασκήτευσε στις ερήμους της Μεσοποταμίας και στον Ορόντη και είχε ιεραποστολική δραστηριότητα στα χρόνια ηγεμονίας των *Κωνστάντιου Β΄, Ιουλιανού, Ιοβιανού και Βάλη*. Το Συναξάριό του παραδίδει ο Νικόδημος Αγιορείτης (ΘΗΕ 1, 962, 70-1. -ΜΓΕ 1, 1978, 115).
2. *Α. ο Αρβήλων* (μαρτ. 344, εορτ. 4 Φεβρ.). Διαδέχτηκε ως επίσκοπος Αρβήλων τον επίσης μαρτυρήσαντα Ιωάννη († 343). Το μαρτύριό του στο Νικόδ. Αγιορ. (ΘΗΕ 1, 72. -ΜΓΕ 1, 115).
3. *Α. ο Καρρών, Όσιος* (c. 350 - † μετά το 422, εορτ. 13 ή 14 Φεβρ.). Καταγόταν από τη μικρασιατική Κύρο, κοντά στις Σάρδεις, και είχε πλούσια ιεραποστολική δράση στο Λίβανο (Έμεσα/Χομς) και στη Μεσοποταμία. Έγινε τιμητικά δεκτός στην Κων/πολη από τον *Θεοδόσιο Β΄*, αλλά μετά από αιφνίδια ασθένεια πέθανε και θάφτηκε με τιμές στις Καρρές της Μεσοποταμίας, όπου μεταφέρθηκε με αυτοκρατ. εντολή το λείψανό του. Το Συναξάρι του στον Νικόδ. Αγιορ., ενώ πληροφορίες επίσης παρέχουν οι εκκλησ. ιστοριογράφοι *Σωκράτης* και *Θεοδώρητος* (ΘΗΕ, 1, 71-2. - ΜΓΕ, 1, 113).
4. *Α. ο Απλούς* (4ος-5ος αι., εορτ. 27 Οκτ.). Ασκητής και αναχωρητής της Αιγύπτου με θαυματουργικές ικανότητες κατά μαρτυρία του Αγ. Ιωάννη *Κασσιανού* (ΘΗΕ, 1,72. - ΜΓΕ, 1, 116).
5. *Α. ο Κρατείας* (474, Έμεσα/Χομς - c. 540, εορτ. 6 Δεκ.). Επίσκοπος Κρατείας (ρωμ. Φλαβιούπολης Βιθυνίας), του οποίου το βίο έγραψε ο *Κύριλλος Σκυθοπολίτης*. Αρχικά ηγούμενος της μονής Κρατείας σε νεαρή ηλικία, εγκατέλειψε τη θέση του και ασκήτεψε στην Παλαιστίνη (510-15), αλλά αναγκάστηκε από τον επίσκοπο Κλαυδιούπολης, Πλάτωνα, να επανέλθει στη μονή του. Σύντομα προήχθη από τον Πλά-

τωνα σε επίσκοπο Κρατείας (π. 515 -π. 530), αλλά τελικά ξαναποσύρθηκε στην Παλαιστίνη, όπου πέθανε (ΘΗΕ, 1, 72-3. -ΜΓΕ, 1, 116).

6. *Α. ο Εφέσου* (τέλη 5ου - 1ο μισό 6ου αι., εορτ. 28 Οκτ.). Μοναχός ελληνικής (κατ' άλλους εβραϊκής) καταγωγής, έγινε επίσκοπος Εφέσου περί το 535 και είχε πλούσια ιεραποστολική δραστηριότητα. Κατά μαρτυρία του Ιωάννη *Μόσχου* υπήρξε ιδρυτής της μονής των Αβραμιτών στην Κων/πολη και της μονής των Βυζαντίνων στην Ιερουσαλήμ (PG 87, στήλ. 2956).

ΒΙΒΛ.: M. Jugie, Abraham d' Ephèse et ses écrits, BZ 22 (1913), 49 εξ. -του ιδ., PO 16 (1922), 442 εξ., 448 εξ. (έκδ.).. - Beck, 398-9. -ΘΗΕ, 1, 73. - ΜΓΕ, 1, 116.

7. *Α.* (χρονολ. άγνωστη, εορτ. 31 Οκτ.). Μεταξύ των 9 μαρτύρων που αναφέρονται απο το Νικόδημο Αγιορείτη (Συναξαριστής, Α΄, Αθήνα 1868, 178). Αγνώστων λοιπών στοιχείων. Υπάρχει και αναφορά στον Παρισινό Κώδικα αρ. 1578 (15ου-16ου αι.)

Α.Σ.

Αβράμιος Ιωάννης (2ο μισό 14ου αι.). Λόγιος και αστρολόγος. Διετέλεσε σύμβουλος του αυτοκράτορα *Ανδρόνικου Δ΄ Παλαιολόγου* επί θεμάτων αστρολογίας. Διασώθηκαν και αστρολογικά του κείμενα. Ο Α. δίδασκε αστρολογία και η σχολή του ανέδειξε πολλούς μαθητές. Είναι γνωστός και ως αντιγραφέας χειρογράφων. Πιθανότατα είχε και γνώσεις ιατρικής.

ΒΙΒΛ.: Hunger Β΄, 254-5 και ελλην. μετ., Γ΄, Αθήνα 1994, 61-2. - PLP, αρ. 57. - D. Pingree, The Astrological School of John Abramius, DOP 25 (1971), 191-215. -του ιδ., ODB, 6.

Σ.Λ.

Άβραμος ή **Αβράμιος** (Αμπράχα, † μετά το 570). Χριστιανός (Μονοφυσίτης) Ομηρίτης (Ιμυαρίτης) στρατιωτικός ηγέτης με καταγωγή από την Ευδαίμονα Αραβία (Υεμένη) και με χρόνους δράσης τις βασιλείες των *Ιουστινιανού Α΄* και *Ιουστίνου Β΄*. Αρχικά ήταν δούλος κάποιου πλούσιου βυζ. εμπόρου στο λιμάνι της Άδουλις, στο βασίλειο της Αξώμης (Αξούμ) της Αβυσσηνίας (Αιθιοπίας), αλλά μετά το 530 εμφανίζεται δυναμικά στο προσκήνιο σε μια εποχή κατά την οποία το Βυζάντιο επεδίωκε φιλικές σχέσεις με τους Αιθίοπες ηγεμόνες και τους λαούς της κεντρ. Ασίας στα πλαίσια της πολιτικής του για σχηματισμό συνασπισμού κατά της εξάπλωσης των *Σασανιδών Περσών*. Την περίοδο c. 540 - c. 570 επιχείρησε με βυζ. ενίσχυση να εξαπλώσει το Χριστιανισμό στην Αραβική Χερσόνησο, κάτι που τελικά τον έφερε σε σύγκρουση με το αραβόφωνο στοιχείο της Μέκκας. Κατά τον Προκόπιο (Υπέρ Πολέμων, Α΄, 107 κεξ.) περί το 540 ο Α. δολοφόνησε τον Εσιμιφαίο/Sumyafa, τοποτηρητή του Αιθίοπα ηγεμόνα στην Υεμένη και σύμμαχο του Βυζαντίου, και επιβλήθηκε ο ίδιος ως τοποτηρητής, παρά την αντίδραση του Αιθίοπα ηγεμόνα και τις εκστρατείες που ο τελευταίος έστειλε εναντίον του. Δε φαίνεται όμως οι σχέσεις συνεργασίας που ο Α. επιχείρησε να καθιερώσει με το Βυζάντιο να είχαν μακροπρόθεσμα αποτελέσματα στα πλαίσια της αντι-περσικής πολιτικής. Η προσπάθεια του, πάντως, να επιβάλλει το Χριστιανισμό στην Αραβία είχε άδοξο τέλος μετά τη μαρτυρούμενη από το Κοράνιο (σούρα 105: «επί των ελεφάντων») αποτυχία του να καταλάβει τη Μέκκα γύρω στο 569/70, επιχείρηση που πολλοί νεότεροι μελετητές θεωρούν φανταστική καθώς και την ακριβή της χρονολογία ανεξακρίβωτη. Τη Μέκκα υπεράσπιζε ο παππούς του Προφήτη *Μωάμεθ,* ο Αμπντ αλ-Μουττάλιμπ, που αντέταξε σθεναρή άμυνα, ενώ ο ελέφαντας του Α. γονάτισε συμβολικά έξω από τα τείχη της ιερής μουσουλμανικής πόλης αρνούμενος να προχωρήσει εναντίον της. Η βροχή των εξφενδονιζόμενων βράχων από τα πτηνά εξ ουρανού (κατά το κορανικό εδάφιο) που αφάνισαν τις δυνάμεις του εισβολέα Α. ερμηνεύεται μεταφορικά ως επιδημία που πρέπει να επέφερε τεράστιες απώλειες στους πολιορκητές. Ο βαρειά πληγωμένος Α. μεταφέρθηκε στην Υεμένη, όπου πέθανε λίγο αργότερα. Ο θάνατός του ανέστειλε τις βυζαντινοαιθιοπικές προσπάθειες αντίδρασης κατά των Σασανιδών

ΒΙΒΛ.: F.Buhl, EI[1], 1, 72-3. -A. Beeston, EI[2], 1, 105-6. -J.Bury, Later Roman Empire, 395-565, Β΄ (Ν.Υόρκη 1958), 326. -Α. Νουρ, Το Κοράνιον και το Βυζάντιον (Αθήνα

1970), 23 εξ. - Α. Σαββίδης, Το οικουμενικό βυζαντινό κράτος και η εμφάνιση του Ισλάμ (Αθήνα 1990[2]), 68-9, 166-7, 206 εξ. (παράρτ. Γ΄). -H. Kennedy, The Prophet and the Age of the Caliphates... 6th -11th Cent. (Λονδίνο - Ν.Υόρκη 1986), 24,29. Εκτός από τον Beeston, τα προβλήματα γύρω από τη χρονολόγηση και αξιοπιστία του κορανικού κειμένου συζητούνται από τους L. Conrad, Abraha and Muhammad: Some Observations a propos of Chronology and Literary *Topoi* in the Early Arabic Historial Tradition, BSOAS 50 (1987), 225-40, ιδιαιτ. 227 εξ. και Δ. Λέτσιο, Βυζάντιο και Ερυθρά Θάλασσα. Σχέσεις με τη Νουβία, Αιθιοπία και Ν. Αραβία ως την Αραβική Κατάκτηση (Αθήνα 1988), 265 εξ., 289 εξ., 294 εξ., 299, σημ. 213. Τέλος, βλ. Αναστ. Γιαννουλάτος , Ισλάμ. Θρησκειολογική επισκόπησις (Αθήνα 1990[5]), 63, σημ. 55-58, 73, σημ. 28. - A. Kazhdan, ODB, 5-6, Αθ. Παπαθανασίου, Οι Νόμοι των Ομηριτών, διδακτορ. διατρ. (Αθήνα-Κομοτηνή 1994), 37 εξ., 96 εξ., 107 εξ., και passim.

Α.Σ.

Αγαθάγγελος (5ος αι.). Αρμένιος ιστοριογράφος (κατ' ορισμένους μελετητές ρωμαϊκής καταγωγής) της λεγόμενης «χρυσής εποχής» των Αρμενικών Γραμμάτων μετά την εφεύρεση του αρμεν. αλφαβήτου από τον Άγιο *Μεσρώπιο* στις αρχές του 5ου αι. Κατά την νεότερη έρευνα την εποχή του Α. γεννήθηκε η αρμεν. φιλολογία, όταν ομάδες λογίων μετέφρασαν την Αγία Γραφή καθώς και τα ελληνικά Πατερικά, φιλοσοφικά και ιστοριογραφικά συγγράμματα. Ο Α. στα έργα του για τη βασιλεία του Τιριδάτη Γ΄ και το βίο του *Γρηγορίου του Φωτιστή* κάνει λεπτομερή αφήγηση των διαφόρων φάσεων διάδοσης του Χριστιανισμού ανάμεσα στους Αρμένιους επί *Τιριδάτη Γ΄* (298-330), γεγονός που έκανε ορισμένους ερευνητές να θεωρήσουν ότι και ο ίδιος έζησε την εποχή εκείνη. Κατ' άλλους ο Βίος -ή τουλάχιστον πολύ μεγάλο τμήμα του- γράφτηκε αρχικά στα ελληνικά (με μεταγενέστερη ελλην. μετάφ. τον 6ο αι.), ενώ άλλοι πιστεύουν το αντίθετο. Παρόμοια αμφιβολία επικρατεί και για την προσωπικότητα και την εποχή δράσης του Α., ενώ αναμφισβήτητο γεγονός αποτελεί το ότι στην αφήγησή του υπάρχουν αρκετά φανταστικά και θρυλικά στοιχεία. Χρήσιμα, πάντως, για τη βυζ. ιστορία είναι τα όσα γράφονται στο Βίο για τη συμμετοχή Αρμενίων στην Α΄ Οικουμενική Σύνοδο της Νίκαιας (325) καθώς και για τις προσπάθειες προσυλητισμού των τουρκοφώνων Ούννων.

ΒΙΒΛ.: Αγγλ. μετ. R. Thomson, Agathangelos, History of the Armenians (Ώλμπανυ

- Ν. Υόρκη 1976). 'Αλλες εκδ. - γραμματολογικά: Χρ. Μπαρτικιάν, Το Βυζάντιον εις τας αρμενικάς πηγάς (Θεσ/νίκη 1981), 25 εξ. -Karayannopoulos - Weiss, 246, αρ. 16. - Η. Kraft, LM 1, 202-3. - R. Thomson, DMA 1(1982), 66-7. - του ιδ., ODB, 35 με τη βιβλιογρ. Λεπτομερής χρήση του Α. από τον R. Grousset, Histoire de l' Arménie des origines à 1071 (Παρίσι 1947, ανατ. 1973).

Α. Σ.

Αγαθάγγελος ο Καλλιστράτου († μετά το 1351). Ψευδώνυμο κάποιου ιλλυρικής καταγωγής μαθητή του Νικηφόρου *Γρηγορά*, που έδρασε στην Κων/πολη, από όπου μετανάστευσε την περ. 1331-51 για να γνωρίσει και μελετήσει τον κόσμο της Ανατολής, αλλά και για να μην αντικρύζει τα «ναυάγια» της Εκκλησίας και τα «νοσήματα» της βυζ. πολιτείας, καθώς μαρτυρεί ο δάσκαλός του στο 22ο βιβλίο της «Ρωμαϊκής Ιστορίας», όπου περιέχει τις αφηγήσεις του Α. από τις γεμάτες εμπειρίες περιηγήσεις του στη Ρόδο, την Παλαιστίνη, την Αίγυπτο, τη Βαβυλώνα, την Κοίλη Συρία, τη Φοινίκη, την Κύπρο, την Κρήτη κ.α. Ιδιαίτερα σημαντικά είναι τα τμήματα της αφήγησης για την ιστορία και της Εκκλησίας της Κύπρου επί βασιλείας Ούγωνος Δ΄ *Λουζινιάν*, καθώς επίσης για τα ενδιαφέροντα στοιχεία που παραθέτει για τη θρησκευτική, πολιτική και κοινωνική κατάσταση των λαών της Μέσης Ανατολής κατά τον 14ο αι. Το επιστημονικό ενδιαφέρον του Α. για τους Α. λαούς παραλληλίζεται (Κ. Κύρρης) με εκείνο του Ανδρέα *Λιβαδηνού* και του Μουσουλμάνου *Ιμπν Μπαττούτα*.

ΒΙΒΛ.: Γρηγοράς,CS, Γ', 3-40. - Γρηγοράς, Αλληλογραφία, έκδ. R. Guilland, Correspondance de Nicéphore Grégoras (Παρίσι 1929), 278-81. -Καντακουζηνός, Ιστορία, CS, Γ', 171-2. -Κ. Κύρρης, Ο Κύπριος Αρχιεπίσκοπος Θεσ/νίκης Υάκινθος, 1345-6, και ο ρόλος του εις τον αντι-παλαμιτικόν αγώνα, ΚΣ 25 (1961), 89-122, ιδιαίτ. 103, 107. - του ιδ. ΘΗΕ 1 (1962), 78-80. -του ιδ., History of Cyprus (Λευκωσία 1985), 230. -Γ. Παπαδημητρόπουλος, ΜΓΕ 1(1978), 134.

Α.Σ.

Αγαθίας (c.536-82/3). Βυζ. ιστοριογράφος και επιγραμματοποιός, καταγόμενος από τη Μύρινα (Μυρίνη) της Μ. Ασίας (περιοχή αρχ. Αιολίδας). Ο πατέρας του, Μεμνώνιος, ήταν ρήτορας και η αδελφή του, Ευγενία, έγινε δικηγόρος. Ο Α. σπούδασε νομικά στην Αλεξάνδρεια και Κων/πολη και άσκησε το επάγγελμα του δικηγόρου («σχολαστικού») στη Σμύρνη και στη βυζ. πρωτεύουσα, όπου πήρε το αξίωμα του «πατρός πόληος» και παντρεύτηκε την κόρη του επιγραμματοποιού *Παύλου Σιλεντιάριου*. Το ιστορικό του έργο «Περί της Ιουστινιανού βασιλείας» καλύπτει σε 5 βιβλία την περίοδο 552-8/9 και συνεχίζει το έργο του *Προκόπιου*, του οποίου, βέβαια, η αφήγηση υπερέχει και ως προς την ακρίβεια της περιγραφής των γεγονότων, αλλά και ως προς τη φρασεολογία. Βασικό θέμα της ιστορίας του Α. αποτελούν οι στρατιωτ. επιχειρήσεις του αρμενικής καταγωγής βυζ. στρατηλάτη *Ναρσή* κατά των *Οστρογότθων* της Ιταλίας, των *Βανδάλων* της Β. Αφρικής, των γερμανοφώνων λαών της Δ. Ευρώπης (Φράγκων, Αλεμάννων κ.ά.) και των Περσών Σασανιδών, ενώ υπάρχουν επίσης χρήσιμες πληροφορίες για τα τουρκόφωνα φύλα της Β.Βαλκανικής (Ουτίγωροι, Κουτρίγωροι κ.ά.) (πβ. J.Bury, Later Roman Empire, 395-565, Β΄, Ν.Υόρκη 1958, 305. - Α. Σαββίδης, Το οικουμενικό βυζ. κράτος και η εμφάνιση του Ισλάμ, Αθήνα 1990[2], 71-2). Αναφέρονται επίσης με σημαντικές λεπτομέρειες οι διάφοροι σεισμοί που συνέβησαν την εποχή του στη Παλαιστίνη (Βηρυτός) και Αίγυπτο (Αλεξάνδρεια), το πιο περιγραφικό, όμως, μέρος του έργου του Α. αποτελούν οι άφθονες πληροφορίες για τη ζωή, τη θρησκεία, τα ήθη και έθιμα των Σασανιδών Περσών, για τις οποίες -καθώς φαίνεται- ο Α. στηρίχθηκε σε προσωπικές του εμπειρίες από προφορικές μαρτυρίες αλλά και σε αποσπάσματα από περσικά έργα που μετάφρασε γι' αυτόν ο γραμματέας του Σέργιος (Averil Cameron, A. on the Sassanians, DOP 23/24, 1969/70, 67-183. -Αικ. Χριστοφιλοπούλου, Βυζ. ιστορ., Α΄, Θεσ/νίκη 1992[2], 241-2). Αντίθετα, πολλά από τα παρατιθέμενα από τον Α. στοιχεία για τη μεσαιων. Δύση δεν θεωρούνται από τη νεότερη έρευνα εντελώς αξιόπιστα (Av. Cameron, A. on the Early Merovingians, Annali della Scuola Normale di Pisa, 2η σειρ., 37, 1968, 95-140. - πβ. Τ. Λουγγής, Συμμ 4, 1981, 61 εξ. -του ιδ., Συμμ 5, 1983, 219 εξ. = του ιδ., Ιδεολογία της βυζαντ.

ιστοριογραφίας, Αθήνα 1993, 37 εξ.) Το έργο του Α. συνέχισε ο λίγο μεταγενέστερός του *Μένανδρος Προτήκτωρ* (για την περίοδο 558/9-82), ενώ το χρησιμοποίησαν εκτενώς ως πηγή ο εκκλησιαστικός ιστοριογράφος *Ευάγριος,* ο *Ιωάννης Επιφανεύς*, χρονικογράφος των βυζ.-περσικών πολέμων του 571-91 και ο μεταγενέστερος *Θεοφάνης Ομολογητής*. Οι συχνά παρεμβαλλόμενες στο έργο δημηγορίες, που δεν συνδέονται άμεσα με τα αφηγούμενα, καθώς και ορισμένα άλλα μειονεκτήματα, που οδήγησαν παλαιότερους μελετητές σε αυστηρές κρίσεις για τον Α., δε μειώνουν παρά ταύτα την αξία του ως ενός από τους κυριότερους ιστοριογράφους του 6ου αι.. Η αρχαιολατρεία του, τέλος, δεν είναι εμφανής μόνο στην ιστορία του, όπου -μιμούμενος το Θουκυδίδη- διαιρεί χρονολογικά τη διήγησή του σε γεγονότα «κατ' άνοιξιν» και «κατά χειμώνα» (Αv. Cameron, Herodotus and Thucydides in A., BZ 57, 1964, 33-62. - G.Ostrogorsky, Ιστορ. βυζ. κράτ. Α΄, Αθήνα 1978, 82), αλλά επίσης και στα σωζόμενα αποσπάσματα των ερωτικών του ποιημάτων («Δαφνιακά», 9 βιβλία) και στα επιγράμματά του, των οποίων συλλογή («Κύκλος») παρουσιάστηκε το 568 και έχει διασωθεί σε σημαντικό ποσοστό στην Παλατινή Ανθολογία (Alan και Averil Cameron, The Cycle of A., JHS 86, 1966, 6 εξ. και 87, 1967, 131 I. - R. McCail, The Cycle of A. New Identifications scrutinized, JHS 89, 1969).

ΒΙΒΛ.: 'Εκδ. ιστορίας B. Niebuhr (με επιγράμματα) (CS, 1928). - Έκδ. HGM 2 (1871), 132 - 392. - Έκδ. R. Keydell (Βερολίνο 1967: CF,2). -Έκδ. S. Constanza (Μεσσίνα 1969: Bibliotheca di Helikon/Studi e Testi, 7). -Έκδ. επιγραμμάτων G. Viansino (Μιλάνο 1967). Ρωσ. μετ. ιστορίας Μ.Λεφτσένκο (Μόσχα - Λένινγκραντ 1953). -Αγγλ. μετ. J. Frendo (Βερολίνο 1975: CF). Ειδική μονογραφ.: Av. Cameron, A. (Οξφόρδη 1970). Γραμματολογικά: Κρουμβάχερ, Α΄, 486 εξ. -Τωμαδάκης, Σύλλαβος, 256 εξ. - R. Browning, PCL 4(1969), 179. -G. Highet - Av. Cameron, OCD^{2}, 25. -Ζιναΐδα Ουνταλτσόβα, Η κοσμοθεωρία του πρώϊμου Βυζ. ιστοριογράφου του 6ου αι. Α. του Μυριναίου, VV 29 (1969) 153-69 (ρωσ.). -της ιδ. στο συλλογικό Kultura Vizantii, Α΄ (Μόσχα 1984), 160-71. -Hunger, Α΄, 303 εξ. και ελλην. μετ., Β΄, 95 εξ. - Γ. Παπαδημητρόπουλος, ΜΓΕ 1 (1978), 137-8. - TL^{3}, 18-19 και ελλην.μετ., 35-6. Karayannopulos - Weiss, 281, αρ. 86. - A. Fourlas, LM 1, 203. -Av. Cameron, DMA 1 (1982), 67-8. - B. Baldwin, ODB, 35-6. -Nicol, ΒΛ, 37.

Α.Σ.

Αγαθόνικος. Όνομα 2 οσιομαρτύρων του 3ου-4ου και του 7ου-8ου αι.

1. *Α.* († c. 305, εορτ. 22 Αυγ.). Βιθυνικής καταγωγής (Νικομήδεια) ευγενής, γιος του έπαρχου Ασκληπιάδη. Ασπάστηκε το Χριστιανισμό στις τελευταίες 10ετίες του 3ου αι. και περί το 305 συνελήφθη από τον έπαρχο Νικομήδειας, Ευτόλμιο, και μαρτύρησε από τις κακουχίες μαζί με άλλους 10 Χριστιανούς στη θρακική Σηλυβρία, στο δρόμο προς το χωριό Άμμους, όπου βρισκόταν ο αυτοκράτορας *Μαξιμιανός*. Επί *Κωνσταντίνου Α΄* χτίστηκε στην Κων/πολη ναός αφιερωμένος στον Α., που ανακαινίστηκε επί *Αναστασίου Α΄* και *Ιουστινιανού Α΄*.

ΒΙΒΛ.: Μ. Γεδεών, Βυζαντινόν εορτολόγιον (Κων/πολη 1849), 157, 164. -ΑΒ 1 (1882). -Η. Delehaye, Saints de Thrace de Mesie, AB 30 (1912). -DHGE 1, 920-21. - Σ. Ευστρατιάδης, Αγιολόγιον Ορθοδόξου Εκκλησίας (Αθήνα 1960). -ΜΓΕ 1 (1978), 146-7.

2. *Α. Ιεροσολύμων* († c. 715-17, εορτ. 21 Οκτ.). Ένας από τους 40 (ή 70) Βυζ. ευγενείς που πήραν μέρος σε προσκύνημα στους Αγίους Τόπους στη διάρκεια ανακωχής ανάμεσα στο Βυζάντιο και τον Ομαϋάδη χαλίφη της Δαμασκού, *Αμπνταλμαλίκ*. Στο δρόμο της επιστροφής των προσκυνητών, που συνέπεσε με την παύση της εκεχειρίας επί *Λέοντα Γ΄ Ίσαυρου*, συνελήφθησαν από τους Άραβες στην Παλαιστίνη και οδηγήθηκαν στην Καισάρεια, όπου τους ζητήθηκε να αλλαξοπιστήσουν για να σωθούν. Τελικά μαρτύρησαν στην Ιερουσαλήμ, όπου έπεισαν τους διώκτες τους ότι είχαν δήθεν κρύψει πολύτιμα αντικείμενα, στην πραγματικότητα όμως επειδή επιθυμούσαν να μαρτυρήσουν εκεί όπου είχε μαρτυρήσει και ο Ιησούς.

ΒΙΒΛ.: AASS Οκτ. IX (1858), 360-2. -AB 1 (1882). - Α. Παπαδόπουλος-Κεραμεύς, PPS 12 (1892), 1-7. -ΜΓΕ 1 (1978), 146.

Α.Σ.

Αγάθων (2ο μισό 4ου - αρχές 5ου αι.) Αναχωρητής ερημίτης, έδρασε στην αιγυπτιακή έρημο και περί το 590 είχε συγκεντρώσει γύρω του ομάδα μαθητών, μεταξύ των οποίων γνωστότεροι υπήρξαν οι Αλέξανδρος και Ζωίλος. Σύμφωνα με το κοπτικό συναξάριο η μνήμη του γιορτάζεται στις 11 Σεπτεμβρίου (ΘΗΕ 1, στήλ. 105).

Φ.Β.

Αγάθων (7ος αι.). Κόπτης πατριάρχης Αλεξανδρείας (662-80) αιγυπτιακής καταγωγής. Περί το 644 διορίστηκε βοηθός του πατριάρχη Βενιαμίν, τον οποίο και διαδέχτηκε. Όταν ακόμα ήταν διάκονος, κατά την ταραγμένη εποχή της «Έκθεσης» του *Ηράκλειου Α΄*, μεταμφιεσμένος σε ξυλουργό επέβλεπε τους πιστούς του και τις νύκτες λειτουργούσε. Τον διαδέχτηκε ο Ιωάννης Γ΄ (680-9).

ΒΙΒΛ.: Κυρ. Αντώνης, Ο Κύρος Αλεξανδρείας και οι Κόπται κατά την αραβικήν κατάκτησιν της Αιγύπτου (Θεσ/νίκη 1959), 5, 28, 71. -Αρ. Πανώτης, ΘΗΕ 1 (1962), στήλ. 105-6.

Φ.Β.

Αγάθων (τέλη 7ου - αρχές 8ου αι.). Αρχιδιάκονος και χαρτοφύλακας στην Κων/πολη. Με εντολή του αυτοκράτορα *Αναστάσιου Β΄ Αρτέμιου* (713-15) επιχείρησε ανασύνταξη των καμμένων πρακτικών της ΣΤ΄ Οικουμενικής Συνόδου του 680/81. Η δική του προσθήκη συνίσταται σε σύντομο επιλογικό τμήμα, όπου αναφέρεται η ανατροπή του *Βαρδάνη - Φιλιππικού* το 713, καθώς και η εισβολή των Βουλγάρων στα βυζ. εδάφη το 712/3.

ΒΙΒΛ.: Mansi, 12, 189-96 (Πρακτικά 193-6). -Καραγιαννόπουλος, Πηγαί (1987[5]), 200, αρ. 178. -Karayannopulos - Weiss, 320, αρ. 166. -Moravcsik, Α΄, 217-18. -DHGE 1, 919. -ΘΗΕ 1 (1963), στήλ. 105. -Αικ. Χριστοφιλοπούλου, Βυζ. ιστορ. Β΄, 1 (Θεσ/νίκη 1993[2]), 89. - J. Haldon, Byzantium in the 7th cent. (Καίμπριτζ 1990), 78, 321.

Φ.Β.

Αγάθων, Άγιος (γεν. c.577, Πάπας 27 Ιουν. 678-10 Ιαν. 681 †). Κληρικός από τη Σικελία (Παλέρμο), πιθανώς ελλην. καταγωγής (Κ. Άμαντος, Ιστ. βυζ. κρ., Α΄, Αθήνα 1963[3], 319, 320), χειροτονήθηκε ιερέας και εκλέχτηκε πάπας στη Ρώμη. Το 678/9 υποχρέωσε το Βυζ. έξαρχο Ραβέννας, Θεόδωρο (Β΄), να αναγνωρίσει την επικυριαρχία του, και το 679/80 συγκάλεσε στο Λατερανό Σύνοδο με την οποία προετοίμασε τη συμμετοχή της Αγ. Έδρας στη ΣΤ΄ Οικουμενική Σύνοδο του 680/81 στην

Κων/πολη, όπου, διαμέσου των αντιπροσώπων (λεγάτων) του συμφώνησε στην καταδίκη του δόγματος του Μονοενεργητισμού-Μονοθελητισμού [βλ. λ. *Σέργιος*], υποστηρίζοντας με θέρμη τις 2 θελήσεις του Ιησού ως φυσικής συνέπειας των δύο Του φύσεων και αποδεχόμενος την καταδίκη του πρώην αιρετικού πάπα *Ονώριου Α΄*. Παράλληλα ο Α. έπεισε το βυζ. ηγεμόνα *Κωνσταντίνο Δ΄* να καταργήσει το φόρο 300 σολδίων που επιβαλλόταν κατά την εκλογή νέου πάπα, πράξη που θα μπορούσε να ερμηνευτεί ως η 1η σοβαρή διεκδίκηση αυτονομίας και πρωτείων εκ μέρους της Παπωσύνης. Πέθανε κατά τη διάρκεια πανώλους στη Ρώμη και αγιοποιήθηκε από την Καθολ. Εκκλησία (10 Ιαν.)

ΒΙΒΛ.: Οι πηγές (Παπικο Βιβλίο κ.ά.) στον Α. Στράτο, Το Βυζ. στον 7ο αι., Ε΄ (Αθήνα 1974), 55, 62, 64, 120 εξ. -πβ. ΘΗΕ 1, 106. -Μ. Ανάστος, ΙΕΕ 8 (1979), 249 εξ. -G. Schwaiger, LM 1, 203. - Α. Σαββίδης, Οικουμ. βυζ. κράτ. και εμφάν. Ισλάμ (Αθήνα 1990^2), 145. Για τις σχέσεις του Α. με τον επικυρίαρχό του Κων/νο Δ΄ βλ. DR, Α΄, αρ. 247, 249. -Τ. Λουγγής, Διπλωματία και διπλωματική. Το παράδειγμα της Jussio, Συμμ 3 (1979), 77. -του ιδ., Les ambassades byzantines en Occident... 407-1096 (Αθήνα 1980), 124. -του ιδ., Η βυζ. κυριαρχία στην Ιταλία από το θάνατο του Μ.Θεοδόσιου ως την άλωση του Μπάρι, 395-1071 (Αθήνα 1989), 137-8.

Α.Σ.

Αγαλλιανός († 727). Βυζ. στρατ. αξιωματούχος και στασιαστής κατά του εικονομάχου αυτοκράτορα *Λέοντα Γ΄ Ίσαυρου*. Αναφέρεται ως τουρμάρχης Ελλαδικών (Θεοφάνης) δηλ. διοικητής των δυνάμεων του θέματος Ελλάδος, και ως «άρχων» (Νικηφόρος). Μαζί με τον αξιωματούχο Στέφανο κίνησαν στάση προβάλλοντας κάποιο άσημο *Κοσμά* ως ανταπαιτητή-αυτοκράτορα και πλέοντας με το στόλο των Κυκλάδων (του μεταγενέστερου θέματος Αιγαίου) κατά της Κων/πολης. Λίγο έξω από τη βυζ. πρωτεύουσα συγκρούστηκαν με το αυτοκρ. στόλο στις 18 Απρ. 727 (όχι 726 κατά ορισμένους μελετητές) και έπαθαν πανωλεθρία από το υγρό πυρ, που καταβύθισε το στασιαστικό στόλο. Ο Α. έπεσε με την πανοπλία του στο νερό και πνίγηκε - ορισμένοι ερευνητές (Παπαρρηγόπουλος, Άμαντος, Χριστοφιλοπούλου) αποδίδουν στην πράξη αυτή γενναιότητα και ηρωϊσμό του Α. που δε θέλησε να αιχμαλωτιστεί ζωντανός - ενώ οι Κοσμάς και Στέφανος συνελήφθησαν και αργότερα αποκεφαλίστηκαν με διαταγή του Λέοντα Γ΄. Οι επιζήσαντες στασιαστές προσχώρησαν στον αυτοκράτορα (βλ. και λ. *Ελλαδικοί*).

ΒΙΒΛ.: Θεοφάνης, 405. -Πατριάρχ. Νικηφόρος, 57-8. -G. Ostrogorsky, Les débuts de la Querelle des Images, Mélanges C. Diehl, 1 (Παρίσι 1930), 235 εξ. -Κ. Παπαρρηγόπουλος, Ιστ. Ελλην. Έθν., Δ΄, 2 (Αθήνα 1932[6]), 39. - J. Bury, Later Roman Empire, 395-800, Β΄ (Αμστερνταμ 1966), 351, 437-8. -Κ. 'Αμαντος, Ιστ. βυζ. κρ., Α΄ (Αθήνα 1963[3]), 338-9. -Hélène Ahrweiler, Byzance et la mer (Παρίσι 1966), 40. -της ιδ., The Geography of the Iconoclast World, στους A. Bryer - Judith Herrin, Iconoclasm (Birmingham 1977), 23 (χρονολογεί το κίνημα στο 726 και το θεωρεί άσχετο προς την εικονομαχική πολιτική του Λέοντα Γ΄). -Δ. Ζακυθηνός, Βυζ. ιστ., Α΄ (Αθήνα 1977[2], ανατ. 1989), 187. -S. Gero, Byz. Iconoclasm during the Reign of Leo III (Λουβαίν 1973), 94, 212 εξ. -Ι. Καραγιαννόπουλος, Ιστ. βυζ. κρ. Β΄ (Θεσ/νίκη 1991[2], ανατ.), 134. - Αικ. Χριστοφιλοπούλου, Βυζ. ιστ., Β΄, 1 (Θεσ/νίκη 1993[2]), 108-9. -της ιδ., ΙΕΕ 8 (1979), 28. -Θ. Κορρές, Το κίνημα των «Ελλαδικών», Βυζκ 1 (1981), 41 εξ., ιδιαίτ. 46-7.- Τ. Λουγγής, Δοκίμιο για την κοινωνική εξέλιξη των λεγόμενων «σκοτεινών αι.», 602-867 (Αθήνα 1985), 39.

Α.Σ.

Αγαλλιανός, Θεόδωρος (Θεοφάνης Μηδείας) (c. 1400 -74): Θεολόγος, συγγραφέας και αντιγραφέας χειρογράφων. Γεννήθηκε στην Κων/πολη. Υπηρέτησε αρχικά στον κατώτερο κλήρο του Πατριαρχείου, ως διάκονος, ιερομνήμων, και δικαιοφύλαξ. Τα αντιλατινικά του φρονήματα και οι ανθενωτικές του πεποιθήσεις είχαν ως συνέπεια να απομακρυνθεί από την Κων/πολη για μια τριετία (1440-43). Μετά την άλωση της Κων/πολης από τους Τούρκους ο Α. έμεινε για σύντομο διάστημα αιχμάλωτος στην Προύσα. Αλλά επανήλθε στην Κων/πολη, και πάλι στον πατριαρχικό κλήρο, αρχικά ως «μέγας χαρτοφύλαξ» και κατόπιν ως «μέγας οικονόμος». Το 1468 ανέλαβε την Μητρόπολη της θρακικής πόλης Μηδείας, όπου υπηρέτησε ως τον θάνατό του, με το όνομα Θεοφάνης. Ο Α. θεωρείται από τους πιο αξιόλογους συγγραφείς που δεν εκπατρίστηκαν μετά από την άλωση. Το μεγαλύτερο μέρος του συγγραφικού έργου του περιλαμβάνει αντιρρητικούς λόγους κατά των Λατίνων και εναντίων διαφόρων αιρέσεων. Έγραψε επίσης φιλοσοφικοδογματικά κείμενα, απολογητικούς λόγους (με πολλά αυτοβιογραφικά στοιχεία) και διάφορες επιστολές.

ΒΙΒΛ.: Beck, 759. -Κρουμβάχερ, Α΄, 237, 239. -Χ.Γ. Πατρινέλλης, Ο Θεόδωρος Αγαλλιανός ταυτιζόμενος προς τον Θεοφάνην Μηδείας και οι ανέκδοτοι λόγοι του (Αθήνα 1966). -του ιδ., ΘΗΕ 1 (1962), 110-11. -του ιδ., ΠΒΛ/ΕΕΕ 1 (1983), 33. - PLP, αρ. 94, -Alice Mary Talbot, ODB, 33-4 με τη βιβλιογρ. -TL[3], ελλην. μετάφρ., 37.

Σ.Λ.

Αγαπητός. Όνομα 2 Παπών της Ρώμης.

1.*Α. ο Α΄* (535-6) Άγιος. 58ος Πάπας. Ήταν Ρωμαίος και προερχόταν από αριστοκρατική οικογένεια. Ο πατέρας του, Γορδιανός, ήταν ιερέας. Μόλις έγινε Πάπας επιδίωξε να επιβάλει την ειρήνη και να προασπίσει την Ορθοδοξία. Αμέσως μετά την εκλογή του, διαδέχτηκε τον *Ιωάννη Β΄*, του οποίου ήταν αρχιδιάκονος και πήγε στην Κων/πολη, όπου αντιμετώπισε με μεγάλη αποφασιστικότητα τον Μονοφυσιτισμό. Κατάφερε να απομακρύνει από τον πατριαρχικό θρόνο τον *Άνθιμο*, που συμπαθούσε το Μονοφυσιτισμό, και να συντελέσει στο να εκλεγεί Πατριάρχης ο Ορθόδοξος ιερομόναχος *Μηνάς*. Επικύρωσε την απόφαση της αντιπροσωπείας Αφρικανών επισκόπων, που είχαν συνέλθει σε σύνοδο το 535, στην Καρχηδόνα, να μη γίνεται δεκτός στη ρωμαϊκή Εκκλησία κανένας Αφρικανός κληρικός, αν δεν είχε κανονικά διαπιστευτήρια. Συνέστησε επίσης να μη δίνεται εκκλησιαστικό αξίωμα σε οποιοδήποτε μεταστρεφόμενο Αρειανιστή. Λίγο αργότερα όμως αρρώστησε βαριά και πέθανε στις 22 Απριλίου στην Κων/πολη. Εορτάζεται, από την Ορθόδοξη Εκκλησία, στις 17 Απριλίου και από την Ρωμαιοκαθολική στις 20 Σεπτεμβρίου, ημέρα που ενταφιάστηκε στη Ρώμη.

ΒΙΒΛ.: L. Duchesne, L' Église au 6e siècle (Παρίσι 1925), 93 εξ. - Χρυσόστ. Παπαδόπουλος, Το πρωτείον του επισκόπου Ρώμης (Αθήνα 1930), 86, 175. -Δημ. Λουκάτος, ΘΗΕ 1, στήλ. 149-50. - H. Kraft, LM 1, στήλ. 201-2. -Β. Στεφανίδης, Εκκλησ. ιστορία (Αθήνα 1978[4]), 232 εξ. -A.Kazhdan και M. McCormick, ODB, 34-5.

2. *Α. ο Β΄* (946-55). 132ος Πάπας. Για τη ζωή και την καταγωγή του πριν γίνει Πάπας δεν υπάρχουν πληροφορίες. Διαδέχτηκε το *Μαρίνο Β΄* σε μια πολύ δύσκολη εποχή για τη Δ. Εκκλησία, που η κοσμική ισχύς των παπών ήταν περιορισμένη.

Έδειξε δικαιοσύνη, ενεργητικότητα και αρετές. Επιδίωξε να ειρηνεύσει τις έριδες πολλών ηγεμόνων, που ανταγωνίζονταν για την επικράτηση στην Ιταλία. Έδειξε συμπάθεια στον αυτοκράτορα της Γερμανίας, *Όθωνα Α΄*, και έδωσε πολλά δικαιώματα σ' αυτόν και στο γερμανικό κλήρο. Έδειξε ενδιαφέρον για την προαγωγή του μοναστικού βίου στην περιφέρεια της Ρώμης, αναδιοργανώνοντας πολλά παλαιά κοινόβια και ιδρύοντας νέα. Πέθανε, τιμώμενος απ' όλους, μετά από παπική αρχή δέκα χρόνων.

ΒΙΒΛ.: W. Langen, Geschichte der römischen Kirche von Nikolaus I. bis Gregor VII. (Βόννη 1892), 334 εξ. -A. Fliche και V. Martin, Histoire de l' Église, VII (Παρίσι 1940), 41 εξ. (του E. Amann). -DAC 1, 890 εξ. -Δημ. Σ. Λουκάτος, ΘΗΕ 1, στήλ. 150. -G. Schwaiger, LM 1, στήλ. 202 με άλλη βιβλιογρ.

Γ.Μ.

Αγαπητός. Όνομα 3 εκκλησιαστικών αξιωματούχων κατά την πρωτοβυζ. εποχή (4ος-5ος αι.).

1. *Α. ο Ομολογητής* († μετά το 324, εορτ. 18 Φεβρ.). Επίσκοπος Συνάδων Φρυγίας επί *Κωνσταντίνου Α΄* και θαυματοποιός. Αρχικά ασκήτεψε σε μονή της γενέτειράς του, Καππαδοκίας, και αργότερα υπηρέτησε στο στρατό του αυτοκράτορα *Λικίνιου*, όπου βασανίστηκε όταν αποκαλύφθηκε ότι ήταν Χριστιανός.

ΒΙΒΛ.:AASS Νοε., 473-4, 991. -Δουκάκης, Μέγας Συναξαριστής, Φεβρ. 478-9. -Α. Παπαδόπουλος-Κεραμεύς, Varia Craeca Sacra (Αγ. Πετρούπολη 1909), 114-29 και 130-40. DHGE, 1, 883-5. -ΜΕΕ, 1, 142. -ΘΗΕ, 1, 147-9.

2. *Α.* (αρχ. 5ου αι.). Επίσκοπος Συνάδων Φρυγίας, αρχικά οπαδός της αίρεσης του *Μακεδόνιου* (κατά της Θεότητας του Αγ. Πνεύματος), κατόπιν ασπάστηκε την Ορθοδοξία και έγινε επίσκοπος. Την εκλογή του επικύρωσε ο πατριάρχης Κων/πολης, *Αττικός*, ανάμεσα στα έτη 406 και 415 (Σωκράτης, Εκκλ. Ιστ., PG 67, 741-2).

3. *Α.* († μετά το 459). Μητροπολίτης Ρόδου, του οποίου σώζεται επιστολή προς τον αυτοκράτορα *Λέοντα Α΄* (Mansi, 7, 580 εξ., 917), με την οποία τονίζει την ορθότητα των αποφάσεων της Δ΄ Οικουμενικής Συνόδου της Χαλκηδόνας (451). Το 459

επίσης ο Α. αναγνώρισε την εγκύκλιο του πατριάρχη *Γεννάδιου Α΄* κατά της σιμωνίας.

Α.Σ.

Αγαπητός. Όνομα 2 αξιωματούχων κατά την πρωτοβυζαντινή εποχή (1ο μισό 6ου αι.).

1. Α. (βλ. PLRE, Β΄, 30). Πατρίκιος (525-6) και συγκλητικός (525), ένας από τους αξιωματούχους που με εντολή του *Θεοδώριχου Αμαλού* συνόδευσε τον πάπα *Ιωάννη Α΄* στην Κων/πολη για να εκφράσει τις διαμαρτυρίες των Οστρογότθων στο Βυζ. αυτοκράτορα *Ιουστίνο Α΄* σχετικά με το επίμαχο ζήτημα του Αρειανισμού και τα εναντίον του ληφθέντα μέτρα στην Α. αυτοκρατορία. Πέθανε κατά το ταξίδι της επιστροφής στη Θεσ/νίκη (άνοιξη 526).

ΒΙΒΛ.: Β. Στεφανίδης, Η εις Κων/πολιν μετάβασις του Ρώμης Ιωάννου Α΄, 525-6, ΕΕΒΣ 24 (1954), 22-36.

2. Α. (PLRE, Β΄, 30-2). Συγκλητικός μεταξύ 502/3 - c. 508, χρημάτισε σε μεγάλη ηλικία υψηλός αξιωματούχος της αυλής του *Θεοδώριχου*. Αναφέρεται ότι κατείχε κρατική θέση στη Ραβέννα από το 503 ως το 508 και το 511 είχε ήδη γίνει πατρίκιος. Παρακολούθησε μαζί με τον Γελιανό και ύστερα από υπόδειξη του Θεοδώριχου την δίκη των Φέστου και Σύμμαχου κατά του Παυλίνου. Το 509 του ανατέθηκε η υπόθεση των Θεόδωρου και Ινπορτούνου, οι οποίοι κατηγορούντο για υποκίνηση ταραχών εναντίον των Πρασίνων στη Ρώμη. Στη συνέχεια πραγματοποίησε αποστολή στον *Αναστάσιο Α΄* στην Κων/πολη. Ύπατος Δύσης (c. 517) έστειλε το 520 αντιπρόσωπό του στην Κων/πολη με επιστολή από τον πάπα *Ορμίσδα*. Στα τέλη του 520 αποτελεί μέλος της συνοδείας του πάπα Ιωάννη Α΄ στην Κων/πολη (βλ. Α.1). Πιθανόν οι 2 Α. να είναι το ίδιο πρόσωπο.

ΒΙΒΛ.: Οι πηγές (Excerpta Valesiana, Παπικό Βιβλίο, Μαρκελλίνος κόμης, Κασσιόδωρος, Θεοφάνης κ.ά.) στους J. Bury, Later Roman Empire, Β΄, (Ν.Υόρκη 1958), 156-7. - E. Stein, Histoire, Β΄ (Παρίσι 1949), 260, 795. -Ι. Καραγιαννόπουλος, Ιστ. βυζ. κρ. Α΄ (Θεσ/νίκη 1978, ανατ. 1991), 384-5.

Φ.Β.

Αγαπητός Διάκονος (1ο μισό 6ου αι.) Διάκονος του ναού της Αγίας Σοφίας στην Κων/πολη και συγγραφέας του έργου «Έκθεση Κεφαλαίων Παραινετικών» ή «Σχέδη Βασιλική», που αποτελείτο 1ο γνωστό παράδειγμα κειμένου της χαρακτηριστικής κατηγορίας «κάτοπτρα βασιλέων». Βασισμένο σε αρχαία και πατερικά πρότυπα (Ισοκράτης, Μ.Βασίλειος, Γρηγόριος Ναζιανζηνός κ.ά.), αποτελεί επίτομο βιβλίο παραινέσεων και γενικών συμβουλών και οδηγιών (επεξηγήσεις πάνω στα πολιτικά, θρησκευτικά και ηθικά καθήκοντα) προς το Βυζαντινό μονάρχη (*Ιουστινιανό Α΄*) σε ρητορικό ύφος, και γράφτηκε περί το 530 (E. Barker). Είναι πιθανόν να διετέλεσε ο Α. δάσκαλος του Ιουστινιανού Α΄ για βραχύ χρονικό διάστημα, και αυτό εξηγεί το γεγονός ότι στα 72 κεφάλαια του έργου υπάρχουν αρκετές εξεζητημένου τύπου κολακείες του Α. προς αυτόν. Ως εγχειρίδιο, πάντως, υπήρξε ιδιαίτερα δημοφιλές και άσκησε σημαντική επίδραση στη πρώιμη ρωσική λογοτεχνία και πολιτική ιδεολογία (Ševčenko). Πρωτομεταφράστηκε γαλλικά στις αρχές του 17ου αι. από το Γάλλο μονάρχη Λουδοβίκο ΙΓ΄ (Α. Σαββίδης, Εισαγωγή στην εξέλιξη των βυζ. σπουδών, Β΄: ο 17ος αι., ΒΝΕΜ 3, 1981/2,20).

ΒΙΒΛ.: 'Εκδ. PG 86, στήλ. 1163-86. - Έκδ.-εισαγ. Παρή Στιβακτάκη - Λένα Τζεδάκη (Ηράκλειο Κρήτης 1988). - 'Εκδ. αποσπ. Ι. Καραγιαννόπουλος, Η βυζ. ιστορ. από τας πηγάς (Θεσ/νίκη 1974), 12-13, 19, 251-2. -Αγγλ. μετ. αποσπ. E. Barker, Social and Political Thought in Byzantium... (ανατ. Οξφόρδη 1961), 54 εξ. -Γερμ. μετ. -σχόλ. W. Blum, Byz. Fürstenspiegel. A., Theophylaktos von Ochrid, Thomas Magister (Στουτγάρδη 1981: Bibl. d. Griech. Lit., 14), 53-80. -Σερβ. μετ. I.Ševčenko, A Neglected Byzantine Source of Muscovite Political Ideology, HSSt 2 (1954), 141-79. Βλ. επίσης K. Praechter, Der Roman Barlaam und Joasaph in seinem Verhältniss zu Agapetos Königspiegel, BZ 2 (1893), 444-60. -A. Bellomo, Agapeto Diacono e la sua Scheda Regia... (Μπάρι κ.α. 1906), πβ. βιβλιογρ. K. Praechter, BZ 17 (1908), 152-64. - P. Henry, A Mirror for Justinian: the Ecthesis of Agap. D. GRBS 8 (1967), 281-308. -Ihor Ševčenko, A., East and West: the Face of a Byzantine «Mirror of Princes», RESEE 16 (1978), 3-44 (=Ideology, Letters and Culture in the Byz. World, VR 1982, μελ III). -Δήμ. Λέτσιος, Η «Εκθεσις Κεφαλαίων Παραινετικών» του Δ.Α. Μια σύνοψη της ιδεολογίας της εποχής του Ιουστινιανού για το αυτοκρατορικό αξίωμα, Δωδ. 14 (1985), 175-210. -A. Romano, Retorica e Cultura a Bisanzio: due Fürstenspiegel a confronto, Vichiana 14 (1985), 299 - 316 (περί Α. Δ. και Θεφυλάκτου). - R. Frohne, Agap. D. Untersuchungen zu den Quellen und zur

Wirkungsgeschichte des erste byzant. Fürstenspiegel (Τυβίγγη 1985: διδακτορ. διατρ.). Γραμματολογικά: Κρουμβάχερ, Β΄, 99 εξ. - Αδ. Αδαμαντίου, ΜΕΕ 1, 141. -Αικ. Χριστοφιλοπούλου, Βυζ. ιστορ., Α΄ (Θεσ/νίκη 1992[2]), 81-2. -A. Hohlweg, TL[3], 17-18 και ελλην. μετ. 37-8. -H. Kraft, LM 1, στήλ. 202. -H. Hunger, Βυζ. λογοτεχνία, Α΄ (Αθήνα 1991[2]), 249, σημ. 7, 315. - Gudrun Schmalzbauer, Fürstenspiegel, LM 4/5 (1988), στήλ. 1054. - B. Baldwin και I. Ševčenko, Agapetos, deacon, ODB, 34. -Elizabeth Jeffreys και A. Kazhdan, Mirror of Princes, ODB, 1379-80, όπου άλλη βιβλιογρ.

Α.Σ.

Αγάπιος (τέλη 5ου - 1ο μισό 6ου αι.). Αθηναίος νεοπλατωνικός φιλόσοφος της σχολής της Αθήνας, μαθητής του *Πρόκλου* και του *Μαρίνου* και δάσκαλος του βυζ. συγγραφέα Ιωάννη *Λυδού*, που μαρτυρεί ότι σε κάποια δημόσια εκδήλωση στην Κων/πολη, γύρω στο 511, ο Α. έκανε διάλεξη για τη φιλοσοφική σκέψη των Πλάτωνα και Αριστοτέλη. Γνωστός για την αγάπη του προς τη μάθηση και τη λύση δύσκολων προβλημάτων, ο Α. συνελήφθη μαζί με άλλους φιλοσόφους επί βασιλείας *Ζήνωνα*. Ο ποιητής Χριστόδωρος έχει γράψει γι' αυτόν επαινετικούς στίχους.

ΒΙΒΛ.: Ιω. Λυδός, De Magistratibus, έκδ. R. Wuensch, Γ΄, 26. -Σούδα, Α, 157 - Γ, 207 - Ν, 477 - Υ, 166. -PLRE, Β΄, 32-3. -H. Kraft, LM 1, 202.

Φ.Β.

Αγάπιος ο Αλεξανδρεύς (τέλη 4ου - 1ο μισό 5ου αι. μ.Χ.) Λόγιος και γιατρός («ιατρικών μαθημάτων εξηγητής») από την Αίγυπτο, ίσως εβραϊκής καταγωγής. Δίδαξε ιατρική στην Κων/πολη, όπου εγκαταστάθηκε μετά την απέλαση των Εβραίων από την Αίγυπτο το 415 (βλ. και *Αδαμάντιος*), και απέκτησε δόξα και πλούτη. Άριστος χρήστης της αττικής διαλέκτου, έγινε γνωστός στην Αλεξάνδρεια και στην Κων/πολη λόγω της πολυμάθειάς του και της κριτικής του προσέγγισης στη γραμματική και ρητορική. Τον αναφέρει το λεξικό της Σούδας (Α.158) και ο Φώτιος στη *Βιβλιοθήκη* («Μυριόβιβλο») (298) (βλ. PLRE, Β΄, 32).

Φ.Β.

Αγάπιος (Β΄) († Σεπτ. 997). Πατριάρχης Αντιοχείας (977-95), ο πρώτος που εκλέχτηκε μετά την έξωση των Αράβων από την Αντιόχεια. Πρώην επίσκοπος Βέρροιας (Χαλεπιού), διαδέχτηκε το Θεόδωρο Β΄, που πέθανε στην Ταρσό το 976, με ενέργειες του *Βασίλειου Β΄* Βουλγαροκτόνου, αλλά η εκλογή του έγινε επίσημα το 977. Το 989/90 προσκλήθηκε από το Βασίλειο Β΄ στην Κων/πολη όπου περιορίστηκε σε μοναστήρι γιατί, όπως φαίνεται, είχε έλθει σε συνεννόηση με το στασιαστή *Βάρδα Φωκά*, γεγονός που αποκαλύφθηκε από συνωμοτικές επιστολές του. Από το Πατριαρχείο της Αντιόχειας όμως παραιτήθηκε μόλις το 995/6, αφού είχε ήδη κατορθώσει να παραμείνει εγγεγραμμένος στα εκκλησιαστικά δίπτυχα και να πάρει ως αντάλλαγμα την κυριότητα της μονής Πικριδίου της Κων/πολης, όπου έγινε ηγούμενος. Τον διαδέχτηκε ο Ιωάννης Ε΄.

ΒΙΒΛ.: G. Schlumberger, Βυζ. εποποιία, Β΄ (ανατ. Αθήνα 1977), 454. -Καλλιόπη Μπουρδάρα, Καθοσίωσις και τυραννίς... 867-1056 (Αθήνα-Κομοτηνή 1981), 101. -ΜΕΕ 1, 143. - ΘΗΕ 1, στήλ. 152. J. Cl. Cheynet, Pouvoir et contestations à Byzance, 963-1210 (Παρίσι 1990), 31.

Φ.Β.

Αγάπιος. Πατριάρχης Ιεροσολύμων (983-4) καταγόταν από την Σελεύκεια. Δεν αναφέρεται, πάντως, από τον Βασίλειο Στεφανίδη (Εκκλησιαστική ιστορία, 801) στον κατάλογο των πατριαρχών Ιεροσολύμων.

Φ.Β.

Αγάπιος όσιος ο «Αλαμάνος» (μέσα 12ου αι.). Ένας από τους 300 «Αλαμανούς» όσιους που μάλλον ήταν Βυζαντινοί μισθοφόροι στα σταυροφορικά στρατεύματα του *Κορράδου Γ΄* κατά τη Β΄ Σταυροφορία (1147-9). Αρχικά οι μισθοφόροι έμειναν στην Παλαιστίνη, για να καταλήξουν τελικά στην Κύπρο, όπου μόνασαν και αγιοποιήθηκαν. Από τους άγιους αυτούς μόνο ο άγιος Καλάντιος εορτάζεται μέχρι σήμερα.

ΒΙΒΛ.: Λεόντιος Μαχαιράς, έκδ. -αγγλ. μετ. R. Dawkins, 32-3. -Κ. Κύρρης, ΘΗΕ 1 (1962), στήλ. 152. Γενικά για τους Αλαμανούς όσιους βλ. τώρα C. Kyrres, The Three Hundred Alaman Saints of Cyprus: problems of origin and identity, στους A. Bryer-G.Georghallides, The Sweet Land of Cyprus, 25th Spring Symposium of Byz. Stud./Birmingham 1991 (Nicosia 1993), 203-35.

Φ.Β.

Αγάπιος Ιεράπολης-Mabbug (αραβ. Mahbub της Menbij, 10ος αι.). Ελληνοάραβας Μελκίτης επίσκοπος Ιεράπολης και εκκλησ. χρονικογράφος, του οποίου το έργο («Παγκόσμια Ιστορία», στα αραβικά) περιέχει σημαντικές πληροφορίες για τις σχέσεις του Βυζαντίου με την Ανατολή ως τα μέσα του 8ου αι., οπότε διακόπτεται απότομα. Ο συγγρ. φαίνεται ότι χρησιμοποίησε ως πηγές τους *Ευσέβιο, Σωκράτη, Σωζομενό, Ιωάννη Εφέσου,* καθώς επίσης το *Θεοφάνη* και το ελληνικό χρονικό του Μελκίτη Θεόφιλου Έδεσσας († 785). Για τη βυζ. ιστορία αξιόλογα είναι τα αποσπάσματα του έργου όπου γίνεται λόγος για διάφορα φυσικά φαινόμενα στην Αυτοκρατορία επί βασιλείας *Ιουστίνου Α΄* (518-27), για τη βυζαντινο-περσική σύρραξη επί *Μαυρικίου* το 590, για τις βυζαντινο-αραβικές συγκρούσεις του 1ου μισού του 8ου αι. και για τις πολλές μουσουλμανικές επιδρομές («ραζζίες») σε διάφορες πόλεις της βυζ. Ανατολής, για την αλληλογραφία του *Λέοντα Γ΄ Ίσαυρου* με τον Ομαϋάδη χαλίφη *Ομάρ Β΄* καθώς και για τα πρώτα εικονοκλαστικά μέτρα του πρώτου, ενώ γίνεται, τέλος, αναφορά στο κίνημα του *Αρτάβασδου* το 742/3 κατά του *Κωνσταντίνου Ε΄* και στην εικονομαχική Σύνοδο της Ιέρειας του 754.

ΒΙΒΛ.: Έκδ. L. Cheikho, Historia Universalis, CSCO, αραβ. σειρ., 3 (Βηρυττός 1909), αρ. 65, -Έκδ. -γαλλ. μετ. A. Vasiliev, Histoire Universelle, PO 5/4 (1910), 557-692, 7/4 (1911), 457-591 και 8/13 (1912), 399-547. -Πβ. A. Vasiliev, Justin the 1st (Καίμπριτζ Μασσ. 1950), 35. -P. Goubert, Byzance avant l' Islam, A΄ (Παρίσι 1951), 164. -S. Gero, Byz. Iconoclasm during the Reign of Leo III (Λουβαίν 1973), 44-5, 81, 199-200. -του ιδ., Byz. Icon. dur. the Reign of Constantine V (Λουβαίν 1977), 3,15,64 εξ., 185. Γραμματολογικά: B. V. Rosen, Σημειώσεις για το Χρονικό του Α. της Μενμπίτζ (ρωσ.), ZMNP (1884), 47-75. -A. Vasiliev, Ο Α. του Μ., Χριστιανός Άραβας ιστοριογράφος του 10ου αι. (ρωσ.), VV 11 (1904), 574-87. -G.Graf, Gesch. der christl. arabischen Literatur, A΄ (Βατικαν 1947: ST, 133), 39 εξ. -Karayannopulos-Weiss, 376-7, αρ. 278. -M. Breydy, Richtigstellungen über Agapius von Manbig und sein historisches Werk, OrChr 73 (1989), 90-6. -S. Griffith, ODB, 35.

Α.Σ.

Αγγελικούδης, Κάλλιστος (2ο μισό 14ου αι.): Λόγιος και θεολόγος. Ζούσε ως ασκητής στην περιοχή του Μελενίκου. Γρήγορα η φήμη του διαδόθηκε και συναθροίστηκαν γύρω του πολλοί που επιθυμούσαν να διαβιώσουν ασκητικά. Ο Α. ζήτησε τότε να ανακηρυχθεί το ασκητικό αυτό κέντρο σε μοναστήρι, πράγμα που έγινε με σιγίλλιο του Πατριάρχη *Φιλόθεου Κόκκινου* το 1371. Ίσως το ησυχαστήριο του Α. να ταυτίζεται με τον Μονή Ρωσινού, που βρισκόταν σε απόσταση 2 ωρών ανατολικά από το Μελένικο. Ο Α. έγραψε εκτενή θεολογική πραγματεία, όπου αναπτύσει τις απόψεις του σχετικά με τον ησυχασμό (το κείμενο παραμένει ανέκδοτο). Έγραψε επίσης πολυσέλιδη πραγματεία εναντίον του Θωμά *Ακινάτη* στην οποία αναιρεί συστηματικά τις απόψεις του Ακινάτη και αποδεικνύει την υπεροχή της ορθόδοξης θεολογικής σκέψης. Το έργο φανερώνει ότι ο Α. είχε πολύ καλή γνώση της Summa contra Gentiles του Θωμά του «Αγχίνου» (όπως αποκαλούσαν οι Βυζαντινοί τον Ακινάτη), την οποία προφανώς γνώριζε από την μεταγλώττιση του Δημήτριου *Κυδώνη*.

ΒΙΒΛ.: Έκδ. Σ. Παπαδόπουλος (Αθήνα 1970). -Beck, 784. -Σ. Παπαδόπουλος, Ελληνικαί μεταφράσεις θωμιστικών έργων. Φιλοθωμισταί και αντιθωμισταί εν Βυζαντίω (Αθήνα 1967), 156-72. -του ιδ., Συνάντησις ορθοδόξου και σχολαστικής θεολογίας εν τω προσώπω Καλλίστου Αγγελικούδη και Θωμά Ακινάτου (Θεσ/νίκη 1970). -PLP, αρ. 145. -TL^{3}, ελλην. μετ., 38.

Σ.Λ.

Άγγελοι. Βυζαντινός αριστοκρατικός οίκος γαιοκτημόνων μικρασιατικής καταγωγής από την περιοχή της Φιλαδέλφειας (Δ.Μ. Ασία) με χρόνους ιδιαίτερης ακμής το 2ο μισό του 11ου, τον 12ο και τις αρχές του 13ου αι. Από την εποχή που η μικρότερη κόρη του *Αλέξιου Α΄ Κομνηνού*, Θεοδώρα, ερωτεύτηκε και παντρεύτηκε τον εμφανίσημο αξιωματούχο Κωνσταντίνο Α., τον θεωρούμενο γενάρχη του οίκου των Α. (ανάμεσα στο 1110/15 κατά τον Πολέμη ή το 1122 κατά τον Βαρζό), οι Α., ως συγγενείς του αυτοκρατορικού οίκου τιμήθηκαν με ανώτατα στρατιωτικά και πολιτικά αξιώματα και μετά το 1185, έτος ανατροπής του τελευταίου Κομνηνού αυτοκράτορα, *Ανδρόνικου Α΄*, ανήλθαν οι ίδιοι στο βυζ. θρόνο με τρεις εκπροσώπους τους μέχρι τις αρχές του 1204 (βλ. λ. *Αγγέλων δυναστεία, Αλέξιος Γ΄ Α., Αλέξιος Δ΄ Α., Ισαάκιος Β΄ Α.)*. Οι Α. ενώθηκαν με πολιτικού σκοπού επιγαμίες με τους επιφανέστερους βυζ. οίκους (Κομνηνούς, Δούκες, Λασκαρίδες και Παλαιολόγους), και με τον τρόπο αυτό οι ίδιοι, αρχικά σχετικά άσημοι και άγνωστοι, ανέβηκαν σταδιακά στα ανώτερα σκαλοπάτια της βυζ. ιεραρχίας. Μετά την 1η Αλωση του Βυζαντίου το 1204 οι Α. άκμασαν -λόγω των προαναφερόμενων επιγαμιών- στο αυτόνομο κράτος («Δεσποτάτο») της Ηπείρου (βλ. *Άγγελοι - Δούκες - Κομνηνοί*) και στο κράτος της Θεσσαλίας, αρχικά υπό ελληνική και κατόπιν υπό σερβική επικράτεια. Ο σημαντικότερος από τους τελευταίους γνωστούς Α. υπήρξε ο *Ιωάννης Β΄ Α.*, κυβερνήτης της Θεσσαλίας στις αρχές του 14ου αι. Το όνομα των Α. συναντάται σε σύνθετους τύπους ως τις αρχές του 15ου αι. Οι κυριότεροι Α. κατά τους 12ο-13ο αι.:

1. *Α. Κων/νος* (γεν. c. 1099 - † μετά το 1166). Ο προαναφερόμενος γενάρχης του οίκου, παππούς του αυτοκράτορα *Ισαάκιου Β΄ Α.*. Πήρε τα αξιώματα του σεβαστοκράτορα (1149) και ναυάρχου (1154). 'Ελαβε μέρος στις επιχειρήσεις του αυτοκράτορα *Μανουήλ Α΄ Κομνηνού* κατά των Σέρβων το 1150, ενώ το 1154, ως αρχιναύαρχος του βυζ. στόλου, συμμετείχε στις επιχειρήσεις κατά των Νορμανδών της κάτω Ιταλίας και Σικελίας, η άκαιρη όμως έξοδος του κατά μοίρας του εχθρού κοντά στη Μονεμβασία είχε ως αποτέλεσμα την σύλληψή του και τη φυλάκισή του σε κάποιο σικελικό φρούριο. Λίγο αργότερα φαίνεται ότι εξαγοράστηκε.
2. *Α. Ανδρόνικος* († μετά το 1178). Γιος του προαναφερομένου και της Θεοδώρας Κομνηνής και εξάδελφος του *Μανουήλ Α΄ Κ.*, υπήρξε ο πατέρας των ηγεμόνων *Αλέξιου Γ΄ και Ισαάκιου Β΄ Αγγέλων* (βλ. γενεαλογικό πίνακα στο λ. *Αγγέλων δυναστεία)*. Ως στρατηγός πολέμησε με τον αδελφό του Ιωάννη Α. (βλ. εδώ, αρ. 3) κατά των Σελτζούκων Τούρκων στην καταστροφική για το Βυζάντιο μάχη του Μυριοκεφάλου (17 Σεπτ. 1176) ως αρχηγός της βυζ. εμπροσθοφυλακής. Το 1177/78 στάλθηκε πάλι από τον Μανουήλ Α΄ για εκκαθαριστικές επιχειρήσεις κατά των Σελτζούκων και των Τουρκομάνων στη φρυγική Λαοδίκεια/Ντενιζλί, όπου όμως εγκατέλειψε τελικά τις δυνάμεις του κατόπιν αιφνιδιαστικής επίθεσης των αντιπάλων του. Από τότε έπεσε στη δυσμένεια του Μανουήλ Α΄

που δεν τον ξαναχρησιμοποίησε.

3. *Α. (-Δούκας - Κομνηνός), Ιωάννης* († c. 1204). Αδελφός του προηγ. (αρ. 2), τιμήθηκε με το αξίωμα του σεβαστοκράτορα από τον Μανουήλ Α΄ Κομνηνό και διακρίθηκε σε σειρά στρατιωτικών επιχειρήσεων κατά των Νορμανδών, των Ούγγρων και των Σελτζούκων. Υπήρξε ο πατέρας του ηγεμονικού («δεσποτικού») οίκου του κράτους της Ηπείρου (βλ. λ.΄*Αγγελοι-Δούκες-Κομνηνοί*), δηλ. των *Μιχαήλ Α΄, Θεόδωρου* και *Κωνσταντίνου* (Α. - Δούκα - Κομνηνού) (βλ. αρ. 4).

4. *Α. (-Δούκας-Κομνηνός), Κων/νος* (2ο μισό 12ου - 1ο μισό 13ου αι.). Εγγονός του γενάρχη Κων/νου Α. (βλ. αρ. 1), διορίστηκε σε νεαρή ηλικία από τον εξαδελφό του, αυτοκράτορα *Ισαάκιο Β΄ Α.*, «δουξ» του βυζ. στόλου και κυβερνήτης της Φιλιππούπολης /βουλγ. Πλόβντιφ. Η ανάμειξή του σε «στάση» κατά του Ισαάκιου Β΄ είχε σαν αποτέλεσμα την τύφλωσή του. Ο αδελφός του, «δεσπότης» της Ηπείρου *Θεόδωρος*, τον διόρισε διοικητή της Αιτωλοακαρνανίας με τον τιμητικό τίτλο του «δεσπότη» (περί το 1217). Το 1228/9 ο Κ. με έδρα τη Ναύπακτο δημιούργησε σοβαρά προβλήματα στους πληθυσμούς της επικράτειας του, εφαρμόζοντας επαχθή φορολογική πολιτική με εντολές του αδελφού του (βλ. Α. Σαββίδης, Η Ναύπακτος από τα πρωτοβυζ. χρόνια ως την τουρκική κατάκτηση του 1499, Πρακτ. Α΄ Ιστορ.-Αρχαιολ. Συνέδρ. Αιτωλοακαρνανίας/Αγρίνιο 1988, έκδ. 1991, 256).

ΒΙΒΛ.: G. Ostrogorsky, Η άνοδος της οικογένειας των Α. (ρωσ.), Jubil. Sborn. Russk. Archeol. Obšč. v Belgrade (1936), 111-29 γερμ. μετ. στο Zur byzantinischen Geschichte (Ντάρμσταττ 1973), 166-82. - Του ιδ., Ιστορ. βυζ. κρ., Γ΄ (1981), 71-2, 308, σημ. 50. -L. Stiernon, Constantin Ange (pan)sebastohypertate, REB 19 (1961), 373-83. Κ. Βαρζός, Γενεαλογία Κομνηνών, Α΄ (1984), 260 εξ. -Μάρθα Γρηγορίου-Ιωαννίδου, ΜΓΕ 1(1978), 224-6. -G. Prinzing, LM 1, στήλ. 618-19. Βλ. επίσης τα σχετικά λήμματα στο PLP και τα ευρετήρια στους: Κ. ΄Αμαντος, Ιστορ. βυζ. κρ., Β΄ (Αθήνα 1977^2). - C. Brand, Byzantium confronts the West, 1180-1204 (Καίμπριτζ Μασσ. 1968). -D. Polemis, The Doukai (Λονδίνο 1968), 85-100. - D. Nicol, The Last Centuries of Byzantium, 1261-1453 (Καίμπριτζ 1993^2). -M. Angold The Byzantine Empire, 1025-1204 (Λονδίνο - Ν. Υόρκη 1984). -Α. Σαββίδης, Μελέτες βυζ. ιστορ. 11ου-13ου αι. (Αθήνα 1995^2). -του ιδ., Βυζαντινά στασιαστικά και αυτονομιστικά κινήματα στα Δωδεκάνησα και στη Μικρά Ασία, 1189 - c. 1240, διδακτορ. διατρ. (Αθήνα 1987). - Για τον οίκο των Α. βλ. επίσης A. Kazhdan,

ODB, 97-8. -J. -Cl. Cheynet, Pouvoir et contestations à Byzance, 963-1210 (Παρίσι 1990), 284-5 και ευρετήριο. Επίσης βλ. βιβλιογρ. στα λ. *Ηπείρου κράτος, Θεσσαλίας κράτος.*

Α.Σ.

Άγγελοι (Δούκες-Κομνηνοί). Βυζ. δυναστεία του αυτόνομου ελλην. κράτους της Ηπείρου («Δεσποτάτου») από το 1204 ως την οθωμανική κατάκτηση το 1479 (βλ. λ. *Ηπείρου Κράτος*). Κέντρα του κράτους αυτού υπήρξαν οι Αρτα (πρωτεύουσα), Ιωάννινα και Νικόπολη (- Πρέβεζα), ενώ την περίοδο 1224-46 ηγεμόνες του βασίλευσαν στη Θεσ/νίκη και την περίοδο 1271-1348 στη Θεσσαλία (βλ. λ. *Θεσσαλίας Κράτος*). Οι ηγεμόνες των 3 αυτών κλάδων (πβ. V. Grumel, La Chronologie, Παρίσι 1958, 372-3 και 411-12):

ΗΠΕΙΡΟΣ	ΘΕΣ/ΝΙΚΗ	ΘΕΣΣΑΛΙΑ
Μιχαήλ Α΄ 1204-c.1215		
Θεόδωρος (αδελφ.) c.1215-24	=Θεόδωρος 1224-30 (αυτοκράτ.)	
Κων/νος (;) 1224-c.1230	Μανουήλ 1230-c.1237 (αδελφός)	
Μιχαήλ Β΄ c.1230-c.1267	Ιωάννης c.1237-42 (αυτοκρ.) 1242-4 (δεσπότης) Δημήτριος 1244-6 (δεσπότης, κατάληψη Θεσ/νίκης από Ιωάννη Γ΄ Νίκαιας)	
Νικηφόρος Α΄ c.1267-c.1295		
Θωμάς c.1295-1318 Νικόλαος Ορσίνι 1318-23 Ιωάννης Ορσίνι 1323-35 Νικηφόρος Β΄ 1335-9 (ενσωμάτωση Ανδρόνικου Γ΄ Παλαιολόγου το 1339 και Στέφανου Δ΄ Δουσάν το 1348) Συμεών Ουρός Παλαιολόγος 1349-56 Νικηφόρος Β΄ (πάλι) 1356-9 (διάφοροι Σέρβοι, Αλβανοί και Ιταλοί ηγεμόνες στις Άρτα-Ιωάννινα: 1359-1460/Τουρκική κατάκτηση, 1479).		Ιωάννης Α΄ 1271-96 (σεβαστοκράτωρ) Κων/νος 1296-1303 Ιωάννης Β΄ 1303-18 (καθεστώς αστάθειας ως την τελική κατάκτηση από τον Στέφανο Δ΄ Δουσάν της Σερβίας το 1348).

Α.Σ.

Άγγελος (15ος αι.). Κρητικός ζωγράφος εικόνων με πλούσια παραγωγή στην Κρήτη, Πάτμο, Νάξο, Φολέγανδρο, Ζάκυνθο, Κέρκυρα, στο Σινά και στην Αθήνα (Βυζαντινό Μουσείο), σε ιδιωτικές συλλογές, κ.ά. Τα ενυπόγραφα έργα του είναι περισσότερα από 20 και φέρουν ως επί πλείστον, την υπογραφή «χείρ Αγγέλου». Αυτά που του αποδίδονται δε, είναι πολυάριθμα. Οι ελάχιστες υπογραφές του τύπου «χείρ κυρ Αγγέλου του Κρητός» πιθανότατα αποτελούν μεταγενέστερη προσθήκη του Κρητικού ζωγράφου Ιω. Κορνάρου (18ος αι.) μαζί με αυθαίρετες χρονολογίες.

Εικονογραφικές προτιμήσεις: 1) ο Αγ. Φανούριος, που η λατρεία του στη Κρήτη γίνεται γνωστή στις αρχές του 15ου αι. Για τον εικονογραφικό τύπο του αγίου, ο Α. φαίνεται να συνεργάστηκε με τον ηγούμενο της μονής Βαρσαμονέρου Ιωνά Παλαμά. Και 2) η Παναγία στον τύπο της βάτου με την Αγ. Αικατερίνη. Ο Α. διατηρούσε στενές σχέσεις με το Σιναϊτικό μετόχι της Αγ. Αικατερίνης στο Χάνδακα (Ηράκλειο). Οι αρχειακές πηγές μας πληροφορούν για την φήμη του, που φθάνει μέχρι τον 18ο αι. στην πραγματεία του Παναγιώτη Δοξαρά. Η υψηλή ποιότητα της τέχνης του, η τεχνοτροπία της ζωγραφικής του, η προσήλωσή του στην παλαιολόγεια παράδοση και η ζωγραφική του διάθεση στο πλάσιμο εντάσσουν τον Α. στην κρητική ζωγραφική του 15ου αι. Η παρουσία καλλιτεχνών και πνευματικών ανθρώπων απ' την Κων/πολη στη βενετική Κρήτη και την Ιταλία μαρτυρείται απ' το 1ο μισό του αι. Το έργο των κρητικών ζωγράφων αυτής της περιόδου φανερώνει μια ενιαία εικαστική γλώσσα και ποιότητα όμοια μ' εκείνη που συνήθως αποδίδουμε σε κων/πολίτικα εργαστήρια. Μερικά απ' τα έργα του Α. αναφέρονται ενδεικτικά: Δέηση (Συλλογή Κανελλοπούλου), Ιω. Πρόδρομος (Μονή Οδηγήτριας, Κρήτη), Θεοτόκος Καρδιώτισσα (Βυζαντινό Μουσείο, Αθήνα), Θεοτόκος και Αγ. Αικατερίνη (Μονή Αγ. Ιω. Θεολόγου, Νέο Σκευοφυλάκιο, Πάτμος), Άγ. Φανούριος (ναός Μεγάλης Παναγιάς, Χώρα, Πάτμος).

ΒΙΒΛ.: Σισιλιάνος, Έλληνες Αγιογράφοι μετά την Άλωση (1935), 242 εξ. -Α.

Ξυγγόπουλος, Σχεδίασμα Ιστορίας της Θρησκευτικής Ζωγραφικής μετά την Άλωσιν (Αθήνα 1957). -Ν. Δρανδάκης, Μεσαιωνικά Κυκλάδων (Σίφνος, Ίος, Νάξος, Σέριφος, Κύθνος, Θήρα, Τήνος), ΑΔ 19 (1964), Β΄, 3, Χρονικά, 420-35. -Μ. Μπορμπουδάκης, Βυζαντινά και Μεσαιωνικά Μνημεία Κρήτης, ΚρΧ 25(1973), 493-511. - Μ. Χατζηδάκης, ΙΕΕ 10(1974), 418-36. -J.Lafontaine - Dosogne, Une Icône d' Angelos au Musée de Molines et l' Iconographie du St. Jean - Baptiste Ailé, Bulletin des Museés Royaux d' Art et d' Histoire 48(1976). -Μ. Χατζηδάκης, Εικόνες της Πάτμου. Ζητήματα Βυζαντινής και Μεταβυζαντινής Ζωγραφικής (Αθήνα 1977). -Δ. Ευαγγελίδης, Άγγελος, ΜΕΕ, συμπλ. τ. 1, 50. -Μ. Chatzidakis - K. Weitzmann - S. Radojtchić, Le Grand Livre des Icônes. Agence International d' Edition. (Παρίσι 1979). -M. Vassilakis - Mavrakakis, Saint Fanourios: Cult and Iconography, ΔΧΑΕ, περ. Δ΄ τόμ. 10. -K. Weitzmann - G. Alibegashvili - A. Volskaja - G. Babić - M. Chatzidakis - M. Alpatov - T. Voinescu, Le Icône (Μιλάνο 1981), 305-72. -Νανώ Χατζηδάκη, Εικόνες Κρητικής Σχολής, 15ος-16ος αι. Κατάλογος εκθέσεως Μουσείου Μπενάκη (Αθήνα 1983). -Φ. Πιομπίνος, Ελληνες Αγιογράφοι μέχρι το 1821 (Αθήνα 1984^2). -Μ. Χατζηδάκης, Έλληνες Ζωγράφοι μετά την Αλωση, 1450-1830 (Αθήνα 1987). -Νανώ Χατζηδάκη, Η Τέχνη των Κρητικών Εικόνων στο 15ο αι., Περιλήψεις, 8ο Συμπόσιο Βυζαντινής και Μεταβυζαντινής Αρχαιολογίας και Τέχνης (Αθήνα 1988). -Κατάλογοι: Βυζαντινή και Μεταβυζαντινή Τέχνη (1986). -Affreschi e Icone dalla Grecia (1986). -From Byzantium to El Greco (1987).

Ξ.Π.

Άγγελος Ακοτάντος (15ος αι.). Κρητικός ζωγράφος εικόνων, γνωστός μόνο απ' τη διαθήκη του, που χρονολογήθηκε απ' τον Μ. Μανούσακα στα 1436. Αφορμή για τη σύνταξή της στάθηκε ένα ταξίδι του στην Κων/πολη. Έζησε και εργάστηκε στο Χάνδακα (Ηράκλειο). Αδελφοί του, ο Ιωάννης, ζωγράφος και ο Θεόδωρος, σχολάρχης. Είχε σχέσεις με το σιναϊτικό μετόχι της Αγ. Αικατερίνης στο Χάνδακα και με τον ηγούμενο της μονής Βαρσαμονέρου, Ιωνά Παλαμά. Πρώτος ο Μ. Catappan είδε κοινά στοιχεία ανάμεσα στον Α. Α. και τον κρητικό ζωγράφο του 15ου αι. *Άγγελο* και ταύτισε τους 2 ζωγράφους. Η Μ. Βασιλάκη-Μαυρακάκη προχώρησε τον ταυτισμό, προσπαθώντας να εντοπίσει τις εικόνες που αναφέρονται στη διαθήκη του: 1) «Η κεφαλή της Αγ. Αικατερίνης, το εικόνισμα το στρογγυλόν» ταυτίστηκε με την εικόνα της αγίας από το Σκράτιν της Δαλματίας. 2) Οι εικόνες της Αναστάσεως και της Γέννησης του Χριστού έχουν θεωρηθεί δικά του έργα.

ΒΙΒΛ.: Μ. Μανούσακας, Η διαθήκη του Άγγελου Ακοτάντου (1436) άγνωστου Κρητικού ζωγράφου, ΔΧΑΕ περ. Δ΄, 2 (1960-61), 139-51. -M.Catappan, I Pittori Pavia,

Rizo, Zafuri da Candia e Papadopoulo dalla Canea, Θησ 14 (1977), 199-239. -Μ. Βασιλάκη-Μαυρακάκη, Ο Ζωγράφος Άγγελος Ακοτάντος: το Έργο και η Διαθήκη του (1436), Θησ 18 (1981), 290-8. -Φ. Πιομπίνος, Έλληνες Αγιογράφοι μέχρι το 1821 (Αθήνα 1984[2]). -Μ. Χατζηδάκης, Έλληνες Ζωγράφοι μετά την Άλωση, 1450-1830 (Αθήνα 1987).

Ξ.Π.

Άγγελος Γρηγόριος (14ος αι.). Βυζαντινός θεολόγος και δογματικός αντίπαλος της Καθολικής Εκκλησίας. Συγγρ. μελετών για τους όρους *διά* και *εκ* στη διδασκαλία για την Αγ. Τριάδα, για τη διαφορά μεταξύ των όρων «πέψις» (<πέμπω), «δόσις» και «εκπόρευσις» καθώς και για το πρόβλημα της χρησιμοποίησης των αζύμων από τη Δ. Εκκλησία στη Θεία Ευχαριστία (Κρουμβάχερ, Α΄, 222. -Beck, 754).

Φ.Β.

Άγγελος Μάρκος (14ος αι.). Λυρικός στιχουργός, γνωστός για δύο ανακρεόντεια ποιήματά του. Το πρώτο αναφέρεται στον έρωτα (144 στ.) και το δεύτερο απευθύνεται σε κάποιον αυτοκράτορα (30 στ.), με τις τυπικές κολακείες σε ανάλογα έργα.

ΒΙΒΛ.: Έκδ. Σ. Λάμπρος, Μάρκου Αγγέλου ανέκδοτα στιχουργήματα, ΝΕ 3 (1906) 433-9. -Κρουμβάχερ, Β΄, 760. -PLP, αρ. 218. -Hunger, Β΄, 95.

Σ.Λ.

Αγγέλων δυναστεία (Βυζάντιο, 1185-1204). Μικρασιατικής προέλευσης (από τη Φιλαδέλφεια) μεσαιων. ελληνική δυναστεία την οποία χαρακτηρίζει μια περίοδος επιδείνωσης των υποθέσεων του βυζ. κράτους και παρακμής μετά από τη δυναστεία των *Κομνηνών*, που οδήγησε για την οδυνηρή για το Βυζάντιο Δ΄ Σταυροφορία και την 1η Άλωση της Κων/πολης το 1204. Ο αρχηγέτης της δυναστείας ανέβηκε στο θρόνο μετά την εξέγερση που ανέτρεψε και σκότωσε τον τελευταίο Κομνηνό, *Ανδρόνικο Α΄*, ενώ ο τελευταίος εκπρόσωπός της ανατράπηκε από τους Δ. σταυροφόρους και – λίγο αργότερα – εκτελέστηκε από αυτούς. Κατά τη διάρκεια της δυναστείας βασικό εσωτερικό χαρακτηριστικό υπήρξαν οι αλλεπάλληλες εξεγέρσεις σ' όλες τις επαρχίες του κράτους και στην Κων/πολη, ενώ παράλληλα έλαβαν χώρα σημαντικά γεγονότα, όπως η επανάσταση των *Ασενιδών* και η ίδρυση του Β΄ Βουλγαρικού Βασιλείου (1185/6),

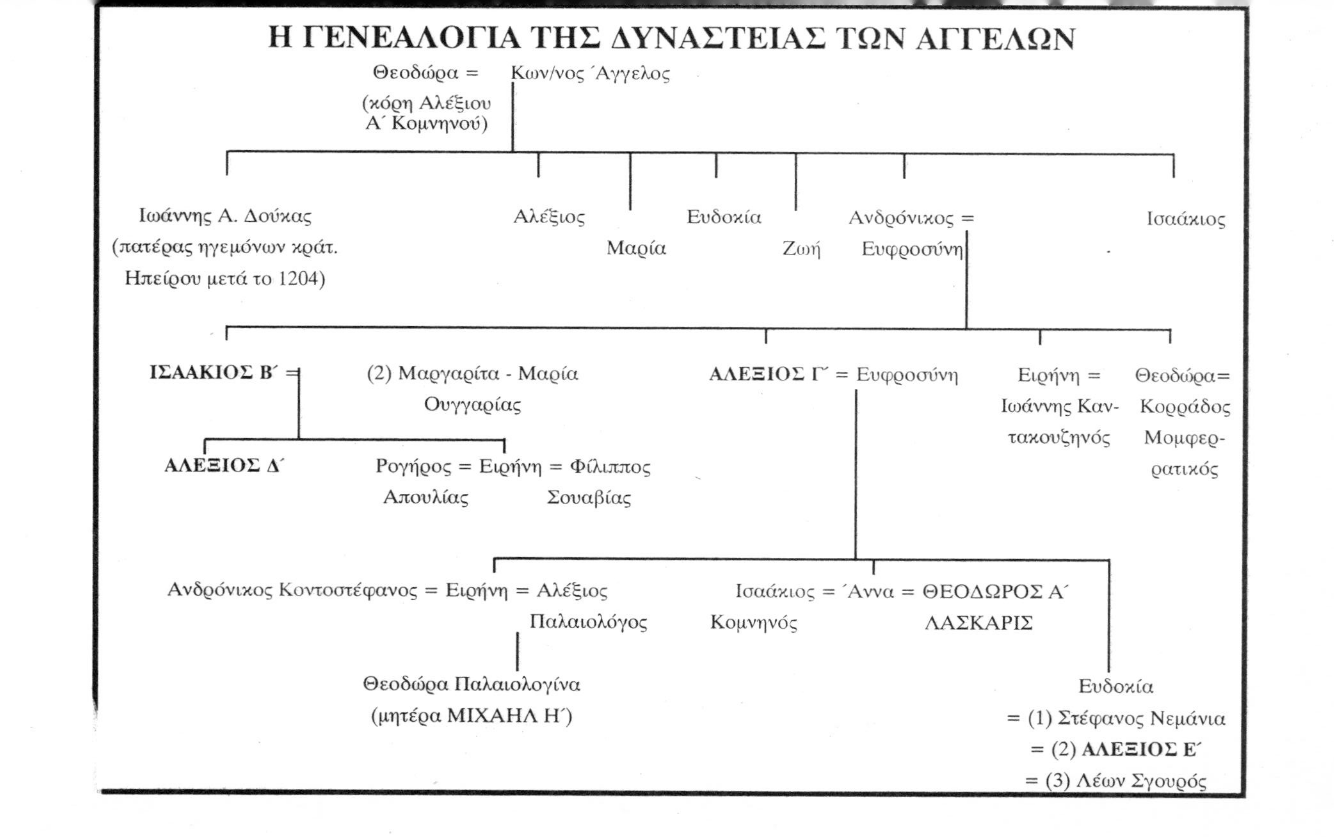

Η ΓΕΝΕΑΛΟΓΙΑ ΤΗΣ ΔΥΝΑΣΤΕΙΑΣ ΤΩΝ ΑΓΓΕΛΩΝ
Θεοδώρα = Κων/νος ΄Αγγελος
(κόρη Αλέξιου Α΄ Κομνηνού)
Ιωάννης Α. Δούκας (πατέρας ηγεμόνων κράτ. Ηπείρου μετά το 1204)
Αλέξιος
Μαρία
Ευδοκία
Ζωή
Ανδρόνικος = Ευφροσύνη
Ισαάκιος
ΙΣΑΑΚΙΟΣ Β΄ = (2) Μαργαρίτα - Μαρία Ουγγαρίας
ΑΛΕΞΙΟΣ Γ΄ = Ευφροσύνη
Ειρήνη = Ιωάννης Καν-τακουζηνός
Θεοδώρα= Κορράδος Μομφερ-ρατικός
ΑΛΕΞΙΟΣ Δ΄
Ρογήρος = Ειρήνη = Φίλιππος
Απουλίας
Σουαβίας
Ανδρόνικος Κοντοστέφανος = Ειρήνη = Αλέξιος Παλαιολόγος
Ισαάκιος = ΄Αννα = ΘΕΟΔΩΡΟΣ Α΄
Κομνηνός
ΛΑΣΚΑΡΙΣ
Θεοδώρα Παλαιολογίνα
(μητέρα ΜΙΧΑΗΛ Η΄)
Ευδοκία
= (1) Στέφανος Νεμάνια
= (2) ΑΛΕΞΙΟΣ Ε΄
= (3) Λέων Σγουρός

η Γ΄ Σταυροφορία (1189-92), η ανεξαρτητοποίηση του αρμενικού κράτους της Κιλικίας [βλ. *Λέων Β΄ Ρουπενίδης*] (1197/8) και η Δ΄ Σταυροφορία (1201-4). Οι 4 αυτοκράτορες της δυναστείας (πβ. V. Grumel, La Chronologie, Παρίσι 1958, 359 και 365):

1. Ισαάκιος Β΄	12 Σεπτ. 1185 - 8 Απρ. 1195
2. Αλέξιος Γ΄ (αδελφός)	8 Απρ. 1195 - 17 Ιουλ. 1203
3. Ισαάκιος Β΄ (πάλι) και Αλέξιος Δ΄ (γιος)	18 Ιουλ. 1203 - 28 Ιαν. 1204
4. Αλέξιος Ε΄ Δούκας Μούρτζουφλος (γαμπρός Αλέξιου Γ΄)	5 Φεβρ. 1204 - 12 Απρ. 1204.

Α.Σ.

ντ' **Αγγιέν** (d' Enghien, πόλη Βελγίου). Επίθετο του φραγκικού ηγεμονικού οίκου του ΄Αργους - Ναυπλίου στο 2ο μισό του 14ου αι. (εξελληνισμένος τύπος: Αγγιανός-ή).

1. *Γουίδων (Guy) Α.* († 1377). Αυθέντης Αργοναυπλίας (1356-77), ανιψιός και κληρονόμος του δούκα της Αθήνας Γουαλτέριου (Gautier) ντε *Μπριέν* και του οίκου των ντε λα *Ρος* (de la Roche). Μετά τη συμμετοχή του στην αποτυχημένη επίθεση του *Φιλίππου* του Τάραντα κατά του Καταλανικού Δουκάτου των Αθηνών, στην οποία επικεφαλής ήταν ο αδελφός του Γ., Λουδοβίκος Α΄ (1371), ο Γ. αποσύρθηκε στην Αργοναυπλία, όπου και κυβέρνησε μέχρι το θάνατό του.
2. *Μαρία Α.* Κόρη του προηγούμενου και κληρονόμος αρχόντισσα Αργοναυπλίας (1377-88), παντρεύτηκε το Βενετό ευγενή Πιέτρο *Κορνάρο* και στράφηκε προς τη Βενετική Δημοκρατία, όταν μετά το θάνατο του συζύγου της ένιωσε την απειλή επίθεσης από μέρους του Φλωρεντινού Δούκα των Αθηνών, Νέριου Α΄ *Ατζαγιόλι* και του γαμπρού του τελευταίου, δεσπότη Μορέως *Θεόδωρου Α΄ Παλαιολόγου*. Η ενέργειά της (1388) να μεταβιβάσει τις κτήσεις και τα δικαιώματά της στους Βενετούς με αντάλλαγμα ετήσια χορηγία 500 χρυσών δουκάτων επιτάχυνε την επίθεση των Νέριου Α΄ και Παλαιολόγου, που κατέλαβαν την Αργοναυπλία έως τη βενετική ανακατάληψη του 1394.

ΒΙΒΛ.: W. Miller - μετ. Σ. Λάμπρος, Ιστορία Φραγκοκρατίας, Α΄ (Αθήνα 1909, ανατ.

1960), 400, 426, 427, 453 και Β΄(1910, ανατ. 1960), 12 εξ. -Μιχ. Λαμπρυνίδης, Η Ναυπλία (Ναύπλιο 1975[3]), 48 εξ., 54 εξ. - Χρύσα Μαλτέζου στην ΙΕΕ 9 (1979), 275, 286. -S. Runciman, Mistra (Λονδίνο 1980), 60 = ελλ. μετ. (Αθήνα 1986), 71. Βλ. επίσης γενικά: G. Dennis, Latin States in Greece, DMA 7 (1986), 381. -Φωτεινή Βλαχοπούλου, Φραγκοκρατία, ΜΓΕ 53 (1988), 168 εξ. - A. Savvides, Nauplion in the Byzantine and Frankish periods, Πελ 19 (1991-2), 297, 298.

Φ.Β.

Αγέλαστος Λέων (1ο μισό 10ου αι.). Βυζ. αξιωματούχος την εποχή του *Ρωμανού Α΄* Λακαπηνού. Πιθανόν αρμενικής καταγωγής, υπήρξε στρατηγός του θέματος των Αρμενιάκων. Είχε το αξίωμα του «πρωτοσπαθάριου» (920-22) και αγωνίστηκε να εμποδίσει τη σλαβική διείσδυση στην Πελοπόννησο. Ήρθε σε ρήξη για διοικητικούς λόγους με τον πρωτοσπαθάριο και στρατηγό Πελοποννήσου Βάρδα Πλατυπόδη ή Πλατύπου (στασιαστή το 921/2), από τον οποίο και εξορίστηκε.

ΒΙΒΛ: Συνεχιστές Θεοφάνη, CS, 443. - Κων/νος Πορφυρογέν. DAI, 234-5. - N. Adonz, Les Taronites en Arménie et à Byzance, Byz 10 (1935), 536. - A. Bon, Le Peleponnèse byzantin jusqu en 1204 (Παρίσι 1951), 48 σημ. 1, 204, αρ. 66. - J. Cl. Cheynet, Pouvoir et contestations à Byzance, 963-1210 (Παρίσι 1990), 229-30.

Φ.Β.

Αγέλιος († μετά το 384). Επίσκοπος των Νοβατιανών ή «Καθαρών» (αιρετικών που δεν αναγνώριζαν τη συγνώμη προς τους αμαρτωλούς και «εκπεσόντας» Χριστιανούς) στην Κων/πολη την περίοδο 345-84 με 2 διακοπές. Είχε μεγάλο κύρος ανάμεσα στον Ορθόδοξο πληθυσμό της βυζ. πρωτεύουσας λόγω του ασκητικού και αδέκαστου χαρακτήρα του. Η υποστήριξή του στο «ομοούσιον Πατρός και Υιού» της Α΄ Οικουμενικής Συνόδου είχε σαν αποτέλεσμα τη δίωξή του από τον Αρειανιστή αυτοκράτορα *Βάλη*. Όπως μαρτυρούν οι εκκλησ. χρονικογράφοι *Σωκράτης* (βιβλία 2ο, 4ο και 5ο) και *Σωζομενός* (βιβλ. 6ο και 14ο), ο Α. υπέστη τους διωγμούς με στωικότητα και καρτερικότητα. Τον διαδέχτηκε ο επίσης άτεγκτος οπαδός της Ορθοδοξίας, *Μαρκιανός* (βιβλιογρ. για τους Νοβατιανούς στον T. Gregory, Novatianism: a rigorist sect in the Christian Roman Empire, BS/EB 2, 1975, 1-18 και λ. Novatianism, ODB, 1497).

Α.Σ.

Αγία Ρωμαϊκή Αυτοκρατορία. Εκτενής κρατικός σχηματισμός Δ. Ευρωπαϊκών εθνοτήτων, αρχικά υπό τα σκήπτρα των Φράγκων και κατόπιν των Γερμανών, με συμβατικά χρονολογικά όρια τη στέψη του *Καρλομάγνου* τα Χριστούγεννα του 800 και την παραίτηση του Φραγκίσκου Β΄ το 1806. Η φραγκική δυναστεία (Καρολίδες ή Καρολίγγιοι) ονομάζεται Αγία Ρωμαϊκή Αυτοκρατορία *(ΑΡΑ)* και η γερμανική (Σάξονες, Φράνκονες ή Σάλιοι, Χοενστάουφεν, Αψβούργοι) Αγία Ρωμαϊκή Αυτοκρατορία του Γερμανικού Έθνους *(ΑΡΑΓΕ)*. Ενώ η τελευταία ήταν ακόμη σε ισχύ το 18ο αι. ο Βολταίρος έγραψε χαρακτηριστικά στο έργο του «Δοκίμιο για τα Ήθη και το Πνεύμα των Εθνών»: «Το συνονθύλευμα που αποκαλείτο – και ακόμη αυτοαποκαλείται - Αγία Ρωμαϊκή Αυτοκρατορία, δεν ήταν ούτε άγιο, ούτε ρωμαϊκό, αλλά ούτε και αυτοκρατορία κατά κανένα τρόπο...». Οι ηγεμόνες (μέχρι το 1500) (πβ. V. Grumel, La Chronologie, Παρίσι 1958, 414-16):

ΚΑΡΟΛΙΔΕΣ

1. Κάρολος Α΄ Μέγας (Καρλομάγνος)		800-14
2. Λουδοβίκος Α΄ Ευσεβής		814-40
3. Λοθάριος Α΄		840-55
4. Λουδοβίκος Β΄ Ιταλικός		855-75
5. Κάρολος Β΄ Φαλακρός		875-77
6. Κάρολος Γ΄ Παχύς (τελευταίος Καρολίδης)		877-87
----------------		
7. Αρνούλφος	χρόνια αναρχίας	887-99
8. Λουδοβίκος Γ΄ Παιδικός	χρόνια αναρχίας	899-911
9. Κορράδος Α΄	χρόνια αναρχίας	911-18
10. Ερρίκος Α΄ Πτηνοκυνηγός	χρόνια αναρχίας	919-36

ΣΑΞΟΝΕΣ (ΟΘΩΝΙΔΕΣ)

11. Όθων Α΄ (στέφθηκε 962)	936-73
12. Όθων Β΄	973-83
13. Όθων Γ΄	983-1002
14. Ερρίκος Β΄ Άγιος	1002-24

ΦΡΑΝΚΟΝΕΣ ή ΣΑΛΙΟΙ

15. Κορράδος Β΄	1024-39
16. Ερρίκος Γ΄	1039-56
17. Ερρίκος Δ΄	1056-1106
18. Ερρίκος Ε΄	1106-25

ΧΟΕΝΣΤΑΟΥΦΕΝ (ΟΙΚΟΣ ΣΟΥΑΒΙΑΣ)

19. Λοθάριος Β΄	1125-37
20. Κορράδος Γ΄	1138-52
21. Φρειδερίκος Α΄ Βαρβαρόσσας	1152-90
22. Ερρίκος ΣΤ΄	1190-7
23. Φίλιππος Σουαβίας	1198-1208
24. Όθων Δ΄ (μαζί με Φίλιππο: 1198-1208) (1198)	1208-12
25. Φρειδερίκος Β΄ (1212)	1220-50
26. Κορράδος Δ΄	1250-4

Περίοδος συγκυριαρχίας (ανταγωνισμός Ριχάρδου Κορνουάλλης-Αλφόνσου Καστίλλης/Κορράδος Ε΄ -Κορραδίνος: 1267-8, τελευταίος Χοενστάουφεν)

ΑΨΒΟΥΡΓΟΙ

27. Ροδόλφος Α΄		1273-92/4
28. Αδόλφος του Νασσάου		1292/4-8
29. Αλβέρτος Α΄ Αυστρίας		1298-1308
30. Ερρίκος Ζ΄ Λουξεμβούργου		1308-13
31. Φρειδερίκος Αυστρίας	} αντιζηλία (μαζί)	1314-27
32. Λουδοβίκος Δ΄ Βαυαρίας		1314-47
33. Κάρολος Δ΄ Λουξεμβούργου		1347-78
34. Βέντσελ Λουξεμβούργου (Βένκεσλας Βοημίας)		1378-1400
35. Ρουπέρτος Παλατινάτου		1400-10
36. Σιγισμούνδος		1410-37
37. Αλβέρτος Β΄		1438-9
38. Φρειδερίκος Γ΄		1440-93
39. Μαξιμιλιανός Α΄		1493-1519

Το 1519 διαδοχή του Κάρολου Ε΄, τελευταίου ηγεμόνα της ΑΡΑΓΕ που στέφθηκε από πάπα (Κλήμη Ε΄ το 1530 στη Μπολόνια).

ΒΙΒΛ.: J. Bryce, The Holy Roman Empire (Λονδίνο 1906[6], ανατ. 1928[6]). -F. Heer, Das Heilige Römische Reich (Βέρνη - Μόναχο - Βιέννη 1967). -Ζ. Τσιρπανλής, Η Δ.

Ευρώπη στους Μέσους Χρόνους, 5ος-15ος αι. (Θεσ/νίκη 1985[3]). - Β. Καραγεώργος, Η ΑΡΑ, Α΄: Μεσαιων. περίοδος (Αθήνα 1987) με βιβλιογραφίες.

Α.Σ.

Αγίλας (ηγεμ. 549-51/4). Βησιγότθος ηγεμόνας της Ισπανίας, ο οποίος μετέφερε την έδρα του βασιλείου του από τη Βαρκελόνη στη Μέριντα και ανατράπηκε από τον ευγενή *Αθανάγιλδο,* που είχε εξασφαλίσει τη βοήθεια του *Ιουστινιανού Α΄*. Μετά την ήττα του από τους Βυζαντινούς ο Α. δολοφονήθηκε από τους στρατιώτες του (βιβλ. στο λ. *Αθανάγιλδος*. Επίσης J. Gruber, LM 1, 206-7).

Α.Σ.

Αγιλούλφος ή **Αγίλολφος** (ηγεμ. 590-615/16, † Νοε. 615/Μάιος 616, Παβία). Λογγοβάρδος βασιλιάς της Ιταλίας. Αρχικά ήταν δουξ Τουρίνου και εκλέχτηκε νέος ηγεμόνας των Λογγοβάρδων μετά το θάνατο του *Αύθαρη* ή *Αουτάρη* από τη χήρα του τελευταίου, τη δυναμική Καθολική *Θεοδελίνδα* ή *Θευδελίνδη*, που τον έστεψε στο Μιλάνο το 590. Από την αρχή της βασιλείας του αντέδρασε στο αρειανιστικό δόγμα που ήταν εξαπλωμένο στο λαό του. Ελπίζοντας στην εύνοια του Πάπα Ρώμης, ασπάστηκε τον Καθολικισμό και κατέβαλε στους Φράγκους 36 χιλ. χρυσά νομίσματα για να εξασφαλίσει τη συμμαχία τους. Το 593 ο βυζ. αυτοκράτορας *Μαυρίκιος* υποκίνησε – με την ανοχή του πάπα *Γρηγόριου Α΄* – εξέγερση κατά του Α., στην οποία πρωτοστάτησαν Ιταλοί ευγενείς καθώς και δυνάμεις απο το βυζ. Εξαρχάτο Ραβέννας, αλλά το κίνημα συνετρίβη από τους συμμάχους του Α., τους τουρκόφωνους ΄Αβαρους, ενώ το Βυζάντιο έχασε σημαντικό τμήμα των κτήσεων του Εξαρχάτου. Εξαγριωμένος κατά του Γρηγορίου Α΄, ο Α. βάδισε κατά της Ρώμης, τελικά όμως πείστηκε από τις ικεσίες του Ποντίφηκα αλλά και από τη μεσολάβηση της Θεοδελίνδας και του κλήρου του να μη λεηλατήσει την «Αιώνια Πόλη». Το 598 υπογράφτηκε συνθήκη ειρήνης με το Βυζάντιο, η οποία ανανεώθηκε το 600, αλλά το 601 ο *Καλλίνικος,* βυζ. έξαρχος Ραβέννας, εισέβαλε στις λογγοβαρδικές κτήσεις καταλαμβάνοντας την Πάρμα και αιχμαλωτίζοντας την κόρη του Α., Ζίλντα, καθώς και το γαμπρό του. Ο Α. αντέδρασε ακαριαία με νέα γενική επίθεση κατά των βυζ. κτήσεων στην Ιταλία, πυρπολώντας την Πάδοβα και ερημώνοντας την Ιστρία, αναγκάζοντας το νέο βυζ. ηγεμόνα, *Φωκά,* να ανακαλέσει τον έξαρχο Καλλίνικο και να ανανεώσει το 603 τις συνθήκες του 598 και 600, καταβάλλοντας παράλληλα και σημαντικό χρηματικό ποσό στον Α. (βλ. DR, Α΄, αρ. 156 και 164). Αναφέρονται ακόμη 3 επίσημες πρεσβείες των Βυζαντινών προς τον Α., μια το 609 επί Φωκά, και 2 το 611 και 613 επί *Ηρακλείου Α΄* (Lounghis, 468-9, πίν.). Στα τέλη 615/ μέσα 616 ο Α. πέθανε από επιδημία πανώλης, ενώ ετοίμαζε στρατό για να επιτεθεί κατά των συμμάχων του Αβάρων, των οποίων τον χαγάνο είχε ερωτευθεί η γυναίκα του, Θεοδελίνδα, που συνωμοτούσε μαζί του για την κατάληψη του λογγοβαρδικού θρόνου. Έτσι τα κατακτημένα απο τους Άβαρους εδάφη (περιοχή Φριούλης) δεν ανακαταλήφθηκαν. Πάντως η μαρτυρία για την εκτέλεση της Θεοδελίνδας από τον χαγάνο-εραστή της με ανατριχιαστικό τρόπο (ανασκολοπισμό) είναι αμφισβητούμενη, καθόσον φαίνεται να συνεχίζει τη δράση της ως επίτροπος του γιού της, Αδαλοάλδου. Στον εσωτερικό τομέα ο Α. άφησε φήμη ικανού και δραστήριου ηγεμόνα και διακρίθηκε για την ανέγερση ή ανοικοδόμηση πολλών εκκλησιών. Σώζονται ο περίτεχνα στολισμένος σταυρός του στο Μουσείο του Καθεδρικού Ναού της Μόντσα και το λάβαρό του στο Μουσείο Μπάρτζελλο της Φλωρεντίας, όπου εικονίζεται στο κέντρο ανάμεσα σε αξιωματούχους και στρατιώτες του (Bonacina, 127 και 129). Τον διαδέχτηκε ο γιος του, *Αδαλοάλδος.*

ΒΙΒΛ.: Οι πηγές (Παύλος Διάκονος, Ανδρέας Δάνδολος, 9η επιστολή Γρηγορίου Α΄κ.ά.) στους F. Kirsch, Das Herzogtum Benevent, bis zu Untergang des langobardischen Reiches (Λειψία 1871), 12 εξ. -A. Gasquet, Le royaume lombard: ses relations avec l' Empire Grec et avec les Francs, RH 33 (1887), 58-92, ιδιαίτ. 65,70. -P. Goubert, Byzance avant l' Islam, Β΄, 2: Rome, Byzance et Carthage (Παρίσι 1965), 119. Βλ. επίσης C. Oman, The Dark Ages...476-918 (Λονδίνο 1908), 170, 183 (πίν.), 193, 194. -J. Bury, The Invasion of Europe by the Barbarians (Λονδίνο 1928), 266-7. -ΜΕΕ 1, 319-20. -DBI, 1 (1960), 389-97. -Α. Στράτος, Το Βυζάντιον στον 7ο αι., Α΄ (Αθήνα 1965), 87 εξ., 163 εξ., 301.

-του ιδ., ΙΕΕ 7 (1978), 223-4 . -G. Bonacina, Οι Λομβαρδοί, Ιστορ. Εικονογραφημένη, τεύχ. 8 (Αθήνα 1969), 120-35, ιδιαίτ. 133-4. -Ι. Καραγιαννόπουλος, Ιστ. βυζ. κράτ. Β΄ (Θεσ/νίκη 1991[2], ανατ.) 50-1. -Δ. Ζακυθηνός, Βυζ. ιστορ., Α΄ (Αθήνα 1977[2], ανατ. 1989), 102. -Ch. Schroth - Köhler, LM 1, 208-9. -T. Lounghis, Les ambassades byzantines en Occident...407-1096 (Αθήνα 1980), 90, 91, 92, 99-100, 101, 102-3, 104, 105, 111, 420-2, 423, 432. -Α. Σαββίδης, Οικουμεν. βυζ. κράτος και εμφάνιση Ισλάμ (Αθήνα 1990[2]), 65. -Τ. Λουγγής, Η βυζ. κυριαρχία στην Ιταλία... 395-1071 (Αθήνα 1989), 119 εξ. -Κ. Chrestou, Byzanz und die Langobarden... 500-680 (Αθήνα 1991).

Α.Σ.

Αγιοθεοδωρίτης. Όνομα βυζ. ευγενούς οίκου με χρόνους ακμής τους 12ο και 13ο αι. Τα 6 (έξι) γνωστότερα μέλη (βλ. Α. Kazhdan, Οι αδελφοί Αγιοθεοδωρίτη στην αυλή του Μανουήλ Κομνηνού, ρωσ., ZRVI 9, 1966, 85-94 και λ. Hagiotheodorites, ODB, 899, Α. Σαββίδης, Σημειώσεις υστεροβυζ. προσωπογραφίας: οι Αγιοθεοδωρίτες, 12ος-13ος αι., Τετρ 43, 1990, 2835-8 και P. Magdalino, The Empire of Manuel I Komnenos 1143-80, Παν/μιο Καίμπριτζ 1993, 258):

1. *Ιωάννης Α.* (2ο μισό 12ου αι.). Κατείχε το αξίωμα του «έπαρχου» επί βασιλείας *Μανουήλ Α΄ Κομνηνού* και έπεσε θύμα των συκοφαντικών διαβολών του υφιστάμενου του αξιωματούχου, του «επί του κανικλείου» Θεοδώρου *Στυππειώτη* (Κ. Άμαντος, Ιστορ. βυζ. κράτ., Β΄ Αθήνα 1977[2], 299. -M. Angold, Byz. Empire 1025-1204, Λονδίνο - Ν.Υόρκη 1984, 223. - Magdalino, ό.π., 254 εξ.).
2. *Μιχαήλ Α.* († πριν το 1185). Κατά πάσα πιθανότητα συγγενής του προηγουμένου (αρ.1), με χρόνους δράσης τις βασιλείες του *Μανουήλ Α΄* και *Ανδρόνικου Α΄ Κομνηνού*. Έλαβε τα αξιώματα του «ορφανοτρόφου» και του «λογοθέτη του δρόμου», θέση στην οποία διαδέχτηκε γύρω στο 1165 τον «σεβαστό» Ιωάννη *Καματηρό*. Αναφέρεται επίσης ως «υπογραφεύς» και ως «πρωτονωβελισσιμοϋπέρτατος». Σώζεται συλλυπητήρια επιστολή («παραμυθητικόν») του «δρουγγάριου» Γρηγορίου *Αντιόχου* προς τον Μ. για το θάνατο της αδελφής του καθώς και ένας λόγος του *Ευστάθιου* Θεσσαλονίκης και μια προσφώνηση του Κωνσταντίνου Ψαλτόπουλου. Μετά το

θάνατό του (στην 1η περίοδο βασιλείας του Ανδρόνικου Α΄) τη θέση του πήρε ο Θεόδωρος *Μαυροζώμης,* που σύντομα έμελλε να αντικατασταθεί με τον περιβόητο Στέφανο *Αγιοχριστοφορίτη.* Μια κόρη του Μ., της οποίας δε γνωρίζουμε το πρώτο όνομα, παντρεύτηκε περί το 1140/42 (κατά τον Κ. Βαρζό) το νεότερο γιο των Νικηφόρου *Βρυέννιου* του ιστοριογράφου και της *Αννας Κομνηνής,* τον Ιωάννη *Δούκα.*

ΒΙΒΛ.: Ευστάθιος, έκδ. Κυριακίδης, 46 εξ. -C. Brand, Byzantium confronts the West, 1180-1204 (Καίμπριτζ Μασσ. 1968), 59,61. -Κ. Βαρζός, Γενεαλογία Κομνηνών, Α΄ (Θεσ/νίκη 1984), 319. Γραμματολογικά - εκδόσεις: Κρουμβάχερ, Β΄, 130-1, 133, 136, αρ. 5. -Hunger, Α΄ 126, 137, 187 (αναφορά σε περιγραφή αρματοδρομίας το 1168 που συνέθεσε ο ίδιος ο Μ. σε 12σύλλαβους στίχους), 430 = ελλην. μετ. (Αθήνα 1991^{2}), Α΄, 204, 219, 232, 285. -Kazhdan, ό. π., ZRVI 9 (1966). - Magdalino, ό.π., 256 εξ.

3. *Κωνσταντίνος Α.* (2ο μισό 12ου αι.). Ίσως συγγενής των αρ. 1 και 2. Σώζεται επιστολή του επισκόπου Φιλιππούπολης Μιχαήλ *Ιταλικού,* όπου γίνεται λόγος για το θάνατο του Κ. Ο Θεόδωρος *Πρόδρομος* επίσης του αφιέρωσε ειδική μονωδία.

ΒΙΒΛ.: Μιχ. Ιταλικός, έκδ. Gautier, 89 εξ. -Πρόδρομος, PG 133, στήλ. 1007 εξ., 1017 εξ., 1059 εξ. - πβ. Hunger, Α΄, 135 = ελλην. μετ., 216, 217. Παλαιότ. εκδ. στον Κρουμβάχερ, Β΄, 119, 128, αρ. 3.

4. *Νικόλαος Α.* († 1175). Μητροπολίτης Αθηνών την περ. c.1166-75, αδελφός του Μιχαήλ Α. (αρ. 2) και συγγραφέας αξιόλογου έργου. Το 1166 (ή 1168) βρέθηκε στην Κων/πολη για να συμμετάσχει στην ενδημούσα σύνοδο «περί του μη γίγνεσθαι γάμον 7ου βαθμού εξ αίματος». Ο θάνατός του αναγράφεται σε εγχάρακτη επιγραφή πάνω σε μια κολόνα του Παρθενώνα. Κατ' απαίτηση του αδελφού του, που ήταν υψηλόβαθμος αξιωματούχος, θάφτηκε στην Κων/πολη, όπου εκφώνησαν επικήδειους λόγους οι *Ευστάθιος* Θεσ/νίκης και Ευθύμιος *Τορνίκης.* Επίσης μονωδία για τον Α. συνέθεσε και ο λόγιος Ευθύμιος *Μαλάκης.* Από τα έργα του Α. ξεχωρίζουν η ακολουθία του αγ. Ευχελαίου και η πραγματεία για το δικαίωμα του ηγεμόνα «τους θρόνους αμείβειν». Έγραψε, επίσης, σχόλια στα *Βασιλικά* του *Λέοντα Στ΄ του Σοφού.*

ΒΙΒΛ.: Hunger, Α΄, 136 = ελλην. μετ., 217, 218 (για τις εκδ.). -Kazhdan, ό. π., ZRVI 9 (1966). - Magdalino, ό.π., 256 εξ. και ευρετήριο.

5. *Μιχαήλ Α.* († c. 1190) Αξιωματούχος του Μανουήλ Α΄, αναφέρεται από τον Κίνναμο (CS, 269) να παίρνει μέρος μαζί με τον Ιωάννη Δούκα-*Καματηρό* και τον ευνούχο («εκτομία») Θωμά στην κατηγορία κατά του Αλέξιου *Αξούχου* το 1167. Ήταν γνωστός για τις νομικές του γνώσεις, δεν πρέπει όμως να συγχέεται με τον παραπάνω Μιχαήλ Α. (αρ. 2), όπως κάνει ο Κ. Βαρζός (Γενεαλογ. Κομνηνών, Β΄, 319 και Β΄, 133).

6. *Κωνσταντίνος (Κώνστας;) Α.* (2ο μισό 13ου αι.). Αναφέρεται από τον Παχυμέρη ως «λογοθέτης των αγελών» επί *Θεοδώρου Β΄ Δούκα Λάσκαρι* και ως «λογοθέτης των οικειακών» επί *Μιχαήλ Η΄ Παλαιολόγου.* Ήταν κουνιάδος του αξιωματούχου Γεωργίου *Μουζάλωνος.* Σώζονται επιστολές προς αυτόν του Θεόδωρου Β΄, του οποίου ήταν έμπιστο πρόσωπο.

ΒΙΒΛ.: Παχυμέρης, CS, Α΄, 53-4, 109 = CF, Α΄, 77-8, 155-6. Πβ. R. Guilland, Les logothètes, REB 29 (1971), 100. -M. Angold, Laskarids of Nicaea (Οξφόρδη 1975), 72, 84 σημ. 43, 175, 206 σημ. 12. -PLP, αρ. 241.

Α.Σ.

Αγιοπολίτης ή **Ανατολικός (Γεώργιος)** (9ος αι.). Ονομάστηκε Αγιοπολίτης γιατί ζούσε στα Ιεροσόλυμα. Σύμφωνα με έναν ειρμό του, θα πρέπει να έζησε τα γεγονότα της αναστήλωσης των εικόνων επί *Θεοδώρας* (843). Παρότι δόκιμος μελωδός, που είχε συνθέσει μεγάλο αριθμό ειρμών και κανόνων, παρέμεινε άγνωστος γιατί τα ποιήματά του δεν χρησιμοποιήθηκαν στη λειτουργία. Είναι πιθανό να είναι διαφορετικό πρόσωπο ο Γεώργιος Αγιοπολίτης και ο Γεώργιος Ανατολικός.

ΒΙΒΛ.: Σωφρόνιος (πρώην μητροπ. Λεοντοπόλεως), Γ.Α. ο Ανατολικός, ΝΣ 37 (1938), 685-91. -Beck, 604. -Στυλ. Παπαδόπουλος, ΘΗΕ 4 (1964), στήλ. 475. -Ν. Τωμαδάκης, Εισαγ. εις την Βυζ. Φιλολογίαν, Α΄ 2: Η βυζ. υμνογραφία και ποίησις (Θεσ/νίκη 1993^3, ανατ.), 46 σημ. - TL^3, ελλην. μετ., 39

Γ.Μ.

Αγιοπολίτης Γεώργιος (13ος-14ος αι.) Ιεροκήρυκας και πανηγυριστής για του οποίου τη ζωή οι πληροφορίες είναι πολύ λίγες και τελείως αποσπασματικές. Θεωρείται ότι ήταν μοναχός σε κάποιο μοναστήρι στην Ιερουσαλήμ και γι' αυτό είχε την προσωνυμία «Αγιοπολίτης». Ένα από τα σπάνια δεδομένα σχετικά με την προσωπικότητά του είναι ότι ο Α. έγραψε ένα εγκωμιαστικό λόγο για τους αγγέλους με τίτλο: «Λόγος εγκωμιαστικός εις τους ασωμάτους, και διατί ταύτα τη θεία γραφή αποκέκρυπται, και περί ρητών και αρρήτων», που βρίσκεται στον κώδικα Escurial 511 (13ος αι.). Μερικά σημεία του λόγου δεν είναι σύμφωνα με τις αρχές της Ορθοδοξίας.

ΒΙΒΛ.: Λατ. μετ. «Λόγου» από Λέοντα Αλλάτιο: De Georgiis (Παρίσι 1651). -ανατ. J. Fabricius, Bibliotheca Graeca, 10 (Αμβούργο 1737), 620-21. Βλ. και Κρουμβάχερ, Α΄, 352. -ΜΕΕ 1, 328. -ΘΗΕ 4 (1964), στήλ. 476.

Ρ.Ρ.

Αγιορείτης Νικόλαος βλ. Νικόλαος ο Α.

Αγιοστεφανίτες. Βυζ. αριστοκρατική οικογένεια με καταγωγή από την Κων/πολη (προάστιο Αγ. Στεφάνου) με πλούσια πατριωτική δράση στην Κρήτη από τα τέλη του 12ου αι. κ. εξ. Ο Νικηφόρος Α. (ή Αργυροστεφανίτης Αργυρόπουλος) αναφέρεται σε χρυσόβουλλο της εποχής του *Αλεξίου Β΄ Κομνηνού* (1182) ως αρχηγέτης του οίκου των Α., και μαζί με τους Α. Λέοντα, Στέφανο, Γεώργιο, Νικόλαο, Μηνά και Νικήτα έλαβαν μεγάλες εκτάσεις στο Γεράνιο της Κρήτης (Γ. Σήφακας, Το χρυσόβουλλον Αλεξίου Β΄ Κομνηνού και τα 12 αρχοντόπουλα, ΚρΧ 2, 1948, 129-40. -J. F. Vannier, Les Argyroi, 9e - 12e s., Παρίσι 1975, 53, αρ. 26. -D. Polemis, The Doukai, Λονδίνο 1968, 191-2, αρ. 225). Ελέγχεται η παράδοση που συνδέει τα 12 «αρχοντόπουλα» που με χρυσόβουλλο του 1082 *(Αλέξιου Α΄ Κομνηνού)* εγκαταστάθηκαν στη μεγαλόνησο (ανάμεσά τους και οι Α.). Ανεξάρτητα χρονολογίας πάντως, οι Α. εγκαταστάθηκαν στην Κρήτη για να αποτελέσουν τα ισχυρά ερείσματα της αυτοκρ. εξουσίας εκεί, ενώ παράλληλα υπήρξαν γενάρχες των μεγάλων αρχοντικών οικογενειών, που λίγο αργότερα έμελλαν να στηρίξουν την πίσμονα αντίσταση ενάντια στους Βενετούς κατακτητές ως αρχηγοί και οργανωτές επαναστατικών κινημάτων. (J. Cl. Cheynet, Pouvoir et contestations à Byzance, 963-1210, Παρίσι 1990, 239, Ν. Σβορώνος, Το νόημα και η τυπολογία των κρητικών επαναστάσεων του 13ου αι., Συμμ 8, 1989, 6-7). Σε σωζόμενο έγγραφο του 1206 (ΜΜ 6, 150-1. - Έρα Βρανούση, Έγγραφα Πάτμου, Α΄: Αυτοκρατορικά, Αθήνα 1980, 85) ένας Στέφανος Α. και η γυναίκα του Άννα εμφανίζονται να δωρίζουν στον καθηγούμενο Πάτμου Ευθύμιο και στη μονή του αμπέλια και οικήματα στην Κρήτη, κάτι που δείχνει ότι η Μονή της Πάτμου θα πρέπει να διατηρούσε σχέσεις με τη βενετοκρατούμενη Κρήτη μετά τη Δ΄ Σταυροφορία του 1204. Την περίοδο 1207/8 έγιναν οι πρώτες επαναστατικές κινήσεις των Α. που, σε συνεννόηση με τους Γενουάτες, προσπάθησαν χωρίς επιτυχία να διώξουν τον κατακτητή (ΜΕΕ 1, 373), το μεγάλο όμως κίνημα στο οποίο πρωτοστάτησαν οι Α. και το οποίο προκλήθηκε από την αφαίρεση της περιουσίας της Εκκλησίας και των μεγάλων οικογενειών του νησιού, ξέσπασε εναντίον των πρώτων Βενετών αποίκων το 1211-12. Οι Α. ξεσήκωσαν το Λασήθι και εξάπλωσαν το κίνημα κυριεύοντας τα φρούρια της Σητείας και του Μιραμπέλλου (Μεραμπέλλου) κατορθώνοντας να γίνουν προσωρινά κύριοι του Α. τμήματος του νησιού. Τότε ο Βενετός δούκας της Κρήτης, Ιάκωβος *Τιέπολο*, αναγκάστηκε να καλέσει σε βοήθεια το δούκα των νησιών του Αιγαίου (Αρχιπελάγους), Μάρκο Α΄ *Σανούδο,* υποσχόμενός του 30 φέουδα. Η επέμβαση του Σανούδου υπήρξε καθοριστική και οι Α. αρχηγοί της επανάστασης υποχρεώθηκαν να δηλώσουν όρκο υποταγής στη Βενετία ή να εκπατριστούν (1212). Λίγο αργότερα, όμως οι Τιέπολο και Σανούδος συγκρούστηκαν και ο τελευταίος προσπάθησε να στηριχθεί στους Α., αλλά τελικά ο Τιέπολο επικράτησε (το 1212/13 κατά τους Μαλτέζου και Δετοράκη, το 1213 κατά τον Miller, το 1214 κατά τον Παπαρρηγόπουλο), αν και στην τελική συνθήκη ανάμεσα στους Βενετούς ανταγωνιστές δεν αναφέρονται καθόλου Α. Είναι γνωστή, τέλος, η συμμετοχή ενός Μιχαήλ Α. στο αποτυχημένο κρητικό κίνημα του 1265 που υποκινήθηκε από τον *Μιχαήλ Η΄ Παλαιολόγο,* που αναγκάστηκε τελικά να αναγνωρίσει τη βενετική κυριαρχία στο νησί.

ΒΙΒΛ.: Κ. Παπαρρηγόπουλος, Ιστ. Ελλην. Έθν., Ε΄, 1 (Αθήνα 1932[6]), 40-1. -Ε. Gerland, Histoire de la noblese crétoise au Moyen Age, ROL 11(1905/8), 16, 32, 47. -W. Miller, Ιστορ. Φραγκοκρατίας στην Ελλάδα, 1204 - 1566, Β΄ (ανατ. Αθήνα 1960), 333 εξ. -Στ. Ξανθουδίδης, Η Ενετοκρατία εν Κρήτη και οι κατά των Ενετών Αγώνες των Κρητών (Αθήνα 1939). -Χρύσα Μαλτέζου στην ΙΕΕ 9 (1979), 269. και στον Ν. Παναγιωτάκη (επιμ. εκδ.), Κρήτη: Ιστορία και Πολιτισμός, Β΄ (Κρήτη 1988), 108-9 116 εξ. -Θεοχ. Δετοράκης, Ιστορ. Κρήτης (Αθήνα 1986), 156, 163 εξ., 173-4. Για τα «αρχοντόπουλα» της Κρήτης βλ. τώρα D. Tsougarakis, Byzantine Crete from the 5th Cent. to the Venetian Conquest (Αθήνα 1988), 81 εξ., 297.

Α.Σ.

Αγγιουβίδες. Μουσουλμανική «ορθόδοξη» (σουνιτική) δυναστεία που εγκαθιδρύθηκε στην Αίγυπτο το 1169/71, μετά την ανατροπή του τελευταίου Φατιμίδη (Σιίτη) χαλίφη απο το *Σαλαδίνο,* και διατηρήθηκε εξαπλωμένη προς Δ. και Α. μέχρι τα μέσα του 13ου αι., οπότε ανατράπηκε από τους Μαμελούκους. Την ονομασία της πήρε από το όνομα του πατέρα του Σαλαδίνου, του Αγιούμπ (αραβ. απόδοση του βιβλικού ονόμ. Ιώβ). Την εποχή της εξουσίας του Σαλαδίνου (1171-93) (Φ. Βλαχοπούλου - Α. Σαββίδης, λ. Σαλαδίνος, ΜΓΕ 46, 1987, 352-3) οι Α. εξαπλώθηκαν στην Αραβία, Συρία και Μεσοποταμία (Ιράκ), αφαιρώντας από τα φραγκικά σταυροφορικά κράτη το Χαλέπι/Βέροια (1183) και την Ιερουσαλήμ (1187), και οι κτήσεις τους εκτείνονταν από την Τυνησία και Τριπολίτιδα (Δ.) ως τη Β. Συρία και τον Τίγρη ποτ., καθώς επίσης από τη Μεσημβρινή Αραβία ως την Αρμενία. Διενήργησαν επίσης εκστρατείες κατά των Ρουπενιδών ηγεμόνων του Βασιλείου της *Κιλικιακής Αρμενίας* (1180, 1188, 1191) (βλ. V. Ter - Ghevondian, The Cilician Principality and the Sultanate of the Ayyubids in the 70s - 90s of the 12th century, ΒΔ 5-6, 1991-92, 151-63). Οι διάδοχοι του Σαλαδίνου απέτυχαν να διατηρήσουν την ενότητα του κράτους των Α. (ο αδελφός του, αλ-Μαλίκ αλ-*Αδίλ Α΄*, ανέτρεψε προσωρινά τους ανιψιούς του), το οποίο σύντομα διαιρέθηκε σε 4 ημι-φεουδαρχικές επαρχίες: Αιγύπτου, Χαλεπιού, Δαμασκού και Ιράκ. Παρά το γεγονός ότι οι υπήκοοι των Α. ήταν στην πλειοψηφία τους Αραβες, η υπεράσπιση των εδαφών και των συνόρων του κράτους τους είχε ανατεθεί σε τουρκο-κουρδικά στρατεύματα, ανάμεσα στα οποία διακρίθηκαν αρκετοί *Σελτζούκοι* φύλαρχοι και εμίρηδες. Στα στρατεύματα αυτά είχαν παραχωρηθεί εδάφη σύμφωνα με το σύστημα των «ικτά», με αρκετές ομοιότητες με το βυζ. σύστημα των «προνοιών» (Α. Σαββίδης, λ. Ιχτά, ΜΓΕ 29 , 1983, 290) το οποίο είχαν πρώτοι υιοθετήσει οι *Αββασίδες* χαλίφες της Βαγδάτης (10ος - 11ος αι.) και λίγο μετά οι Σελτζούκοι. Στα χρόνια των Α. παρήκμασε ο αιγυπτιακός πολεμικός στόλος που υπήρξε τόσο αξιόλογος στην εποχή των *Φατιμιδών* (969 - 1169/71). Οι εσωτερικές ανωμαλίες του κράτους έδωσαν την ευκαιρία στους σταυροφόρους της Δύσης να κερδίσουν πίσω ορισμένα εδάφη. Δυο φορές τον 13ο αι., το 1218 επί αλ-Μαλίκ αλ-Καμίλ (Ε΄ Σταυροφορία), και το 1248 επί αλ-Μαλίκ αλ-Σάλιχ, σταυροφορικοί στόλοι κατόρθωσαν να πραγματοποιήσουν αποβάσεις στο Δέλτα του Νείλου, ενώ το 1228 (ΣΤ΄ Σταυροφορία) ο Γερμανός αυτοκράτορας *Φρειδερίκος Β΄* ανεκατέλαβε την Ιερουσαλήμ (ως το 1244) κατόπιν ειδικής συμφωνίας με τον αλ-Μαλίκ αλ-Καμίλ. Σταδιακά ήδη από τις πρώτες 10ετίες του 13ου αι. το κράτος των Α. άρχισε να παρακμάζει, αφού η ισχύς του άρχισε να εξαρτάται όλο και περισσότερο από τους τουρκόφωνους μισθοφόρους *Μαμελούκους,* που τελικά ανέτρεψαν τον τελευταίο Α. σουλτάνο το 1250/51. Τέλος, ο κλάδος της Δαμασκού κατακτήθηκε από τους *Μογγόλους* το 1260. Οι 8 Α. σουλτάνοι:

1. αλ-Μαλίκ αλ-Νάσιρ Σαλάχ αλ-Ντιν (= Σαλαδίνος)	1169/71-93
2. Ιμαδεδδίν αλ-Μαλίκ αλ-Αζίζ	1193-8
3. Νασιρεδδιν αλ-Μαλίκ αλ-Μανσούλ	1198-1200
4. Σαϊφεδδίν αλ-Μαλίκ αλ-Αδίλ Α΄ (αδελφός Σαλαδίνου)	1200-18
5. Νασιρεδδίν αλ-Μαλίκ αλ-Καμίλ	1218-38
6. Σαϊφεδδίν αλ-Μαλίκ αλ-Αδίλ Β΄	1238-40
7. Ναζιμεδδίν Αγιούμπ αλ-Μαλίκ αλ-Σάλιχ	1240-9
8. αλ-Μαλίκ αλ-Νουαζζάν Τουράν Σαχ (ή Χαν)	1249-50/51

ΒΙΒΛ.: C. E. Bosworth, The Islamic Dynasties (Εδιμβούργο 1967), 59 εξ. -C. Becker, EI[1], 1, 221-3 και συμπλ. τόμ., 14-15 (πίν.). -C. Cahen, EI[2], 1, 820-30 (με πίν.) A. Noth, LM 1, 1315-16. -A. Ehrenkreutz, DMA 2, 22-5. -B. Lewis στην CHI 1, 201 εξ. -C .

Brockelmann, Hist. of Islamic Peoples (Ν. Υόρκη 1973, ανατ. 1980), 224 εξ. -J. Saunders, Hist. of Medieval Islam (Λονδίνο 1965, ανατ. 1978), 165 εξ. -Ph. Hitti, Hist of Arabs (Λονδίνο 1982[10]), 653 εξ., 659 εξ. -P.M. Holt, The Age of the Crusades... 11th Cent. -1517 (Λονδίνο - Ν.Υόρκη 1986), 60 εξ., 67 εξ., 218-19 (βιβλιογρ.). Ειδική μονογραφία για τους Α. της Δαμασκού: R. S. Humphreys, From Saladin to the Mongols: the Ayyubids of Damascus, 1193-1260 (Ώλμπανυ 1977). Γενικά: H.A.R. Gibb, The Aiyubids, στον Setton, Crusades, Β΄ (1969[2]), 693-714. -Πίνακας: V. Grumel, La Chronologie (Παρίσι 1958), 383-4.

Α.Σ.

Αγιοχριστοφορίτης, Στέφανος (c. 1130 - Σεπτ. 1185). Περιβόητος Βυζ. αξιωματούχος, ένα από τα κύρια στελέχη και στηρίγματα του καθεστώτος του *Ανδρόνικου Α΄ Κομνηνού* την περίοδο 1183-5. Η οικογένειά του ήταν ταπεινής καταγωγής και γνωρίζουμε ότι ο πατέρας του ήταν φοροεισπράκτορας επί *Μανουήλ Α΄ Κομνηνού.* Ο ίδιος ο Α. είχε μαστιγωθεί δημόσια και «ρινοκοπηθεί», επειδή είχε επιχειρήσει με απάτη να παντρευτεί κάποια βυζ. αριστοκράτισσα, κατόρθωσε πάντως να μπει στην αυλική ιεραρχία στα τελευταία χρόνια του Μανουήλ Α΄, όταν είχε το αξιώμα του «επί του στρατού». Με τον ίδιο τίτλο τον βρήκε η επανάσταση που έφερε τον Ανδρόνικο Α΄ στην εξουσία το 1182/3 και σύντομα ο Α. έμελλε να καταστεί ο ισχυρότερος παράγοντας του νέου αυτοκράτορα. Έγινε και διοικητής της αστυνομίας του Ανδρόνικου. Καθώς μαρτυρεί ο εχθρικά διακείμενος προς τον τελευταίο, ιστοριογράφος Νικήτας *Χωνιάτης,* ο Α. έγινε πολύ μισητός στο λαό *(«... αναιδέστατος πάσης ανοσιουργίας ανάμεστος...»)*, που μάλιστα του προσήψε το παρωνύμιο «Αντιχριστοφορίτης». Είχε επίσης συμμετάσχει στον στραγγαλισμό του άτυχου νεαρού *Αλέξιου Β΄ Κομνηνού* στα τέλη του 1183, ενώ, όταν ξέσπασε το κίνημα του Ανδρόνικου (11 Σεπτ. 1185), ο Α. στάλθηκε για να συλλάβει τον αρχισυνωμότη *Ισαάκιο (Β΄) Άγγελο* στο σπίτι του τελευταίου, κοντά στην κων/πολιτική μονή Περιβλέπτου. Τελικά, όμως, εξοντώθηκε από τους σωματοφύλακες του Ισαάκιου, κατά δε την ζωηρή περιγραφή του Νικ. Χωνιάτη, ο ίδιος ο Ισαάκιος του άνοιξε με μια σπαθιά το κεφάλι στα δυο και κατόπιν αναζήτησε άσυλο στην Αγία Σοφία. Την επόμενη ημέρα (12 Σεπτ.) το καθεστώς του Ανδρόνικου κατέρρευσε.

ΒΙΒΛ.: Πηγές: Ευστάθιος, έκδ. Κυριακίδης, 44 εξ., 48, 52. -Νικ. Χωνιάτης, CF, 274, 293 εξ., 314, 335 εξ., 339 εξ., 352 εξ. -Θεόδ. Σκουταριώτης, έκδ. Σάθας, ΜΒ 7 (1894), 333-4, 343. -Εφραίμ. έκδ. Λαμψίδης, Α΄, 172, στίχ. 5173-4, 179, στίχ. 5382 εξ., 180, στίχ. 5421 εξ., 5440 εξ. Πβ. Κ. Παπαρρηγόπουλος, Ιστ. Έλλην. Έθν., Δ΄ 2, 166, 177. -Κ. Άμαντος, Ιστ. βυζ. κράτ., Β΄ (1977[2] ανατ.), 327. -Γ. Κορδάτος, Ιστ. βυζ. αυτ., Α΄, 583-4. -C. Brand, Byzantium confronts the West, 1180-1204 (Καίμπριτζ Μασσ. 1968), 49, 60, 61, 69. -O. Jurewicz, Andronikos I. Komnenos (Άμστερνταμ 1970), 93, 107, 116. -R. Guilland, Les logothètes, REB 29 (1971), 63, αρ. 38. -Κ. Βαρζός, Γενεαλογ. Κομνηνών, Α΄ (Θεσ/νίκη 1984), 562, 565, 584, 591 σημ. 446, 598-9, 603 609 σημ. 514δ, 612 εξ., 644. -Ι. Καραγιαννόπουλος, Ιστ. βυζ. κράτ., Γ΄ (Θεσ/νίκη 1990), 283, 286. J. Cl. Cheynet, Pouvoir et contestations à Byzance, 963-1210 (Παρίσι 1990), 119, 430 εξ. - P. Magdalino, Empire of Manuel I Komnenos (1993), 211, 257. Επίσης γενικά τώρα βλ. A. Savvides, Notes on 12th -Century Byzantine prosopography: Aaron Isaacius - Stephanus Hagiochristophorites, Βυζκ 14 (1994), 339-53, ιδιαίτ. 347 εξ.

Α.Σ.

Αγλαβίδες. Αραβικής καταγωγής δυναστεία που κυριάρχησε στην περιοχή του Μαγρέμπ (Τυνησία, Αλγερία, Μαρόκο) για 109 χρόνια (184-296 μετά Εγίραν = 800-909 μ.Χ.). Ο ιδρυτής της δυναστείας, Ιμπραΐμ ιμπν αλ-Αγλάμπ, έδωσε το όνομά του σ' αυτήν. Ο ίδιος ήταν δήμαρχος της πόλης Ζαμπ, πριν περιορίσει τον αββασιδικό τοποτηρητή, εμίρη Ιμπν Μουκάτιλ, και αποσπάσει την αναγνώριση του Αββασίδη χαλίφη της Βαγδάτης, *Χαρούν αλ-Ρασίντ*. Η δυναστεία του εγκαταστάθηκε στο ΒΔ τμήμα της αφρικανικής ηπείρου («Ιφρικίγια»), υπήρξε σουνιτική στην ιδεολογική και πολιτική της έκφραση και έκλινε μεταξύ του χανεφιτικού και του μαλκιτικού ρεύματος ερμηνείας του ισλαμικού δικαίου (Φικχ). Οπωσδήποτε οι Α. δεν είχαν συμβολή στην πρόοδο των Γραμμάτων και των Τεχνών. Τα κορυφαία πνεύματα της περιοχής κατά την εποχή τους ήσαν μάλλον υπό διωγμόν, ενώ το αντιισλαμικό πνεύμα της συμμορίας, της λεηλασίας και της καταστροφής ήταν το μέσον διατήρησης της εξουσίας στα χέρια των Α. Ανεπανάληπτοι διωγμοί κατά των ντόπιων Βερβέρων, που αποτελούσαν σχεδόν την παμψηφία του πληθυσμού, έλαβαν χώρα με αποκλειστικό στόχο την εξαφάνιση του πολιτισμικού χαρακτήρα τους καθώς και τον εξισλαμισμό και εξαραβισμό τους. Καθώς οι Α., ως φορείς του Ισλάμ, ήσαν ένα ψευδεπίγραφο στοιχείο, οι διωγμοί δημιούργησαν την αντίσταση του ντόπιου στοιχείου, που μέχρι σήμερα είναι στην πλειοψηφία του βερβερόφωνο, αντίθετα με τους Αραμαίους του Μασρέκ (ασιατική Μέση Ανατολή) και τους Κόπτες της Αιγύπτου και του Σουδάν, ως επί το πλείστον εξισλαμισμένους και εξαραβισμένους γλωσσικά. Η αγλαβιδική δυναστεία κατέρρευσε με την άνοδο της σ(χ)ιιτικής δυναστείας των *Φατιμιδών* στην Αίγυπτο. Οι ηγεμόνες της (έτος Εγίρας και έτος χριστιανικής χρονολογίας):

Ιμπραΐμ ιμπν αλ-Αγλάμπ	184	800
Αμπού αλ-Αμπάς Αμπντάλλα (Α΄)	196	812
Αμπού Μοχάμεντ Ζιγιάντε Αλλάχ	201	817
Αμπού Ικάλ	223	838
Αμπού αλ-Αμπάς Μοχάμεντ	226	841
Αμπού Ιμπραΐμ Αχμέντ	242	856
Ζιγιάντετ Αλλάχ	249	863
Αμπού αλ-Γαράνικ Μοχάμεντ	250	864
Ιμπραΐμ ιμπν Αχμέντ	261	875
Αμπού αλ-Αμπάς Αμπντάλλα (Β΄)	289	902
Αμπού Μουζάρ Ζιγιάντετ Αλλάχ	290-6	903-9

ΒΙΒΛ: G. Demombynes, EI[1]. -G. Marçais - J. Schacht, EI[2]. - C. E. Bosworth, Islamic Dynasties (Εδιμβούργο 1967), 24-5. -M. Talbi, L' emirat aghlabide, 184-294/800-900. Histoire politique (1966). -H. -R. Singer, LM 1, στήλ. 210.

Κ.Μ.

Αγνέλλος (Agnellus, c. 805 - † μετά το 841). Ευγενικής καταγωγής επίσκοπος της εκκλησίας της Ραβέννας, συγγραφέας, κατά το πρότυπο του Παπικού Βιβλίου(Liber Pontificalis), του έργου «Παπικό Βιβλίο της Εκκλησίας της Ραβέννας», που φτάνει ως το 841. Αποτελεί βιογραφική αφήγηση των αρχιεπισκόπων της Ραβέννας και θεωρείται σημαντική πηγή για την κοινωνικη δομή της Β. Ιταλίας την εποχή του βυζαντινού *Εξαρχάτου* της Ραβέννας. Ιδαίτερα σημαντικές είναι οι αφηγήσεις για τα κινήματα ανεξαρτησίας στην περιοχή καθώς και η επιχείρηση του *Ιουστινιανού Β΄* για την επαναφορά της βυζ. κυριαρχίας εκεί.

ΒΙΒΛ.: Έκδ. MGH, Scriptores Rerum Langobardicorum (1878), 275-391. Γραμματολογικά: M. Manitius, Gesch. Latein. Literatur, Α΄, 712 εξ. Άλλη βιβλ. στους Karayannopulos - Weiss, 347, αρ. 219. -M. McCormick, ODB, 37. - T. S. Brown, Gentlemen and Officers: imperial administration and aristocratic power in Byzantine Italy A.D. 554-800 (Hertford 1984: British School at Rome), 250 ευρετ.

Α.Σ.

Αγνή, η Παρθένος του Σαλέρνο (μαρτ. c. 303/4, εορτ. 21 Ιαν.).Οσιομάρτυς κατά το διωγμό του *Διοκλητιανού*, υπέστη πολλά μαρτύρια μέχρις ότου αποκεφαλιστεί σε νεαρότατη ηλικία στη Ρώμη, επειδή δεν ενέδωσε στις πιέσεις του Ρωμαίου διοικητή στο Σαλέρνο να απαρνηθεί την πίστη της και να τον παντρευτεί. Θάφτηκε σε κάποια κατακόμβη, όπου λίγο αργότερα ο *Κωνσταντίνος Α΄* ανήγειρε βασιλική στη μνήμη της, η οποία επισκευάστηκε στους 6ο και 7ο αι. και διατηρείται ως τις μέρες μας. Ο *Αμβρόσιος* Μεδιολάνων εξύμνησε τις αρετές της Α. στην πραγματεία του «Περί των Παρθένων» (De Virginibus), ενώ επίσης την εγκωμίασαν ο λόγιος πάπας Ρώμης, *Δάμασος Α΄*, σε επιγραφή του στην προαναφερόμενη βασιλική (που αποκαλύφτηκε το 18ο αι.), καθώς και ο ισπανικής καταγωγής στιχουργός Προυδέντιος (4ος - 5ος αι.) στην 14η ωδή του.

ΒΙΒΛ.: AASS, Ιαν. -P. de Cavalieri, S. Agnese nella tradizione e nella leggenda (1899). -L. de Kerval, Sante Agnès dans la legende et dans l' histoire (1901). -Σ. Σπεράντζας, ΜΕΕ, 1, 426-7. -Α. Πανώτης, ΘΗΕ, 1, 286-7.

Α.Σ.

Αγνή - ΄Αννα (1171 - 1220, βυζ. αυτοκράτειρα 1180-5). Γαλλίδα πριγκίπισσα, κόρη του βασιλιά *Λουδοβίκου Ζ΄* και της Αντέλ ή Αλίξ της Καμπανίας καθώς και αμφιθαλής αδελφή του *Φιλίππου Β΄ Αυγούστου*. Το 1179 σε ηλικία 8 χρονών αρραβωνιάστηκε το βυζ. διάδοχο *Αλέξιο Β΄ Κομνηνό* στα πλαίσια της πολιτικής του πατέρα του τελευταίου, *Μανουήλ Α΄ Κομνηνού*, για εξασφάλιση ερεισμάτων στη Δ. για να αντιμετωπιστούν οι δυσκολίες της αυτοκρατορίας στην Α. Το Πάσχα του 1179 η νεαρή Α. έφθασε με τιμητική συνοδεία και πομπές στην Κων/πολη, γεγονός το οποίο περιγράφεται σε πανηγυρικό λόγο του *Ευστάθιου* (έκδ. W. Regel - N. Novosadsky, Fontes Rerum Byzantinarum, 1/1, Πετρούπολη 1892, 80-92, ιδιαίτ. 85 κ. εξ.). Στη συνέχεια έγιναν οι αρραβώνες (και όχι γάμος, όπως συμπέραναν παλαιότεροι και νεότεροι ερευνητές) στις 13 Μαρτ. 1180, όπως μαρτυρεί βραχύ χρονικό της εποχής (έκδ. P. Schreiner, Die byzantinischen Kleinchroniken, Α΄, Βιέννη 1975: CF, 147, αρ. 14/84: «...*μόνον αρραβώνα ευχής τούτοις δοθείσης παρά του οικουμενικού πατριάρχου κυρού Θεοδοσίου του Αντιοχέως*» [βλ. *Θεοδόσιος Βοραδιώτης*]), και στις τελετές αυτές η Α. έγινε Ορθόδοξη Χριστιανή και πήρε το όνομα Αννα (Βαρζός, Β΄, 459-60). Μετά το βίαιο θάνατο του Αλέξιου Β΄ (Σεπτ. 1183) ο σφετεριστής του θρόνου *Ανδρόνικος Α΄ Κομνηνός* δε δίστασε, παρά το γεγονός ότι είχε υπερβεί τα 60, να συνάψει γάμο με τη 12χρονη Α. σε μεγαλοπρεπή τελετή στη Αγία Σοφία, προξενώντας την αγανάκτηση του Νικήτα *Χωνιάτη* (Ιστορ., CF, 275. -Εφραίμ, Α΄, 170, στίχ. 5090 κεξ.), ο οποίος επιπλέον περιγράφει τις ταλαιπωρίες που ήταν υποχρεωμένη να υφίσταται η άτυχη Α. συνοδευόμενη αναγκαστικά από τις παλλακίδες του συζύγου της (Ν. Χων., CF, 347 εξ.). Μετά το άγριο τέλος του Ανδρόνικου Α΄ (Σεπτ. 1185) και την άνοδο του *Ισαάκιου Β΄ Άγγελου*, ο τελευταίος φρόντισε να επιδαψιλεύσει στην Α. τιμές τέως «αυγούστας», αλλά λίγο αργότερα η γνωριμία της με τον Κων/πολίτη άρχοντα Θεόδωρο *Βρανά*, γιο του ονομαστού στρατηγού *Αλέξιου Βρανά,* εξελίχθηκε σε θυελλώδες ερωτικό ειδύλλιο, αν και η Α. απέφυγε να τον παντρευτεί, προφανώς για να διατηρήσει τα προνόμιά της. Όταν τα πρώτα κύματα της Δ΄ Σταυροφορίας έφθασαν στην Κων/πολη (1203) η Α. έπεισε το σύζυγό της να συνεργαστούν με τους εισβολείς, τα εφιαλτικά όμως κακουργήματα των σταυροφόρων, κατά την άλωση της 12-13 Απρ. 1204 την έκαναν να αντιδράσει με οργή κατά των συμπατριωτών της, αν και μόνο πρόσκαιρα (J. - Cl. Cheynet, Pouvoir et contestations à Byzance, 963-1210, Παρίσι 1990, 152). Σύντομα εξασφάλισε τη συγκατάβαση του 1ου Λατίνου αυτοκράτορα της Κων/πολης, *Βαλδουΐνου Α΄* της Φλάνδρας, να παντρευτεί επίσημα τον Θ. Βρανά. Αρχικά τους παραχωρήθηκε το φέουδο της Άπρου (ή Θεοδοσιούπολης) στη

Θράκη, όπου έζησαν για λίγο διάστημα ως αυτόνομοι ηγεμόνες, αλλά το 1206 μια βουλγαρική επιδρομή κατέστρεψε τα υπάρχοντά τους και ο νέος Λατίνος ηγεμόνας, *Ερρίκος* της Φλάνδρας, τους παραχώρησε σημαντικές εκτάσεις στην Αδριανούπολη, το Διδυμότειχο και τις γύρω τους εκτάσεις. Εκεί έζησε η Α. ως το τέλος της το 1220, που συνέβη αρκετά χρόνια μετά το θάνατο του συζύγου της. Η περιπετειώδης ζωή της ενέπνευσε στο Νεοέλληνα πεζογράφο Κώστα Κυριαζή το έργο του «Αγνή η Φράγκα» (2 τ., Αθήνα 1980) και στην Régine Colliot το διήγημα Agnès de France (Παρίσι 1985).

ΒΙΒΛ.: Αλλες πηγές: Ευστάθιος, Άλωση Θεσ/νίκης, 52. -Σκουταριώτης, 334. -Γουλιέλμος Τύρου, RHC Oc 1, 1066 εξ. -Βιλλεαρδουίνος, παράγρ. 249, 403, 413, 423. -Ροβέρτος Κλαρύ/Hopf, 14. Αλλες Δ. πηγές στον Κ. Βαρζό, Γενεαλογία Κομνηνών, Β΄ (Θεσ/νίκη 1984), 459, σημ. 22-23α. F. Chalandon, Les Comnène, Β΄ (Παρίσι 1912, ανατ. Ν. Υόρκη 1960), 235, 553, 605, 606. -Κ. Παπαρρηγόπουλος, Ιστορ. Έλλην. Έθν., Δ΄, 2 (Αθήνα 1932[6]), 152, 161, 184, 237. -Κουκουλές, Δ΄, 128, 133-4. -Αδ. Αδαμαντίου, ΜΕΕ 1, 427-8. -C. Diehl. Βυζαντινές μορφές (Αθήνα 1969), 549 - 64. - DR Β΄, 87 αρ. 1531. -O. Jurewicz, Andronikos I. Komnenos (Άμστερνταμ 1970), 134 εξ. - Βαρζός, ό.π., Α΄ 565-6, 602, 615, 620-21, Β΄, 458-61, ιδιαίτ. 459-60, σημ. 23α-24 για το πρόβλημα των αρραβώνων (όχι γάμου) των Αλεξίου Β΄ Α. -Επίσης Ch. Brand, Byzantium confronts the West, 1180-1204 (Καίμπριτζ Μασσ. 1968). -του ιδ., Agnes of France, ODB, 37.

Α.Σ.

Αγνή ντε Κουρτεναί (γεν. c. 1200, † 1245/7). Η μικρότερη από τις δύο κόρες του Λατίνου αυτοκράτορα της Κων/πολης, *Πέτρου* (βλ. πίν. Κ. Hopf, Chroniques Gréco-romanes, Βερολίνο 1873, ανατ. Αθήνα 1961, 469), που στέφθηκε στη Ρώμη το 1217. Στο δρόμο της από το Μπρίντιζι προς την Κων/πολη η νεαρή Α. στάθμευσε στην Πελοπόννησο, όπου μνηστεύθηκε και μετά από λίγο παντρεύτηκε το γιο και κληρονόμο του Φράγκου ηγεμόνα Γοδεφρείδου Α΄ *Βιλλεαρδουίνου,* Γοδεφρείδο Β΄ (W. Miller - μετ. Σ. Λάμπρος, Ιστορ. Φραγκοκρατίας, Α΄, ανατ. Αθήνα 1960, 125).

Α.Σ.

Αδαλβέρτος (ηγεμ. 950-61/2, † c. 966/8, Κων/πολη). Λογγοβάρδος βασιλιάς της Ιταλίας στις αρχές του 2ου μισού του 10ου αι. Ήταν γιος του *Βερεγγάριου* και, μετά το θάνατο του *Λοθάριου*

Β΄, συμβασίλευσε με τον πατέρα του την περ. 950-61/2 για 12 χρόνια. Μετά την αποτυχημένη του σύγκρουση με τον Γερμανό μονάρχη *Όθωνα Α΄*, ο οποίος εισέβαλε στην Ιταλία το 951 και 956, ο Α. κατέφυγε στην Προβηγκία, σε κάποιο κάστρο των Μουσουλμάνων της Κορσικής. Λίγα χρόνια αργότερα, το 962, ο Όθων Α΄ στέφθηκε πρώτος ηγεμόνας της *Αγίας Ρωμαϊκής Αυτοκρατορίας* του Γερμανικού Εθνους (ΑΡΑΓΕ), και ο Α. επέστρεψε το 963 στη Ρώμη μετά από κάλεσμα του πάπα *Ιωάννη ΙΒ΄*, ο οποίος είχε συγκρουστεί με τον Όθωνα, ο τελευταίος όμως ξαναεισέβαλε στην Ιταλία και διόρισε ως νέο πάπα τον *Λέοντα Η΄*. Τελικά ο Α. νικήθηκε το 965/6 από τα γερμανικά στρατεύματα και αναγκάστηκε να ζητήσει καταφύγιο στον αυτοκράτορα *Νικηφόρο Β΄ Φωκά* στην Κων/πολη, όπου παρέμεινε ως το τέλος του συνεργαζόμενος με το Βυζάντιο κατά των Οθωνιδών.

ΒΙΒΛ.: G. Schlumberger, Βυζ. εποποιία, Α΄ (Αθήνα 1905, ανατ. 1977), 667, 668 εξ. -J. V. Bryce, The Holy Roman Empire (Λονδίνο 1904[5], ανατ. 1928), 131. -R. Jenkins, Byzantium: the Imperial Centuries, 610-1071 (Λονδίνο 1966, ανατ. 1969), 284, 288. -Β. Καραγεώργος, Η Αγία Ρωμαϊκή Αυτοκρατορία, Α΄ (Αθήνα 1987), 200 εξ. -Τ. Λουγγής, Η βυζ. κυριαρχία στην Ιταλία... 395-1071 (Αθήνα 1989), 217. -K. Chrestou, Byzanz und die Langobarden... 500-680 (Αθήνα 1991).

Α.Σ.

Άδαλγις βλ. Άδελχις

Αδαλοάλδος (γεν. c. 602, Μόντσα, ηγεμ. 616-26). Λογγοβάρδος βασιλιάς, γιος του *Αγιλούλφου* και της Καθολικής *Θεοδελίνδας*. Βαφτίστηκε Καθολικός μετά από ενέργειες της μητέρας του και στέφθηκε μετά το θάνατο του πατέρα του σε ηλικία 14 χρονών, επιτροπευόμενος ως την ενηλικίωσή του το 624/5 από τη μητέρα του. Τότε αποφάσισε να πάρει τις υποθέσεις του κράτους του στα χέρια του, επιχειρώντας να εξαφανίσει το αρειανικό κόμμα. Η προσπάθεια του να εξολοθρεύσει τους Λογγοβάρδους φυλάρχους και ευγενείς που αντέδρασαν (σκότωσε 12 από αυτούς) αποδόθηκε σε πιθανή παραφροσύνη του και το 626 πέθανε δηλητηριασμένος. Τον διαδέχτηκε ο γυναικάδελφός του, *Αριοάλδος*, που υποστηρίχτηκε από τους Αρειανιστές. Τότε σταμάτησε η επιρροή της Θεοδελίνδας, που περιορίστηκε στα τελευταία χρόνια της ζωής της. Το χρονικό του *Φρεδεγάριου* αναφέρει πρεσβεία του βυζ. αυτοκράτορα *Ηράκλειου Α΄* προς τον Α. το 624, αλλά είναι πιθανόν να έγινε 10 χρόνια αργότερα, προς τον Αριοάλδο (T. Lounghis, Les ambassades byzantines en Occident... 407-1096, Αθήνα 1980, 107 σημ. 7, 468-9 πίν.). Σώζεται κρεμαστός σταυρός του Α.

ΒΙΒΛ.: C. Oman, The Dark Ages, 476-918 (Λονδίνο 1908), 195-6. -ΜΕΕ 1, 531. -DBI 1 (1960), 227. - G. Bonacina, Οι Λομβαρδοί, Ιστορ. Εικονογραφημένη τεύχ. 8 (Αθήνα 1969), 126 (φωτογρ. σταυρού), 134. - Ch. Schroth-Köhler, LM 1, 106. - Τ. Λουγγής, Η βυζαντινή κυριαρχία στην Ιταλία ...395 - 1071 (Αθήνα 1989) 124 εξ. - K. Chrestou, Byzanz und die Langobarden... 500-680 (Αθήνα 1991).

Α.Σ.

΄Αδελχις ή **΄Αδαλγις** (γεν. πριν το 760, † c. 788). Λογγοβάρδος πρίγκιπας που συγκρούστηκε με το γυναικάδελφό του Φράγκο ηγεμόνα, *Καρλομάγνο*, επιχειρώντας να ανακαταλάβει το θρόνο του πατέρα του, βασιλιά *Δεσιδέριου* ή Ντιντιέ, μετά από την κατάληψη της Παβίας και τη ενσωμάτωση των λογγοβαρδικών κτήσεων από τον Καρλομάγνο το 774/5. Αρχικά ο Α. κατέφυγε στην Κων/πολη στον αυτοκράτορα *Κωνσταντίνο Ε΄* (όχι στον Λέοντα Γ΄ Ίσαυρο: ΜΕΕ, 1, 531). Σκοπεύοντας να εισβάλλει στην Ιταλία ο Α. κατόρθωσε να εξασφαλίσει τη σύμπραξη του κουνιάδου του, Λογγοβάρδου πρίγκιπα του Βενεβέντου, *΄Αριχι Β΄*, αλλά ο αιφνίδιος θάνατος του Κωνσταντίνου Ε΄, του κύριου στηρίγματος μιας τέτοιας επιχείρησης, ανέστειλε προσωρινά τα σχέδια του Α. (775). Λίγο αργότερα (778/9)ο Α. οργάνωσε από το Βυζάντιο νέα εκστρατεία με την υποστήριξη του *Λέοντα Δ΄ Χάζαρου*, αλλά ο θάνατος του τελευταίου το 780 ξαναματαίωσε προσωρινά την επιχείρηση, που πραγματοποιήθηκε τελικά το 788 με τη βοήθεια βυζ. στρατού υπό τον «λογοθέτη του στρατιωτικού» Ιωάννη, τον οποίο παραχώρησε ο *Κωνσταντίνος ΣΤ΄*. Οι δυνάμεις του Α. αποβιβάστηκαν στην Καλαβρία, στην κρίσιμη όμως εκείνη στιγμή πέθανε ξαφνικά ο σύμμαχος του Α., ΄Αριχις Β΄. Ο γιος και διάδοχος του ΄Αριχι στο δουκικό θρόνο του Βενεβέντου, Γριμοάλδος Γ΄, δεν ακολούθησε την πολιτική του πατέρα του στη λογγοβαρδο-φραγκική σύγκρουση στην Ιταλία και συμμάχησε με τον Καρλομάγνο. Ο Α. του επιτέθηκε, αλλά τελικά συνελήφθη και -πιθανώς- εκτελέστηκε, αν και ο βιογράφος του Καρλομάγνου, *Εϊνάρδος*, μαρτυρεί ότι τελικά ο Α. κατόρθωσε να διαφύγει πάλι στην Κων/πολη (αγγλ. μετ. L. Thorpe, Penguin 1969, ανατ. 1977, 60-1). Εκεί παρέμεινε ως το θάνατό του λίγο αργότερα, έχοντας τιμηθεί με το βυζ. αξίωμα του «πατρίκιου» και έχοντας πάρει το ελληνικό όνομα Θεόδοτος (Θεοφάνης, έκδ. De Boor, 449).

ΒΙΒΛ.: Συνεχ. Παύλου Διάκονου, MGH, Scriptores Rerum Langobardicorum, 198 εξ. - Βίος Αδριανού Α΄, έκδ. Duchesne,493 εξ. -Codices Diplomatarum Longobardicorum, Γ΄, 33 εξ. - C. Oman, The Dark Ages...476-918 (Λονδίνο 1908), 347, 348, 363. -L. Hartmann, Gesch. Italiens im Mittelalter, Β΄, 264 εξ. -W. Ohnsorge, Konstantinopel und der Okzident (Ντάρμσταττ 1966), 14-15. -DBI 1 (1960), 258 εξ. -G. Bonacina, Οι Λομβαρδοί, Ιστορ. Εικονογραφημένη, τεύχ. 8 (Αθήνα 1969), 135. -T. Lounghis, Les ambassades byzantines en Occident... 407-1096 (Αθήνα 1980), 148 σημ. 3, 152 σημ. 4, 153. - H. Zielinski, LM, 1, 144-5. - Αικ. Χριστοφιλοπούλου, Βυζ. ιστ., Β΄, 1 (Θεσ/νίκη 1993²), 156. - Τ. Λουγγής, Η βυζ. κυριαρχία στην Ιταλία...395-1071 (Αθήνα 1989), 179 εξ. -K.Chrestou, Byzanz und die Langobarden...500-680 (Αθήνα 1991).

Α.Σ.

Αδαμάντιος (2ο μισό 4ου -αρχές 5ου αι.). Ονομαστός εβραϊκής καταγωγής γιατρός και ιατροσοφιστής («ιατρικών λόγων σοφιστής») από την Αλεξάνδρεια, έζησε για λίγα χρόνια στην Κων/πολη, μάλλον επί *Αρκαδίου* (395-408), όπου ασπάστηκε επί πατριάρχη *Αττικού* το Χριστιανισμό. Εκδιώχθηκε μαζί με άλλους Εβραίους από την Αλεξάνδρεια με διαταγή του *Ορέστη* μετά το 415 (βλ. και *Αγάπιος*). Όταν αργότερα επανήλθε στη γενέτειρά του διακρίθηκε ως αξιόλογος ελληνιστής και συγγραφέας - συμπιλητής σημαντικών ιατρικών και φυσιογνωστικών έργων (μόλυνση και καθαριότητα ατμόσφαιρας, επίδραση κλίματος, ανέμων, υγρασίας και αστέρων στην υγεία, πρόκληση νοσημάτων και παχυσαρκίας), ενώ πολλές απόψεις του υιοθετήθηκαν από τον *Αέτιο* Αμιδηνό και τον Μιχαήλ *Ψελλό*. Βασισμένος στα μετεωρολογικά έργα του Αριστοτέλη, συνέγραψε με την επιστροφή του στην Αλεξάνδρεια το «Περί ανέμων», ενώ συνόψισε σε 2 τόμους τα «Φυσιογνωμικά» του ρήτορα και σοφιστή του 1ου-2ου αι. μ.Χ., Μάρκου Αντώνιου Πολέμωνος, από τη Λαοδικεία της Καρίας (αρχέτυπο του έργου του 1540 σώζεται στην Εθνική Βιβλιοθήκη Ελλάδος, Αθήνα). Το τελευταίο αυτό έργο, αφιερωμένο στον αυτοκράτορα *Κωνστάντιο Β΄*, γνώρισε αλλεπάλληλες εκδόσεις κατά το 16ο αι.

ΒΙΒΛ.: «Περί ανέμων», έκδ. H. Rose (1964). -Αέτιος Άμιδας, Ιατρικά Βιβλία, έκδ. A. Olivieri (Λειψία 1935), λόγος γ΄. -Σωκράτης, Εκκλ. Ιστορ., VII, 13. -Αδ. Αδαμαντίου, ΜΕΕ 1, 541. -ΕΛΕ 1, 198. -PLRE, Β΄, 6. -Αριστοτ. Ευτυχιάδης, Εισαγωγή εις την βυζ. θεραπευτικήν (Αθήνα 1983), 285.

Σ.Μ. - Α.Σ.

Αδαμάντιος († μετά το 479/80). Σημαντικός βυζ. αξιωματούχος του 2ου μισού του 5ου αι., επί βασιλείας *Ζήνωνος*. Ήταν γιος του πατρίκιου και υπάτου *Βιβιανού* και κατείχε τα αξιώματα του «έπαρχου» της Κων/πολης (474-81) και του «πατρικίου» (478-80). Στα τέλη του καλοκαιριού του 479 ο Ζήνων τον έστειλε πρέσβη στην Επίδαμνο (Δυρράχιο) στον ηγεμόνα των *Οστρογότθων*, Θεουδίμερο (; - 482), του οποίου ο λαός είχε αρχίσει να κινείται απειλητικά από τα εδάφη του στην Παννονία προς Ν. στις βυζ. βαλκανικές επαρχίες. Ο Αδ. κατόρθωσε να πείσει το Γότθο ηγεμόνα να εγκατασταθεί προσωρινά στη Δαρδανία (σημ. Σερβία), από όπου έμελλε να στραφεί προς την Ιταλία, όπου τελικά ίδρυσε το Βασίλειο των Οστρογότθων. Λεπτομέρειες για την αποστολή του Αδ. καθώς και για τις ταλαιπωρίες που υπέστη περνώντας διάφορες «βαρβαρικές» χώρες, άφησε ο *Μάλχος*.

ΒΙΒΛ.: Μάλχος, HGM 1, 409 εξ. -πβ. Αδ. Αδαμαντίου, ΜΕΕ 1, 541. -J. Bury, Later Roman Empire, 395-565, Α΄ (1958), 417, 418 εξ. -E. Stein, Histoire, Β΄ 14-15. -PLRE Β΄, 6-7. -Ι. Καραγιαννόπουλος, Ιστ. βυζ. κρ., Α΄ (Θεσ/νίκη 1978, ανατ. 1991), 313 εξ., 315-17. -Τ. Λουγγής, ΙΕΕ 7 (1978), 129. -του ιδ., Les ambassades byzantines en Occident... 407-1096 (Αθήνα 1980), 49-50, 462-3 (πίν.).

Φ.Β.

Αδαρμάν ή **Αδαρμάνης** (2ο μισό 6ου αι.). Πέρσης στρατηγός του Σασανίδη βασιλιά *Χοσρόη Α΄* με πλούσια δράση στον πόλεμο της Περσίας με το Βυζάντιο κατά την περίοδο 572-91. Το 574 οι δυνάμεις του Α. κατέλαβαν το Δάρας (μετά 6μηνη πολιορκία) και λεηλάτησαν τα περίχωρα της Αντιόχειας και της Απάμειας στη Συρία, αναγκάζοντας το βυζ. ηγεμόνα, *Ιουστίνο Β΄*, να υπογράψει ειρήνη αυξάνοντας την ετήσια καταβολή πάκτων στο Χοσρόη Α΄. Πιθανόν να ταυτίζεται με τον έξαρχο των Περσών Αδαρμάνη, που χρονολογείται στο 591-608 (για τα γεγονότα βλ. R. Browning, ΙΕΕ 7, 209-10).

Φ.Β.

Αδδαίος ή **Αδδαής** († 566). Συριακής καταγωγής έμπιστος αξιωματούχος του *Ιουστινιανού Α΄* και αργότερα του *Ιουστίνου Β΄*. Το 551-65 praefectus praetorio της Ανατολής και 1ος διοικητής του τελωνείου του λιμανιού της βυζ. πρωτεύουσας. Από το 565 έπαρχος Κων/πολης και συγκλητικός. Κατηγορήθηκε το 565-6 μαζί με τον «κουράτορα» και συγκλητικό *Αιθέριο* ότι συνωμότησαν για να ανατρέψουν και να δηλητηριάσουν τον Ιουστίνο Β΄. Πριν από τον αποκεφαλισμό του ο Α. άφησε να διαρρεύσει η πληροφορία ότι ήταν υπεύθυνος για το δηλητηριασμό του έπαρχου Θεόδοτου.

ΒΙΒΛ.: Ευάγριος, έκδ. Bidez - Parmentier, 197. -Θεοφάνης, CS, 375. Πβ. J. Bury, Later Roman Empire, Β΄ (Ν. Υόρκη 1958), 356, σημ. 1. - R. Browning ΙΕΕ 7 (1978), 207. -Ι. Καραγιαννόπουλος, Ιστ. βυζ. κρ., Β΄ (Θεσ/νίκη 1991^2, ανατ.), 26.

Φ.Β.

Αδελαΐς - Ειρήνη η Γερμανική († 16 Αυγ. 1324). Κόρη του δούκα Ερρίκου Α΄ του Μπράουσβάιγκ - Γκρούμπενχάγκεν και αδελφή του Ερρίκου Β΄, έγινε η 1η σύζυγος του βυζ. πρίγκιπα *Ανδρόνικου (Γ΄) Παλαιολόγου* μετά από τις ενέργειες του παππού του, *Ανδρόνικου Β΄ Παλαιολόγου*, που στα πλαίσια της δυτικής του πολιτικής θέλησε να ενδυναμώσει τους δεσμούς του με τους Γιβελλίνους. Ο γάμος του Ανδρόνικου (Γ΄) με τη Γερμανίδα πριγκίπισσα -με τον οποίο ήλπιζαν να χαλιναγωγήσουν τον ανήσυχο και κακομαθημένο νεαρό ο παππούς του και ο πατέρας του, *Μιχαήλ Θ΄ Παλαιολόγος* (βλ. γενεαλογ. πίνακα στο λ. *Παλαιολόγοι*)- έλαβε χώρα στις 23 Οκτ. 1317. Η Αδελαΐς - Ειρήνη γέννησε γιο, του οποίου δεν έμεινε γνωστό το όνομα, που πέθανε βρέφος 8 μηνών (Φεβρ. 1321). Το καλοκαίρι του 1324 η Α. αρρώστησε σοβαρά στη Θράκη και, ενώ σκέπτονταν να την στείλουν πίσω στην Κων/πολη, πέθανε ξαφνικά στη Ραιδεστό. Θάφτηκε στη μονή του Κωνσταντίνου Λίψου στην Κων/πολη.

ΒΙΒΛ.: Πηγές: Γρηγοράς, CS, Α΄ 277. -Καντακουζηνός, CS, Α΄ 119. -Σφραντζής, Majus, έκδ. Grecu, 182. -Βραχέα Χρονικά, έκδ. Schreiner, Α΄, 76. Βοηθήματα: W. Ohnsorge, Eine verschollene Urkunde des Kaisers Andronikos III. Palaiologos für Heinrich, dictus de Graecia, Herzog zu Herzog zu Braunschweig (-Grubenhagen), vom 6. Januar 1330, BZ 44 (1951), 437-47 [=Abendland und Byzanz. Gesammelte Aufsätze zur Geschichte der byzantinisch-abendland. Beziehungen und des Kaisertums, Ντάρμσταντ 1958]. -A. Papadopulos, Versuch einer Genealogie der Palaiologen 1259-1453 (Άμστερνταμ 1962[2]), 43, 46.- U. Bosch, Kaiser Andronikos III. Palaiologos. Versuch einer Darstellung der byzantinischen Geschichte in den Jahren 1321-41 (Άμστερνταμ 1965), 10, 26, 36. -D. Nicol, The Last Centuries of Byzantium 1261-1453 (Λονδίνο 1972), 161. -A. Laiou, Constantinople and the Latins. The Foreign Policy of Andronicus II 1282-1328 (Καίμπριτζ Μασσ. 1972), 252-3. -Κ. Κύρρης, Το Βυζάντιον κατά τον 14ο αι. Α΄: Η πρώτη φάσις του εμφύλιου πολέμου και πρώτη συνδιαλλαγή των δύο Ανδρονίκων (20. IV - φθινόπωρον 1321). Εσωτερικά και εξωτερικά προβλήματα (Λευκωσία - Κύπρος 1982), 6.

Ρ.Ρ.

Αδεοδάτος (c. 372 - c. 390). Νόθος γιος του Ιερού *Αυγουστίνου*, καθώς πληροφορούν οι «Εξομολογήσεις», (βιβλίο 9, αγγλ. μετ. E. Pusey, Ν. Υόρκη 1952, 168). Βαφτίστηκε Χριστιανός από τον πατέρα του και τον επίσκοπο Μιλάνου, *Αμβρόσιο*, το 387 και στα υπόλοιπα χρόνια της συντομότατης ζωής του αφιερώθηκε στη μελέτη χριστιανικών κειμένων στο κτήμα του στην Ταγάστη της Β. Αφρικής (ΜΕΕ, 1, 584. -ΜΓΕ, 3, 239).

Α.Σ.

Αδεοδάτος ή Θεόδοτος (λατ. Deusdedit). Όνομα 2 παπών Ρώμης κατά τον 7ο αι.

1. *Α. Α΄* (Πάπας 615-18, εορτ. 8 Νοε.) Διάδοχος του *Βονιφάτιου Δ΄* και άγιος της Δ. Εκκλησίας, πήρε μέτρα για την απόδοση στους κληρικούς των εκκλησιαστικών προνομίων που τους είχαν αφαιρέσει οι *Γρηγόριος Α΄ και Βονιφάτιος Δ΄* και τα είχαν παραχωρήσει στους μοναχούς. Το 618 (619 κατά Α. Στράτο) διαδραμάτισε σημαντικό ρόλο στην τελική εξουδετέρωση, σύλληψη και εκτέλεση του Βυζ. έξαρχου Ραβέννας, *Ελευθερίου*, ο οποίος, αφού είχε εξαγοράσει την ειρήνη από τους *Λογγοβάρδους*, είχε σφετεριστεί το αυτοκρατορικό

στέμμα στην Ιταλία και βαδίσει προς τη Ρώμη για να στεφθεί.

ΒΙΒΛ.: Παπικό Βιβλίο, Α΄, 319. -E. Caspar, Geschichte des Papsstum, Β΄ (1933), 517 εξ., 520, 523. -DHGE, 14, 356 εξ. -LTK, 3, 260. -Αμαλία Σπουρλάκου, ΘΗΕ 1 (1962), 407. -Α. Στράτος, Το Βυζάντιον στον 7ο αι., Α΄ (Αθήνα 1965), 301-2. -G. Schwaiger, LM, 3, 738. -Τ. Λουγγής, Η βυζ. κυριαρχία στην Ιταλία...395-1071 (Αθήνα 1989), 124.

2. *Α. Β΄* (Πάπας 672-6, εορτ. 17/26 Ιουν.). Μοναχός του Αγ. Εράσμου, διαδέχτηκε τον *Βιταλιανό* και συμπεριλαμβάνεται από τον L. de Mas Latrie (Trésor de Chronologie, Παρίσι 1899, 668 εξ.) στους αγίους της Δ. Εκκλησίας, σε αντίθεση με τις απόψεις των Βολλανδιστών. Μερίμνησε για τη φοροαπαλλαγή του κλήρου καθώς και για την επισκευή διαφόρων εκκλησιών και μονών της Ιταλίας. Την εποχή του ο αρχιεπίσκοπος Ραβέννας, Ρεπάρατος (671-7), πήγε στην Κων/πολη πείθοντας τον αυτοκράτορα *Κωνσταντίνο Δ΄* να επικυρώσει το διάταγμα του *Κώνστα Β΄* με το οποίο είχε αναγνωριστεί η αρχιεπισκοπή Ραβέννας ως αυτοκέφαλη εκκλησία. Πάντως, η αντίθεση του Α. στο μονοθελητικό δόγμα(βλ. *Σέργιος Α΄*) εξοβέλισε το όνομά του από τα πατριαρχικά δίπτυχα της βυζ. πρωτεύουσας. Επί των χρόνων του Α. αραβικός στόλος λεηλάτησε για πρώτη φορά τις Συρακούσες της Σικελίας.

ΒΙΒΛ.: Παπικό Βιβλίο, Α΄, 346 εξ. -Caspar, ό. π., Α΄ (1930), 587. -DHGE, 1, 542. -LTK, 1, 144. -Σπουρλάκου, ό. π. - Στράτος, ό. π., Ε΄ (1974), 14, 17, 22, 61 εξ., 118. -G. Schwaiger, LM, 1, 149. -Τ. Λουγγής, Η βυζ. κυριαρχία στην Ιταλία...(1989), 136.

Α.Σ.

αλ-**Αδίλ Α΄** (- Αντίλ) (γεν. 1144/5). Αγγιουβίδης σουλτάνος της Αιγύπτου την περίοδο 1200-18.΄Ηταν ο μικρότερος αδελφός του *Σαλαδίνου* και ο σημαντικότερος βοηθός του τελευταίου στον ιερό πόλεμο (τζιχάντ) κατά των σταυροφόρων. Έξοχος πολεμιστής και εξίσου άριστος διπλωμάτης, διακρίθηκε στην αντιπροσώπευση του αδελφού του στην Αίγυπτο και στις διαβουλεύσεις μεταξύ Σαλαδίνου και *Ριχάρδου Α΄ Λεοντόκαρδου* της Αγγλίας. Μετά τον εθελοντικό περιορισμό του στην πατρίδα του, το Κουρδιστάν, και τη σημαντικότερη πόλη του, την ΄Αμιδα/Ντιαρμπεκίρ (1191), ο Α. επανήλθε στο προσκήνιο μετά το θάνατο του αδελφού του (1193). Διπλωματικός και με αίσθηση του κοινού συμφέροντος του μουσουλμανικού κόσμου, ο Α. αντιπαρήλθε μέσα σε 5 χρόνια τις διενέξεις μεταξύ των γιων και διαδόχων του Σαλαδίνου και αναγνωρίστηκε τελικά ως ο κυρίαρχος του ισλαμικού χώρου, τον οποίο αμέσως διαίρεσε ανάμεσα στους 3 γιούς του (ο αλ-Καμίλ στο Κάιρο, ο αλ-Μουαζέμ στη Δαμασκό και ο αλ-Φααΐζ στη Βαγδάτη) (πβ. λ. *Αγγιουβίδες, Μαλίκ αλ-Καμίλ*). Έτσι είχε μέχρι το θάνατό του ανασυστήσει το κράτος του Σαλαδίνου.

ΒΙΒΛ.: Οι πηγές (Ιμαδεδδίν, Ιμπν αλ-Αθίρ, Ιμπν Σαντάντ, Αμπούλ Φέδα κ.ά.) στους A. Maalouf, Les Croisades vues par les Arabes (Παρίσι 1983 και ελλιπής ελλην. έκδ., Αθήνα 1991). -R. Grousset, Hist. des Croisades et du Royaume de Jerusalem, 3 τόμ. (Παρίσι 1934-6). -P. Aziz, La Palestine des croisés (Γενεύη 1977). Βλ. επίσης H. E. Gottschalk, al-Malik al-Kamil (1958), 19 εξ. -H.A.R. Gibb στον K. Setton (εκδ.), Hist. of the Crusades, Β΄ (Μάντισον 1969[2]), 693 εξ. -Ph. Hitti, Hist. of the Arabs (Λονδίνο 1982[10]), 651 εξ. -P.M. Holt, The Age of the Crusades (Λονδίνο - Ν. Υόρκη 1986), 62 εξ. -C. Becker, EI[1]. -H.A.R. Gibb, EI[2], -M. Lyons, LM 1, στήλ. 152.

Κ.Μ.

Αδραμυττηνός βλ. Θεοδόσιος Γ΄

Αδραμυττηνός, Μανουήλ (2ο μισό 15ου αι.). Κρητικός λόγιος, μαθητής του Μιχαήλ *Αποστόλη* και φίλος γνωστών ιταλών ανθρωπιστών, όπως ο Angelo Poliziano και ο Giovanni Pico della Mirandola. Έγραψε επιστολές, επιγράμματα και σχόλια στους Σιβυλλικούς Χρησμούς και στον Ερμή Τρισμέγιστο. Αντέγραψε και πολλά χειρόγραφα.

ΒΙΒΛ.: L. Bianchi, Bemerkungen zu Manuel Adramyttenos, BZ 22 (1913), 372-6. -DBI 1 (1960), 306. -PLP, αρ. 306.

Σ.Λ.

Αδριανός (9ος αι.) Πατρίκιος και ναύαρχος του βυζ. στόλου (877-78) επί *Βασιλείου Α΄* του Μακεδόνα. Επέδειξε ανικανότητα όταν το 878 ο Βασίλειος Α΄ τον έστειλε να αποκρούσει τους Άραβες που πολιορκούσαν τις Συρακούσες, καθυστερώντας στη Μονεμβασία και στον Γέρακα της Λακωνίας (50 ημέρες!) προφασιζόμενος κακοκαιρία. Όταν τελικά πληροφορήθηκε την πτώση των Συρακουσών στους Άραβες (21 Μαΐου 878), έσπευσε στην Κων/πολη, όπου ντροπιασμένος ζήτησε άσυλο στην Αγία

Σοφία. Τιμωρήθηκε με αφαίρεση των αξιωμάτων του και εξορία (878).

ΒΙΒΛ.: Νικόλ. Μυστικός Επιστ. 76, έκδ. -αγγλ. μετ. Jenkins - Westerink, 326. -Συνεχ. Θεοφάνη, CS, 309. -Γένεσιος, CF, 82. - Σκυλίτζης CF, 159-60. -Κεδρηνός, CS, Β΄, 235-6. Πβ. A. Vogt, Basile Ier... (Παρίσι 1908), 330 εξ. -A. Vasiliev κ.ά., Byzance et les Arabes, Β΄, 1 (Βρυξέλλες 1968), 70 εξ. -Hélène Ahrweiler, Byzance et la mer... (Παρίσι 1966), 94. -R. Guilland, Les patrices- stratèges byzantins en Italie Meridionale de l' avènement de Basile Ier a la mort de Leon VI, 867-912, στα Recherches sur les institutions byzantins, Β΄ (Βερολίνο - Αμστερνταμ 1967), 171. -Ι. Καραγιαννόπουλος, Ιστ. βυζ. κρ., Β΄ (Θεσ/νίκη 1991[2], ανατ.), 296 εξ. -Βασιλική Βλυσίδου, Αντιδράσεις στη δυτική πολιτική του Βσιλείου Α΄, Συμμ 5 (1983), 128, σημ. 4. - της ιδ., Εξωτερική πολιτική και εσωτερικές αντιδράσεις την εποχή του Βασιλείου Α΄... 867-86 (Αθήνα 1991), 37 εξ., 63 εξ., 81 εξ.

Α.Σ.

Αδριανός Όνομα 5 Παπών της Ρώμης.

1. *Α. ο Α΄* (772-95) Γεννήθηκε στη Ρώμη, καταγόμενος από αριστοκρατική οικογένεια. Λίγο μετά την άνοδό του στον παπικό θρόνο, διαδέχτηκε το 772 το *Στέφανο Γ΄*, ζήτησε τη βοήθεια του Δ. αυτοκράτορα Καρόλου του Μεγάλου, (βλ. *Καρλομάγνος*) για την απαλλαγή της Ιταλίας από την κυριαρχία των *Λογγοβάρδων*. Για τις εξυπηρετήσεις όμως αυτές του αυτοκράτορα ο Α. αναγκαζόταν να καλύπτει ή να ανέχεται μερικές φορές αντιεκκλησιαστικές ενέργειές του. Ανέπτυξε αξιόλογη εκκλησιαστική δράση και αγωνίστηκε για την ηθική κάθαρση του κλήρου. Μετείχε με αντιπροσώπους στη Ζ΄ Οικουμενική Σύνοδο, που αναστήλωσε τις εικόνες. Εκτιμούσε πολύ τους Έλληνες Πατέρες της Εκκλησίας. Έγραψε 58 επιστολές, από τις οποίες 48 απευθύνονται προς τον Καρλομάγνο.

ΒΙΒΛ.: Εκδ. Βίου PL 96, 128 εξ. -Duchesne, Liber Pontificalis, Α΄ (Παρίσι 1886), 486-523. - Έκδ. επιστολών PL 96, 1203-44 και 98, 224-427, 1247, 1292. Βλ. και ΜΕΕ 1, 628. - EC 1, 338-41. - Β. Μουστάκης, ΘΗΕ 1, 449-50. -Γ. Παπαδημητρόπουλος, ΜΓΕ 2, 300-1. -Καραγιαννόπουλος, 210, αρ. 201. -Karayannopulos - Weiss, 329, αρ. 188. - T. S. Brown, Gentlemen and Officers... in Byz. Italy (Hertford 1984), 184 εξ. και 262 (ευρετήριο).

2. *Α. ο Β΄* (867-72). Καταγόταν από ρωμαϊκή οικογένεια, από την οποία είχαν ήδη εκλεγεί δύο Πάπες, ο *Στέφανος Δ΄* (768-72) και ο *Σέργιος Γ΄* (844-7). Δύο φορές αρνήθηκε την

άνοδο στο θρόνο, αλλά τελικά, το 867, σε ηλικία 75 ετών, υποχωρώντας στη θέληση κλήρου και λαού, έγινε Πάπας, διαδεχόμενος το *Νικόλαο Α΄*. Δέχτηκε στη Ρώμη τους Ελληνες Ιεραποστόλους των Σλάβων *Μεθόδιο και Κύριλλο* και αναγνώρισε ως ορθή την ενέργειά τους για την εισαγωγή των τοπικών γλωσσών στη λατρεία, ενώ μέχρι τότε οι μόνες κατάλληλες για λειτουργική χρήση γλώσσες ήταν η εβραϊκή, η ελληνική και η λατινική. Καταπολέμησε το *Φώτιο*, έχοντας ως σύμμαχό του το *Βασίλειο Α΄ Μακεδόνα*. Δεν κατάφερε, παρά τις προσπάθειές του, να αποσπάσει από το Πατριαρχείο της Κων/πολης τη νεοφώτιστη Εκκλησία της Βουλγαρίας.

ΒΙΒΛ.: ΜΕΕ 1, 628. - EC 1, 341-4. -ΘΗΕ 1, 450. -M. Jugie, Le Schisme byzantin (Παρίσι 1941), 103. -Καραγιαννόπουλος, 232, αρ. 247. -Karayannopulos - Weiss, 360, αρ. 249. - Τ. Λουγγής, Η βυζ. κυριαρχία στην Ιταλία... 395-1071 (Αθήνα 1989), 188 εξ.

3. *Α. ο Γ΄* (884-5) Έμεινε στον παπικό θρόνο για 15 ή 17 μήνες, διαδεχόμενος τον *Μαρίνο*. Στη διάρκεια της αρχιερατείας του δεν επιτέλεσε τίποτε το αξιόλογο. Ενώ πήγαινε να συναντήσει τον *Κάρολο Γ΄ Παχύ*, πέθανε στη Nonantola, όπου και ετάφη. Αποδίδεται σ' αυτόν διάταγμα σχετικό με το ρόλο του Φράγκου μονάρχη στην εκλογή παπών (Μαρτίνος, Πολωνός χρονικογράφος 13ου αι.).

ΒΙΒΛ.: ΜΕΕ 1, 628. -EC 1, 344-5. -ΘΗΕ 1, 450.

4. *Α. ο Δ΄* (1154-9) Ο πρώτος αγγλικής καταγωγής Πάπας (γεν. c. 1100). Διώχθηκε από τον πατέρα του και εγκαταστάθηκε στη Γαλλία, όπου σπούδασε και έγινε μοναχός. Ο Πάπας *Ευγένιος Γ΄* (1145-53), εκτιμώντας τη σύνεση και το οργανωτικό του πνεύμα τον έστειλε στις σκανδιναβικές χώρες να διοργανώσει τον εκεί κλήρο. Το 1154 εκλέχθηκε Πάπας Ρώμης, την εποχή που κυρίαρχος της Ρώμης ήταν ο Αρνάλδος της Brescia, με τον οποίο συγκρούστηκε πολιτικά. Τελικά κατάφερε να τον ανατρέψει και να στέψει στη Ρώμη αυτοκράτορα τον *Φρειδερίκο Α΄ Βαρβαρόσσα* (1155). Γρήγορα όμως ήρθε σε μεγάλες προστριβές και με τον Φρειδερίκο Α΄ τον οποίο είχε αποφασίσει να αφορίσει, αλλά δεν πρόλαβε

γιατί πέθανε (1159). Γενικά ήταν πολύ δραστήριος και συνετός, αλλά δεν κατόρθωσε να πετύχει τίποτα το αξιοσημείωτο στα εκκλησιαστικά ζητήματα.

ΒΙΒΛ.: ΜΕΕ 1, 628. -DHGE 1, 625-7. -ΘΗΕ 1, 450-1. -ΜΓΕ 2, 300-1. - L. Little, DMA 1 (1982), 58-9. - P. Magdalino, Empire of Manuel I Komnenos (1993), 57 εξ. (σχέσεις με Βυζάντιο).

5. *Α. ο Ε΄* (1276). Εκλέχθηκε Πάπας από το κογκλάβιο, διαδεχόμενος τον *Ιννοκέντιο Ε΄*. Πριν την εκλογή του, ήταν καρδινάλιος στην Αγγλία. Έμεινε Πάπας μόνο 37 ημέρες (11 Ιουλίου - 18 Αυγούστου). Στο σύντομο αυτό διάστημα πέτυχε να καταργήσει την αυστηρότατη διαδικασία στη λειτουργία του κογκλαβίου.

ΒΙΒΛ.: ΜΕΕ 1, 628. -EC 1, 347-8. -ΘΗΕ 1, 451. -ΜΓΕ 2, 301.

Γ.Μ.

Αέτιος. Όνομα 4 εκκλησ. αξιωματούχων της πρωτοβυζ. περιόδου κατά τους 4ο και 5ο αι.

1. († μετά το 330). Επίσκοπος Λύδδης (Διόσπολης Θράκης), που πήρε μέρος στην Α΄ Οικουμ. Σύνοδο της Νίκαιας (325) και αποδέχτηκε την Ορθοδοξία , παρά το γεγονός ότι ήταν Αρειανιστής, σύμφωνα με επιστολή του *Αρείου* προς τον *Ευσέβιο* Νικομήδειας. Το γεγονός, πάντως, ότι λίγο πριν το θάνατό του πήρε μέρος στην Αρειανή Σύνοδο της Νικομήδειας (330) δείχνει ότι οι δοξασίες και ενέργειές του χαρακτηρίζονταν μάλλον από καιροσκοπισμό παρά από σταθερή πίστη σε κάποιο συγκεκριμένο δόγμα (ΘΗΕ, 1, 477).
2. Αρχιεπίσκοπος Θεσσαλονίκης (c. 342), ο οποίος κατόρθωσε να επιβάλει την γαλήνη στο ποίμνιό του (πριν από τη σύνοδο της Σερδικής - Σόφιας, 343), αντιμετωπίζοντας επιτυχώς τους οπαδούς του Ευτυχιανού και του Μουσαίου (βλ. Ο. Ταφραλής, Η Θεσσαλονίκη... έως τον 14ο αι., Αθήνα 1994, 191).
3. Αρχιδιάκονος Κων/πολης το 451, αναφέρεται σε σχέση με τη Δ΄ Οικουμ. Σύνοδο της Χαλκηδόνας, κατά την οποία μετάφρασε στα ελλην. επιστολή του πάπα *Λέοντα Α΄* προς τον επίσκοπο *Διόσκορο*, ενώ επίσης διάβασε ενώπιον της Συνό-

δου αποσπάσματα από κανόνες των Πατέρων (Κ. Μανάφης, Αι εν Κων/πόλει βιβλιοθήκαι, Αθήνα 1972, 65-6).

4. († μετά το 457). Πιθανώς διαφορετικό πρόσωπο από τον αρ. 2, ήταν και αυτός Αρχιδιάκονος Κων/πολης με αξιόλογη δράση υπέρ της Ορθοδοξίας επί πατριαρχείας *Φλαβιανού* και *Ανατόλιου*. Συμμετέσχε ως διάκονος και νοτάριος στη Σύνοδο του 448 για την καταδίκη του Μονοφυσίτη αιρεσιάρχη *Ευτυχή* και το 451 στη Δ΄ Οικουμ. Σύνοδο της Χαλκηδόνας. Η πλούσια δράση του τον κατέστησε αντιπαθή στον πατρ. Ανατόλιο, και με την ευκαιρία αυτή ο πάπας *Λέων Α΄* -σκοπεύοντας σε ανάμειξή του στις υποθέσεις της Α. Εκκλησίας- του απέστειλε επιστολή το 457, όπου του προτείνει να τον προστατεύσει από πιθανές διώξεις εκ μέρους του Ανατόλιου (ΘΗΕ, 1, 479. -E. Herman, CMH 4/2, 1967, 113).

Α.Σ.

Αέτιος. Όνομα 3 αξιωματούχων της πρωτοβυζ. εποχής (τέλη 4ου - 2ο μισό 5ου αι.).

1. († μετά το 421). Αναφέρεται ως proconsul Achaeae (395-401) επί *Αρκαδίου*, ως έπαρχος Κων/πολης (419) και ως praefectus praetorio (415) επί *Θεοδοσίου Β΄ Μικρού*. Κατά το Πασχάλιο Χρονικό το 419 γλύτωσε από απόπειρα δολοφονίας από κάποιο μοναχό Κυριακό μέσα στην Αγ. Σοφία, ενώ το 421 επέβλεψε την ανέγερση δεξαμενής («κινστέρνας του Α.») κοντά στη μονή Ιωάν. Προδρόμου, γνωστής για τη φημισμένη βιβλιοθήκη της (Μαρκελλίνος κόμης. -Θεοδοσιανός Κώδιξ. -Πασχ. Χρον. -Πάτρια Κων/πόλεως. -Ν. Βέης, ΜΕΕ, 1, 806. -PLRE, Β΄, 19-20 και 30).
2. († μετά το 454). Αναφέρεται ως «comes domesticorum et sacrorum stabulorum» (451) και ύπατος (454) επί *Μαρκιανού* μετά την επιτυχή του εκστρατεία κατά των Ούννων του *Αττίλα* που είχαν παραμείνει Β. του Δούναβη μετά από την εισβολή του ηγεμόνα τους στην Ιταλία (452/3) (Υδάτιος. -Πρακτ. Δ΄ Οικουμ. Συνόδου. -E. Stein, Bas - Empire, Α΄, 1959, 336. -PLRE, Β΄, 29-30).

3. († μετά το 479). Κόμης Ισαυρίας επί *Ζήνωνα*, ο οποίος τον διόρισε επικεφαλής των ισαυρικών στρατευμάτων μετά την κατάληψη της Κωρυκού και Σεβαστής της Κιλικίας (Μ. Ασία) από τους Ισαύρους μισθοφόρους επαναστάτες [βλ. και λ. *Αθηνόδωρος*] (Ιωάννης Αντιοχεύς. -PLRE, B΄, 20).

Α.Σ.

Αέτιος ΄Αμιδας (τέλη 5ου -1ο μισό 6ου αι. ή c. 502-75). Κορυφαίος γιατρός και συγγραφέας των χρόνων του *Ιουστινιανού Α΄*, καταγόμενος από την ΄Αμιδα (Ντιαρμπεκίρ) της Μεσοποταμίας. Από τους αρχαίους γιατρούς άλλοι τον αποκαλούν Καππαδόκη, άλλοι Αντιοχέα και άλλοι μόνο Αέτιο. Σπούδασε στην Αλεξάνδρεια, όπου συνέθεσε τις πρώτες του σκευασίες. ΄Ασκησε την ιατρική στην Κων/πολη, όπου αναδείχτηκε σε αρχίατρο του Ιουστινιανού και έλαβε τον τίτλο του «κόμη του Οψικίου». Το έργο του έχει τίτλο «Βιβλία Ιατρικά εκκαίδεκα (16)» και αποτελείται από 16 «λόγους» ή «βίβλους», ενώ αρκετά χειρόγραφα του είναι χωρισμένα σε 4 «τετραβίβλους».

Καθένα από τα βιβλία αυτά πραγματεύεται έναν ή περισσότερους κλάδους της ιατρ. επιστήμης, όπου ο Α. κωδικοποιεί και περιγράφει τα εγνωσμένα σε όλους σχεδόν τους γνωστούς τότε κλάδους (γυναικολογία, οφθαλμολογία, οδοντιατρική, φαρμακολογία, νεφροπάθειες, εμπύρετοι νόσοι, αρθροπάθειες, ζαχαρώδης διαβήτης, λύσσα κ.ά.). Το κύριο τμήμα του έργου αποτελεί συμπίλημα των θεωριών παλαιότερων ονομαστών ιατρών (Γαληνού, *Ορειβάσιου* κ.ά.), σε αρκετές όμως περιπτώσεις ο Α. ακολουθεί τις γνώμες και τις θεραπευτικές μεθόδους της σχολής των «μεθοδικών» (δηλ. των μη επαγγελματιών γιατρών), χωρίς φυσικά να τις ασπάζεται πλήρως. Είχε πρωτότυπες δικές του αντιλήψεις και θεραπευτικές αγωγές, όπως: υπολογισμούς για τη γόνιμη περίοδο της γυναίκας και τρόπους αντισύλληψης, θεραπεία λιποειδών του αίματος, μερικών μορφών κακοήθων επεξεργασιών, ιδιοπαθών και αναιμιών «μετά μεγαλοσπληνίας», γλοιότητας του αίματος, υποδήλωση της υπέρτασης, αντιμετώπιση θρόμβωσης, παιδικής επιληψίας, παιδικού βρογχικού άσθματος, πρόληψη λύσσας, χρήσεις «αφλεγμάντου» φαρμάκου, ως αντιβιωτικού, του λίθου «ιάσπιδος του χλωρού», χρήση του κολχικού επί ουρικής αρθρίτιδας, πλήρης ανάπτυξη των ειδών της αιώρας, προδιαγραφή όρων για την κατασκευή λουτρών και βόθρων. Ως ιδιαίτερα επιτεύγματα του Α. σημειώνονται: η απομόνωση του ασθενή σε «υάλινο θάλαμο» επί σηπτικού «σοκ», η χρήση ναρκωτικού αέριου με σωλήνα για τοπική αναισθησία οδόντος, η υποδήλωση του ρευματοειδούς παράγοντος, ο καθορισμός της χρόνιας ηπατίτιδας, ο προσδιορισμος του φύλου του κυήματος, η προσπάθεια προκαθορισμού του τελευταίου, η αναγνώριση αλλεργικής διάθεσης και η περιγραφή του αλλεργικού «σοκ» από οσμή ζώου, η προσπάθεια ανοσοποίησης του οργανισμού, ο έλεγχος στειρότητας του άνδρα και της γυναίκας, οι αντισυλληπτικές μέθοδοι, η περιγραφή συνδρόμου που παρουσιάζει κοινά σημεία με τη λεγόμενη νόσο του Κρον (Crohn), η πλήρης έρευνα για την αντιμετώπιση της παχυσαρκίας, η τροποποίηση παραδεδομένων θεραπευτικών σχημάτων και φαρμακευτικών συσκευασιών. Χαρακτηριστικές χειρουργικές επεμβάσεις: διάνοιξη του κρανίου επί εγκεφαλικού αποστήματος, παροχέτευση του εγκεφαλονωτιαίου υγρού επί υδροκεφάλου, επιτυχής ολική υστερεκτομή, εγχείρηση ουρολιθίασης, αρτηριακών ανευρυσμάτων και βρογχοκήλης.

Με το έργο του, που μεταφράστηκε αργότερα στα συριακά και αραβικά, ο Α. χαρακτηρίζεται ως ο σπουδαιότερος εκπρόσωπος της ιατρικής επιστήμης κατά τον 6ο αι. Αντέγραψε πλήθος από γνώμες παλαιότερων συναδέλφων του, τις οποίες όμως ερεύνησε με το κριτικό του πνεύμα και διέσωσε στα γραπτά του (όπως της *Ασπασίας*, του Αρχιγένη, του ΄Αντιλου Αδαμαντίου κ.ά.). ΄Ασκησε επίδραση στους *Παύλο* Αιγινίτη, *Θεοφάνη* Νόννο, Νεόφυτο, *Αλέξανδρο* και Ψελλό. Τον Α., τέλος, ακολουθεί και ο Δημήτριος Πεπαγωμένος (15ου αι.) στη χρήση των βοτάνων.

ΒΙΒΛ.: Πλήρης έκδ. A. Olivieri, Aetii Amideni Libri Medicinales, 2 τ. Λειψία 1935-50: Corpus Medicorum Graecorum 8/1-2). -Παλαιότ. έκδ. 8 πρώτων βιβλ. Α. Μανούτιος (Βενετία 1533/4). -΄Εκδ. Σ. Ζερβός, Α. Α. περί δακνόντων ζώων και ιοβόλων όφεων, ήτοι Λόγος 13ος, Αθ 18 (1906), 241-302. -Α. Α. περί των κατά το στόμα της κοιλίας παθών και αυτή της κοιλίας και εντέρων, Αθ 23 (1911), 265-392. -Α. Α. περί οιδημάτων, εμφυσημάτων, σκίρρων και χοιράδων αθερωμάτων και των παραπλησίων και περί εμπλάστρων ποικίλων, Αθ 21 (1909), 3-114. -Α. Α. περί των εν μήτρα παθών (Λειψία 1901). Έκδ. Froben, A. A., quem alii Antiochenum vocant, medici clarissimi, libri XVI in tres tomos (Βασιλεία 1535). -Έκδ. Γ. Κωστομοίρος, Α. Α. περί ισχιάδος και ποδάγρας και αρθρίτιδος (Παρίσι 1892). -Φώτιος, Μυριόβιβλος, PG 103, 720. Πλήρης λατ. μετ. Montanus - Cornarus (Βασιλεία 1583). -Έκδ. -γερμ. μετ. αποσπ. J. Hirschberg, Die Augenheilkunde des A. aus A. (Λειψία 1899) και Megscheider (Βερολίνο 1901). -Αγγλ. μετ. 16ου βιβλ. J. Ricci, A. of A.: The Gynaecology and Obstetrics of the 6th cent. (Φιλαδέλφεια 1950). Γραμματολογικά - βιογραφικά: Α. Κούζης, ΜΕΕ, 1, 808-9. -Γ. Πουρναρόπουλος, Συμβολή εις την Ιστορ. Βυζ. Ιατρικής (Αθήνα 1942). -K. Vogel, CMH, 4/2 (1967), 289, 292, 293-4, 296, 460. -PLRE, Β΄, 20. -Α. Γκιάλας, ΜΓΕ 3 (1978), 34. Βλ. επίσης, τις πρόσφατες συμβολές στο DOP 38 (1984: Symposium on Byz. Medicine), 131 (A. Hohlweg), 154-5 (J. Theodorides), 166 (R. Renehan), 178-80 (Emilie Savage - Smith) και 213,224-7 (J. Scarborough). -Α. Ευτυχιάδης. Εισαγωγή εις την βυζαντινήν θεραπευτικήν (Αθήνα 1983), 286-7. Τέλος βλ. ΕΛΕ 1, 272-3. -Λεξικό Σούδας, CIG 1, 30. -Παν. Κρητικός - Στέλλα Παπαδάκη, Συμβολή εις την Ιστορίαν των Ελλεβόρων (Αθήνα 1962), 43. -Κ. Άμαντος, Ιστορ. βυζ. κρ., Α΄ (Αθήνα 1963[3]), 160. Πρόσφατα: Αιμ. Δ. Μαυρουδής - Αλεξάνδρα Σακελλαρίδου-Σωτηρούδη, Ενα χφο του γιατρού Α. του Αμιδηνού (Κώδ. Αθων. Λαύρ. 630. Ε 168), Ελλ 38/2 (1987, έκδ. 1989), 318-41. -J. Lascaratos - M. Tsirou - J. Fronimopoulos, Ophthalmology according to Aetius Amidenus. Documenta Ophthalmologica 74 (1990), 37-48. -J. Fronimopoulos - J. Lascaratos, Eye injuries by the Byzantine writer Aetios Amidinos, ό. π. 68 (1988), 121-4. - Των ιδ. The terms glaucoma and cataract in the Ancient Greek and Byzantine writers, ό. π., 77 (1991), 369-75, ιδιαίτ. 372. -J. Scarborough, ODB, 30-1 με βιβλιογρ. -TL[3], ελλην. μετ., 40-1. Ι. Λασκαράτος, Δηλητηριάσεις της βυζ. περιόδου (Αθήνα 1994), 44 εξ., 75 εξ. και passim.

Σ.Μ. - Α.Σ.

Αέτιος († 811). Βυζ. αξιωματούχος ευνούχος με αξιόλογη δράση στα τέλη του 8ου -αρχές 9ου αι., αναφέρεται ως πρωτοσπαθάριος (780), πατρίκιος (792), παραδυναστεύων και μονοστράτηγος των θεμάτων Ανατολικών και Οψικίου από το 800. Στις αντεγκλήσεις μεταξύ της τότε αυτοκράτειρας, *Ειρήνης Αθηναίας*, και του γιου της, *Κωνσταντίνου ΣΤ΄*, ο Α. συμπαρατάχτηκε με τη βασίλισσα μητέρα και γι' αυτό, με την επικράτηση του Κων/νου (790), εξορίστηκε μέχρι τις αρχές του 792. Μετά την οριστική επικράτηση της Ειρήνης (797), τόσο ο Α. όσο και ο επίσης ευνούχος λογοθέτης του δρόμου, *Σταυράκιος*, έγιναν οι ισχυρότεροι άνδρες της αυτοκρατορίας. Οταν, ωστόσο, η από μακρού σοβούσα αντιζηλία και έχθρα μεταξύ τους εκδηλώθηκε, προκάλεσε το θάνατο του Σταυράκιου (800) και την ανάδειξη του Α. ως παραδυναστεύοντος και μονοστράτηγου των Ανατολικών και του Οψικίου. Στη φάση αυτή ο Α. βρίσκεται στο απόγειο της δύναμής του και κατά κάποιο τρόπο είναι ο «πρωθυπουργός» της Ειρήνης. Δυο χρόνια αργότερα ήταν αυτός που απέτρεψε το γάμο της αυτοκράτειρας με το Φράγκο ηγεμόνα, *Καρλομάγνο*, γιατί σκόπευε μετά το θάνατο της έτσι κι αλλιώς φιλάσθενης Ειρήνης, να ανεβάσει στο θρόνο τον αδελφό του, *Λέοντα*, ήδη μονοστράτηγο των θεμάτων Μακεδονίας και Θράκης. Ο Α. φαίνεται να επέζησε και της δυναστικής αλλαγής του 802. Το αξίωμα που έφερε επί *Νικηφόρου Α΄* (802-11) δεν μας είναι γνωστό, γνωρίζουμε, ωστόσο, ότι ήταν μεταξύ των θυμάτων της ολοκληρωτικής καταστροφής την οποία προκάλεσε στα βυζ. στρατεύματα ο Βούλγαρος χάνος *Κρούμος* στις 26 Ιουλ. 811.

ΒΙΒΛ.: Πηγές: Θεοφάνης/de Boor, Α΄, 474-5. -Λέων Γραμματικός, CS, 197, 200-1. -Θεοδόσιος Μελιτηνός/Tafel, 136, 138. -Ζωναράς, CS, Γ΄, 300-1. Βοηθήματα: J.B. Bury, Later Roman Empire, 395-800, Β΄ (Λονδίνο 1889, ανατ. Άμστερνταμ 1966), 482, 485, 488 εξ. -του ιδ., Eastern Roman Empire, 802-67 (Λονδίνο 1912), 7. -F. Dölger, Byzanz und die europäische Staatenwelt (Εττάλ 1953), 302. -Κ. Αμαντος, Ιστ. βυζ. κρ., Α΄(Αθήνα 1963[3]), 368-9. -W. Ohnsorge, Abendland und Byzanz (Βαϊμάρη 1958), 71, 74. -P. Classen, Karl der Grosse, das Papsttum und Byzanz (Ντύσσελντορφ 1968), 84 εξ.-M. Anastos στην CMH 4/1 (1966), 89-90. -C. Tsirpanlis, Byzantine Reactions to the Coronation of Charlemagne, 780-813, Βυζ. 6 (1974), 353-4. -P. Speck, Kaiser Konstantin VI (Μόναχο 1978), Α΄, 234, 367-8, 369 και Β΄, 735-6. -G. Ostrogorsky, Ιστ. βυζ. κρ., Β΄ (Αθήνα 1979), 50. -Ι. Καραγιαννόπουλος, Ιστ. βυζ. κρ., Β΄ (Θεσ/νίκη 1991[2] ανατ.), 184, 185, 188. -Αικ. Χριστοφιλοπούλου, Βυζ. ιστ., Β΄, 1 (Θεσ/νίκη 1993[2]), 135, 149. -Τ. Λουγγής, Δοκίμιο για την κοινωνική εξέλιξη των λεγομένων «σκοτεινών αι.», 602-867 (Αθήνα 1985), 63. -P. Niavis, The Reign of the Byz. Emp. Nicephorus I (Αθήνα 1987, διδακτορ. διατρ.), 27-8, 35 εξ., 54 εξ., 192, 247. -P.Hollingsworth, ODB, 30β.

Π.Ν.

Αέτιος, Άγιος († 23 Σεπτ. 838 εορτ. 6 Μαρτ.). Ένας από τους 42 μάρτυρες του Αμορίου μετά την κατάληψη της πόλης από τον Άραβα Αββασίδη χαλίφη αλ-*Μουτασίμ*, μετά από σφοδρή πολιορκία 12 (ή κατά τις μουσουλμ. πηγές 55) ημερών (EI[1], 1, 334. -M. Canard, EI[2], 1, 462). Αναφέρεται στις βυζ.πηγές ως πρωτοσπαθάριος (836), δρουγγάριος της βίγλας (837), πατρίκιος και στρατηγός του θέματος Ανατολικών το 838 επί βασιλείας *Θεόφιλου*, από τον οποίο πήρε εντολή να υπερασπίσει το Αμόριο κατά των Αράβων. Με τους υπόλοιπους «μάρτυρες» αξιωματούχους (Κάλλιστο Δούκα, Θεόδωρο Κρατερό, Κύριλλο, Θεόφιλο, Κων/νο Βαβούτζικο. Βασόη, Μελισσηνό κ.ά.) αμύνθηκε ηρωικά και περικυκλώθηκε στον κεντρικό πύργο του φρουρίου, όπου συνελήφθη στο τέλος της 12ήμερης πολιορκίας (1-12/13 Αυγ.) και εκτελέστηκε με σταύρωση στη Σαμάρρα (23 Σεπτ.), ενώ οι υπόλοιποι σύντροφοί του φυλακίστηκαν και βασανίστηκαν -σύμφωνα με την παράδοση- για 7 ολόκληρα χρόνια για να αλλαξοπιστήσουν (κατά την Αικ. Χριστοφιλοπούλου ο αρ. 7 εδώ έχει συμβολική και μυστικιστική σημασία: Βυζ. Ιστορ., Β΄, 1, Θεσ/νίκη 1993[2], 205-6). Μόνο ένας ανάμεσα στους συλληφθέντες, ο αξιωματούχος Κων/νος Βοϊδίτζης, έγινε αρνησίθρησκος και προσπάθησε χωρίς αποτέλεσμα να πείσει τους πρώην συναγωνιστές του να αλλαξοπιστήσουν για να γλυτώσουν. Τελικά, το 845 οι 42 «μάρτυρες» αποκεφαλίστηκαν και τα πτώματά τους ρίχτηκαν στον Ευφράτη, ενώ λίγο αργότερα ο Βοϊδίτζης είχε την τύχη τους, αφού ο χαλίφης θεώρησε ότι δεν είχε υπερασπιστεί γενναία την πίστη του (Ε. Ιωαννίδης, ΜΓΕ 7, 1978, 126-7). Ο ηρωικός αγώνας των 42 μαρτύρων υμνήθηκε στο Άσμα του Αρμούρη [βλ. λ. *Ακρίτες, Αρμούρης*] και σε άλλα επικού χαρακτήρα μεταγενέστερα λογοτεχνικά έργα.

ΒΙΒΛ.: Συνεχιστές Θεοφάνη, CS, 126, 132. -Συνεχ. Γεωργίου Μοναχού, CS, 792, 805. -Ψευδοσυμεών, CS, 638-9. -Λέων Γραμματικός, CS, 224 εξ. -Θεοδόσιος Μελιτηνός, 155. -Γενέσιος, CF, 45 εξ. -Σκυλίτζης, CF, 75. Εκδ. Μαρτυρίου Β. Βασιλιέφσκι - Π. Νικίτιν (Αγ. Πετρούπολη 1905). -Π. Νικίτιν, Legende über die 42 Martyren von Amorion (Αγ. Πετρούπολη 1897). -Γαλλ. μετ. αποσπ. μουσουλμ. πηγών στους A. Vasiliev - M. Canard, Byzance et les Arabes, Α΄ (Βρυξέλλες 1935), 144 εξ., 274 εξ., 295 εξ. Βλ. επίσης Π. Καρολίδης, Η πόλις Αμόριον εν τη χριστιανική και τη μωαμεθανική (sic) ιστορία και ποιήσει, Επιστ. Επετ. Παν/μίου Αθηνών 3 (1906/7, έκδ. 1909), 228-57. -Ν Βέης, ΜΕΕ, 1, 809. -J. Bury, Eastern Roman Empire (Λονδίνο 1912), 271. -Γ. Σπυριδάκις, Βυζ. παραδόσεις, ΕΕΦΣΠΑ 5 (1954/5), 358-69. -του ιδ., Η Αλωσις του Αμορίου και το δημώδες άσμα «Του Κάστρου της Ωριάς», ΠΔΣΒΣ 11ου (Μόναχο 1960), 581-5. -Κ. Άμαντος, Ιστ. βυζ. κρ., Α΄ (Αθήνα 1963[3]), 415 εξ. -M. Canard, CMH 4/1 (1966), 711. -Δ. Ζακυθηνός, Βυζ. Ιστ., Α΄ (Αθήνα 1977[2], ανατ. 1989), 173-4. -Ι. Καραγιαννόπουλος, Ιστ. βυζ. κρ., Β΄ (Θεσ/νίκη 1991[1] ανατ.), 253-4. -Τ. Λουγγής, Επισκόπηση βυζ. ιστορίας, 324-1204 (Αθήνα 1989), 184.

Α.Σ.

Αέτιος Αντιοχεύς (c. 310-366/70 Κων/πολη). Συριακής καταγωγής επίσκοπος, σοφιστής και αιρεσιάρχης των ακραίων Αρειανιστών [βλ. λ. *Αρειος*], γνωστών ως «Ανομοίων», λόγω του ότι πρέσβευαν ότι ο Υιός ήταν «καθ' όλα ανόμοιος» προς τον Πατέρα. Ο Α. ανέπτυξε πλούσια δραστηριότητα στην Αντιόχεια (349) και Αλεξάνδρεια (356) και συνέγραψε τις απόψεις του στο «Συνταγμάτιον», του οποίου 47 από τους αρχικούς 300 «συλλογισμούς» έχουν διασωθεί μέσω του *Επιφάνιου* Κύπρου, ο οποίος παράλλλα παρέχει επιχειρήματα για την αναίρεσή τους. Ο Μέγας *Αθανάσιος* αποκάλεσε τον Α. «άθεο», ενώ ακόμα και οι ομόφρονές του Αρειανιστές θεωρούσαν τις ακραίες απόψεις του αιρετικές. Χαρακτηριστικά, επίσης, ο εκκλησ. ιστοριογράφος Σωκράτης τον θεωρούσε «των ιερών Γραμμάτων αμύητον». Το 360, μετά από την καταδίκη των ακραίων θέσεών του σε αρειανιστική σύνοδο στην Κων/πολη, ο *Κωνστάντιος Β΄* τον εξόρισε στην Αναζαρβό της Μ. Ασίας, το 361, όμως ο *Ιουλιανός* τον έκανε επίσκοπο, αν και ποτέ δε φαίνεται να άσκησε τα καθήκοντά του. Οι δοξασίες του καταδικάστηκαν οριστικά το 381 στη Β΄ Οικουμενική Σύνοδο της Κων/πολης.

ΒΙΒΛ.: Μ. Αθανάσιος. -Σωκράτης. -Θεοδώρητος Κύρρου. -Φιλοστόργιος. -Επιφάνιος. -Δ. Μπαλάνος, ΜΕΕ 1, 806. -Ι. Κολιτσάρας, ΘΗΕ, 1, 474-7 και 477-9. EBr, I, 116-17. -T. Gregory και A. Kazhdan, ODB, 30 με τη βιβλιογρ. Βλ. επίσης Ν. Πολίτης, Η φιλοσοφία εις το Βυζάντιον, Α΄ (Αθήνα 1992), 208.

Α.Σ.

Αέτιος Κύπρου († μετά το 385). Επίσκοπος των αιρετικών Βαλεντινιανών (γνωστικών-πλατωνιστών) στην Κύπρο στο 2ο μισό του 4ου αι., ήλθε επανειλημμένα σε επαφή με τον *Επιφάνιο* Σαλαμίνας, που προσπαθούσε να έλθει σε συνεννόηση με τον Α., βλέποντας με ανησυχία την επιρροή του τελευταίου σε μεγάλο τμήμα του ποιμνίου του. Στα χρόνια 379-85 και μετά από παρέμβαση του Επιφάνιου ο αυτοκράτορας *Θεοδόσιος Α΄* εξέδωσε διάταγμα με το οποίο επέβαλε την Ορθοδοξία και έδιωξε τον Α. από τη μεγαλόνησο.

ΒΙΒΛ.: Σωζομενός, έκδ. Bidez - Hansen (Βερολίνο 1960), 432. -G. Hill, Hist. of Cyprus, Α΄ (Καίμπριτζ 1949, ανατ. 1972), 249. -Ι. Χάκκετ - Χ. Παπαϊωάννου, Ιστορ.

Ορθοδ. Εκκλησ. Κύπρου, Α΄ (Αθήνα 1923), 21 και Β΄ (Πειραιάς 1927), 236 εξ. Πβ. τη βιβλιογρ. στον Κ.Κύρρη, ΜΚΕ 1 (1984), 208.

Α.Σ.

Αέτιος, Φλάβιος (c. 390-454). Ρωμαίος πατρίκιος και στρατιωτ. αρχηγός θρακικής καταγωγής, γιος του αξιωματούχου Γαυδέντιου. Χριστιανός Ορθόδοξος, σε όλη του τη ζωή απείχε από θρησκευτικές διαμάχες. Αιχμάλωτος των *Βησιγότθων* και αργότερα των *Ούννων*, πραγματοποίησε εκστρατεία στην Ιταλία (425) υπέρ του ανταπαιτητή του θρόνου της Ρώμης, Ιωάννη. Παρόλα αυτά αμνηστεύτηκε. Μετά από επιτυχημένες εκστρατείες κατά των Γαλατών, των Βησιγότθων και των Φράγκων, διορίστηκε magister utriusque militiae και μετά το θάνατο του αντιπάλου του, Βονιφάτιου, ανήλθε σε ανώτατα αξιώματα επί *Βαλεντινιανού Γ΄*. Ανέλαβε κυβερνήτης του Δ. τμήματος της Αυτοκρατορίας και τιμήθηκε με το αξίωμα του ύπατου 3 φορές (432, 437, 446), τιμή μοναδική για έναν απλό πολίτη. Το 433 έγινε πατρίκιος, απέκρουσε με επιτυχία επαναστάσεις στη Γαλατία και υπέταξε το βασίλειο των Βουργουνδιών (Τ. Λουγγής, ΜΓΕ 15, 1980, 431). Το 437/9 νίκησε τους Βησιγότθους στην Τουλούζη, αλλά το 451 ενωμένος με τα βησιγ. στρατεύματα νίκησε τους Ούννους και τον ηγεμόνα τους *Αττίλα* (είχε αντιδράσει στα σχέδια του τελευταίου να εξασφαλίσει ως προίκα της *Ονωρίας*, αδελφής του Βαλεντινιανού, το μισό Δ. τμήμα της Αυτοκρατορίας) στη μάχη των Καταλαυνικών Πεδίων (Α. Σαββίδης, ΜΓΕ 31, 1984, 415). Απέτυχε, όμως, να εμποδίσει την εισβολή του Αττίλα στην Ιταλία το 452. Ο Α. συμφιλιώθηκε με τους συγκλητικούς γαιοκτήμονες και περιόρισε τα μεταρρυθμιστικά μέτρα που θα απέβαιναν σωτήρια για τη Δ. Αυτοκρατορία. Δολοφονήθηκε στις 21 Σεπτ. 454 από τον ίδιο τον Βαλεντινιανό με την υποκίνηση του Πετρόνιου Μάξιμου, μελλοντικού αυτοκράτορα μετά το θάνατο του Βαλεντινιανού Γ΄, τον οποίο δολοφόνησαν 2 οπαδοί του Α. (16 Μαρτ. 455).

ΒΙΒΛ.: Οι πηγές (Ιορδάνης, Ζώσιμος, Κασσιόδωρος, Γρηγόριος Τουρ, Μαρκελλίνος κόμης, Ιωάν. Αντιοχεύς, Φιλοστόργιος, Υδάτιος, Πρίσκος, Φλάβ. Μεροβαύδης, Σιδώνιος Απολλινάριος κ.ά.) στους O. Seeck, RE 1/1 (1893), 700-3. -Th. Mommsen, A.,

Hermes 36 (1901), 516-47. -G. Lizerand, A. (1910). -J. Moss, The Effects of the Policies of A. on the Hist. of W. Empire, Historia 22 (1973), 711-31. PLRE, B΄, 21-9. Επίσης J. Bury, Lat. Rom. Emp., Α΄ (Ν. Υόρκη 1958), 242 εξ., 249 εξ., 292 εξ., 299-300. -του ιδ., The Invasion of Europe by the Barbarians (Λονδίνο 1928), 116, 120 εξ., 142, 146 εξ., -E. Stein, Hist. du Bas - Empire, Α΄ (1949), 317 εξ., 347 εξ. - L. Varady, Das letzte Jahr. Pannoniens, 376-476 (΄Αμστερνταμ 1969), 257 εξ., 312 εξ. -H. Wolfram, Gesch. der Goten (Μόναχο 1980), 211 εξ. -Γ. Κορομηλάς, ΜΕΕ 1, 806-8. -E. Thompson, ChE 1, 120 και OCD[2], 20. -Τ. Λουγγής, ΜΓΕ 6(1978), 33-4 και ΙΕΕ 7(1978), 118 εξ., 122. -G. Wirth, LM 1, 193. -Κ. ΄Αμαντος, Ιστ. βυζ. κρ., Α΄ (Αθήνα 1963[3]), 105, 118. - G. Ostrogorsky, Ιστ. βυζ. κρ., Α΄ (Αθήνα 1978), 119. -Αικ. Χριστοφιλοπούλου, Βυζ. ιστ., Α΄ (Θεσ/νίκη 1992[2]), 200. -Ι. Καραγιαννόπουλος, Ιστ. βυζ. κρ., Α΄ (Θεσ/νίκη 1978, ανατ. 1991), 249-50. -Α. Σαββίδης, Χρόνια σχηματοποίησης Βυζαντίου (Αθήνα 1983), 107, 108. -T. Gregory, ODB, 31 με βιβλιογρ. Βλ. και βιβλ. στο λ. *Αττίλας*

Φ.Β.

αλ-**Αζίζ** μπι Αλλάχ Αμπού Μανσούρ (γεν. 955, ηγεμ. 976-96). Ο σημαντικότερος ηγεμόνας (χαλίφης) των *Φατιμιδών* της Αιγύπτου, γιος του αλ-Μουάις, Φατιμίδη κατακτητή της Αιγύπτου. Ο Α., ωστόσο, αν και 5ος κατά σειράν Φατιμίδης χαλίφης, ήταν ο 1ος από τα μέλη της δυναστείας, ο οποίος άρχισε την άσκηση της εξουσίας του επί αιγυπτιακού εδάφους. Ο ίδιος δεν θα ηγεμόνευε (επίσημα από το 976), αν δεν είχαν πεθάνει ο πατέρας του την προηγούμενη και ο μεγαλύτερος αδελφός του την προ-προηγούμενη χρονιά. Η αίσθηση πλούτου, πολυτέλειας και ευημερίας, η οποία τον διακατείχε, πραγματοποιήθηκε προς όφελος όλων των υπηκόων του και γενικότερα της χώρας του, που εμπλουτίστηκε με τεμένη, ανάκτορα, γέφυρες, διώρυγες και κήπους με εξωτικά πτηνά και σπάνια ζώα. Η αίσθηση ανεξιθρησκείας και ελεύθερης πίστης, η οποία τον χαρακτήριζε, λειτούργησε εξίσου προς όφελος ιδιαίτερα των μη Μουσουλμάνων υπηκόων του (Εβραίων, Χριστιανών Κοπτών), οι οποίοι στα χρόνια του Α. είχαν τις περισσότερες δυνατότητες ελεύθερης κίνησης, απασχόλησης και σκέψης. ΄Εμπιστοί του ήταν συχνά Ιουδαίοι, ή Κόπτες, όπως ο Γιακούμπ μπεν Κιλλίς ή ο Ιμπν Νεστόριος. Στον Κόπτη πατριάρχη Εφραίμ επιτράπηκε τότε -αδιανόητο παλαιότερα- να ανοικοδομήσει την εκκλησία του Αμπού Σαϊφαΐν στο Φουστάτ, αρχικό ισλαμικό πυρήνα του

Καΐρου. Μεγάλες συζητήσεις από κορυφαίους σοφούς, όπως τον Ιμπν αλ-Νοουμάν, έλαβαν τότε χώρα με σκοπό τη θεωρητική προσέγγιση των ανατολικών Χριστιανισμών προς το Ισλάμ. Προβλήματα επιβολής στη Συρία συνάντησε επανειλημμένα ο Α., τόσο διότι ο τουρκικής προέλευσης αξιωματούχος Αφτακίν στη Δαμασκό μνημόνευε τους *Αββασίδες* (σουνίτες αντιπάλους των σιιτών Φατιμιδών), όσο και διότι ο Βυζαντινός ηγεμόνας *Βασίλειος Β΄* επέμενε να απασχολείται με τις υποθέσεις της Συρίας. Παρά τον παραμερισμό του Αφτακίν (977), η Συρία υπήρξε προβληματική για την φατιμιδική δυναστεία, ενώ οι συγκρούσεις με το βυζαντινό στρατό ήσαν αμφίρροπες και χωρίς συγκεκριμένη έκβαση. Με τον θάνατο του Α., όμως, κλονίστηκε η τεράστια αυτοκρατορία που εκτεινόταν από τον Ατλαντικό μέχρι τον Ινδικό Ωκεανό.

Α. και Βυζάντιο. Το 987 ο Βασίλειος Β΄ υπέγραψε συνθήκη με τον Α. δια της οποίας αντί της προστασίας του Πανάγιου Τάφου στην Ιερουσαλήμ δέχτηκε να παραδώσει στο χαλίφη τους Μουσουλμάνους αιχμαλώτους του και να επιτρέψει τη μνεία του ονόματος του Α. στο μουσουλμανικό τζαμί της Κων/πολης. Μετά λίγα χρόνια, όμως, οι Φατιμίδες παρέβησαν τα συμφωνηθέντα και, αφού νίκησαν τις δυνάμεις του στρατηγού Μιχαήλ Βούρτζη στη Συρία (994/5), πολιόρκησαν το Χαλέπι (Βέροια), του οποίου ο Άραβας εμίρης ζήτησε τη βοήθεια του Βασίλειου Β΄. Ο τελευταίος με ογκώδη στρατό έσπευσε στη Συρία, αλλά εντωμεταξύ οι Φατιμίδες είχαν λύσει την πολιορκία. Το 998/9, πάλι, ενώ τον Α. είχε διαδεχθεί ο εχθρικός προς το Βυζάντιο και τους Χριστιανούς αλ-*Χακίμ* (996-1020), οι Φατιμίδες σκότωσαν το Βυζ. στρατηγό Δαμιανό Δαλασσηνό και πολιόρκησαν την Απάμεια, για να λύσουν όμως πάλι την πολιορκία στο άκουσμα της εκστρατείας του «Βουλγαροκτόνου» για σωτηρία της πόλης. Ο αλ-Χακίμ ήταν εκείνος που το 1009 έμελλε να καταστρέψει το ναό της Ανάστασης στην Ιερουσαλήμ (W. Felix, Byzanz und die islamische Welt... 1001 bis 1055, Βιέννη 1981, 39).

ΒΙΒΛ.: N. Koenig, EI[1]. -M. Canard, EI[2]. -του ιδ., Hist. des Hamdanides (1953), 677 εξ., 696 εξ., 853 εξ. Ph. Hitti, Hist. of Arabs (Λονδίνο 1982[10]), 619 εξ. -H. Kennedy, The Prophet and the Age of the Caliphates (Λονδίνο - Ν. Υόρκη 1986), 323 εξ. Για τις σχέσεις με το Βυζάντιο βλ. τις λεπτομ. στον G. Schlumberger, Βυζ. εποποιΐα, Β΄, κεφ. 4ο και Γ΄, κεφ. 2ο. -V. R. Rosen, Αυτοκρ. Βασίλειος Βουλγαροκτόνος (Πετρούπολη 1883, ρωσ.), 14 εξ., 17 εξ., 31 εξ., 244 εξ., 301 εξ. -DR Α΄, 98, αρ. 770. -Κ. Αμαντος, Ιστορ. βυζ. κράτ., Β΄ (Αθήνα 1977[2]), 161-2. -Αικ. Χριστοφιλοπούλου, Βυζ. ιστορ., Β΄, 2 (Αθήνα 1988), 176-7.

Κ.Μ. - Α.Σ.

αλ-**Αζίμι** (1090 - c. 1161). Μουσουλμάνος χρονικογράφος καταγόμενος από επιφανή οίκο της συριακής Βέροιας/Χαλεπιού. Το χρονικό του αποτελεί ξερή αφήγηση της ιστορίας της γενέτειράς του από τις απαρχές της μέχρι το 1143/4 και θεωρείται πολύτιμο σωζόμενο δείγμα της Β. συριακής ιστοριογραφίας (Karayannopoulos - Weiss, 442, αρ. 404). Κατά τις μελέτες του Cl. Cahen, αποτελεί -μαζί με τα χρονικά των *Ιμπν αλ-Καλανίζι* και *Σιμπτ*- μια από τις σπουδαιότερες πηγές για τη σελτζουκική κατάκτηση της Μικράς Ασίας από τα μέσα του 11ου αι. και εξής. Το σημαντικό αυτό κείμενο, που χρησιμοποιήθηκε ως πηγή από τον *Κεμαλεδδίν*, παραμένει αμετάφραστο.

ΒΙΒΛ.: Εκδ. -σχολ. επιτομής (από το 1063 εξ.) C. Cahen, La Chronique abrege d' al-Azimi, JA 230(1938), 353-448. -Γραμματολογικά: C. Cahen, EI[2], I, 823. -του ιδ., Turcobyzantina er Oriens Christianus (Λονδίνο 1974: VR), μελ. I, I6, 25 [για το 1068], μελ. C, 123 και D, 630 [αναφορά στη Σύνοδο της Κλερμόν και την έναρξη της Α΄ Σταυροφορίας]. -του ιδ., La Syrie du nord à l' époque des Croisades (Παρίσι 1940), 42-3, 90 [πίν.] και ευρετήριο σ. 725 (λεπτομ. χρήση). -του ιδ., Pre - Ottoman Turkey... 1071-1330 (Λονδίνο 1968), 57, 432. -F. Rosenthal, Hist. of Muslim Historiography (Λέϊντεν 1968[2]), 156. -Στ. Ράνσιμαν, Ιστορ. Σταυροφοριών, Α΄ (Αθήνα 1977), 311 και Β΄ (1978), 445, 447.

Α.Σ.

Αθαλάριχος ή **Αταλάριχος** (γεν. 516, ηγεμ. 525-34). Οστρογότθος βασιλιάς της Ιταλίας, εγγονός του *Θεοδώριχου*, τον οποίο διαδέχτηκε, και γιος της *Αμαλασούνθας*. Ασήμαντος ηγεμόνας, έμεινε γνωστός στην ιστορία χάρη στη μητέρα του, η οποία προσπάθησε να του μεταδώσει γνωρίσματα βυζ. ηγεμόνα. Ο Α., όμως, επηρεασμένος από τους Οστρογότθους ευγενείς, στράφηκε στην έκλυτη ζωή και φθείροντας την υγεία του πέθανε σε ηλικία 18 χρονών (Οκτ. 534), χωρίς ποτέ να ασκήσει πραγματικά τα καθήκοντά του.

ΒΙΒΛ.: Οι πηγές (Προκόπιος, Κασσιόδωρος, Ιορδάνης, Μαλάλας, Ευάγριος) στους

E. Stein, Hist. du Bas - Empire, Β΄ (1949), 249, 262 εξ. -J. Bury, Later Roman Empire, 395-565, Β΄ (Ν. Υόρκη 1958), 152, 159 εξ. -A. Jones, Lat. Rom. Emp., Β΄ (Οξφόρδη 1964), 274 εξ. -PLRE, Β΄, 175-6. -H. Wolfram, Gesch. der Goten (Μόναχο 1980), 25 εξ., 411 εξ. Επίσης Αδ. Αδαμαντίου, ΜΕΕ 1, 908-9. -R. Browning, ΙΕΕ 7(1978), 173-4. -Ι. Καραγιαννόπουλος, Ιστο. βυζ. κρ., Α΄ (Θεσ/νίκη 1978, ανατ. 1991), 385, 435, 457-8, 590. -U. Mattejict, LM I, 1159, -T. Lounghis, Les ambassades byzantines en Occident... 407-1096 (Αθήνα 1980), 63, 64.

Φ.Β.

Αθαλάριχος - Ιωάννης († μετά το 637/8). Βυζ. πρίγκιπας, νόθος γιος του αυτοκράτορα *Ηράκλειου Α΄*. Το 617 (DR, Α΄, 19, αρ. 172) ή το 621 (Καλομενόπουλος) ή το 623 (Baynes και Στράτος) δόθηκε ως όμηρος στον ΄Αβαρο χαγάνο στα πλαίσια συνθήκης για να εξασφαλιστεί η ουδετερότητα των Αβάρων στο βυζαντινοπερσικό πόλεμο. Μετά από σύντομη παραμονή στους Αβάρους ο Α. επέστρεψε στο Βυζάντιο πριν την αβαρική πολιορκία της Κων/πολης το 626. Το 637/8 τον συναντούμε να συνωμοτεί μαζί με τον εξάδελφό του, μάγιστρο Θεόδωρο (ανιψιό του αυτοκράτορα), κατά του πατέρα του, για να εμποδίσει την επικείμενη διαδοχή του γιου της *Μαρτίνας, Ηρακλωνά*. Τελικά, όμως, οι συνωμότες συνελήφθησαν και ακρωτηριάστηκαν σύμφωνα με το ανατολικής προέλευσης έθιμο (Α. Σαββίδης, Οικουμεν. βυζ. κράτ. και εμφάν. Ισλάμ, Αθήνα 1990[2], 141-2), που ίσως να εφαρμόστηκε στην περίπτωση αυτή για 1η φορά στο Βυζάντιο: του Α. του έκοψαν τη μύτη («ρινοκοπή») και το δεξί του χέρι από τον καρπό και τον εξόρισαν στην Πρίγκηπο.

ΒΙΒΛ.: Θεοφάνης, έκδ. de Boor, 302. -Νικηφόρος Πατρ., έκδ. de Boor, 25. -Σεβέος, γαλλ. μετ. Macler, 93 εξ. -Κ. Παπαρρηγόπουλος, Ιστ. ΄Ελλην. ΄Εθν., Γ΄, 1 (Αθήνα 1932[6]), 224. -Ν. Καλομενόπουλος, ΜΕΕ 13, 366. -J. Bury, Later Roman Empire, 395-800, Β΄ (ανατ. ΄Αμστερνταμ 1966), 222-3. -Α. Στράτος, Το Βυζάντιον στον 7ο αι., Α΄ (Αθήνα 1965), 315 και Γ΄ (1969), 147-8, 231 σημ. 24. -Διονυσία Μισίου, Η διαθήκη του Ηράκλειου Α΄ και η κρίση του 641. Συμβολή στο πρόβλημα της διαδοχής στο Βυζάντιο (Θεσ/νίκη 1985: διδακτορ. διατρ.), 50-1.

Α.Σ.

Αθανάγιλδος (ηγεμ. c. 554-67/8). Βησιγότθος βασιλιάς της Ισπανίας με την υποστήριξη του βυζ. ηγεμόνα *Ιουστινιανού Α΄*, που τον βοήθησε να ανατρέψει τον *Αγίλα* με ανταλλαγή εδαφών στη Ν. Ιβηρική χερσόνησο. Σε μια περίοδο εμφυλίων ταραχών στη Ισπανία, ο Ιουστινιανός ανταποκρίθηκε στην αίτηση βοήθειας του Α., σκοπεύοντας, βέβαια, στην πραγμάτωση ιδίων στόχων μέσα στα πλαίσια των μακρόπνοων σχεδίων του για ανασύσταση της παλαιάς ρωμαϊκής οικουμένης. Ετσι περί το 552 απέστειλε στην Ισπανία τον πατρίκιο *Λιβέριο* με στρατό και στόλο, και ο τελευταίος συνέτριψε τις δυνάμεις του Αγίλα κοντά στη Σεβίλλη (554), εγκαθιδρύοντας στην εξουσία τον Α., ο οποίος παραχώρησε στο Βυζάντιο τη Ν. Ιβηρική με τα σημαντικά κέντρα της Κόρδοβας, Μάλαγας και Ν. Καρθαγένης, που εξασφάλιζαν τον έλεγχο του Πορθμού των Γαδείρων στις Ηράκλειες Στήλες (σημ. Γιβραλτάρ). Λίγο αργότερα ο Α. προσπάθησε να διώξει τους Βυζαντινούς χωρίς επιτυχία. Η εποχή βασιλείας του συνδέεται με μια περίοδο ακμής για τη βησιγοτθ. Ισπανία, αν και οι σχέσεις του με τους Χριστιανούς γείτονές του, ιδιαίτ. τους Καθολικούς Φράγκους και Σουήβους, υπήρξαν τεταμένες λόγω του αρειανού δόγματός του, προσπάθησε, πάντως, να γεφυρώσει τις διαφορές αυτές δίνοντας τις κόρες του ως συζύγους στους ηγεμόνες των προαναφερομένων λαών. Στις ημέρες του το Τολέδο έγινε πρωτεύουσα του βησιγοτθ. κράτους.

ΒΙΒΛ.: Οι πηγές (Ιορδάνης, Γρηγόριος Τουρ, Ισίδωρος Σεβίλλης, Προκόπιος κ. ά.) στους F. Görres, Die byz. Besitzungen an den Küsten des spanisch-westgötischen Reiches, 554-624, BZ 16 (1907), 515 εξ. -P. Goubert, Byzance et l' Espagne visigothique, 554-711, (R)EB 2(1944), 5 εξ. -J. Bury, Later Roman Empire, 395-565, Β΄ (Ν. Υόρκη 1958), 286-7. -E. Stein, Hist. Bas - Empire, Β΄ (1949), 562 εξ., 820 εξ. -E. Thompson, The Goths in Spain (Οξφόρδη 1969). -D. Claude, Gesch. der Westgoten (Στουττγάρδη 1970). Επίσης G. Wirth, LM 1, 1159. -Αδ. Αδαμαντίου, ΜΕΕ, 1, 910. -Κ. Άμαντος, Ιστ. βυζ. κρ., Α΄ (Αθήνα 1963[3]), 219. -Δ. Ζακυθηνός, Βυζ. ιστ., Α΄ (Αθήνα 1977[2], ανατ. 1989), 77. -Αικ. Χριστοφιλοπούλου, Βυζ. ιστ., Α΄ (Θεσ/νίκη 1992[2]), 285. -Ι. Καραγιαννόπουλος, Ιστορ. βυζ. κρ., Α΄ (Θεσ/νίκη 1978, ανατ. 1991), 580. -R. Browning, ΙΕΕ 7(1978), 188. -Α. Σαββίδης, Οικουμ. βυζ. κράτ. και εμφάν. Ισλάμ (Αθήνα 1990[2]), 57.

Α.Σ.

Αθανάριχος (ηγεμ. c. 364-75/6, † 381). Ηγεμόνας του βησιγοτθικού κράτους της Ουκρανίας ανάμεσα στους ποτ. Δνείστερο (Τύρα) και Δούναβη. Οι υπήκοοί του πραγματοποίησαν επιδρομές στα εδάφη της Βυζ. Αυτοκρ. στη Β. Βαλκανική επί βασιλείας του *Βάλη* και το 365/6 ενίσχυσαν τον ανταπαιτητή του βυζ.

θρόνου, *Προκόπιο*. Από το 367 η αντεπίθεση του Βάλη ανάγκασε τον Α. να συμφωνήσει στην υπογραφή ειρήνης (Νοβιόδουνο, 369), όπου υποσχέθηκε να μην επιτρέψει στους υπηκόους του να ξαναδιαβούν το βαλκανικό σύνορο του Βυζαντίου. Το 374/5 η επέλαση των τουρκοφώνων *Ούννων* ανάγκασε τον Α. με το λαό του να ζητήσει καταφύγιο στη Β. Βαλκανική. Ο Α. οδηγούσε τους «εθνικούς» (παγανιστές) Βησιγότθους και ο *Φριτιγέρνης* το πολυπληθέστερο τμήμα των *Βησιγότθων* που είχαν γίνει Α-ρειανιστές, και -ως εκ τούτου- είχαν την υποστήριξει του Αρεια-νιστή Βάλη, που τους παραχώρησε εδάφη στην αυτοκρατορία και τους αναγνώρισε ως «υπόσπονδους» (φοιδεράτους). Σταδιακά, όμως, ο Α. αποδείχτηκε πολύ πιό έμπιστος σύμμαχος του Βυζαντίου από τον αιρετικό Φριτιγέρνη, ο οποίος τελικά νίκησε και σκότωσε τον Βάλη το 378 στην Αδριανούπολη. Όταν ανέβηκε στο βυζ. θρόνο ο *Θεοδόσιος Α΄ ο Μέγας*, ο Α., που από το 378 είχε επαναγνωριστεί ηγεμόνας από τους Βησιγότθους, αναγκάστηκε λόγω εξωτερικών διενέξεων με άλλους φυλάρχους ομοφύλους του να καταφύγει οριστικά στην Κων/πολη, όπου, όταν πέθανε, του έγινε μεγαλοπρεπής κηδεία. Οι οπαδοί του έμελλαν να πολεμήσουν στο πλευρό των Βυζαντινών κατά των ομοφύλων τους.

ΒΙΒΛ.: Οι πηγές (Αμμιανός Μαρκελλίνος, Θεμίστιος, Ζώσιμος, Σωκράτης, Σωζομενός, Ιορδάνης κ.ά.) στον H. Wolfram, Geschichte der Goten (Μόναχο 1980), 27 εξ., 66 εξ., 111 εξ., 154 εξ. Βλ. επίσης τη μονογραφία του Ευάγ. Χρυσού, Το Βυζάντιον και οι Γότθοι (Θεσ/νίκη 1972), 110 εξ., 140 εξ. και ευρετ.. -Αδ. Αδαμαντίου, ΜΕΕ 1, 910-11. -PLRE, Α΄, 120-1. -Αικ. Χριστοφιλοπούλου, Βυζ. ιστορία, Α΄ (Θεσ/νίκη 1992[2]), 161, 171. -Ι. Καραγιαννόπουλος, Ιστορ. βυζ. κράτ., Α΄ (Θεσ/νίκη 1978, ανατ. 1991), 170 εξ., Πολύμν. Αθανασιάδη - Fowden, στην ΙΕΕ 7 (1978), 70, 79 εξ. - G. Wirth, LM 1, 1159-60. -Α. Σαββίδης, Τα χρόνια σχηματοποίησης του Βυζαντίου (Αθήνα 1983), 67-8.

Α.Σ.

Αθανάσιος. Όνομα 2 πατριαρχών Κωνσταντινούπολης κατά τους 13ο - 14ο και 15ο αι.

1. *Α. ο Α΄*. Πατριάρχης Κων/πολης (14 Οκτ. 1289 - 16 Οκτ. 1293, 23 Ιουν. 1303 - Σεπτ. 1309). Αρχικά μοναχός, παρά τη λιγοστή του μόρφωση είχε δυνατή προσωπικότητα, ήταν απλός, αδω-

ροδόκητος, συνεπής και ο λόγος του αποτελούσε υπόδειγμα και επίπληξη για τους άλλους μοναχούς. Χαρακτηρίστηκε από συγχρόνους του ως άνθρωπος αυστηρών ηθικών αρχών. Ο Α. γεννήθηκε στην Αδριανούπολη με το όνομα Αλέξιος. Δείχνοντας από νεαρή ηλικία προτίμηση στο μοναχισμό, αποτραβήχτηκε σε κάποια μονή στην περιοχή της Θεσ/νίκης, όπου εκάρη μοναχός με το όνομα Ακάκιος. Ύστερα διέμεινε στα γνωστά μέρη της βυζ. ορθοδοξίας (Άγιον Όρος, Ιερουσαλήμ, Γαλήσιον, Γάνος) και δέχτηκε το άγιο μοναχικό σχήμα και το όνομα Αθανάσιος. Ως πατριάρχης Κων/πολης έχαιρε μεγάλης υπόληψης και συμμετείχε ενεργά στις κρατικές υποθέσεις. Ασκούσε μεγάλη επίδραση στον *Ανδρόνικο Β΄ Παλαιολόγο* και κατά, τη διάρκεια της καταλανικής κρίσης, ήταν ένας από τους σπουδαιότερους συμβούλους του αυτοκράτορα. Ηταν αντίπαλος των Αρσενιτών και η στάση του προς τη Δύση ήταν εμφανώς εχθρική. Όντας αντιπαθής στους υψηλούς κύκλους Εκκλησίας και Πολιτείας, απομακρύνθηκε δυο φορές από τον πατριαρχικό θρόνο. Ο Α. ήταν οπαδός μιας σεπτής και ασκητικής μορφής εκκλησίας. Υπολογίζεται ότι πέθανε ανάμεσα στα 1310 και 1323. Η Ορθόδοξη Ανατολική Εκκλησία γιορτάζει τη μνήμη του πατριάρχη Α. στις 28 Οκτ.

ΒΙΒΛ.: Πηγές: Παχυμέρης, CS, Β΄, 107 εξ. -Γρηγοράς, CS, Α΄, 180 εξ. -Α. Παντοκρατορινός, Βίος και πολιτεία Αθ. Α΄, Θρ 13(1940), 56-107. -Εκδ. επιστολών: Γεννάδιος (Αραμπατζόγλου), μητρ. Ηλιουπ., Ορθ 27 (1952), 113 εξ., 173 εξ., 195 εξ. και 28(1953), 145 εξ. -ΕΕΒΣ 22(1952), 227 εξ. -πβ. του ιδ., Ιστορ. Οικουμεν. Πατριαρχείου, Α΄ (Αθήνα 1953), 364 εξ., 380 εξ. Βλ. και PG 142, στήλ 471-528. Συνολ. έκδ. 115 επιστ. με αγγλ. μετ. Alice - Mary Talbot, The correspondence of Ath. I, Patr. of C/ple (Ουάσιγκτον 1975: CF, 7 = DOT, 3). -πβ. της ιδ., The Patr. Ath... and the Church, DOP 27(1973), 11-28. -DMA 1 (1982), 633. Γραμματολογικά: R. Guilland, La correspondance inédite d' Ath., Patr. de C/ple, Mélanges C. Diehl, Α΄ (1930), 121-40 = Études byz. (Παρίσι 1959), 53-79. -Ν. Τωμαδάκης, Σύλλαβος...(Αθήνα 1961), 485 εξ. (με έκδ. μερικών επιστ.). -Τ. Γριτσόπουλος, ΘΗΕ 1(1962), στήλ. 517-18. -E. Konstantinou, LM 1, στήλ. 1161 (χωρίς αναφορά στην έκδ. της Talbot). -Beck, 692. -Καραγιαννόπουλος, Πηγαί (1987[5]), 378-9, αρ. 514. -Karayannopulos - Weiss, 510, αρ. 529. Αλλα βοηθήματα: N. Banescu, Le Patr. Ath. I et Andronic II Paléologue, Bullet. de la Sect. Hist. de l' Acad. Roum. 23(1942), 1-29. -Kl. P. Matschke, Politik und Kirche im spätbyzant. Reich. Ath. I., Patr. von K/pel..., Wiss. Zeitschrift K. Marx Universität, Leipzig 15/3(1966), 479-86. -A. Laiou, Constantinople and the Latins... 1282-1328 (Καίμπριτζ Μασσ. 1972), 9 εξ. -D. Nicol, Last Centuries of Byzantium (Λονδίνο 1972), 106 εξ. -του ιδ., Church and Society... (Καίμπριτζ 1979), 12 εξ., 29 εξ. -D.J. Constantelos, Life and Social Welfare Activity of Patr. Ath.I... of C/ple, Θεολ 46(1975), 611-25. -PLP, Α΄, αρ. 415. -Alice-Mary Talbot, ODB, 218-19. -TL³, ελλην. μετ., 41-2. -Nicol, ΒΛ, 37-8.

2. *Α. ο Β΄.* Πατριάρχης Κων/πολης (1450;). Λόγω έλλειψης εξακριβωμένων ιστορικών δεδομένων η προσωπικότητα του Α. έχει κατά κάποιο τρόπο παραμείνει αινιγματική και ασαφής. Η κύρια επιστημονική απορία αναφέρεται στο ζήτημα του αν έγινε ή όχι η Σύνοδος του 1450 στην Αγία Σοφία και αν τα πρακτικά της είναι νόθα ή γνήσια. Κατά τα πρακτικά, παρόντες στην Αγία Σοφία μεταξύ άλλων ήταν οι πατριάρχες Αλεξανδρείας, Αντιοχείας και Ιερουσαλήμ. Η σύνοδος αυτή αποκήρυξε την ένωση των Εκκλησιών στη Φλωρεντία (1439), εξεδίωξε τον ενωτικό πατριάρχη της Κων/πόλεως *Γρηγόριο Γ΄ Μάμμα* και, αντ' αυτού, εξέλεξε τον ιερομόναχο Αθανάσιο, ηγούμενο της μονής Περιβλέπτου. Η χειροτονία έγινε από τους μητροπολίτες Κυζίκου Μητροφάνη, Νικομήδειας Μακάριο και Νίκαιας Νεόφυτο. Υπάρχει επίσης η άποψη ότι στη σύνοδο επατριάρχευσε ο Α., παρά τη γνώμη πολλών επιστημόνων, που με δυνατά επιχειρήματα υποστηρίζουν ότι τα πρακτικά είναι νόθα. Μερικοί ερευνητές πιστεύουν ότι ο Α. παρέμεινε στον οικουμενικό θρόνο μέχρι την Άλωση, αλλά πιθανότερο είναι η πατριαρχία του να διήρκεσε μόνο μερικούς μήνες κατά το 1450.

ΒΙΒΛ.: Μ. Γεδεών, Πατριαρχικοί Πίνακες (Κων/πολη 1890), 467-8. -Χ. Παπαϊωάννου, Τα πρακτικά της ούτω λεγομένης υστάτης εν Αγία Σοφία Συνόδου (1450), ΕΑ 15(1896), ελλην. απόδ. του ρωσ. πρωτοτ. στο VV 2(1895), 394-415, που θεωρεί τα πρακτικά νόθα, σε αντίθεση με τον J. Draeseke, Zum, Kircheneinigungsversuch des Jahres 1439, BZ 5(1896), 580 εξ., που θα θεωρεί γνήσια. Βλ. επίσης: A. Lebedev, Ιστορ. μελέτ. περί της κατάστασης της βυζ. Α. Εκκλησίας από τα τέλη του 11ου ως τα μέσα του 15ου αι. (Μόσχα 1902², ρωσ.), 293-5. -Γεννάδιος, μητρ. Ηλιουπ., Υπήρξεν ή όχι Πατριάρχης Αθ.;, Ορθ 18(1943), 117 - 23. -του ιδ., Σημείωμα σχετικόν προς τον δήθεν Πατρ. Αθ., Ορθ 25(1950), 356-8. -C. Diehl κ.ά., L' Europe orientale de 1081 à 1453 (Παρίσι 1945), 371. Χ.-Πατρινέλλης, ΘΗΕ 1(1962), στηλ. 518. -Alice-Mary Talbot, ODB, 219.

P.P.

Αθανάσιος. Όνομα 4 Πατριαρχών Αλεξανδρείας.

1. *Α. Α΄ ο Μέγας* (γεν. 295, πατρ. 328-73). Μια από τις επιφανέστερες φυσιογνωμίες της εκκλησιαστικής ιστορίας, με μεγάλη συμβολή στην επίλυση θρησκευτικών προβλημάτων, σε μια εποχή που εκκρεμούσαν πολλά προβλήματα πάνω σε θεμελιώδη ζητήματα του Χριστιανισμού. Αγωνίστηκε για την Ορθοδοξία όσο κανείς άλλος, παρά τους διωγμούς και τις εξορίες που υπέμεινε. Γεννήθηκε πιθανόν από Χριστιανούς γονείς, όπως συμπεραίνουμε στηριζόμενοι στη μαρτυρία του *Ρουφίνου*. Σπούδασε φιλοσοφία και θεολογία, κυρίως όμως ασχολήθηκε με τη μελέτη των Αγίων Γραφών και της εκκλησιαστικής φιλολογίας. Στη νεανική του ηλικία σχετίσθηκε με τον Μέγα *Αντώνιο*, με τον οποίο συνασκήθηκε στην αιγυπτιακή έρημο. Γύρω στο 318, οπότε εκδηλώθηκε η Αρειανή έριδα, ήταν διάκονος της εκκλησίας της Αλεξάνδρειας, στην οποία πατριάρχευε ο γέροντας *Αλέξανδρος Α΄*. Στην Α΄ Οικουμενική Σύνοδο (325) ο Α. συνόδευσε τον Αλέξανδρο στη Νίκαια όπου με τη μόρφωσή του και κυρίως με την πίστη του έγινε το κύριο πρόσωπο της Συνόδου, αυτός που «την νόσον του Αρειανισμού έστησεν». Η φήμη του μετά τη σύνοδο της Νίκαιας ήταν τόση, ώστε μετά το θάνατο του Αλεξάνδρου αναδείχθηκε ομόφωνα Πατριάρχης Αλεξανδρείας, στις 8 Ιουλίου 328. Αμέσως μόλις έγινε αρχιεπίσκοπος, φρόντισε για την οργάνωση της Εκκλησίας του. Η άνοδός του στον πατριαρχικό θρόνο ενόχλησε τους εχθρούς της Ορθοδοξίας, που έβλεπαν τι στήριγμα αποτελούσε για αυτήν ο Α. Έτσι οι Αρειανοί σε συνεργασία με άλλους αιρετικούς άρχισαν μεγάλη αντίδραση εναντίον του, χρησιμοποιώντας πλήθος κατηγορίες και συκοφαντίες. Ξεκίνησαν μια φοβερή εκστρατεία εναντίον του για να κλονίσουν την εμπιστοσύνη και το θαυμασμό που είχε στο πρόσωπό του ο *Κων/νος Α΄*, αφού μόνο χρησιμοποιώντας την κρατική εξουσία μπορούσαν να πετύχουν την εξουθένωση του Ορθοδόξου ιεράρχη. Έτσι εξορίστηκε πέντε φορές και πέρασε περισσότερα από δεκά-

ξι, από τα 46 χρόνια της αρχιερατείας του, μακριά από την έδρα του. Αφορμή για τις εναντίον του διώξεις έδωσε η άρνησή του να αποκαταστήσει στην εκκλησιαστική κοινωνία τον Άρειο, που είχε καθαιρεθεί και τώρα παρουσιαζόταν ότι αποδεχόταν την Ορθόδοξη διδασκαλία. Παρευρέθηκε σε πάρα πολλές συνόδους και καθαιρέθηκε από επισκόπους, από τους οποίους πολλοί ήταν και Ορθόδοξοι, αλλά δεν αποδέχονταν το «ομοούσιον», που είχε δεχθεί η Α΄ Σύνοδος. Καταδιώχθηκε από αυτοκράτορες, υπέφερε πολλές ταλαιπωρίες και στερήσεις, είδε πολλούς από τους συνεργάτες του να υποκύπτουν στην αρειανιστική βία και τον επίσκοπο Ρώμης *Λιβέριο* (352-66) να υπογράφει αρειανιστικό όρο πίστεως για να αποφύγει την εξορία. Κατά τη διάρκεια της εξορίας του παρέμεινε για τρία χρόνια περίπου στη Ρώμη. Εκεί, διαμέσου του Α. η Δύση γνώρισε και εκτίμησε το μοναχικό βίο, που μέχρι τότε περιφρονούσε. Ακόμη η παρουσία του εκεί έγινε αιτία ευρύτερου θεολογικού κατατοπισμού των Δυτικών, που για πρώτη φορά είχαν την ευκαιρία ν' ακούσουν ένα μεγάλο θεολόγο της Ανατολής. Πέθανε στις 2 Μαΐου του 373, σε ηλικία 75 ετών, αφού παρέμεινε στον πατριαρχικό θρόνο 46 χρόνια.

Η διδασκαλία του. Ο Α. άλλαξε την πορεία της θεολογίας των χρόνων του. Μόνο με τη θεολογία του αποδεικνυόταν θεολογικά και υποστηριζόταν αποτελεσματικά η απόφαση της Α΄ Συνόδου, ότι ο Υιός είναι «ομοούσιος» προς τον Πατέρα. Η προσπάθειά του προς κατάδειξη της θεότητας του Υιού πρώτα και του Αγίου Πνεύματος έπειτα ήταν επιτακτική, γιατί αποτελούσε την πρώτη προϋπόθεση της σωτηρίας των ανθρώπων. Ήταν ο θεολόγος που έπρεπε να δείξει την ορθή σχέση του Υιού προς τον Πατέρα και την ορθή σχέση του Χριστού με τον άνθρωπο, γιατί αλλιώς η σωτηρία γινόταν αδύνατη. Κατάφερε επίσης να εισάγει στη χριστιανική σκέψη τη διάκριση μεταξύ γέννησης και δημιουργίας. Ακόμη ο θεσμός της

Οικουμενικής Συνόδου οφείλει την πρώτη θεολογική θεμελίωσή του στον Α.

Το έργο του. Υπήρξε πολύ αξιόλογος και ταλαντούχος συγγραφέας και, μολονότι αντιμετώπισε πολλές περιπέτειες, κατόρθωσε να δώσει πλουσιότατη και πολύ σημαντική συγγραφική παραγωγή. Τα έργα του, απολογητικά, πολεμικά, βιογραφίες, επιστολές, όποια μορφή κι αν έχουν, υπηρετούν τη θεολογία του και τον αναδεικνύουν Πατέρα και Διδάσκαλο της Εκκλησίας. Τα σημαντικότερα από τα έργα του είναι:

1) Λόγος κατά Ελλήνων (318/25). -2) Λόγος περί της εξανθρωπίσεως του Λόγου (318/25). -3) Λόγος κατά Αρειανών. Α΄ - Γ΄ (338/41). -4) Απολογητικός κατά Αρειανών (346/57). -5) Περί της εν Νικαία Συνόδου (350/1). -6) Περί Διονυσίου επισκόπου Αλεξανδρείας. -7) Προς τους επισκόπους Αιγύπτου και Λιβύης (356). -8) Απολογία προς τον βασιλέα Κωνστάντιο (λίγο πριν το 357). -9) Απολογία περί της φυγής (περίπου 357). -10) Βίος και πολιτεία του οσίου Αντωνίου (357). -11) Προς (τους) απανταχού μοναχούς περί των γεγενημένων παρά των Αρειανών (358). -12) Επιστολή «Προς μοναχούς». -13) Επιστολή «Προς Σεραπίωνα». -14) Περί των εν Αριμίνω και Σελευκεία συνόδων (359). -15) Επιστολαί προς Αμούν (356). -16) Προς Δρακόντιον (354). -17) Προς Σεραπίωνα περί Αγ. Πνεύματος (359/60). -18) Προς Επίκτητον (361). -19) Προς Ιοβιανόν (363). -20) Προς τους Αντιοχείς Τόμος (362). -21) Προς τους εν Αφρική επισκόπους (369). -22) Αποσπάσματα ερμηνείας εις τους ψαλμούς.

Απο μνείες και πληροφορίες γνωρίζουμε ότι ο Αθανάσιος έγραψε και άλλα έργα που χάθηκαν, ενώ μερικά, που αποδίδονται σ' αυτόν, ίσως δεν του ανήκουν και άλλα είναι νόθα.

ΒΙΒΛ.: Έκδ. των έργων του: PG 25-28. -ΒΕΠΕΣ 30-33. -H Opitz κ.ά., A. Werke (1935). -G Müller, Lexicon Athanasianum (1944-52). Βοηθήματα: F. Cross, A Study of A. (1945). -E. Schwartz, Zur Geschichte des A. (1959). -του ιδ., Zur Kirchengeschichte des 4. Jahr. (1960). -D. Ritschl, A. Versuch einer Interpretation (Ζυρίχη 1964). -J. Roldanus, Le Christ et l' homme dans la théologie d' A. (Λέϊντεν 1968). -Ch. Kannengiesser (εκδ.), Politique et Théologie chez A. d' Alexandrie (Παρίσι 1974). -Στυλ. Γ.

Παπαδόπουλος, Α. ο Μέγας και η Θεολογία της Οικουμ. Συνόδου (Αθήνα 1975 και 1980). -του ιδ., ΜΓΕ 3(1978), 142-6 και ΠΒΛ/ΕΕΕ 1, 70-2. - X. de Bachelet, DTC 1(1910), 2143 εξ. -DHGE 4, 1313 εξ. -LThK 1, 976 εξ. -Δ. Μπαλάνος, ΜΕΕ 2, 4 εξ. -A. Katsanakis, LM 1, 1160-1. -J. Meyendorff, DMA 1(1982), 633. Επίσης Beck, 52 εξ. και ευρετήριο. -Β. Στεφανίδης, Εκκλησ. Ιστορ. (Αθήνα 1978[4]), ευρετήριο. -Καραγιαννόπουλος, 94-5, αρ. 14. -Karayannopulos - Weiss, 251-2, αρ. 27. -Παν. Χ. Δημητρόπουλος, ΘΗΕ 1, στήλ. 521-44. -B. Baldwin, A. Kazhdan και Nancy Ševčenko, ODB, 217-18 με τη βιβλιογρ. -TL[3], ελλην. μετ., 41. - Δ. Τσάμης, Εκκλησ. γραμματολογία (Θεσ/νίκη 1985), 122-6. - Π. Χρήστου, Εκκλησ. γραμματολογία, Α΄ (Θεσ/νίκη 1989), 160-9.

2. *Α. ο Β΄* (490-7) Μονοφυσίτης. Ο Χρυσόστ. Παπαδόπουλος, στους πίνακες των Πατριαρχών Αλεξανδρείας, που συνέταξε, παραδέχεται την ύπαρξή του, όπως και ο Βασ. Στεφανίδης.

ΒΙΒΛ.: Χρ. Παπαδόπουλος, Πάνταινος (1926), 17-19. -του ιδ., Ιστορ. Εκκλησ. Αλεξανδρείας (Αλεξ. 1935), 909-10. - Β. Στεφανίδης, Εκκλ. Ιστορ. (Αθήνα 1978[4]), 799. -ΘΗΕ 1, στήλ. 547.

Γ.Μ.

3. *Α. Γ΄ (Β΄).* Λόγιος και θεολόγος, πατριάρχης Αλεξανδρείας (1276-1316). Διαδέχτηκε το Νικόλαο Β΄ και προερχόταν από τη Μονή Αγ. Αικατερίνης του Σινά. Στην πραγματικότητα ελάχιστο διάστημα παρέμεινε στο πατριαρχικό θρόνο του, αφού γύρω στο 1278 κατέφυγε στην Κων/πολη, καταδιωγμένος από τους *Μαμελούκους*, που τότε κατείχαν την Αίγυπτο. Ο Α. ήταν έμπιστος του αυτοκράτορα *Μιχαήλ Η΄ Παλαιολόγου*. Το 1281 τον ακολούθησε στην μικρασιατική του εκστρατεία και αργότερα διηγήθηκε στον ιστοριογράφο Γεώργιο *Παχυμέρη* τα περιστατικά της εκστρατείας αυτής. Όταν πέθανε ο Μιχαήλ Η΄ και τον διαδέχτηκε ο *Ανδρόνικος Β΄*, ο Α. εξακολούθησε να είναι έμπιστο πρόσωπο του νέου αυτοκράτορα. Στις διαμάχες σχετικά με το πρόβλημα της ένωσης των Εκκλησιών, ο Α. αφενός μεν ήταν αντίθετος με τους λατινόφρονες και την παράταξη του πατριάρχη *Ιωάννη ΙΑ΄ Βέκκου*, αφετέρου όμως δεν συμφωνούσε απολύτως και με την αντίπαλη παράταξη. Για τον λόγο αυτόν απειλήθηκε πολλές φορές ότι θα εξοριζόταν, και αναγκάστηκε να συντάξει ομολογία πίστεως. Όταν το 1289 στον πατριαρχικό θρόνο της Κων/πολης ανήλθε ο *Αθανάσιος Α΄*, ο Α. απομακρύνθηκε στη Ρόδο,

όπου έμεινε ως το 1293. Μετά την κάθοδο του Αθανασίου Α΄ από τον πατριαρχικό θρόνο ο Α. ξαναγύρισε στην Κων/πολη. Αλλά κατά την β΄ πατριαρχεία του Αθανάσιου Α΄ πάλι προέκυψαν αντιδικίες (1308) μεταξύ των δύο ανδρών, οπότε ο Α. έφυγε από την Κων/πολη, με σκοπό να επιστρέψει στην Αλεξάνδρεια, μάλλον όμως δεν πήγε ποτέ εκεί. Είναι γνωστό ότι έμεινε για σύντομα διαστήματα στην Εύβοια, στη Θήβα και στην Κρήτη. Ίσως τελικά να πέθανε στο Σινά. Έγραψε μια αντιλατινική πραγματεία σχετικά με την εκπόρευση του Αγίου Πνεύματος.

ΒΙΒΛ.: Beck, 688, 800. -Κρουμβάχερ Α΄, 181, 190, 584. -Χ. Παπαδόπουλος, Ο Αλεξανδρείας Αθανάσιος Β΄, ΕΕΒΣ 6 (1929), 3-13. - του ιδ., Ιστορία της Εκκλησίας Αλεξανδρείας, 62-1934 (Αλεξάνδρεια 1935), 564-74. -PLP, αρ. 413. -ΘΗΕ 1(1962), 547-8.

Σ.Λ.

4. *Α. ο Δ΄* (1417-25/8) Αναφέρεται από το Βασ. Στεφανίδη (Εκκλ. Ιστ., 1978[4], 799, πίν), με βάση τους σχετικούς πίνακες του Χρυσ. Παπαδόπουλου, στον σε παράρτημα πίνακα της Εκκλησιαστικής Ιστορίας του των Πατριαρχών Αλεξανδρείας (βλ. και ΘΗΕ 1, στήλ. 548).

Γ.Μ.

Αθανάσιος. Όνομα 4 Πατριαρχών Ιεροσολύμων.

1. *Α. ο Α΄* (929-37). Ο επονομαζόμενος Πάνσοφος. Γνωρίζουμε ελάχιστα για το βίο του. Διαδέχθηκε τον *Λεόντιο Α΄* (912-29).
2. *Α. ο Β΄* (1223/4 -36) Διαδέχθηκε τον Ευθύμιο Β΄. Πέθανε με μαρτυρικό θάνατο σύμφωνα με τροπάριο («μαρτυρικού δε τέλους υπό βαρβάρων τυχών»).
3. *Α. ο Γ΄* (1313-34). Πατριάρχης στις αρχές του 14ου αι. Το 1313 πήγε στην Κων/πολη για την έγκριση της εκλογής του και είχε την ευκαιρία να γνωριστεί με πολλούς εκκλησιαστικούς άνδρες, όπως ο ηγούμενος της μονής Χιλανδαρίου του Αγίου Όρους και αργότερα αρχιεπίσκοπος Σερβίας, *Νικόδημος*. Κατά τη διάρκεια της απουσίας του, ο Γαβριήλ ο Βρουλάς, από την Καισάρεια της Παλαιστίνης, κινήθηκε για την κατάληψη του ιεροσολυμιτικού θρόνου. Τελικά το πέτυχε με ενέρ-

γειες του Πατριαρχείου Κων/πολης και του αυτοκράτορα *Ανδρόνικου Γ΄ Παλαιολόγου*.

4. *Α. ο Δ΄* (1452-60) «Αγιοταφίτης». Μετά την άλωση της Κων/πολης πέτυχε προνόμια από τον Οθωμανό σουλτάνο *Μεχμέτ Β΄* για την Εκκλησία των Ιεροσολύμων, θέλοντας να κατασφαλίσει τα δικαιώματα του Πατριαρχείου στους Αγίους Τόπους. Η ενέργειά του αυτή προκάλεσε την οργή των *Μαμελούκων* της Αιγύπτου, που κατείχαν τότε τους Αγίους Τόπους.

ΒΙΒΛ.: ΘΗΕ 1 (1962), στήλ. 550-51, -Β. Στεφανίδης, Εκκλ. Ιστορία (Αθήνα 1978[4]), 801 (πίνακας).

Γ.Μ.

Αθανάσιος Α΄, Ορθόδοξος Πατριάρχης Αντιοχείας (1156-70). Το κοσμικό του όνομα ήταν Α. Μανασσής και αρχικά ήταν μοναχός στην Πάτμο (βλ. Ερα Βρανούση, Έγγραφα Πάτμου, Αθήνα 1980, 16εξ. και ευρετήριο. - P. Magdalino, The Empire of Manuel I Komnenos 1143-80, Παν/μιο Καίμπριτζ 1993, 367 σημ. 175). Ανέλαβε το πατριαρχικό αξίωμα το 1156, αλλά εκδιώχθηκε από τους Σταυροφόρους, που κατείχαν τότε τη Συρία, και οι οποίοι θεωρούσαν νόμιμο Πατριάρχη το Λατίνο Αιμέριχο (Aimeric). Επανήλθε στη θέση του το 1161 με επέμβαση του αυτοκράτορα *Μανουήλ Α΄ Κομνηνού*, που ήλθε στην Αντιόχεια για να παντρευτεί τη Μαρία, και ζήτησε να τελέσει ο Α. το μυστήριο. Στις 29 Ιουνίου 1170, ενώ ιερουργούσε στο ναό του Αγίου Πέτρου , έπεσε, εξαιτίας σεισμού, μια πέτρα και τον τραυμάτισε θανάσιμα (ΘΗΕ 1, 548. -Στεφανίδης, Εκκλ. Ιστορ., 800 πίν., F. Chalandon, Les Comnène, Β΄, Παρίσι 1912, ανατ. Ν. Υόρκη 1960, 523).

Γ.Μ.-Α.Σ.

Αθανάσιος Όνομα 9 Ιακωβιτών Πατριαρχών Αντιοχείας.

1. *Α. ο Α΄* (595 - 630). Ονομαζόταν «καμηλάτης». Καταγόταν από τα Σαμόσατα της Κομαγηνής και σε μικρή ηλικία μπήκε στο μοναστήρι Κεννεσρέ, όπου διακρίθηκε για τις πολλές αρετές του. Εκλέχθηκε Πατριάρχης κι ανέπτυξε θαυμαστή δραστηριότητα για την οργάνωση της Ιακωβιτικής Εκκλησίας και την

προσέγγισή της προς την Ορθοδοξία. Χειροτόνησε πολλούς επισκόπους και κατόρθωσε να επανεφέρει την αδελφότητα της μονής Μαρ Ματταί στο Πατριαρχείο. Γύρω στο 610 πήγε στην Αλεξάνδρεια και αποκατέστησε τις σχέσεις μεταξύ των δύο μονοφυσιτικών πατριαρχείων. Όταν ο αυτοκράτορας *Ηράκλειος Α΄*, στο πόλεμο κατά των Περσών τον πίεσε ν' αποδεχθεί τις αποφάσεις της Δ΄ Οικουμενικής Συνόδου της Χαλκηδόνας (451), αυτός επέμεινε στις συριακές βάσεις του συριακού Μονοφυσιτισμού. Από τα έργα του σώθηκαν σε συριακή γλώσσα μια ομολογία πίστεως και ένα γράμμα προς τους μοναχούς του Μαρ - Ματταί και σε αιθιοπική και κοπτική γλώσσα η μετάφραση του εγκωμιαστικού του λόγου προς τον *Σεβήρο* Αντιοχείας, τον πνευματικό γενάρχη του συριακού Μονοφυσιτισμού.

ΒΙΒΛ.: Μιχαήλ Σύρος, έκδ. Chabot, Β΄, 381 εξ., 394 εξ., 414 εξ. -PO 4, 569 εξ. -A. Baumstark, Geschichte der syrischen Literatur (Βόννη 1922). -ΘΗΕ 1, στήλ. 549.

2. *Α. ο Β΄* (683-6). Σπούδασε στο μοναστήρι Κεννεσρέ, όπου διδάχθηκε και ελληνικά. Ασχολήθηκε με τη μεταγλώττιση στη συριακή γλώσσα εκκλησιαστικών και κλασικών κειμένων (ομιλίες *Γρηγορίου Ναζιανζηνού*, έργα του ιστορικού *Πορφύριου*, επιστολές του *Σεβήρου*). Σώζεται επίσης και εγκύκλιός του για τις σχέσεις των Χριστιανών προς τους Μουσουλμάνους και λειτουργικές ευχές (Baumstark, ό. π. -ΘΗΕ 1, 549-50).
3. *Α. ο Γ΄* (724-8). Είναι γνωστός από τη διάσωση του πρακτικού της ένωσης της Συριακής και της Αρμενικής Εκκλησίας, την οποία πέτυχε στέλνοντας το 726 αντιπροσωπεία έξι επισκόπων στον «Καθολικό» (= Πατριάρχη) της Αρμενίας, *Ιωάννη Δ΄*.
4. *Α. ο Δ΄* (755-8). Είχε σκληρό και εγωπαθή χαρακτήρα. Προσπάθησε να επιβάλει τον επίσκοπο που αυτός ήθελε στους κατοίκους του Χαρράν, αν και αυτοί τον είχαν απορρίψει. Το αποτέλεσμα ήταν να τον ρίξουν σε ποταμό, όπου και πνίγηκε.
5. *Α. ο Ε΄*. Η μόνη γνωστή γι' αυτόν πληροφορία είναι ότι

παρέμεινε στο θρόνο από το 986 ως το 1002.

6. *Α. ο ΣΤ'* (1058-64). Εκλέχθηκε Πατριάρχης από τους επισκόπους της Δ. Συρίας, χωρίς ν' αναγνωρίζεται από τους επισκόπους της Α. Στην προσπάθειά τους να τον αποδυναμώσουν βρήκαν ως πρόσχημα το ότι δεν είχε διατελέσει μοναχός πριν εκλεγεί Πατριάρχης. Αυτό οδήγησε στη διάσπαση της Ιακωβιτικής Εκκλησίας, αφού οι Ανατολικοί εξέλεξαν τον Ιησού Βαρ Σουσάν. Ο Α. μπροστά σ' αυτή την κατάσταση, που έπαιρνε μεγάλες διαστάσεις, παραιτήθηκε. Σύμφωνα με τις πληροφορίες των Σύρων χρονικογράφων, οι Βυζαντινοί τον συνέλαβαν και τον έκλεισαν σε μοναστήρι κοντά στη Μελιτινή. Πέθανε λίγο αργότερα, όταν τον μετέφεραν από εκεί στην Κων/πολη.

7. *Α. ο Ζ'* (1090-1129). Καταγόταν από την πόλη Άμιδα, στην αριστερή όχθη του ποταμού Τίγρη, ΒΑ. της Έδεσσας (Ούρφας). Πριν εκλεγεί Πατριάρχης ήταν μοναχός και αρνήθηκε να αποδεχθεί τις ευθύνες του αξιώματος. Στην προσπάθεια του διοικητή της Μελιτινής, Γαβριήλ, μετά από προσφυγή των Ιακωβιτών, να τον μεταπείσει, βρήκε ως πρόφαση ν' αρνηθεί, την καταβαλλόμενη αμοιβή για τη χειροτονία. Ρίχτηκε στη φυλακή κι αυτό προκάλεσε αναταραχή των πιστών, που έβλεπαν την άδικη μεταχείρισή του. Οργισμένος από τα γεγονότα αυτά ο Γαβριήλ, σκότωσε με τα ίδια του τα χέρια τον Α.

8. *Α. ο Η'* (1138-66). Καταγόταν από το Σαρούγ, Ν. της συρ. Έδεσσας. Στο διάστημα της πατριαρχείας του αντιμετώπισε πλήθος εκκλησιαστικών και πολεμικών αναταραχών.

9. *Α. ο Θ'* (1199-1207). Ήταν ηγούμενος στη μονή Μπαρ Σαουμά. Εκλέχθηκε από 15 επισκόπους της Δ. Συρίας, διαδεχόμενος τον *Μιχαήλ Σύρο*. Κάποιοι όμως ανατολικοί επίσκοποι δεν τον αναγνώρισαν και αντεξέλεξαν κάποιον Ιησού. Για ν' αποφευχθούν οι άσχημες εξελίξεις ενός σχίσματος, ο Α. εγκατέλειψε το αξίωμα και επέστρεψε στη μονή του (ΘΗΕ 1, 550).

Γ.Μ.

Αθανάσιος ο Αγκύρας (4ος αι.). Σύγχρονος του *Μ. Βασιλείου και του Γρηγορίου Νύσσης*, οι οποίοι τον επαινούν για την προσήλωσή του στην Ορθοδοξία. Έγινε επίσκοπος Αγκύρας το 360, αφού διαδέχθηκε το *Βασίλειο* Αγκύρας, που εξορίστηκε μετά τη σύνοδο του 360 της Κων/πολης. Πήρε μέρος αυτοπροσώπως στη σύνοδο της Αντιόχειας (363), με εκπρόσωπο και των Τυάνων της Καππαδοκίας (367).

ΒΙΒΛ.: 24η, 25η και 29η επιστολή Μ. Βασιλείου. -Κατά Ευνομιανών Γρηγορίου Νύσσης. -ΘΗΕ 1, στήλ. 552.

Γ.Μ.

Αθανάσιος ο Δαιμονοκαταλύτης (9ος αι.). Μητροπολίτης Τραπεζούντας, c. 867 - c. 886. Όσιος, κατά κόσμον Λέων Φωτεινός, καταγόταν από τη Τραπεζούντα. Ονομαζόταν «Δαιμονοκαταλύτης» επειδή είχε την ικανότητα να διώχνει τα πονηρά πνεύματα, όπως εκείνα που είχαν καταλάβει την κόρη του αυτοκράτορα *Θεόφιλου*. Ασκήτεψε στη μονή του Αγίου Φωκά του Διάπλου, Α. της πόλης, και φοίτησε δίπλα στον μητροπολίτη Τραπεζούντας, Νικηφόρο. Χρημάτισε ηγούμενος της μονής. Στα χρόνια της θητείας του Πατριάρχη Κων/πολης *Μεθόδιου*, χειροτονήθηκε από τον ίδιο Μητροπολίτης Τραπεζούντας. Εξακολούθησε να διαμένει στη μονή του Αγ. Φωκά. Την μεγαλύτερη δραστηριότητα σ' αυτό το αξίωμα ανέπτυξε κατά την εποχή του αυτοκράτορα *Βασίλειου Α΄ Μακεδόνα*. Επ' αυτού καθιερώθηκε η εορτή των γενεθλίων του Αγίου Ευγενίου, πολιούχου των Τραπεζουντίων, τελουμένη στις 24 Ιουνίου.

ΒΙΒΛ.: Α. Παπαδόπουλος - Κεραμεύς, «Αθανάσιος ο Δαιμονοκαταλύτης», VV 18 (1906), 138-41. -του ιδ. (έκδ.), Fontes Historiae Imperii Trapezuntini (Πετρούπολη 1897, ανατ. Άμστερνταμ 1965), XIV, XV, 53, 57-8. -Κωνστ. Χαραλαμπίδης, ΘΗΕ 1, στήλ. 552-3. -Χρύσανθος, Η Εκκλησία Τραπεζούντος (ανατ. Αθήνα 1973), 152-3, 162, 217-21, 355, 409, 506, 787, 789.

Φ.Μ.

Αθανάσιος ο Αθωνίτης. Μοναχός και ιδρυτής του μοναστηριού της Μεγίστης Λαύρας στο Άγιον Όρος. Μια από τις μεγαλύτερες πνευματικές μορφές της Ορθοδόξου Εκκλησίας. Γεννήθηκε στην Τραπεζούντα του μικρασιατικού Πόντου. Ο πατέρας του καταγόταν από την Αντιόχεια, η δε μητέρα του από την Κολχίδα. Τα βαπτιστικό του όνομα ήταν Αβραάμιος. Σε μικρή ηλικία έχασε τους γονείς του. Την κηδεμονία του τότε ανέλαβε ο σύζυγος μιας συγγενούς του, ο Κανίτης. Στα 945 ο Αβραάμιος έρχεται στην Κωνσταντινούπολη, όπου ο γαμπρός του Κανίτη, στρατηγός Ζεφινέζερ, αναλαμβάνει τις σπουδές του και τον παραδίδει στον διάσημο δάσκαλο Αθανάσιο. Σύντομα ξεπέρασε το δάσκαλό του στη μάθηση και τη σοφία και ονομάστηκε με βασιλική διαταγή και ο ίδιος δάσκαλος. Το 950 φθάνει με τον Ζεφινέζερ στη Λήμνο παραπλέοντας τον Άθωνα. Στην επιστροφή του γνωρίζεται με τον Μιχαήλ *Μαλεΐνο,* ηγούμενο σε μιά μονή στο όρος Κυμινά στη Βιθυνία, και θείο του στρατηγού *Νικηφόρου (Β΄) Φωκά*. Ο Αβραάμιος τον ακολουθεί στο Όρος Κυμινά, όπου ασπάζεται το μοναχικό σχήμα και ονομάζεται Αθανάσιος. Κατά τη διάρκεια της παραμονής στη μοναστική Πολιτεία δημιουργεί δεσμό φιλίας με τον Νικηφόρο και τον αδελφό του Λέοντα *Φωκά* και γίνεται πνευματικός τους οδηγός.

Το 959 ο Α. εγκαταλείπει τον Κυμινά και, φέρνοντας μαζί του δύο βιβλία, την κουκούλα του ηγουμένου του, Μιχαήλ Μαλεΐνου και τα ράσα του, έρχεται στον Άθωνα. Εκεί γίνεται υποτακτικός του ευσεβούς γέροντα Λουκιτζή. Γρήγορα όμως γίνεται γνωστός μεταξύ των Αθωνιτών, που του παραχωρούν μονοκέλιον για να διαμένει. Αργότερα ζητά την άδεια να φτιάξει καλύβα στη θέση Μελανά, όπου και πέρασε απομονωμένος ένα χρόνο οπόταν και έφυγε για την Κρήτη, μετά από πρόσκληση του Νικηφόρου Φωκά, που τότε πολιορκούσε τον Χάνδακα. Κατά το διάστημα που έμεινε στην Κρήτη, μετά την ανακατάληψη του Χάνδακα, ο Α. ανέφερε το σχέδιό του να ιδρύσει κοινόβιο στον Άθω· ο Νικηφόρος συμφώνησε να τον βοηθήσει και ακόμη να του κρατηθεί κελί, για να πάει αργότερα και ο ίδιος να μονάσει. Έτσι, όταν επανήλθε ο Νικηφόρος στην Κων/πολη, έστειλε στον Α. στον Άθωνα, κατά το τέλος του 962/αρχές 963, με τον μοναχό Μεθόδιο, τον διάδοχο του Μαλεΐνου, 6 λίτρες χρυσού. Αμέσως ο Α. αρχίζει να κτίζει την οικοδομή της εκκλησίας. Στις 16 Αυγ.

963 ο *Νικηφόρος (Β΄) Φωκάς* ανακηρύχτηκε αυτοκράτορας. Ο Α. στενοχωρημένος αποστέλλει στην Κων/πολη τον μοναχό Ευθύμιο, ενώ ο ίδιος φεύγει για την Παλαιστίνη μέσω Κύπρου. Όμως δεν μπόρεσε να φθάσει στους Αγίους Τόπους και επέστρεψε πάλι στον Άθωνα. Επανερχόμενος ο Ευθύμιος από την Κων/πολη, διαβεβαιώνει τον Α. ότι ο Νικηφόρος επιμένει στην απόφασή του. Μετά από αυτό, την άνοιξη του 964, μεταβαίνει ο ίδιος στην Πρωτεύουσα. Ο Νικηφόρος εκδίδει χρυσόβουλο ίδρυσης της Λαύρας, με το οποίο διορίζει τον Α. καθηγούμενο της Λαύρας και των γύρω από τη Λαύρα κελιών 80 μοναχών. Ακόμη, αναφέρει ότι θα χορηγούνται κάθε χρόνο 244 χρυσά νομίσματα. Με τα χρήματα αυτά ο Α. συνεχίζει την ανέγερση της Λαύρας μαζί και τα διάφορα παραρτήματά της, Τράπεζα, κελιά, νοσοκομείο. Ακόμη κατασκευάζει υδαταγωγό, μύλο, το τείχος και διαμορφώνει το λιμάνι. Στο μεταξύ, πλήθος μοναχοί προσήρχοντο στη Λαύρα. Ο Α. έχοντας ως πρότυπο την αντίστοιχη υποτύπωση της μονής Στουδίου του *Θεοδώρου Στουδίτη*, συνέγραψε την δική του *«Υποτύπωση»*. Σ' αυτή καθορίζει τον τρόπο δοκιμασίας των μελλόντων μοναχών, τα μέσα εξασφάλισης των καθημερινών αναγκών του Κοινοβίου και κατανέμει τις εργασίες στους μοναχούς.

Τον Δεκ. του 969 ανακηρύσσεται αυτοκράτορας ο *Ιωάννης Α΄ Τσιμισκής*, ο οποίος όχι μόνον επικυρώνει το χρυσόβουλλο του Νικηφόρου, που δίνει 244 χρυσά νομίσματα, αλλά και του δίνει άλλα 244 ακόμη από τη Λήμνο και αυξάνει τους μοναχούς σε 120. Η ανάπτυξη της Λαύρας, όπως ήταν φυσικό, έφερε αναστάτωση και διχόνοια στους ηγούμενους και γέροντες του Άθω. Έτσι, επιτροπή με τον Πρώτο του Όρους, τον κατηγόρησαν ως νεωτεριστή και καταλύτη των ισχυόντων ιδεών του ασκητισμού στον Άθωνα, στον Τσιμισκή, ο οποίος τους στέλνει τον Στουδίτη μοναχό Ευθύμιο, για να τους λύσει οριστικά τις διαφορές. Ο Ευθύμιος κατάφερε να τους μαζέψει να συζητήσουν όλα τα προβλήματα που είχαν δημιουργηθεί, να πάρουν αποφάσεις και να θέσουν αυστηρούς κανόνες και, τέλος, να επέλθει πρόσκαιρη όπως αποδείχθηκε ειρήνη μεταξύ τους. Αποτέλεσμα αυτής τη συνάντησης υπήρξε η δημιουργία με κοινή συμφωνία του πρώτου κανονισμού - *«Τυπικόν»* - όλων των μοναχών που ζούσαν στον Άθωνα μέσα όμως από το μεταρρυθμιστικό πνεύμα των νέων ιδεών του Α. Αυτό επικηρύχθηκε το 972 από τον βασιλέα, είναι υπογεγραμμένο από 58 ηγουμένους και έχει γίνει γνωστό με το όνομα *«Τράγος»*, γιατί είναι γραμμένο σε δέρμα τράγου και διατηρείται μέχρι σήμερα. Συνεχίζοντας τη δράση του ο Α. για την ανάπτυξη της Λαύρας γράφει στα 970/71 τους κανόνες της μοναχικής ζωής και οδηγίες για την διοίκηση της Λαύρας, το γνωστό *«Τυπικόν»* ή *«κανονικόν»*. Στην τελευταία 10ετία του 10ου αι. συντάσσει τη «διατύπωση» ή «διαθήκη» του, όπου δίδει διάφορες συμβουλές και οδηγίες για την απρόσκοπτη συνέχιση του έργου της Λαύρας. Στις αρχές του 11ου αι., πιθανόν την 5 Ιουλ. του 1002, έπεσε και σκοτώθηκε μαζί με τον τρούλλο του καθολικού της Λαύρας, της εκκλησίας που ο ίδιος είχε σχεδιάσει και θεμελιώσει και που έμελλε να αλλάξει την ζωή και την μορφή του Άθω. Ο αρχιτεκτονικός τύπος των Καθολικών του Άθω, που κτίστηκαν με πρότυπο τη Λαύρα του Α., ονομάζεται αγιορείτικος. Είναι ιδιαίτερος τύπος που ανάγεται στον σύνθετο τετρακίονο της Κων/πολης με τρεις προσθήκες: το τρίκογχο, τις λιτές και τα πλάγια παρεκκλήσια. Το τρίκογχο σχήμα δημιουργείται με τη διάνοιξη 2 πλαγίων αψίδων, μιά στο Β. και μιά στον Ν. τοίχο των κάθετων κεραιών του σταυρού, ώστε να δημιουργούνται 2 ειδικοί χώροι για τους 2 χορούς των ψαλτών, γι' αυτό και λέγονται χοροί. Η λιτή που εμφανίζεται τον 13ο αιώνα είναι ένας χώρος μεγάλος ανάμεσα στο σταυρό και το νάρθηκα. Τέλος, υπάρχουν τα παρεκκλήσια, που τοποθετούνται στο Β. και Ν. μέρος της Λιτής ή του Νάρθηκα. Συνήθως έχουν τύπο τον απλό σταυροειδή με τρούλο. Έτσι, το θεμελίωμα της Λαύρας από τον Α. έγινε ταυτόχρονα θεμελίωμα μιας πολιτείας με δικούς της νόμους. Ο ερημικός βίος έγινε ζωή ομαδική. Το κοινόβιο αντικατέστησε την παλιά μορφή ασκητείας. Ο βίος του γράφτηκε από τον Αθανάσιο τον Αγιορείτη επί του διαδόχου του, ηγουμένου Ευστράτιου. Βιβλία δεν έγραψε, ούτε ασχολήθηκε με τη Θεολογία, όμως είναι σίγουρο ότι επέβαλε το μοναχικό πολίτευμα των μεγάλων μοναστηριών της Ανατολής.

ΒΙΒΛ.: Ph. Meyer, Die Haupturkunden für die Geschichte der Athosklöster (Λειψία 1894, ανατ. 1965) με έκδ. της «διατυπώσεως του οσίου και μακαρίου πατρός ημών Α.» (σσ. 123-30), του «τυπικού, ήτοι κανονικού του οσίου και θεοφόρου πατρός ημών Α.» (102-22) και της «υποτυπώσεως καταστάσεως της Λαύρας του οσίου Α.» (130-40). -Ι. Pomjalovsky, Zitieprepodobnago Athanasija Athonskago (Πετρούπολη 1895), 1-112. -Μ. Γεδεών, Ο Άθως, ΕΑ (Κων/πολη 1885). -BHG 1, 69-70. -Δημ. Πετρακάκος, Το μοναχικόν πολίτευμα του Αγ. Όρους Άθω (Αθήνα 1925), 13 εξ. -J. Leroy, A. l' Athonite et le Règle de S. Benoit, RAM 29(1953), 108-22. -Συλλογ. έργο Le Millenaire du Mont Athos, I (1963), κεφ. XI (του D. Nicol). -Καραγιαννόπουλος, 286-7, αρ. 356. -Karayannopulos - Weiss, 382, αρ. 290. -ΝΕστ 74/τεύχ. 875 (1963), 6-7, 200-1. -ΘΗΕ 1, 509-15. -ΕΛΕ 1, 509. -Κ. Μανάφης, Μοναστηριακά τυπικά - διαθήκαι (Αθήνα 1970), 72, 78, 131, 149. -CMH 4.1 (ελλην. μετ. Αθήνα 1979), 135, 741, 745-6, 750. -Ιω. Μαμαλάκης, Το Άγ. Όρος (Άθως) δια μέσου των αι. (Θεσ/νίκη 1971), 48-62. -Γ. Μουστάκης, ΜΓΕ 3 (1978), 146-7. -K.S. Frank, LM 1, στήλ. 1161-2. -Beck, 959. -ΙΕΕ τόμ. 8(1979), 177-8 με εικόνα. -Bernandin Menthon, Μοναστήρια και άγιοι του Ολύμπου της Βιθυνίας, μετ. Ναταλία Βασιλοπούλου (Θεσ/νίκη 1980), 295-306. -Ι.Μ. Κονιδάρης, Νομική θεώρηση των μοναστηριακών τυπικών (Αθήνα 1984), 48-9. -Ν.Κ. Μουτσόπουλος, Το Άγ. Όρος. Ελάχιστη συμβολή στην ιστορία και την αρχιτεκτονική του (Θεσ/νίκη 1981). - Π. Χρήστου, Το Άγιον Όρος (Αθήνα 1987), 79 εξ., 112 εξ., 387-8. - A. Kazhdan και Nancy Ševčenko, ODB, 219 με τη βιβλιογρ. -TL[3], ελλην. μετ., 42. -Nicol, ΒΛ, 38-9.

Σ.Μ.

Αθανάσιος. Επίσκοπος Οπούντος «του εν Λοκρίδι» (5ος αι.). Πήρε μέρος στη ληστρική σύνοδο της Εφέσου το 449 ως φίλος του Μονοφυσίτη αιρεσιάρχη *Ευτυχούς*. Αργότερα όμως μεταμελήθηκε και πήρε μέρος στην Δ΄ Οικουμενική Σύνοδο στη Χαλκηδόνα (451), της οποίας μάλιστα υπέγραψε και τα πρακτικά (Mansi 6, 848, 919, 950 και 7, 29, 52. -ΘΗΕ 1, 552).

Γ.Μ.

Αθανάσιος Α΄. Επίσκοπος Αθηνών (5ος αι.). Πήρε μέρος στην επαρχιακή σύνοδο του 458 και υπέγραψε μαζί με άλλους 20 επισκόπους επιστολή προς τον αυτοκράτορα *Λέοντα Α΄* (457-74), που αφορούσε την αποδοχή των αποφάσεων της Δ΄ Οικουμενικής Συνόδου (451) (Χρυσόστομος Παπαδόπουλος, Η Εκκλησία των Αθηνών, 1928, 27. -ΘΗΕ 1, στήλ. 551).

Γ.Μ.

Αθανάσιος ο Σχολαστικός (6ος αι.) Νομομαθής, σύγχρονος του *Ιουστίνου Β΄* (565-78), καταγόμενος από την Έμεσα της Συρίας. Έγραψε νομικά έργα στα ελληνικά. Το γνωστότερο απ' αυτά είναι η «Επιτομή» των 153 Νεαρών, που εκδόθηκαν μετά τον «Ιουστινιάνειο κώδικα». Τις κατατάσσει κατά ύλη, διαιρώντας τις σε 22 τίτλους, πριν από τους οποίους προηγείται επικεφαλίδα που δείχνει το περιεχόμενο. Η επιτομή αυτή των Νεαρών διασώθηκε πλήρης και εκδόθηκε στα «Ανέκδοτα» του Heimbach.

ΒΙΒΛ.: Pierre Noailles, Les Collections de Novelles de l' empereur Justinien (Παρίσι 1912). -Bach, Histoire de la Jurisprudence romaine, Δ΄, 632. -ΜΕΕ 2, 7.

Γ.Μ.

Αθανάσιος ο Παυλοπετρίτης (αρχές του 9ου αι.). Όσιος και ομολογητής, που εορτάζεται στις 22 Φεβρ. Γεννήθηκε στην Κων/πολη από ευσεβείς και πλούσιους γονείς. Έγινε μοναχός σε νεαρή ηλικία στο μοναστήρι του Παυλοπετρίου, που βρισκόταν στα μέρη της Νικομήδειας. Μαζί με τον *Θεόδωρο Στουδίτη* και τον *Ιωάννη*, τον ηγούμενο της Μονής των Καθαρών, αγωνίστηκε για την αναστήλωση των εικόνων, στα χρόνια του *Λέοντα Ε΄ Αρμένιου* (813-20). Η στάση του αυτή τον έκανε να υποφέρει και να υπομείνει εξορίες και θλίψεις. *«Ανένδοτος δε διαμείνας και την ορθόδοξον πίστην μέχρι τέλους διατηρήσας, προς Κύριον χαίρων εξεδήμησεν»,* κατά επιστολή του Θεόδωρου Στουδίτη προς τον Αντωνίνο.

ΒΙΒΛ.: PG 99, στήλ. 1629. -Συναξ. Νικόδημου Αγιορείτη (ΘΗΕ 1, στήλ. 508).

Γ.Μ.

Αθανάσιος ο Μεθώνης (9ος αι.). Καταγόταν από την Κατάνη της Σικελίας, αλλά μετά από την κατάληψή της από τους Σαρακηνούς, το 827, εγκαταστάθηκε με τους γονείς του στην Πάτρα. Αργότερα έγινε επίσκοπος Μεθώνης. Ο *Πέτρος Σικελιώτης,* επίσκοπος Άργους, συνέθεσε επιτάφιο σ' αυτόν, στο οποίο εξήρε την αρετή του (PG 104, στήλ. 1365. -ΘΗΕ 1, 552. -Δ.

Μπαλάνος, ΜΕΕ 2, 7).

Γ.Μ.

Αθανάσιος επίσκοπος Κορίνθου (10ος - 11ος αι.). Άγιος, που η μνήμη του εορτάζεται στις 4 Μαΐου. Για το βίο του γνωρίζουμε ελάχιστα. Κατά την άποψη του Beck, έζησε μεταξύ των ετών 976 και 1025/8 και έγραψε έργο με τίτλο «Τετράβιβλος». Επίσης έγραψε πραγματεία που χάθηκε, στην οποία εξέταζε γιατί ο Χριστός πέθανε στο σταυρό και όχι με άλλο τρόπο. Από πραγματεία του κατά των Ιακωβιτών σώζεται μικρή περικοπή. Φέρεται επίσης ως συγγραφέας τριών αντιρρητικών έργων. Από το τροπάριό του («αξίαν αίνου αρετήν είλετο») πληροφορούμαστε ότι υπήρξε άνθρωπος μεγάλης αρετής.

ΒΙΒΛ.: Beck, 532. -PG 106, στήλ. 1023-4. -Σωκρ. Ευστρατιάδης Αγιολόγιον της Ορθοδ. Εκκλησίας (Αθήνα χ.χ.), 14. -Δ. Μπαλάνος, ΜΕΕ 2, 8. -Στυλ. Παπαδόπουλος, ΘΗΕ 1, στήλ. 553-4.

Γ.Μ.

Αθανάσιος μητροπολίτης Κυζίκου (1324-47). Ένας από τους κυριότερους συνεργάτες του *Γρηγορίου Παλαμά*. Στη σύνοδο της Κων/πολης το 1342, όπου καταδικάστηκε ο Παλαμάς με υποκίνηση του Πατριάρχη *Ιωάννη ΙΔ΄ Καλέκα,* ο Κυζίκου με άλλους έξι ιεράρχες υποστήριξαν τον Άγιο. Μετά από πέντε χρόνια πέτυχαν την καθαίρεση και αντικατάστασή του δυτικόπληκτου Πατριάρχη από τον Παλαμιστή *Ισίδωρο Α΄* τον Μονεμβασίας (ΘΗΕ, 1, στήλ. 554. -ΘΧΕ, 1, 376-7).

Γ.Μ.

Αθανάσιος ο Συγκλητικός (μέσα 6ου αι.). Σημαντικός ανώτατος αξιωματούχος της αυλικής διπλωματίας του αυτοκράτορα *Ιουστινιανού Α΄* και με χρόνους δράσης την περίοδο 536-55. Κατείχε από νωρίς τα αξιώματα του πατρίκιου και του συγκλητικού και το 536 στάλθηκε πρέσβης του Ιουστινιανού στην Ιταλία, όπου το 539 διορίστηκε «ύπαρχος των πραιτωρίων», αν και ο *Βελισάριος* τον απομάκρυνε την επόμενη χρονιά (Προκόπιος, Υπέρ πολέμων, Ι, 22 εξ. και ΙΙ, 22, 29 εξ.). Μετά τα μέσα του 6ου αι. ο Αθανάσιος στάλθηκε ως ανακριτής στις περιοχές της

Λαζικής (της αρχαίας Κολχίδας) για να ερευνήσει τη σκοτεινή δολοφονία του βασιλιά της Λαζικής, του *Γουβάζη*, που είχε υπάρξει υποτελής και σύμμαχος του Βυζαντίου, από δυο άλλους ανώτερους αξιωματούχους της Αυτοκρατορίας, τον «ταμία των βασιλικών θησαυρών» Ρούστικο και τον αδελφό του Ιωάννη (Σεπτ. - Οκτ. 555). Ο ιστοριογράφος *Αγαθίας* παραδίδει ενδιαφέρουσες λεπτομέρειες σχετικά με την δίκη και την καταδίκη των Ρούστικου και Ιωάννη, καθώς και για τον μετέπειτα αποκεφαλισμό τους (φθινόπωρο 555) (Αγαθίας, CS, 170 εξ., 206 εξ.), ενέργεια που προφανώς οφειλόταν στον Αθανάσιο, που με την καταδίκη τους αποσκοπούσε στην εξομάλυνση των σχέσεων της Αυτοκρατορίας με τους πολύτιμους συμμάχους της Λαζούς, τις οποίες είχε προσωρινά διαταράξει το ολέθριο λάθος των Ρούστικου και Ιωάννη να εξοντώσουν τον Γουβάζη. Η περιγραφή του Αγαθία είναι επιπρόσθετα πολύτιμη για τα στοιχεία σχετικά με τη διάδοση του Χριστιανισμού και της ελληνικής γλώσσας στις περιοχές της Λαζικής, γεγονότα που αύξησαν αποφασιστικά το κύρος του Βυζαντίου πάνω στους Λαζούς.

ΒΙΒΛ.: Αδ. Αδαμαντίου, ΜΕΕ 2, 7. -J. Bury, Later Roman Empire, Α΄ (ανατ. Άμστερνταμ 1966), 455 εξ. -Ι. Καραγιαννόπουλος, Ιστορία βυζαντινού κράτους, Α΄ (ανατ. Θεσσαλονίκη 1991), 462, 479 εξ., 550, 596 εξ. -T. Lounghis, Les ambassades byzantines en Occident... 407-1096 (Αθήνα 1980), 67 εξ. -ΜΓΕ 3, 151.

Γ.Μ. - Α.Σ.

Αθανάσιος ο Μετεωρίτης μοναχός (1302/5-1383, εορτ. 20 Απρ.). Μοναχός του 14ου αι., θεωρείται ο ιδρυτής του κοινοβιακού μοναχισμού των Μετεώρων. Γεννήθηκε στις Νέες Πάτρες (Υπάτη) και το κοσμικό του όνομα ήταν Ανδρόνικος. Ορφάνεψε νέος, οπότε τέθηκε υπό την προστασία του θείου του. Μετά την κατάληψη της γενέτειράς του από τους *Καταλανούς* (1319) κατέφυγε στο Άγιο Όρος και κατόπιν στην Κων/πολη, όπου γνώρισε τον στυλίτη μοναχό *Γρηγόριο Σιναΐτη*, τον *Ισίδωρο* (μετέπειτα πατριάρχη Κων/πολης) και τον Γρηγόριο *Ακίνδυνο*. Μετά πήγε στην Κρήτη και τελικά επέστρεψε στο Άγ. Όρος (c. 1335), όπου εκάρη μοναχός, αρχικά με το όνομα Αντώνιος και έπειτα

Αθανάσιος. Υπήρξε οπαδός του Ησυχασμού (βλ. λ. *Γρηγόριος Παλαμάς*). Οι συχνές πειρατικές επιδρομές στον Άθω τον ανάγκασαν να φύγει στη Θεσσαλονίκη, Βέροια και τελικά στη Θεσσαλία, όπου έμελλε να δώσει μεγάλη ώθηση στη μοναχική ζωή. Περί το 1350 ίδρυσε την κοινοβιακή μονή του Σωτήρος (Μεγάλων Μετεώρων) και συνέταξε τον αυστηρό της κανονισμό. Ο ανώνυμος Βίος του Α., γραμμένος κατά πάσα πιθανότητα από σύγχρονό του μοναχό, αποτελεί σημαντική πηγή για τη μοναστική ζωή των Μετεώρων κατά τον 14ο αι.

ΒΙΒΛ.: Έκδ. Ν. Βέης, Συμβολή εις την Ιστορίαν των Μονών των Μετεώρων, Βυζαντίς 1(1909), 208-60, κείμ. 237 εξ. -Εκδ. εκλαϊκευτικής μορφής: Σπ. Λάμπρος, ΝΕ 2(1905), 51-93, κείμ. 61-87. Νέα έκδ. Δ. Σοφιανός (Μετέωρα 1990). Βλ. επίσης Ν. Βέης, Τα Χειρόγραφα των Μετεώρων, Α΄ (Αθήνα 1967), 31 εξ. Του ιδ., Geschichte Forschungsresultate und Monchs - und Volkssagen über die Günden der Meteoraklöster, BNJ 3 (1922), 364-403, ιδιαίτ. 364-9. -Beck, 795. -G. Subotic, Οι αρχές της Μοναχικής Ζωής και η Εκκλησία της Μονής της Υπαπαντής στα Μετέωρα (σερβοκρ.), Zbornik za Likovne Umetnosti 2 (Νόβισαντ 1966), 127-81. -D. Nicol, Meteora, The Rock Monasteries of Thessaly (Λονδίνο 1975[2]: VR), 73 εξ., 88 εξ. -του ιδ., Church and Society... (Καίμπριτζ 1979), 42. -Ι. Καραγιαννόπουλος, Πηγαί (1987[5]), 398, αρ. 558. -Karayannopulos - Weiss, 542, αρ. 588. -Δ. Μπαλάνος, ΜΕΕ 2, 8. -Χ. Πατρινέλλης, ΠΒΛ/ΕΕΕ 1(1983), 72. -Γ. Μουστάκης, ΜΓΕ 3(1978), 147. Υπάρχει και αφηγηματική βιογραφία του Ιωσήφ Δ. Αγαπητού, Ο Άγ. Α. ο Μ. (Ιερά Μονή Μεταμορφώσεως Μετεώρων 1976). Βλ. επίσης πρόσφατα Δ. Γόνης, Η βυζαντινή Υπάτη, περ. Υπάτη 17-19 (1987-88), 113-47, εδώ 145-6. -D. Nicol, A Layman's Ministry in the Byzantine Church: the Life of Athanasios of the Great Meteoron, Studies in Church History 26 (1989), 141-54. -Alice-Mary Talbot, ODB, 219-20. Τέλος, βλ. Δ. Σοφιανός, Μετέωρα, σύντομο ιστορικό χρονικό..., ΝΕστ 128/1518 (1990), 1333 - 4. - του ιδ., Εξακόσια χρόνια οργανωμένης μοναστικής παρουσίας στα Μετέρωρα..., Τρ 11 (1991), 107 - 9. - Σ. Γουλούλης, ...Η διορατικότητα του οσίου Α. στην ίδρυση και οργάνωση του Μετεώρου..., Τρ 14(1994), 193 - 202. - Β. Σπανός, Ιστορία - προσωπογραφία της ΒΔ. Θεσσαλίας το β΄ μισό του 14ου αι. (Λάρισα 1995), 63 εξ., 69 εξ. και ευρετήριο.

Ρ.Ρ. - Α.Σ

Αθάουλφος ή **Ατάουλφος** (ηγεμ. 410-2 Σεπτ. 415, † Βαρκελώνη). Οστρογοτθικής καταγωγής 2ος ηγεμόνας των Βησιγότθων, ήταν γυναικάδελφος του *Αλάριχου Α΄*. Το 411 ο Δ. αυτοκρ. *Ονώριος* του απένειμε τον τίτλο του magister militum αναθέτοντάς του την εκκαθάριση της Γαλατίας και Ισπανίας από τα διάφορα «βαρβαρικά» φύλα, και το 412 ο Α. οδήγησε το λαό του στη Ν.

Γαλατία (Τουλούζη, Μπορντώ), όπου το 414 παντρεύτηκε στη Ναρβόννη την αδελφή του Ονώριου, *Γάλλα Πλακιδία*, η οποία είχε αιχμαλωτιστεί το 410 κατά τη λεηλασία της Ρώμης από τον Αλάριχο Α΄. Ο γάμος του αυτός επιδείνωσε τις σχέσεις του με τον Ονώριο (με την συμβολή του Ρωμαίου κόμητα Κωνστάντιου, ο οποίος πρόσβλεπε προσωπικά στο χέρι της Πλακιδίας), και τελικά ο Α. αναγκάστηκε να μεταναστεύσει με το λαό του στην Ιβηρική χερσόνησο, όπου απέσπασε αρκετές από τις εκεί κτήσεις των Αλανών, εγκαθιδρύοντας περί το 415 το βησιγοτθ. βασίλειο της Ισπανίας. Την ίδια χρονιά, όμως, ο Α. δολοφονήθηκε από κάποιο Γότθο υπηρέτη του, χωρίς να υλοποιήσει το όνειρό του να δημιουργήσει μια «Γοτθία» μέσα στα πλαίσια της αναβίωσης της παλαιάς αίγλης της Ρωμαϊκής Αυτοκρατορίας, όπου οι Γότθοι υπήκοοι της τελευταίας θα διαδραμάτιζαν πρωταγωνιστικό ρόλο.

ΒΙΒΛ.: Οι πηγές (Μαρκελλίνος κόμης, Ιορδάνης, Ολυμπιόδωρος, Ζώσιμος, Προκόπιος, Πασχάλιο Χρονικό) στους J. Bury, Later Roman Empire, 395-565, Α΄ (Ν. Υόρκη 1958), 178, 180, 185, 194 εξ., 198-9. -του ιδ., Invasion of Europe by the Barbarians (Λονδίνο 1928), 98 εξ. -E. Stein, Hist. Bas-Empire, Α΄ (1949), 257 εξ. -D. Claude, Gesch. der Westgoten (Στουττγάρδη 1970), 19 εξ. -PLRE, Β΄. -H. Wolfram, Gesch. der Goten (Μόναχο 1980), 169 εξ., 186 εξ., 192 εξ. Επίσης Ι. Παπαδημητρίου, ΜΕΕ, 6, 51-2. -Κ. Αμαντος, Ιστ. βυζ. κρ., Α΄ (Αθήνα 1963[3]), 78. -J. Gruber, LM, 1, 1162. -Αικ. Χριστοφιλοπούλου, Βυζ. ιστ., Α΄ (Θεσ/νίκη 1992[2]), 190. -Ι. Καραγιαννόπουλος, Ιστ. βυζ. κρ., Α΄ (Θεσ/νίκη 1978, ανατ. 1991), 238. -Α. Σαββίδης, Χρόνια σχηματοποίησης Βυζαντίου (Αθήνα 1983), 99. Στο εκλαϊκευτ. άρθρ. του Χ. Ανδρεάδη, Ενας Ευγενής Βησιγότθος: Α., Ιστορ. Εικονογραφημ. Παπύρου, 165 (Αθήνα 1982), 80-6, ο Α. παρουσιάζεται ως αδελφός του Αλάριχου(!)

Α.Σ.

Αθηναΐς βλ. Ευδοκία

Αθηνόδωρος (5ος αι.). Αθηναίος στωικός φιλόσοφος, μαθητής του νεοπλατωνικού *Πρόκλου*. Τα πνευματικά του προσόντα θαύμαζε ο σύγχρονός του κυνικός φιλόσοφος Σαλλούστιος, ο οποίος κατόρθωσε να πείσει τον Α. να στραφεί προς την κυνική φιλοσοφία εγκαταλείποντας το Στωικισμό (PLRE, Β΄, 178).

Α.Σ.

Αθηνόδωρος (2ο μισό 5ου αι.). Το όνομα 2 αρχηγών στασιαστών της μικρασιατικής φυλής των Ισαύρων, οι οποίοι επαναστάτησαν το 492 κατά του βυζ. ηγεμόνα *Αναστάσιου Α΄*. Ο ένας από αυτούς είχε αριστοκρατική καταγωγή (ήταν γιος του πατρίκιου Ιωάννη) και κατείχε το αξίωμα του συγκλητικού, αλλά το 491/2 εξορίστηκε μαζί με το μάγιστρο των οφφικίων, *Λογγίνο*, στη Μ. Ασία. Το φθινόπ. 492 μεγάλος ισαυρικός στρατός υπό το Λογγίνο και τους 2 Α. νικήθηκε από τις αυτοκρατ. δυνάμεις του Ιωάννη του Σκύθη στο Κοτυάειο, αλλά το ισαυρικό κίνημα συνεχίστηκε ως το 497, οπότε ο Σκύθης κατόρθωσε να συλλάβει τους Ισαύρους αρχηγούς και να καταπνίξει το κίνημά τους. Τα κεφάλια των εκτελεσθέντων Α. (ο 1ος Α. αποκαλείται «Θεόδωρος» από τον *Ευάγριο*) και Λογγίνου τέθηκαν καρφωμένα σε ακόντια σε δημόσια θέα πρώτα στην Ταρσό και κατόπιν στην Κων/πολη (ανάμεσα στο 497-9). Το Βυζάντιο απαλλάχτηκε στο εξής από την καταβολή των «ισαυρικών» φόρων, ενώ πολλοί Ίσαυροι μεταφέρθηκαν στις θρακικές επαρχίες της Αυτοκρατορίας. Τέλος, ο *Προκόπιος* αναφέρει και τρίτο Ίσαυρο Α., ο οποίος διακρίθηκε στους πολέμους του *Ιουστινιανού Α΄* τον 6ο αι.

ΒΙΒΛ.: Οι πηγές (Μαρκελλίνος κόμης, Μαλάλας, Ευάγριος, Προκόπιος, Ιωάν. Αντιοχεύς, Θεοφάνης) στους: J. Bury, Later Roman Empire, 395-565, Β΄, 433. -Κ. Αμαντος, Ιστορ. βυζ. κράτ., Α΄ (Αθήνα 1963[3]), 138-9. -PLRE, Β΄, 178-9. -Ι. Καραγιαννόπουλος, Ιστορ. βυζ. κράτ., Α΄ (Θεσ/νίκη 1978, ανατ. 1991), 331. -Αικ. Χριστοφιλοπούλου, Βυζ. ιστορ., Α΄ (Θεσ/νίκη 1992[2]), 226. Επίσης: Κ. Παπαρρηγόπουλος, Ιστορ. Ελλην. Έθν., Δ΄ 1 (Αθήνα 1932[6]), 43, 103. -Τ. Λουγγής, στην ΙΕΕ 7 (1978), 138-9. -Α. Σαββίδης, Τα χρόνια σχηματοποίησης του Βυζαντίου (Αθήνα 1983), 121.

Α.Σ.

Αθηνών Δουκάτο - Μεγαλοκυράτο. Λατινικό κράτος της κεντρικής Ελλάδος με έδρα του την Αθήνα. Διατηρήθηκε για 250 χρόνια υπό τους αρχοντικούς οίκους των *Δελαρός* (Ντελαρός), ντε *Μπριέν* (Brienne) και *Ατζαγιόλι* (Acciaiuoli) από την εγκατάσταση στην Αθήνα του Όθωνα Α΄ Δελαρός (τέλη 1204 - αρχές 1205) έως την οθωμανική κατάκτηση του Μεγαλοκυράτου Αθηνών το 1456 (βλ. σχετικά Α. Σαββίδης, Η οθωμανική κατάκτηση της Θήβας και της Λεβάδειας, Αθήνα 1993, 35 εξ. - Ν. Νικολούδης, Νεότερες έρευνες για την οθωμ. κατάκτηση της Αθήνας, Αθηναϊκά 95-6, 1994, 100-6). Την περίοδο 1311-88 μεσολάβησε η καταλανική κυριαρχία (βλ. λ. *Αλμογάβαροι, Καταλανική Εταιρεία*). Οι ηγεμόνες (πβ. V. Grumel, Chronologie, Παρίσι 1958, 406-7):

1. Οθων Α΄ Δελαρός	1204/5-25
2. Γουΐδων Α΄ Δελαρός (Μέγας Κυρ, δουξ από το 1260)	1225-63
3. Ιωάννης Α΄ Δελαρός	1263-80
4. Γουλιέλμος Δελαρός	1280-7
5. Γουΐδων Β΄ Δελαρός	1287-1309
6. Βαλτέριος/Ουάλτερος ντε Μπριέν	1309-11
-------------------------	
7. Ρογήρος Δεφλόρ (Ντε Φλορ)	1311-12
8. Μαμφρέδος	1312-17
9. Γουλιέλμος	1317-38
10. Ιωάννης (μαρκίων Ρανδάτσου)	1338-48
11. Φρειδερίκος (Μαρκίων Ρανδάτσου)	1348-55
12. Φρειδερίκος Γ΄ Σικελίας	1355-77
13. Πέτρος Δ΄ Αραγωνίας	1377-87
14. Ιωάννης Α΄ Αραγωνίας	1387-8
------------------------------	
15. Νέριος Α΄ Ατζαγιόλι (δυνάστης)	1388-94
Βενετική κυριαρχία	1394-1402
16. Αντώνιος Α΄ Ατζαγιόλι	1402-35
17. Νέριος Β΄ Ατζαγιόλι	1435-9
18. Αντώνιος Β΄ Ατζαγιόλι	1439-41
Νέριος Β΄ (πάλι)	1441-51
19. Φραγκίσκος Ατζαγιόλι	1451-55/6
Οθωμανική κατάκτηση: ο Φραγκίσκος «κύρης Θηβών»	1456-60.

Α.Σ.

Αιγίδιος (Aegidius, 5ος αι., † 464). Στρατηγός του Δ. Ρωμαϊκού κράτους, διάδοχος του *Αέτιου* (του νικητή του *Αττίλα* το 451). Ήταν πολύ έμπιστος του αυτοκράτορα *Μαγιοριανού*, ο οποίος και τον τοποθέτησε αρχηγό των ρωμ. στρατευμάτων της Γαλατίας (magister militum per Gallias). Τόσο ο Α. στη Γαλατία, όσο και ο Μαρκελλίνος στη Δαλματία, πολιτεύτηκαν ως αυτόνομοι ή ημιαυτόνομοι άρχοντες απέναντι στην κεντρική διοίκηση της Ιταλίας, η δε πολιτική τους αυτή φαίνεται ότι συνετέλεσε στη σύντομη κατάρρευση του Δ. Ρωμαϊκού κράτους (476). Ο Α. έφτασε στο απόγειο της δύναμής του, όταν το 463 νίκησε τους *Βησιγότθους* κοντά στην Ορλεάνη. Στη μάχη μάλιστα αυτή οι τελευταίοι έχασαν και τον αρχηγό τους Φρειδερίκο. Η προσπάθεια του Α. να επεκταθεί σε βάρος βησιγοτθικών εδαφών ανακόπηκε ένα χρόνο αργότερα από τον αιφνίδιο θάνατό του (464), τον οποίο άλλες πηγές αποδίδουν σε δηλητηρίαση και άλλες σε δολοφονία. Τον Α. διαδέχτηκε ο γιός του *Συάγριος*, ο οποίος ως «Ρωμαίος βασιλιάς της Σουασσόν» (Soissons) συνέχισε την ίδια αυτονομιστική πολιτική του πατέρα του απέναντι στον αυτοκράτορα του Δ. Ρωμαϊκού κράτους μέχρι την ανατροπή του απ' τον ηγεμόνα των Φράγκων, *Κλόβη Α΄* - Χλωδοβίκο, το 486.

ΒΙΒΛ.: Πηγές: Πρίσκος, Υδάτιος, Μάρκος Αβεντικένσις, Φρεδεγάριος, Γρηγόριος Τουρ. Βλ. και E. Stein, Hist. du Bas - Empire, Α΄ 378 εξ., 381 εξ., 597 εξ. -J. Bury, Later Roman Empire, 395-565, Α΄ (ανατ. Ν. Υόρκη 1958), 331, 333, 346. -PLRE Β΄, 11-13. -CMH 1, 282, 298-9, 310, 424-5.

Π.Ν.

Αιδεσία (5ος αι.). Αλεξανδρινή φιλόσοφος από το γένος του Συριανού, σύζυγος του φιλοσόφου Ερμεία. Ήταν εξαιρετικά όμορφη με σπάνιες ψυχικές αρετές μεταξύ των γυναικών της Αλεξάνδρειας. Είχε χαρακτήρα που έμοιαζε περισσότερο με των ανδρών. Απλή και γενναία πάντοτε φρόντιζε για τη δικαιοσύνη και τους αδικημένους. Ιδιαίτερό της γνώρισμα η φιλανθρωπία. Χαρακτηριστικό είναι ότι, όταν πέθανε ο Ερμείας, συνέχισε τις ευεργεσίες βάζοντας ενέχυρο ακόμα και το μερίδιο των παιδιών της. Για όλα αυτά ήταν αγαπητή ακόμη και στους εχθρούς της. Παρόλα αυτά κατάφερε να κρατήσει, για τα παιδιά της τη σίτιση του πατέρα τους μέχρι να μεγαλώσουν, γεγονός μοναδικό μεταξύ των ανδρών και των γυναικών της Αλεξάνδρειας. Αργότερα επισκέφθηκε στην Αθήνα το φιλόσοφο *Πρόκλο*, στενό φίλο του Ερμεία και δικό της, συνοδευόμενη από τον αδελφό του Ιέρακα, Συνέσιο. Ο Πρόκλος δίδαξε τα παιδιά της Αι., Ηλιόδωρο και Αμμώνιο, φιλοσοφία. Ο Αμμώνιος ήταν έξυπνος και πολυμαθής σε αντίθεση με το νεότερο αδελφό του, Ηλιόδωρο, που ήταν επιπόλαιος. Όταν πέθανε η Αι., ο τελευταίος εκλεκτικός φιλόσοφος και σχολάρχης της Ακαδημίας του Πλάτωνα, *Δαμάσκιος*, εκφώνησε τον επικήδειο λόγο.

ΒΙΒΛ.: Λεξικόν Σούδας (Σουΐδα), CIG 1, 37. -ΕΛΗ 1, 782. -Φώτιος, Βιβλιοθήκη 341, s.v. Δαμάσκιος. -ΜΓΕ 4(1978). 132-3.

Σ.Μ.

Αιδέσιος. Όνομα 3 λογίων και φιλοσόφων του 4ου αι.

1. *Αι.* (τέλη 3ου - αρχές 4ου αι.). Νεοπλατωνικός φιλόσοφος, μαθητής του *Ιάμβλιχου*, ιδρυτή και διευθυντή της λεγόμενης Συριακής Σχολής των Νεοπλατωνικών, τον οποίο ο Αι. διαδέχτηκε μετά το θάνατό του στη διεύθυνση της σχολής (330 μ.Χ.). Όπως και οι υπόλοιποι μαθητές του Ιάμβλιχου, ο Αι. καταγινόταν περισσότερο με την αναβίωση της λατρείας της παλαιάς θρησκείας παρά με την φιλοσοφική θεωρία.

ΒΙΒΛ.: Eduard Zelle, Ιστορία της ελληνικής φιλοσοφίας, μετ. Χ. Θεοδωρίδης (Αθήνα 1969), 413. -Γιάννης Κορδάτος, Ιστορία της αρχαίας ελληνικής φιλοσοφίας (Αθήνα 1972), 519, 520. -ΕΛΗ 1, 782.

2. *Αι.* ο Τύριος (4ος αι.). Νεότερος αδελφός του *Φρουμέντιου*, ιεραπόστολου και πρώτου επισκόπου της Αιθιοπίας. Κατά την επιστροφή τους από την Ινδία, όπου τα δυο αδέλφια είχαν συνοδέψει το θείο τους, φιλόσοφο Μερόπιο, από την Τύρο της Φοινίκης, εξώκειλαν στις ανατολικές ακτές της Αφρικής (330 μ.Χ.). Συνελήφθησαν από τους ιθαγενείς και οδηγήθηκαν στην πρωτεύουσα Αξούμ της Αιθιοπίας, ως δώρο στο βασιλιά, στου οποίου την αυλή παρέμειναν περί τα 25 χρόνια. Κατάφεραν με τις γνώσεις τους και με το ιεραποστολικό ζήλο του Χριστιανισμού να τους επιτραπεί να κηρύξουν το Χριστιανισμό στους ιθαγενείς. Έτσι δημιουργήθηκε μια πλατιά χριστιανική κοινότητα, που αργότερα ανέλαβε να την καθοδηγεί ο Φρουμέντιος, αφού χειροτονήθηκε από τον πατριάρχη Αλεξανδρείας *Αθανάσιο Α΄*, ως πρώτος επίσκοπος Αιθιοπίας. Στην αυλή παρέμειναν και μετά το θάνατο του βασιλιά ως παιδαγωγοί του διαδόχου, Αϊζανά. Αργότερα ο Αι. επέ-

στρεψε στην πατρίδα του Τύρο όπου και χειροτονήθηκε ιερέας. Στην Τύρο γνώρισε και το λατίνο συγγραφέα *Ρουφίνο*, ο οποίος αναφέρει στο έργο του τις περιγραφές του Αι.

ΒΙΒΛ.: Σωζομενός, Εκκλ. ιστορ., έκδ. Hussey, 2, 24. -PG 67, 996-1000. -Φιλάρετος Βαφείδης, Εκκλ. ιστορ., Α΄ (Κων/πολη 1884), 155. - Β. Στεφανίδης, Εκκλ. ιστορ. (Αθήνα 1978[4]), 274. -ΘΗΕ 1, 1010. -ΕΛΗ 1, 782. -A. Dihle, Frumentios und Ezana, Umstrittene Daten. Untersuchungen zum Auftreten der Griechen am Roten Meer (Κολωνία - Οπλάντεν 1965), 36-64. -ΜΓΕ 4(1978), 133.

3. *Αι.* ο Καππαδόκης (4ος αι., † 355). Νεοπλατωνικός φιλόσοφος, ταξίδεψε αρχικά στην Αθήνα, όπου μυήθηκε στο Νεοπλατωνισμό. Αργότερα πήγε στη Συρία κοντά στο φιλόσοφο *Ιάμβλιχο*, όπου και έμεινε αρκετά χρόνια ως μαθητής του, ενώ μετά το θάνατο του τελευταίου, ο Αι. ίδρυσε στην Πέργαμο φιλοσοφική σχολή. Στη σχολή αυτή μαθήτευσε και ο μετέπειτα αυτοκράτορας *Ιουλιανός*, που έμεινε παγκόσμια γνωστός για τις προσπάθειές του απομάκρυνσης από το Χριστιανισμό και επαναφοράς στην ειδωλολατρεία. Δάσκαλοι του Ιουλιανού υπήρξαν οι μαθητές του Αι., Ευσέβιος Μύνδιος και Χρυσάνθιος Σαρδιανός, ενώ στα νεοπλατωνικά μυστήρια μυήθηκε από το φιλόσοφο Μάξιμο τον Εφέσιο. Ο Αι. πέθανε το 355 μ.Χ. και το βίο του έγραψε ο *Ευνάπιος*.

ΒΙΒΛ.: Ιστορία της ελληνικής λογοτεχνίας, έκδ. Ακαδημίας Επιστημών ΕΣΣΔ, μετ. Δ. Μπιτζιλέκη, 3 (Αθήνα 1961), 626. -Eduard Zeller, Ιστορία της ελληνικής φιλοσοφίας, μετ. Χ. Θεοδωρίδης (Αθήνα 1969), 414. -Γιάννης Κορδάτος, Ιστορία της αρχαίας ελληνικής φιλοσοφίας (Αθήνα 1972), 520. -Πολύμνια Αθανασιάδη-Fowden, ΙΕΕ 7, 53. -ΕΛΗ 1, 782. - ΕΛΕ 1, 501. -Ευνάπιος, Βίοι φιλοσόφων και ιστορικών, έκδ. Boissonade, 1 (΄Αμστερνταμ 1822). -ΘΗΕ 1, 1010. -ΜΓΕ 4 (1978), 133. - Ν. Πολίτης, Η φιλοσοφία εις το Βυζάντιο, Α΄:Α΄ - ΣΤ΄ αιώνες (Αθήνα 1992), 196.

Σ.Μ.

Αϊδινίου Εμιράτο. Ιδρύθηκε από την Τουρκομανική δυναστεία των Αϊδίνογλου, που κυριάρχησε στην περιοχή της Σμύρνης, στη Δ. Μικρά Ασία. Έδρα του εμιράτου ήταν η πόλη του Αϋδίν, κοντά στις αρχαίες Τράλλεις. Ιδρυτής του υπήρξε ο Μεχμέτ Μπέης Αϊδίνογλου (1308-34). Η εξουσία του τελευταίου συμπεριέλαβε περιοχές όπως το Πυργίο (Μπιργκί), την Έφεσο (Αγιασολούκ), τη Σμύρνη (Ίζμιρ) κ.ά. πόλεις. Αρχικά το Ε. του

Α., όπως και τα άλλα εμιράτα της Δ. Μικράς Ασίας, ήταν υποτελές στο εμιράτο τού *Γκερμιγιάν* (κεντροδυτική Μ. Ασία). Εκείνα, όμως, αναπτύχθηκαν γρηγορότερα από το Γκερμιγιάν. Στην ανάπτυξή τους αυτή συνέβαλε από τη μια ο πόλεμος ανάμεσα στα εμιράτα του *Καραμάν* και Γκερμιγιάν για την ηγεμονία στην περιοχή, και από την άλλη η θέση τους κατά μήκος των βυζ. συνόρων, από όπου οι Τουρκομάνοι των εμιράτων αυτών, και συγκεκριμένα του Αϊδινίου, μπορούσαν εύκολα να οργανώνουν επιδρομές λεηλασίας («ραζζίες») στα αυτοκρατορικά εδάφη. Την επέκταση και εδραίωση του εμιράτου οι Βυζαντινοί ιστοριογράφοι της εποχής αποδίδουν, σε μεγάλο βαθμό, στην αδιάφορη πολιτική των βυζαντινών αυτοκρατόρων απέναντι στην Μ. Ασία, και ιδιαίτερα του *Μιχαήλ Η΄ Παλαιολόγου*.

Σημαντικότερος ηγεμόνας του υπήρξε ο *Ομούρ Μπέης* (1334-48), γιός και διάδοχος του Μεχμέτ. Ο Ομούρ παγίωσε τις κτήσεις του πατέρα του και δημιούργησε ισχυρό στόλο. Την εποχή του παρατηρείται ακμή του εμιράτου στο Μεσογειακό εμπόριο, πράγμα που συνέβαλε και στην ανάπτυξη της παραγωγής και των εσωτερικών οικονομικών σχέσεων στο εμιράτο. Με το στόλο του ο Ομούρ οργάνωσε ληστρικές εκστρατείες στα νησιά του Αιγαίου, στις ακτές της κυρίως Ελλάδος και της Πελοποννήσου, καθώς επίσης και στις παραλίες του Εύξεινου Πόντου, συμμετείχε δε, κατά πληροφορία του *Γρηγορά*, ενεργά, από τις αρχές της δεκαετίας του 1330, στην πειρατεία και στο δουλεμπόριο της περιοχής. Από τη δραστηριότητα αυτή θίγονταν τα εμπορικά συμφέροντα των Λατίνων και ιδιαίτερα της Βενετίας. Η πάλη με τους Λατίνους αποδυνάμωσε το εμιράτο. Το 1332 συνάφθηκε αντιτουρκική συμμαχία. Ο πάπας *Κλήμης ΣΤ΄* με συμμετοχή της Βενετίας, της Γένουας και των *Λουζινιανών* της Κύπρου, οργάνωσε σταυροφορία κατά του Ε. του Α. Τον Οκτ. 1334 και ενώ ο Ομούρ απουσίαζε σε εκστρατεία στη Βαλκανική, οι σταυροφόροι κατέλαβαν τη Σμύρνη. Η κατάληψη της πόλης, που σήμαινε ουσιαστικά και την ήττα του Ομούρ, τον ανάγκασε να επιστρέψει. Τον Μάιο του 1348 ο Ομούρ σκοτώθηκε στη διάρκεια επιχειρήσεών του κατά των Δ. σταυροφόρων. Κατά τη διάρκεια της ηγεμονίας του Ομούρ το εμιράτο διεύρυνε το πεδίο της πολεμικής του δραστηριότητας, εκμεταλλευόμενο κάθε εσωτερική πολιτική και εξωτερική δυσκολία των Βυζαντινών. Ιδιαίτερα καθαρά η τάση αυτή ανάπτυξης της τουρκικής επέκτασης, εκδηλώθηκε στις πρώτες 10ετίες του 14ου αι. - χρόνια πάλης των Βυζαντινών κατά των Βουλγάρων και των Σέρβων κατακτητών καθώς και εμφυλίων πολέμων στην Αυτοκρατορία. Την εποχή, ακριβώς, της διαμάχης των δύο Ανδρονίκων (Β΄ και Γ΄), αρχίζει η πολιτική συμμαχίας του Ανδρόνικου Γ΄ και του *Ιωάννη ΣΤ΄ Καντακουζηνού* με τους Τουρκομάνους του Αϊδινίου. Τους δύο συμμάχους ένωσε ο φόβος τόσο απέναντι στην ανερχόμενη ασιατική δύναμη, τους *Οθωμανούς*, όσο και απέναντι στους Λατίνους. Το Βυζάντιο ήθελε με τη βοήθεια του Αϊδινίου να εδραιώσει τις θέσεις του στη θάλασσα. Με την συμβολή του Ομούρ ξανακερδίζει τη Λέσβο, την οποία είχε κυριεύσει η Γένουα, καθώς και τη Φώκαια. Οι Τουρκομάνοι του Αϊδινίου παίρνουν μέρος στις Δ. εκστρατείες του Βυζαντίου κατά των εξεγερμένων Αλβανών το 1337. Αποτέλεσμα της εκστρατείας αυτής ήταν να επανακτήσουν οι Βυζαντινοί το αυτόνομο κράτος («Δεσποτάτο») της Ηπείρου, που από το 1204 είχε ξεκοπεί από την Αυτοκρατορία. Οι Τουρκομάνοι του Αϊδινίου αναμειγνύονται ενεργά στις βυζαντινές υποθέσεις κατά τον Β΄ εμφύλιο πόλεμο. Από το 1342 ο Ομούρ παρέχει σταθερά βοήθεια στον Ιωάννη (ΣΤ΄) Καντακουζηνό. Μετά από την ατυχή πολιορκία της Θεσσαλονίκης, ο Καντακουζηνός ξεκίνησε με τη βοήθεια του Ομούρ την κατάκτηση της Θράκης. Στις αρχές του 1343 ο Ομούρ εισέρχεται στο Διδυμότειχο και ερημώνει θρακικές περιοχές. Διοργανώνει εκστρατεία στη Ροδόπη κατά του Βούλγαρου τοπάρχη *Μομτσίλου* και το 1345 τον νικά. Χάρη στον Ομούρ ο Καντακουζηνός εξασφάλισε την υπεροχή του μέχρι το καλοκαίρι του 1345, απέναντι στους πολιτικούς του αντιπάλους.

Ο διάδοχος του Ομούρ και αδελφός του, *Χιδίρ (Χιζίρ) Μπέης*, υπέγραψε τον Οκτ. του 1348 συνθήκη ειρήνης με την «Αγία Ένωση» των σταυροφόρων. Με τη συνθήκη αυτή τα σταυροφορικά λατινικά κράτη της Ανατολής αποκτούν εμπορικά προνόμια σε βάρος του Αϊδινίου. Έτσι, αρχίζει το στάδιο της παρακμής του εμιράτου, που βαθμιαία περνά στην σφαίρα της οθωμανικής επιρροής. Το 1390 ο σουλτάνος *Βαγιαζίτ Α΄* κατέλαβε προσωρινά το εμιράτο. Το 1402, μετά τη μάχη της Άγκυρας, ο Μογγόλος ηγεμόνας *Ταμερλάνος* απέδωσε στο Ε. του Α. την ανεξαρτησία του, για να το προσαρτήσει οριστικά πλέον στο οθωμανικό σουλτανάτο ο *Μουράτ Β΄* το 1425/6. Τελευταίος ηγεμόνας του εμιράτου υπήρξε ο Τζουναΐντ (1405-25), που συνελήφθη και εκτελέστηκε από τον Μουράτ Β΄ λόγω της ανάμειξής του στις εσωτερικές διαμάχες της οθωμανικής δυναστείας.

ΒΙΒΛ.: Cl. Huart, EI[1]. -Irène Mélikoff, EI[2] (Aydin-oghlu). -Barbara Flemming, LM 1, στήλ. 1313. -I. Mélikoff (-Sayar), Le Destan d' Umur Pacha, έκδ. -γαλλ. μετ. του Düsturname του Ενβερί (Παρίσι 1954). -P. Lemerle, L' Emirat d' Aydin... Recherches sur la Geste d' Umur Pacha (Παρίσι 1957). -E. Zachariadou, Trade and Crusade. Venetian Crete and the Emirates of Menteshe and Aydin 1300-1415 (Βενετία 1983). -G. Ostrogorsky, Ιστορ. βυζ. κρ., Γ΄ (Αθήνα 1981), 213 εξ., 216. Βλ. επίσης τα κείμ. των Γρηγορά και Ιωάννη (ΣΤ΄) Καντακουζηνού και τις παραπομπές στο εγχειρίδιο του D. Nicol, The Last Centuries of Byzantium... (Καίμπριτζ 1993[2]). Τέλος πβ. τα λ. *Ενβερί, Ομούρ Μπέης και Χιδίρ Μπέης*.

Ε.Μ.

Αιθερία ή **Εγερία** και Ευχερία (τέλη 4ου - 1ο μισό 5ου αι.). Μοναχή από τη ρωμαϊκή αριστοκρατία. Καταγόταν από τη Ν. Γαλλία ή την Ισπανία, το πιθανότερο. Ταξίδεψε στο τέλος του 4ου ή στις αρχές του 5ου μ.Χ. αι. στους Αγίους Τόπους. Σ' αυτήν αποδίδεται το γραμμένο στα λατινικά και σε τύπο επιστολής «οδοιπορικό» στους Αγίους Τόπους (Peregrinatio ad Loca Sancta). Δυστυχώς σώζεται ακέφαλο και κολοβό. Οι περιγραφές της Αι. μας δίδουν σπουδαίες και πολύτιμες πληροφορίες για την τοπογραφία και την μορφολογία των χριστιανικών μνημείων της Αγίας Πόλης και ιδιαίτερα του συγκροτήματος του Παναγίου Τάφου. Ταυτόχρονα παρουσιάζει μιά σαφή εικόνα των τουριστικών υπηρεσιών που προσφέρονταν την εποχή αυτή.

Όμως τα σημαντικότερα στοιχεία που μας διέσωσε η Αι. με την φιλοπερίεργη διάθεσή της είναι οι περιγραφές της διαδικασίας και της εκτέλεσης των ιερών Τελετών σε διάφορες εκκλησίες και μοναστήρια, ώστε να μπορούμε σήμερα να κάνουμε τις απαραίτητες συγκρίσεις ως προς την εξέλιξή τους.

ΒΙΒΛ.: PL 87, 421. -Alberto Vaccari, Enciclopedia Cattolica 5, 133-6. F. Wotke, RE suppl. VII, 875-85. -K. Meister, De itinerario Aetheriae abbatissae perperam nomini S. Silviae addicto, Rheinisches Museum für Philologie 64 (Βόννη 1909), 337-92. -Étherie, Journal de voyage, έκδ. Hél. Pétré (Παρίσι 1971). -H. Leclercq, DACL 14(1939), 65-176 στο λήμμα «Pelerinages aux lieux saints». -Herbert Hunger, Βυζαντινή Λογοτεχνία, ελλην. μετ., Α΄ (Αθήνα 1991[2]), 374-5. -ΘΗΕ 1, 1015. -Σε ελληνική μετάφραση μέρος του περιηγητικού: Κ. Καλοκύρης, Πηγαί της Χριστιανικής Αρχαιολογίας (Θεσσαλονίκη 1975), 446-63. -LTK 1[2], 997. -Hél. Pétré - K. Vretska Die Pilgerreise der Aetheria (1958). -H. Kraft - B. Köttig, LM 1, στήλ. 191-2. -Karayannopoulos - Weiss, 248.

Σ.Μ.

Αιθέριος († 566). «Κουράτωρ της βασιλικής οικίας» του *Ιουστινιανού Α΄* το 540-62 και συγκλητικός το 563-6. Ραδιούργος και πολύ φιλόδοξος κατόρθωσε με δολοπλοκίες να γίνει κύριος μεγάλης περιουσίας. Συνωμότησε κατά της ζωής του *Ιουστίνου Β΄* με τον *Αδδαίο* αλλά τελικά συνελήφθη και εκτελέστηκε (Αδ. Αδαμαντίου, ΜΕΕ 2, 651. -πβ. λ. *Αδδαίος*).

Φ.Β.

Αιθέριος (τέλη 5ου - αρχές 6ου αι.). Αρχιτέκτονας και μηχανικός. Πολύπειρος κατά την Ελλην. Ανθολογία και τον Κεδρηνό. Σ' αυτόν αναφέρεται ότι ανέθεσε ο αυτοκράτορας *Αναστάσιος Α΄* την ανέγερση του κτιρίου της λεγόμενης Χαλκής Στοάς μετά το κάψιμό της κατά τη διάρκεια των Ισαυρικών πολέμων. Χαλκή ονομάζετο η μεγάλη είσοδος του Ιερού Παλατιού που είχε κτίσει ο *Κωνσταντίνος Α΄* και βρισκόταν στην Ν. στυλοστοιχία του Αυγουσταίου. Το όνομά της το οφείλει στην στέγαση του τρούλλου της με χαλκοκέραμους επιχρυσωμένους. Την τρουλλαία είσοδο συμπλήρωναν ορθογωνικές κλειστές στυλοστοιχίες σε σχήμα τετραγώνου. Λόγω του μεγέθους του συγκροτήματος αναφέρεται και σαν Παλάτιο της Χαλκής, ακόμη ως Χαλκή του Ιππικού, επειδή γειτονεύει με τον Ιππόδρομο. Στον Τρίκλινο της Χαλκής τοποθετούσαν, όταν πέθαινε, την σωρό του αυτοκράτορα για λαϊκό προσκύνημα. Το κτίριο του Αι. καταστράφηκε και πάλι κατά τη γνωστή Στάση του Νίκα και ξανακτίστηκε από τον *Ιουστινιανό Α΄* μετά το 532.

ΒΙΒΛ.: Κεδρηνός, CS, Α΄, 563. -Anthologia Graeca, 9, 656, στ. 6-8, 19-20. -PLRE, Β΄, 19. -Σκαρλάτου του Βυζαντίου, Η Κωνσταντινούπολις, Α΄ (Αθήνα 1851), 190-1. -Αριστείδης Πασαδαίος, Η Πόλη του Βοσπόρου, (Αθήνα 1981), 30-1. -Κ. Πορφυρογέννητου, Εκθεσις 276, 2. -Αλ. Πασπάτης, Τα βυζαντινά ανάκτορα και τα πέριξ αυτών ιδρύματα (Αθήνα 1885). C. Mango, The Brazen House (Κοπεγχάγη 1959), 26,30.

Σ.Μ.

Αίθικος ο Ίστριος (5ος -6ος αι.). Χριστιανός συγγραφέας από την Ιστρία (Ιλλυρικό, Β. Δαλματία). Αντιστρατεύτηκε μαχητικά τις ειδωλολατρικές θεωρίες και έγραψε το γεωγραφικό έργο «Κοσμογραφία», που είναι βασισμένο στους Ιούλιο Ονώριο και Παύλο *Ορόσιο* (επομένως όχι προγενέστερο του 5ου αι). Παρά τις ελλείψεις και τα σφάλματά του το έργο παρέχει χρήσιμα στοιχεία για τους λαούς της Β. Ευρώπης. Εκφράζεται άποψη που ανάγει το έργο στον 7ο αι., ο δε Γερμανός φιλόσοφος Petersen το θεώρησε διασκευή ή επιτομή του «Descriptio Orbis Terrarum» του Ρωμαίου αυτοκράτορα Οκταβιανού Αυγούστου.

ΒΙΒΛ.: Εκδ. διασκευής (δεν σώζεται το πρωτότυπο) D' Avézac, Ethicus et les ouvrages cosmographiques (Παρίσι 1852). -Riese, Geographi Latini Minores, 71 εξ. Για την ατελή λατιν. επιτομή με ελλην. περίλ. βλ. Wuttke (Λειψία 1853). Γραμματολ.: Αδ. Αδαμαντίου, ΜΕΕ 2, 657. -PLRE Β΄, 19. -ΜΓΕ 4(1978), 163-4. -G. Bernt, LM 1, 192, όπου άλλη βιβλιογρ. -A. Kazhdan, ODB, 29-30.

Φ.Β.

Αικατερίνη Αγία (β΄ μισό 3ου - αρχές 4ου αι., † 305, εορ. 25 Νοεμ.) Οσιομάρτυς. Σύμφωνα με το μαρτυρολόγιο του *Συμεών Μεταφραστή* (12ου αι.), γεννήθηκε στην Αλεξάνδρεια το β΄ μισό του 3ου αι. και ήταν κόρη του άρχοντα της Αλεξάνδρειας, Κώνστα (ή Κέστου). Διακρινόταν για την σπάνια σοφία και ωραιότητά της. Σπούδασε φιλοσοφία, ρητορική, ελληνική και λατινική φιλολογία κι έγινε η πιο καλλιεργημένη γυναίκα της εποχής της. Με διαταγή του αυτοκράτορα *Μαξιμίνου* συζήτησε περί πίστεως με πενήντα εθνικούς φιλοσόφους και όχι μόνο τους κατατρόπωσε, αλλά κατάφερε να τους εκχριστιανίσει. Διώχθηκε από το Μαξιμίνο, αλλά με σταθερότητα αντιμετώπιζε τις απειλές του, ώσπου τελικά την αποκεφάλισαν στις 24/25 Νοεμ. 305. Τα λείψανα της αγίας ανακαλύφθηκαν στο όρος Χωρήβ από Αιγύπτιους Χριστιανούς και μεταφέρθηκαν στην ιερά μονή του Σινά, που είχε ιδρύσει ο *Ιουστινιανός Α΄* και από τότε ονομάστηκε Μονή Αγίας Αικατερίνης. Στη Δύση και στην Ανατολή απολάμβανε και απολαμβάνει μεγάλες τιμές. Μάλιστα στη Δύση θεωρείται η προστάτιδα της σπουδάζουσας νεολαίας και της φιλοσοφίας. Σύμφωνα με μια παράδοση υπάρχει σύγχυση της Αγίας Αικατερίνης με την Αλεξανδρινή νεοπλατωνική φιλόσοφο *Υπατία*. Σ' αυτό συντελεί η μόρφωση των δύο, ο κοινός τόπος καταγωγής τους και το γεγονός ότι ο θάνατος της Υπατίας υπήρξε μαρτυρικός, όπως και της Αγίας Αικατερίνης.

ΒΙΒΛ.: Συμεών Μεταφρ. PG 116, 273 εξ. -D. Hardwick, An Historical Inquiry touching St. Catherina of Alexandria (Καίμπριτζ 1849). -Kunst - Geschichte der Legenden der hl. Katharina von Alexandreia und der hl. Maria von Aegypten (Χάλλε 1890). -AB 41, 357-68. -ΜΕΕ 2, 682-3. -Ι.Σ. Ράμφος και Χρ. Μ. Ενισλείδης, ΘΗΕ 1, στήλ. 1035-9. -Γ. Μουστάκης, ΜΓΕ 4, 192. Το παλαιό έργο του J. Viteau, Passions des Saints Écaterine et Pierre d' Alexandrie, Barbara et Anysia... (Παρίσι 1897) κατέκρινε σε βιβλιοκριτικό του σημείωμα ο Κ. Κρουμβάχερ, BZ 7 (1898), 480-3.

Γ.Μ.

Αικατερίνη Βουλγαρίας (c. 1010, † μετά το 1063). Αυτοκράτειρα του Βυζαντίου από την 1η Σεπτ. 1057. Βουλγάρα πριγκίπισσα, μια από τις 6 κόρες του τελευταίου τσάρου του οίκου των Κομητοπούλων (βλ.λ. *Ααρών* Κομητόπουλος), Ιβάν *Βλαδισλάβ* (1015-18), και της τσαρίνας Μαρίας. Μετά την ενσωμάτωση της Βουλγαρίας από τον *Βασίλειο Β΄* «Βουλγαροκτόνο» το 1018 η Αι. αιχμαλωτίστηκε και μεταφέρθηκε στο Βυζάντιο, όπου, περί το 1025 παντρεύτηκε τον *Ισαάκιο (Α΄) Κομνηνό*, αυτοκράτορα από την 1η Σεπτ. 1057 (J. Shepard, Issac Comnenus' Coronation Day, BSl 38, 1977, 22 εξ.). Υπήρξε όμορφη και δραστήρια και διακρίθηκε στον τομέα της φιλανθρωπίας. Ο μοναδικός γιός της, Μανουήλ, πέθανε νέος περί το 1057 και, όταν παρουσιάστηκε οξύ το πρόβλημα της διαδοχής το 1059, ήλθε σε διάσταση με τον Μιχαήλ *Ψελλό*, ο οποίος είχε πείσει τον άρρωστο Ισαάκιο Α΄ να αποσυρθεί στη μονή Στουδίου (τέλη 1059). Τελικά η συμβουλή της Αι. να επιλεγεί για διάδοχος ο πλέον αφοσιωμένος άνθρωπος του αυλικού περιβάλλοντος καρποφόρησε με την άνοδο στο θρόνο του *Κωνσταντίνου Ι΄ Δούκα* (24 Νοε.), ο οποίος διατήρησε (άγνωστο για πόσο διάστημα) την Αι. ως «αυγούστα». Τελικά η Αι. μιμήθηκε το σύζυγό της και αποσύρθηκε με την κόρη της, Μαρία, στη μονή Μυρελαίου, όπου εκάρη μοναχή με το όνομα Ξένη (κατά τον Γλυκά). Ζούσε ακόμη το 1063 και όταν πέθανε την έθαψαν δίπλα στον σύζυγό της στη μονή Στουδίου.

ΒΙΒΛ.: Πηγές: Σκυλίτζης, CF, 492 = Κεδρηνός, CS, Β΄, 628. -Συνεχ. Σκυλίτζη, έκδ. Τσολάκης, 103, 108 εξ. -Ζωναράς, CS, Γ΄ 603-4. -Βρυέννιος, CF, 77 και 366 (επιτάφιος Θεόδ. Προδρόμου). -Ιωήλ, CS, 64. -Ψελλός, Χρονογρ., έκδ. Renault, Β΄, 132 εξ., 137. -Ψελλός, Επιστ., ΜΒ 5(1876), 356 εξ. -Ψελλός, Επαναγνωστικόν, έκδ. G. Weiss, Βυζ 2(1970), 377. Πρβλ. Ch. Diehl, L' Evangéliaire de l' Imperatrice Catherine Comnène, Comptes Rendus de l' Académie des Inscriptions et Belles Lettres (1922), 243-8. -Κ. Άμαντος, Ιστ. βυζ. κρ., Β΄ (Αθήνα 1977^2), 209 σημ. 2-3. -Κ. Βαρζός, ΜΓΕ 4 (1978), 193. -του ιδ., Γενεαλογία Κομνηνών, Α΄ (Θεσ/νίκη 1984), 26-7, 41 σημ. 4-6, 44-7, 58. -J.-Cl. Cheynet, Pouvoir et contestations à Byzance, 963-1210 (Παρίσι 1990), 71, 345.

Α.Σ.

Αικατερίνη ντε Κουρτεναί († 1308). Κόρη του *Φιλίππου ντε Κουρτεναί* και της Βεατρίκης-Αγνής και εγγονή του *Βαλδουΐνου Β΄*, τελευταίου Λατίνου αυτοκράτορα της Κων/πολης. Μετά το θάνατο του πατέρα της (1283) την θεωρούσαν ως τιτουλάρια αυτοκράτειρα της Κων/πολης, γεγονός που την κατέστησε επικίνδυνο όπλο στα χέρια των Δ. εχθρών του Βυζαντίου, οι οποίοι επιθυμούσαν την αποκατάσταση της *Λατινικής Αυτοκρατορίας*. Για το λόγο αυτό ο *Ανδρόνικος Β΄ Παλαιολόγος* επιμόνως θέλησε να παντρέψει τον γιό και διάδοχο του *Μιχαήλ (Θ΄)* με την Λατίνη πριγκίπισσα και, με αυτό τον τρόπο, να εξουδετερώσει την απειλή που προερχόταν από την Δύση. Οι διαπραγματεύσεις γι' αυτό το γάμο διήρκεσαν περίπου έξη χρόνια, από το 1288 έως το 1294, αλλά χωρίς αποτελέσματα. Τελικά ο *Κάρολος ντε Βαλουά*, αδελφός του Γάλλου βασιλιά, *Φιλίππου του Ωραίου*, που το 1299 έχασε την πρώτη σύζυγο του Μαργαρίτα, παντρεύτηκε τον Ιαν. του 1301 την Αι. Τα μεγάλα σχέδια του Κάρολου ντε Βαλουά εναντίον του Βυζαντίου δεν μπόρεσαν να πραγματοποιηθούν επειδή, μεταξύ άλλων, η Αι. το 1308 πέθανε πρόωρα. Το δικαίωμα της τιτουλάριας αυτοκράτειρας της Κων/πολης μεταβιβάστηκε στην κόρη της *Αικατερίνη ντε Βαλουά*, η οποία τότε βρισκόταν ακόμα σε παιδική ηλικία.

ΒΙΒΛ.: Πηγές: Παχυμέρης, CS, Β΄, 153 εξ. -Γρηγοράς, CS, Α΄, 193. Βοηθήματα: G. Bratianu, Notes sur le projet de mariage entre l' empereur Michel IX Paléologue et Catherine de Courtenay, RESEE 1 (1924), 59 εξ. -A. Laiou, Constantinople and the Latins. The Foreign policy of Andronicus II, 1282-1328 (Καίμπριτζ Μασσ. 1972), 48 εξ. -D. Nicol, The Despotate of Epiros, 1267-1479. A contribution to the history of Greece in the Middle Ages (Καίμπριτζ 1984), 33 εξ. (και ελλην. μετάφρ., Αθήνα 1991). -PLP 1(1976), αρ. 444.

P.P.

Αικατερίνη ντε Βαλουά († 1346). Κόρη του Καρόλου ντε *Βαλουά*, αδελφού του Γάλλου βασιλιά, Φιλίππου του Ωραίου, και της *Αικατερίνης ντε Κουρτεναί*. Γεννήθηκε στην αρχή του 14ου αι. και σε παιδική ηλικία έγινε τιτουλάρια αυτοκράτειρα της Κων/πολης, μετά το θάνατο της μητέρας της (1308), η οποία ήταν εγγονή του τελευταίου Λατίνου αυτοκράτορα, *Βαλδουΐνου Β΄*. Λόγω του ότι ήταν ελκυστική νύφη, ο *Ανδρόνικος Β΄ Παλαιολόγος* προσπάθησε να την παντρέψει με έναν από τους βυζ. πρίγκιπες (ίσως τον γιο του Δημήτριο, ή τους γιούς του *Μιχαήλ Θ΄, Ανδρόνικο (Γ΄)* ή τον *Μανουήλ*) περί το 1311, αλλά χωρίς αποτέλεσμα. Τελικά, ο *Φίλιππος του Τάραντα*, μεγάλος εχθρός του Βυζαντίου, που είχε όλα τα δικαιώματα του οίκου *Ανζού* στη Ρωμανία, το 1309 διέλυσε το γάμο του με τη *Θάμαρ* της Ηπείρου και στις 6 Απρ. 1313 παντρεύτηκε με την Αικατερίνη ντε Βαλουά. Από αυτό το γάμο προήλθαν τα παιδιά Ροβέρτος, Φίλιππος και Μαργαρίτα. Μετά το θάνατο του συζύγου της, Φίλιππου του Τάραντα (26 Δεκ. 1331), η Αι. έπαιξε μεγάλο πολιτικό ρόλο ως επίτροπος του ανήλικου γιού της Ροβέρτου. Έτσι, μεταξύ άλλων, επενέβη στα γεγονότα που ακολούθησαν ύστερα από την βυζ. κατάκτηση της Ηπείρου και υποστήριξε την επανάσταση υπέρ του εκθρονισμένου «δεσπότη» *Νικηφόρου Β΄*, τον οποίο σκόπευε να παντρέψει με μιά από τις κόρες της. Όταν την περίοδο 1339-41 η Αι. βρισκόταν στο Μορέα, οι Ανδρόνικος Γ΄ Παλαιολόγος και *Ιωάννης ΣΤ΄ Καντακουζηνός* με εκστρατεία ματαίωσαν αυτά τα φιλόδοξα σχέδια της Αι. και επέστρεψαν στην Ήπειρο.

ΒΙΒΛ.: Πηγές: Γρηγοράς, CS, Α΄, 546. -Καντακουζηνός, CS, Α΄, 503 εξ. AAlb, Α΄, No 763, 226-7. Βοηθήματα: K. Setton, Catalan Domination of Athens, 1311-88 (Καίμπριτζ Μασσ. 1975²), 32 εξ. -A. Laiou, Constantinople and the Latins. The foreign policy of Andronicus II, 1282-1328 (Καίμπριτζ Μασσ. 1972), 201 εξ. -D. Nicol, The Despotate of Epiros, 1267-1479. A contribution to the history of Greece in the Middle Ages (Καίμπριτζ 1984), 81 εξ. (και ελλην. μετ., Αθήνα 1991).

P.P.

Αικατερίνη. Όνομα 2 Γενουατισσών αρχοντισσών που παντρεύτηκαν επιφανή μέλη της οικογένειας των *Παλαιολόγων* κατά τον 15ο αι.

1. *Αι. Γκαττιλούσιο* (Γατελούζου) († 1442). Κόρη του Γενοβέζου άρχοντα της Λέσβου, Ντορίνο Α΄ *Γκαττιλούσιο*, και 2η σύζυγος του δεσπότη του Μορέως (Μυστρά), Κωνσταντίνου Παλαιολόγου, του μετέπειτα αυτοκράτορα *Κωνσταντίνου ΙΒ΄*. Πέθανε από πρόωρο τοκετό που προκλήθηκε από τη μεγάλη της ταραχή κατά τη διάρκεια της σύγκρουσης του στόλου του συζύγου της με τους Οθωμανούς Τούρκους που πολιορκούσαν τη Λήμνο (1442).

   ΒΙΒΛ.: Οι πηγές στη μονογραφ. του D. Zakythinos, Le Despotat Grec de Morée, Α΄ (Παρίσι 1932, ανατ. 1975: VR). Επίσης Σπ. Λάμπρος, Ο Κων/νος Παλαιολόγος ως σύζυγος, ΝΕ 4(1907), 427 εξ. -Αδ. Αδαμαντίου, ΜΕΕ 2, 690. -D. Nicol, Last Centuries of Byzantium, 1261-1453 (Λονδίνο 1972), 393. -S. Runciman, Άλωσις Κων/πόλεως (Αθήνα 1979), 105. -του ιδ., Mistra. Byz. Capital of the Peloponnese (Λονδίνο 1980), 75-6 και πίν. 154-5 (και ελλην. μετ., Αθήνα 1986). -CMH 4/1(1966), 797, πίν. αρ. 9. -Χρύσα Μαλτέζου, στην ΙΕΕ 9(1979), 288.

2. *Αι. Ζακκαρία-Ασενίνα* († 1462). Κόρη του τελευταίου Γενουάτη πρίγκιπα-ηγεμόνα της Αχαΐας, Κεντυρίωνα (Τσεντουριόνε) Β΄ *Ζακκαρία* (Ν. Καλομενόπουλος, ΜΕΕ 11, 924), ο οποίος έχασε τις κτήσεις του στην Πελοπόννησο από τους Παλαιολόγους του Δεσποτάτου του Μορέως. Το 1429 του είχε απομείνει μόνο η βαρωνία της Αρκαδίας και αποφάσισε να κάνει συμφωνία με ένα από τους 3 δεσπότες του Μυστρά, τον *Θωμά Παλαιολόγο*, για να την κρατήσει, παραχωρώντας του όλα του τα δικαιώματα στην Πελοπόννησο καθώς και το χέρι

της κόρης του, Αι. Ο γάμος έγινε στις αρχές (πιθανώς άνοιξη) του 1430, αλλά μετά το θάνατο του πεθερού του ο Θωμάς οικειοποιήθηκε και τη βαρωνία αυτή (1432). Μετά την οθωμαν. κατάκτηση του Μορέως ο Θωμάς πήρε τους οικείους του στην Κέρκυρα, όπου η Αι. πέθανε τον Αύγ. 1462 μακριά από το σύζυγό της, ο οποίος είχε πάει στην Ιταλία ελπίζοντας στην εξασφάλιση βοήθειας για να επαναδιεκδικήσει τα εδάφη του.

ΒΙΒΛ.: Οι πηγές στον Zakythinos, ό. π. -Επίσης W. Miller -μετ. Σ. Λάμπρος, Ιστορ. Φραγκοκρατ., Β΄ (ανατ. Αθήνα 1960), 86. -Αδ. Αδαμαντίου, ΜΕΕ, 2, 684. -Nicol, ό. π., 364, 423-4. -Runciman, Αλωσις, 104, 230. -του ιδ., Mistra, 73 εξ. και πίν. 154-5. -ΣΜΗ, ό. π., πίν. αρ. 9. -Μαλτέζου, ό. π. Βλ. και το λ. *Μορέως Δεσποτάτο.*

Α.Σ.

Αικατερίνη Κορνάρο (ηγεμ. 1474-89, † μετά το 1510). Τελευταία βασίλισσα της φραγκικής κυπριακής δυναστείας των *Λουζινιάν*, ηγεμόνευσε μετά τους ύποπτους θανάτους (από δηλητήριο) του συζύγου της Ιάκωβου Β΄ (τον οποίο είχε παντρευτεί το 1471) το 1473 και του ανήλικου γιου της Ιάκωβου Γ΄ το 1474. Καταγόταν από τη γνωστή αριστοκρατική οικογένεια των *Κορνάρο* της Βενετίας και είχε τον τίτλο της πατρικίας. Τον καιρό της βασιλείας της στην Κύπρο οι Βενετοί άρχοντες πήραν ουσιαστικά στα χέρια τους τη διακυβέρνηση της μεγαλονήσου και στις 26 Φεβρ. 1489 η Αι. παραχώρησε όλα τα δικαιώματα του τίτλου της στη Βενετική Δημοκρατία με πλούσια ανταλλάγματα, αναχωρώντας για την ιδιαίτερη πατρίδα της.

ΒΙΒΛ.: Οι πηγές στη μονογραφ. του K. Herquet, Charlotta von Lusignan und Caterina Cornaro, Königinnen von Zypern (Ρέγκενσμπουργκ 1870) και στον G. Hill, Hist. of Cyprus, Γ΄ (Καίμπριτζ 1949, ανατ. 1972), 631 εξ., 657 εξ. -Επίσης Θ. Βελλιανίτης, ΜΕΕ 2, 690-1. Ph. Newman, A Short Hist. of Cyprus (Λονδίνο 1953[2]), 154 εξ. -D. Alastos, Cyprus in History (Λονδίνο 1955, ανατ. 1976), 214 εξ. -Κλ. Γεωργιάδης, Ιστορ. Κύπρου (Λευκωσία 1960[6]), 195 εξ. -M. Brion, Κατερίνα Κ., Ιστορ. Εικονογραφημένη Παπύρου, τεύχ. 94 (Αθήνα 1976), 110-15. -Θ. Παπαδόπουλλος, στην ΙΕΕ 9(1979), 307, 315. -Α. Σαββίδης ΜΓΕ 34(1984), 203. -C. Kyrris, Hist. of Cyprus (Λευκωσία 1985), 243. -David και Iro Hunt (επιμ.) Caterina Cornaro, Queen of Cyprus (Λονδίνο 1989). -πβ. C. Kyrres, ΒΔ 5-6 (1991-92), 244-7. Τέλος πρόσφατα βλ. Θ. Παπαδόπουλλος (επιμ.), Ιστορία της Κύπρου, Δ΄ 1: Μεσαιωνικόν βασίλειον - Ενετοκρατία (Λευκωσία 1995), 246 εξ. (κεφ. του Peter Edbury).

Α.Σ.

Αιμιλιανός († 1079/80). Πατριάρχης Αντιόχειας (c. 1054/62 - 1079/80), οπαδός του Αρμένιου στασιαστή *Φιλάρετου Βραχάμιου*, που κατέλαβε αρχικά τη Μελιτηνή και την Έδεσσα και αργότερα την Αντιόχεια. Το 1074 ο δούκας της Αντιόχειας Ισαάκιος *Κομνηνός* απομάκρυνε τον Αι. από τον πατριαρχικό θρόνο με διαταγή του αυτοκράτορα *Μιχαήλ Ζ΄ Δούκα*. Η κάπως μυστική και ξαφνική αυτή ενέργεια, η οποία πιθανόν να είχε σχέση με την παλαιά έχθρα μεταξύ του Αι. και του λογοθέτη *Νικηφορίτζη*, άλλοτε δούκα της Αντιόχειας και τότε πραγματικού κυβερνήτη του κράτους, είχε ως συνέπεια τη λαϊκή αντίδραση. Ο Αι. εγκαταστάθηκε στην Κων/πολη παίζοντας σημαντικό ρόλο στην εξέλιξη των γεγονότων. Υπήρξε πνευματικός αρχηγός της ισχυρής αντίστασης που καλλιεργήθηκε στους εκκλησιαστικούς κύκλους εναντίον του Μιχαήλ Ζ΄. Έτσι στις 25 Μαρτίου 1078, με την παρουσία του Αι., ο στρατηγός του θέματος των Ανατολικών, Νικηφόρος Βοτανειάτης στέφθηκε αυτοκράτορας στη Νίκαια κα μερικές μέρες αργότερα μπήκε στην Κων/πολη και ανέβηκε στο βυζ. θρόνο (βλ. *Νικηφόρος Γ΄ Βοτανειάτης*).

ΒΙΒΛ.: Πηγές: Βρυέννιος, Ιστορία, CF, 203 εξ. -Σκυλίτζη Συνεχιστής, έκδ. Ε. Τσολάκης (Θεσσαλονίκη 1968), 178. -Ζωναράς, CS, Γ΄, 719, 724. Βοηθήματα: Δ. Ζακυθηνός, Βυζαντινή ιστορία, Α΄ (Αθήνα 1977[2], ανατ. 1989), 466. -Κ. Βαρζός, Η γενεαλογία των Κομνηνών, Α΄ (Θεσ/νίκη 1984), 68. -M. Angold, The Byzantine Empire, 1025-1204 (Λονδίνο - Ν. Υόρκη 1984) 100-1. -ΙΕΕ 8 (1979), 211 και 9 (1979), 53. -A. Papadakes, ODB, 41. -J.-Cl. Cheynet, Pouvoir et contestations à Byzance, 963-1210 (Παρίσι 1990), 80, 82, 84 και ευρετήριο.

Ρ.Ρ.

Αινείας ο Γαζαίος (450-525 ή 534). Καθηγητής ρητορικής, δικαστής και φιλόσοφος. Γεννήθηκε στη Γάζα της Παλαιστίνης, όπου και πέθανε. Μαθητής του νεοπλατωνικού φιλοσόφου *Ιεροκλή*, υπήρξε ο σημαντικότερος εκπρόσωπος της φιλοσοφικής σχολής της Γάζας. Πιθανόν καταγόταν από χριστιανική οικογένεια, ενώ κατ' άλλους ασπάστηκε το Χριστιανισμό περί το 480. Έγραψε μετά το 484 το φιλοσοφικό διάλογο «Θεόφραστος, ήτοι περί αθανασίας των ψυχών και αναστάσεως των σωμάτων», για να προσηλυτίσει στο Χριστιανισμό τον εθνικό Θεόφραστο. Στο έργο αυτό εμφανίζεται να καταπολεμά την αιωνιότητα του κόσμου και την προΖπαρξη και αιωνιότητα της ψυχής, ενώ υπερασπίζεται την ύπαρξη της αθανασίας και της ανάστασης των νεκρών. Δεν αναφέρει το όνομα του Χριστού και ποτέ δεν παραπέμπει στη Βίβλο, ούτε σε Χριστιανούς θεολόγους, ακόμη και όταν είναι φανερή η εξάρτηση του διαλόγου από αυτούς. Είναι χαρακτηριστικό ότι μια προσπάθεια ερμηνείας της μη ύπαρξης έργων του Δημιουργού πριν από την δημιουργία του κόσμου, τον αναγκάζει να δεχθεί ότι ο Υιός και το Άγιο Πνεύμα, που εκπορεύονται από το Θεό-Πατέρα, προηγούνται της δημιουργίας των λογικών όντων, και ότι η γένεση του κόσμου ακολούθησε σε μεταγενέστερη χρονική στιγμή. Όμως οι θέσεις αυτές τον πλησιάζουν στο χώρο του Αρειανισμού. Τελικά, πρέπει να δεχθούμε ότι η φιλοσοφία του Αι. είναι ελληνική ως προς τη μορφή κα τις μεθόδους που χρησιμοποιεί, αλλά καθαρά χριστιανική στις αρχές της. Γνωστός είναι ακόμη κι ένας μικρός αριθμός στερεοτύπων επιστολών του στις οποίες συχνά αρχίζει με παροιμίες, ενώ άλλοτε επικαλείται σε ρητορικά σχήματα τον θεό της φιλίας Φίλιο και το Λόγιο Ερμή.

ΒΙΒΛ.: Αινεία Γάζης, Θεόφραστος, έκδ. J. F. Boissonade (Παρίσι 1846). -PG 85, 871-1004. -Δ. Ρούσσος, Τρεις Γαζαίοι (Κωνσταντινούπολη 1893). -Επιστολαί Αινεία, στο Epistolographi graeci, έκδ. R. Hercher (Παρίσι 1873, ανατ. Άμστερνταμ 1965), 24-32. -M. Wacht, Aeneas von Gaza als Apologet. Seine Kosmologie im Verhältnis zum Platonismus (Βόννη 1969). -ΕΛΗ 1, 852-3. -ΕΛΕ 1, 544-5. -Herbert Hunger, Βυζαντινή λογοτεχνία, ελλην μετ., Α΄ (Αθήνα 1991^{2}), 73, 312, 318, 328. -Β. Τατάκης, Η βυζαντινή φιλοσοφία, ελλην. μετ. (Αθήνα 1977), 34, 42 εξ. -LTK 50, 227. -ΘΗΕ 1, 1066. -Κων/νος Άμαντος, Ιστορία του βυζαντινού κράτους, Α΄ (Αθήνα 1963^{3}), 54. -Μίλτων Ανάστος, ΙΕΕ 7, 339. Επίσης Schalkhausser, A.v.G. als Philosoph (Ερλάνγκεν 1898). -Sikorski, De Ae. G. (Μπρεσλάου 1908). H. Kraft, LM 1, 243-4. -Γ. Αποστολοπούλου, ΜΓΕ 4 (1978), 259. -B. Baldwin, ODB, 41. -TL^{3}, ελλην. μετ., 44. - Ν. Πολίτης, Η φιλοσοφία εις το Βυζάντιον, Α΄ (Αθήνα 1992), 339 - 40. - Π. Χρήστου, Εκκλησιαστική γραμματολογία, Α΄ (Θεσ/νίκη 1989), 293 - 4.

Σ.Μ.

Αιστούλφος (Aistulf, 8ος αι.). Βασιλιάς των *Λογγοβάρδων* την περίοδο 749-56. Για ν' ανέβει στο θρόνο εκθρόνισε τον αδελφό του, Ράτσις, ο οποίος αναγκάστηκε να περιβληθεί το μοναχικό σχήμα στο Monte Cassino. Η προσπάθεια του Α. να γίνει κύριος ολόκληρης της Ιταλίας προσέκρουσε όχι τόσο στη δύναμη του βυζ. *Εξαρχάτου της Ραβέννας* - το οποίο με τον τότε έξαρχο *Ευτύχιο* ήταν μάλλον αποδυναμωμένο - όσο στην πιστή φιλία της Αγίας Έδρας με τους Φράγκους. Είναι η εποχή, κατά την οποία η παπική εκκλησία όλο και περισσότερο απαγκιστρώνεται απ' την Κων/πολη και όλο και περισσότερο προσδένεται στο άρμα των Καρολιδών (βλ. λ. *Αγία Ρωμαϊκή Αυτοκρατορία*). Έτσι, ενώ το έτος 750-51 ο Α. κατέλαβε τη Ραβέννα και την Πεντάπολη, δεν ευτύχησε το ίδιο όταν αργότερα πολιόρκησε την ίδια τη Ρώμη. Ο τότε πάπας *Στέφανος Β΄* έκαμε έκκληση στο βασιλιά των Φράγκων *Πιπίνο Γ΄ τον «Βραχύ»*, γιο του *Καρόλου Μαρτέλλου* και πατέρα του *Καρλομάγνου*. Ο Πιπίνος ήταν καθυπόχρεως απέναντι στην Αγία Εδρα, καθότι έφθασε στο ύψιστο αξίωμα του Φραγκικού κράτους χάρη στην εύνοια του προκατόχου του Στεφάνου Β΄, πάπα *Ζαχαρία*, ο οποίος τον είχε ανακηρύξει βασιλιά των Φράγκων αντί του *Χιλδέριχου Γ΄*, του τελευταίου Μεροβιγγιανού ηγεμόνα (βλ. λ. *Μεροβίγγιοι*). Σπεύδει λοιπόν, τώρα, ο Πιπίνος (φθινόπωρο 754 ή άνοιξη 755), πολιορκεί τον Α. στην Παβία και τον αναγκάζει να συγκατανεύσει σε μια ειρήνη μεταξύ Ρωμαίων, Φράγκων και Λομβαρδών, και να επιστρέψει την εξαρχία στο Βυζάντιο. Αλλά, πολύ σύντομα ο Α., αθετώντας τις υποσχέσεις του, ξαναπολιόρκησε τη Ρώμη (χειμώνας 755-6). Η νέα σύγκρουση του Α. με τους Φράγκους έγινε πάλι στην Παβία. Ο Λογγοβάρδος ηγεμόνας χρειάστηκε να επιστρέψει όλες τις κτήσεις του και να καταβάλει υπέρογκα ποσά, για να διαφύγει σώος και να διατηρήσει τον τίτλο του βασιλιά. Τη φορά αυτή ο Πιπίνος δεν απέδωσε την Πεντάπολη και τη Ραβέννα στους Βυζαντινούς, αλλά τις δώρισε στην Αγία Έδρα. Οι βάσεις για την ίδρυση του παπικού κράτους είχαν ήδη τεθεί. Τον Α., που έχασε τη ζωή του άδοξα σε κυνήγι (τέλη 756), διαδέχτηκε ο αδελφός του, Ράτσις, που αυτή τη φορά «πέταξε τα ράσα» για να περιβληθεί το βασιλικό διάδημα.

ΒΙΒΛ.: Πηγές: Παύλος Διάκονος - Συνεχιστής Παύλου Διακόνου: MGH SS 225, 235 εξ. -MGH Rer. Lang., 198 εξ. -Βίος Στέφανου Β΄, έκδ. Duchesne, 441 εξ. -Νόμοι και Κώδικες Λογγοβάρδων: έκδ. Beyerle, Γ΄, 23 εξ. Πβ. DBI 4, 467 εξ. -Ε. Σκάσσης, ΜΕΕ 2, 866. -H. Zielinski, LM 1, 246-7. -CMH 2, 215, 232, 583, 690, 695, 700 και 3, 454. -O. Bertolini, Roma e i Langobardi (1972), 63 εξ. -W. Fritze, Papst und Frankenkönig (1973), 63 εξ. -R. Jenkins, Byzantium: the Imperial Centuries, 610-1071 (Λονδίνο 1966, ανατ. 1969), 70 εξ. -Δ. Ζακυθηνός Βυζ. ιστορ., Α΄ (Αθήνα 1977[2], ανατ. 1989), 198. -Αικ. Χριστοφιλοπούλου, Βυζ. ιστορ., Β΄ 1 (Θεσ/νίκη 1993[2]), 153-4. -Τ. Λουγγής, Η βυζ. κυριαρχία στην Ιταλία... 395-1071 (Αθήνα 1989), 147-8. -K. Chrestou, Byzanz und die Langobarden...500-680 (Αθήνα 1991).

Π.Ν.

Ακάκιος. Πατριάρχης Κων/πολης (471/2 - 488/9). Η θητεία του στον πατριαρχικό θρόνο υπήρξε πολυτάραχη, αφού το όνομά του συνδέθηκε με το πρώτο σχίσμα μεταξύ της Α. και της Δ. Εκκλησίας. Είναι γνωστή η ζημιά, την οποία οι αιρέσεις και κυρίως ο Μονοφυσιτισμός προκάλεσαν στην εσωτερική συνοχή της Βυζαντινής Αυτοκρατορίας. Με την καταδίκη του Μονοφυσιτισμού το 451 (Σύνοδος Χαλκηδόνας), οι οπαδοί της αίρεσης, κατοικούντες τις Α. κυρίως επαρχίες της αυτοκρατορίας, άρχισαν κατά κάποιον τρόπο να αποξενώνονται απ' το ορθόδοξο Βυζάντιο. Για να προλάβει μια πιθανή ολοκληρωτική αποξένωση των επαρχιών αυτών, ο σφετεριστής του θρόνου, αυτοκράτορας *Βασιλίσκος* (475-6), εξέδωσε μια εγκύκλιο επιστολή, με την οποία αποκήρυσσε τις αποφάσεις της Δ΄ Οικουμ. Συνόδου. Ο Α., χαρακτήρας μάλλον διαλλακτικός, στην αρχή προβληματίστηκε αν θα έπρεπε να ευθυγραμμιστεί με τον αυτοκράτορα, αλλά τελικά αποφάσισε να μείνει πιστός στο Ορθόδοξο δόγμα και στη Σύνοδο της Χαλκηδόνας. Έχοντας ως ομοϊδεάτη τον περίφημο στυλίτη μοναχό *Συμεών*, όχι μόνο ανάγκασε το Βασιλίσκο να ανακαλέσει τη φιλομονοφυσιτική εγκύκλιο και να εκδώσει άλλη (*«τα αντεγκύκλια»*), με την οποία υπερθεμάτιζε τις αποφάσεις της Δ΄ Οικουμ. Συνόδου, αλλά επί πλέον ο Α. φαίνεται να είχε ενεργό ανάμειξη στην ανατροπή του αυτοκράτορα αυτού και στην ανάρρηση του *Ζήνωνα* (476). Ένας άλλος χώρος, στον οποίο ο παραγοντισμός του Α. διαδραμάτισε καθοριστικό ρόλο είναι το πατριαρχείο Αλεξάνδρειας, όπου με δικές του ενέργειες εκθρονίζεται ο Ορθόδοξος πατριάρχης *Ιωάννης Α΄* και το θρόνο καταλαμβάνει ο από μονοφυσιτικές ιδέες εμφορούμενος *Πέτρος Γ΄ Μογγός*. Προφανώς στο σημείο αυτό ο Α. λειτούργησε μάλλον ως πολιτικός παρά ως εκκλησιαστικός ηγέτης, αφού η Αίγυπτος ήταν επαρχία της αυτοκρατορίας, στην οποία κατ' εξοχήν κατοικούσαν Μονοφυσίτες. Μόνο έτσι άλλωστε εξηγείται και η ασυνέπεια του Α., ασυνέπεια εντοπιζόμενη στο ότι απ' τη μια μεριά είχε εξεγείρει τον κόσμο και τους μοναχούς κατά της μονοφυσιτικής εγκυκλίου του Βασιλίσκου, κι απ' την άλλη ο ίδιος, 5 περίπου χρόνια αργότερα, βοηθάει στην εκλογή Μονοφυσίτη πατριάρχη στην Αλεξάνδρεια. Αυτή η τάση να συμβιβαστούν τα ασυμβίβαστα υλοποιείται ίσως την ίδια χρονιά (482) απ' τον αυτοκράτορα Ζήνωνα, ο οποίος, προφανώς ύστερα από εισήγηση του Α. και του Πέτρου Γ΄ Μογγού, εκδίδει το λεγόμενο *«ενωτικόν»* διάταγμα, το οποίο απέφυγε να προκαλεί τόσο τους ακραιφνείς Μονοφυσίτες όσο και τους αμιγώς Ορθοδόξους. Τα αποτελέσματα του Ενωτικού υπήρξαν ασφαλώς δυσανάλογα προς τις προθέσεις των εμπνευστών του. Ο έκπτωτος πατριάρχης Αλεξανδρείας, Ιωάννης Α΄, κατέφυγε διαμαρτυρόμενος στον τότε πάπα *Φήλικα Γ΄*, ο οποίος με τη σειρά του βρήκε αφορμή για ανάμειξη στα πράγματα της Α. Εκκλησίας. Με πρεσβεία προς το Ζήνωνα ο πάπας ζητούσε απ' τον αυτοκράτορα την καθαίρεση του Πέτρου Γ΄ Μογγού και την αποκατάσταση του Ιωάννη Α΄ στον πατριαρχικό θρόνο Αλεξανδρείας. Επί πλέον ο Φήλιξ καλούσε τον Α. στη Ρώμη για να λογοδοτήσει τόσο για την ανάρρηση του Πέτρου Γ΄ Μογγού, όσο και για την ανάμειξη του αυτοκράτορα σε καθαρώς εκκλησιαστικής φύσης θέματα (ενωτικόν). Στην πραγματικότητα η συμπεριφορά αυτή του πάπα ήταν μια έκρηξη πικρίας για τον 28ο κανόνα της Δ΄ Οικουμ. Συνόδου (451), με τον οποίο αναγνωρίζονταν στον πατριάρχη Κων/πολης ίσα πρεσβεία τιμής προς αυτά του πάπα Ρώμης. Περιττεύει να τονιστεί πως ο Α. αγνόησε την «πρόσκληση» του Φήλικα, ο οποίος με σύνοδο καταδίκασε και καθαίρεσε τον πατριάρχη Κων/πολης. Η αντίδραση του τελευταίου ήταν να διαγράψει το όνομα του πάπα απ' τα δίπτυχα της Α. εκκλησίας (484). Το σχίσμα αυτό («ακακιανό») κράτησε για 35 χρόνια, μέχρι δηλαδή το 519, οπότε, με την προοπτική της reconquista η αποκατάσταση καλών σχέσεων με τη Δ. εκκλησία θεωρήθηκε «εκ των ων ουκ άνευ», από τον τότε αυτοκράτορα *Ιουστίνο Α΄* και, κυρίως, απ' τον ανεψιό του, *Ιουστινιανό Α΄*. Από τα έργα του Α. σώζονται τρεις επιστολές, ήτοι μία προς τον πάπα *Σιμπλίκιο*, μια προς τον προαναφερθέντα εγκάθετο πατριάρχη Αλεξανδρείας Πέτρο Γ΄ Μογγό και μία προς τον πατριάρχη Αντιοχείας, *Πέτρο το Γναφέα*.

ΒΙΒΛ.: PG 147, 120 εξ. -Β. Στεφανίδης, Εκκλησ. Ιστορ. (Αθήνα 1978[4]), 227 εξ. -Δ. Μπαλάνος, ΜΕΕ 3, 38-9. -E. Marin, DTC 1, 288-90. -ΘΗΕ 1 (1962), 1170-71. -Σ. Αγγουρίδης, ΜΓΕ 5(1978), 9-10. -Κ. Άμαντος, Ιστ. βυζ. κρ., Α΄ (Αθήνα 1963[3]), 127, 129. -J. Bury, Later Roman Empire, Α΄ (Λονδίνο 1923), 373, 391, 403-4. -G. Ostrogorsky, Ιστ. βυζ. κρ., Α΄ (Αθήνα 1978), 127. -Αικ. Χριστοφιλοπούλου, Βυζ. ιστορ., Α΄ (Θεσ/νίκη 1992[2]), 218-19. -Ι. Καραγιαννόπουλος, Ιστ. βυζ. κρ., Α΄ (Θεσ/νίκη 1978, ανατ. 1991), 325 εξ., 375 εξ. -A. Kazhdan, ODB, 43. -Nicol, ΒΛ, 39-40.

Π.Ν.

Ακάκιος ο Καππαδόκης (3ος - αρχές 4ου αι., εορτ. 7 Μαΐου). Άθλησε στο Βυζάντιο, την περίοδο *Διοκλητιανού και Μαξιμιανού* (303 ή 306). Ήταν στρατιωτικός στο επάγγελμα. Μετά την ομολογία της πίστεώς του, στον άρχοντα της Καππαδοκίας Φλάβιο Φίρμο, συνελήφθη και οδηγήθηκε στην Ηράκλεια κι έπειτα στο Βυζάντιο, όπου και αποκεφαλίστηκε. Υπήρξε πολύ λαοφιλής και στην Ανατολή και στη Δύση, που τιμάται ως προστάτης των αθλητών. Στην Κων/πολη ανεγέρθηκαν δύο ναοί προς τιμή του. Τα λείψανά του πιστεύεται ότι φυλάσσονται σήμερα στην πόλη Squillace της Καλαβρίας. Τα πεπραγμένα του βρίσκονται στα ελληνικά μεταξύ των έργων *Συμεών του Μεταφραστή*.

ΒΙΒΛ.: Σωφρ. Ευστρατιάδης, Αγιολόγιον Ορθοδόξου Εκκλησίας, Αθήνα[1], 20. -DHGE 1, 237-40. -ΜΕΕ 3, 39. -ΘΗΕ 1, 1166-7.

Γ.Μ.

Ακάκιος ο Καισαρείας της εν Παλαιστίνη (4ος αι.). Μαθητής και βιογράφος του εκκλησιαστικού ιστορικού *Ευσέβιου Καισα-*

ρείας, τον οποίο και διαδέχθηκε το 340. Σύμφωνα με μαρτυρία του *Ιερώνυμου* είχε χάσει το ένα του μάτι, γι' αυτό και αποκαλείται «μονόφθαλμος». Ενδιαφέρθηκε πολύ για την Εκκλησία αλλά και γενικότερα για τα γράμματα. Φρόντισε μαζί με τον Ευζώιο και άλλους κληρικούς για την αποκατάσταση της βιβλιοθήκης της πόλης της Παλαιστίνης, που είχε καταστραφεί. Παρά τις μεγάλες του όμως αρετές και τα προτερήματά του προκάλεσε κάποια προβλήματα στην Εκκλησία, γιατί ο χαρακτήρας του δεν ήταν ανάλογος της μόρφωσής του και δεν ήταν σταθερός στις απόψεις του. Έδειχνε φιλικές διαθέσεις προς τον Αρειανισμό και υποστήριξε τις απόψεις του σε διάφορες συνόδους. Έγινε αρχηγός μιας αρειανιστικής μερίδας, των «Ομοίων», που δέχονταν ότι ο Υιός είναι όμοιος προς τον Πατέρα μόνο κατά τη βούληση. Στο διάστημα της ηγεμονίας του *Κωνστάντιου Β΄* είχε κάποια δύναμη. Μετά το θάνατό του όμως και την άνοδο στο θρόνο του ορθόδοξου *Ιοβιανού* (363-4), άλλαξε τακτική και υπέγραψε τα πρακτικά της Συνόδου της Αντιόχειας (363), στα οποία ομολογείτο πίστη στις αποφάσεις της Συνόδου της Νίκαιας και γινόταν δεκτός ο όρος «Ομοούσιος». Με την άνοδο στο θρόνο του *Βάλη* ο Α. επανέρχεται στις αρειανιστικές του θέσεις και λίγο πριν από το θάνατό του (385) καθαιρέθηκε από τη σύνοδο της Λαμψάκου. Έγραψε βιογραφία του δασκάλου του Ευσέβιου, 17 ερμηνευτικά βιβλία στον Εκκλησιαστή του Σολομώντα, Αντιλογία προς το Μάρκελλο Αγκύρας κ.ά.

ΒΙΒΛ.: Μ. Αθανάσιος, Περί Συνόδων, PG 26, 704 εξ., 757 εξ. -Φιλοστόργιος, Εκκλησ. Ιστορ., PG 65, 525-9 και έκδ. Bidez - Winkelmann (Βερολίνο 1981[3]: GCS), 68 - 72. -Σωκράτης, Εκκλ. Ιστορ., PG 67, 192, 336 εξ., 468-9. -Σωζομενός Εκκλ. Ιστορ., PG 67, 1044, 1160, 1180 εξ. -Θεοδώρητος, Εκκλ. Ιστορ., PG 82, 1065 εξ. -Επιφάνιος Πανάριος, αιρ. 72 και 73, PG 42, 389 εξ. -Ιερώνυμος, De Viris illustribus, PL 23, 745 και έκδ. - ελλην. μετ. Κ. Σιαμάκης (Θεσ/νίκη 1992: ΒΚΜ αρ. 23), 250 - 51. - Επιστολές, PG 22, 448 και 970. -Δ.Σ. Μπαλάνος, ΜΕΕ 3, 38. -Γ.Ι. Μαντζαρίδης, ΘΗΕ 1, 1167-8.

Γ.Μ.

Ακάκιος ο Αμίδης (4ος - αρχές 5ου αι., εορτ. 9 Απρ.). Επίσκοπος της αρμενικής πόλης Αμίδης/Ντιαρμπεκίρ στις αρχές του 5ου αι. Στάλθηκε το 419 από τον αυτοκράτορα *Θεοδόσιο Β΄*

ως πρέσβης στο βασιλιά των Περσών *Ισδιγέρδη Α΄* για να βοηθήσει τους Ορθοδόξους. Η εκεί παρουσία του βοήθησε στη στερέωση των πιστών με τη σύνοδο που συγκάλεσε το 420 στη Σελεύκεια. Ο βυζαντινοπερσικός πόλεμος του 421/2 έγινε αφορμή να δείξει έμπρακτα φιλάνθρωπη δραστηριότητα σώζοντας τους 7000 Πέρσες αιχμαλώτους που είχαν συλλάβει οι Βυζαντινοί, τους οποίους αρνούνταν να θρέψουν ή να ελευθερώσουν. Έπεισε τους προϊσταμένους των εκκλησιών να πουλήσουν τα πολύτιμα εκκλησιαστικά σκεύη και τα κειμήλια και με τα χρήματα που συγκέντρωσε τους απελευθέρωσε. Του αποδίδονται μερικές επιστολές που υπομνηματίστηκαν από τον επίσκοπο Μάρι του εκ Ρεβαρδασίρ (Assemani, Bibl. Orientalis, Ρώμη 1719, Α΄, 195 εξ.)

ΒΙΒΛ.: Σωκράτης, Εκκλησ. Ιστορ. PG 67, 781. -Νικηφόρος Κάλλιστος (- Ξανθόπουλος), Εκκλ. Ιστορ., PG 146, 1113-28. -Κασσιόδωρος, Historia Tripartita XI, 16. - Synodicon Orientale (Παρίσι 1902), 255. J. Labourt, Le Christianisme dans l' Empire Perse (Παρίσι 1904), 101. -R. Duval, La litterature syriaque (Παρίσι 1907[3]), 343. -Δ. Μπαλάνος, ΜΕΕ 3, 37-8. -ΘΗΕ 1, 1169. - Σ. Πατούρα, Όι αιχμάλωτοι ως παράγοντες επικοινωνίας και πληροφόρησης, 4ος - 10ος αι. (Αθήνα 1994), 24.

Γ.Μ.

Ακάκιος ο Βεροίας (Χαλεπίου Συρίας) (4ος - 5ος αι., γεν. 322, † 432/6). Σε νεαρή ηλικία ασπάστηκε το μοναχισμό. Αρχικά ήταν μοναχός στο μοναστήρι Γινδάρου της Αντιόχειας και αργότερα ηγούμενος σε μονή κοντά στη Βέροια της Συρίας. Εξαιτίας των αγώνων του κατά των αιρετικών και τη διατήρηση της ορθόδοξης πίστης χειροτονήθηκε το 378 επίσκοπος Βεροίας, από τον Αντιοχείας *Μελέτιο*. Σύμφωνα με μαρτυρία του *Σωζομενού* ήταν προσιτός πάντοτε σε όλους και σ' αυτές ακόμη τις ώρες του φαγητού και του ύπνου. Συμμετείχε στη Β΄ Οικουμενική Σύνοδο της Κων/πολης (381) και καταπολέμησε το *Νεστόριο*. Επέδειξε απρεπή συμπεριφορά προς τον επίσκοπο Κων/πολης *Ιωάννη Α΄ Χρυσόστομο* και ως μέλος της Συνόδου της Δρυός (403) καταδίκασε το μεγάλο Ιεράρχη. Κατά τον *Παλλάδιο*, βιογράφο του Χρυσοστόμου, η συμπεριφορά αυτή του Α. αποδίδεται σε προσωπικά κίνητρα, στο ότι δηλαδή ο Χρυσόστομος δεν τον περιποιήθηκε όσο θα έπρεπε κατά τη μετάβασή του στην Κων/πολη. Πέθανε σε ηλικία 110 χρόνων, αφού διατέλεσε επίσκοπος Βεροίας για 58 χρόνια. Από τα πολλά συγγράμματά του σώθηκαν τρεις επιστολές του. Η πρώτη προς τον *Κύριλλο* Αλεξανδρείας (PG 77, 99-102) και οι άλλες δύο, που σώθηκαν σε λατινική μετάφραση, προς το Νεστοριανό επίσκοπο Ιεραπόλεως Αλέξανδρο (PG 84, 647-8, 658-60). Στο πρόσωπό του αποδίδεται, μάλλον λανθασμένα, και μια Ομολογία Πίστεως (PG 41, 155 εξ.).

ΒΙΒΛ.: Παλλάδιος, Διάλογος Ιστορικός δ΄ - στ΄, PG 47, 18 και 21. -Σωζομενός, Εκκλ. Ιστορ., PG 67, 1441 και 1504. -Θεοδώρητος, Εκκλ. Ιστορ., PG 82, 1249. -Θεοδώρητος, Φιλόθεος Ιστορία, PG 82, 1313 εξ. -Νικηφ. Κάλλιστος (- Ξανθόπουλος), Εκκλ. Ιστορ., PG 146, 760 και 913. -ΜΕΕ 3, 38. - ΘΗΕ 1, 1168-9. -B. Baldwin, ODB, 43.

Γ.Μ.

Ακάκιος επίσκοπος Μελιτηνής (5ος αι.). Δεν είναι γνωστό πότε ανήλθε στο θρόνο. Έλαβε μέρος στην Γ΄ Οικουμενική Σύνοδο της Εφέσου (431), όπου έπαιξε σπουδαίο ρόλο. Σώζεται και μια ομιλία του σχετικά με το πρόσωπο του Χριστού, που εκφωνήθηκε εκεί και τίθεται η ορθόδοξη διδασκαλία (PG 77, 1467-72). Συμμετείχε στους αντιπροσώπους της Συνόδου, που στάλθηκε στον αυτοκράτορα *Θεοδόσιο Β΄* εκ μέρους των Ορθοδόξων για να τον ενημερώσουν για το έργο της. Διακρίθηκε για τη δράση του εναντίον των Νεστοριανών και του *Ιωάννη Αντιοχείας*, ο οποίος τον αναθεμάτισε. Τάχθηκε κατά του *Θεοδώρου* Μοψουεστίας και έστειλε στους επισκόπους της Αρμενίας εγκύκλιο, με την οποία καταδίκαζε τα έργα του (435). Διασώθηκε σε λατινική μετάφραση και επίστολή του προς τον Πατριάρχη Αλεξανδρείας *Κύριλλο*, που γράφτηκε το 433 (PG 84, 693). Σώζονται 4 επιστολές του Κυρίλλου Αλεξανδρείας προς αυτόν (PG 77, 181, 201 και 337). Ήταν κάτοχος μεγάλης παιδείας, θύραθεν και εκκλησιαστικής. Πρέπει να πέθανε γύρω στο 445. Το 499 επίσκοπος Μελιτηνής ήταν ο Κων/νος. Το όνομά του παρέμεινε σεβαστό, όπως φαίνεται απ' το ότι η σύνοδος του 458 στη Μελιτηνή τον αποκάλεσε «πατέρα και διδάσκαλο».

ΒΙΒΛ.: DHGE 1, 242-3. -Δ. Μπαλάνος, ΜΕΕ 3, 39. -ΘΗΕ 1, 1170.

Γ.Μ.

Ακάκιος ο Σελευκείας (5ος αι. † τέλη 5ου αι.). Ονομαζόταν και «Ασσύριος», ίσως επειδή φοίτησε στη σχολή της Έδεσσας στη Μεσοποταμία. Διαδέχθηκε το 485 το συγγενή του, επίσκοπο Βαβαίο, στο θρόνο της Σελευκείας. Θεωρείται ως ο πρώτος Πατριάρχης των Νεστοριανών. Είναι άγνωστη η πραγματική δογματική του τοποθέτηση γιατί, ενώ, πιθανόν κάτω από τις πιέσεις του επισκόπου Νισίβεως, *Βαρσουμά* (470-95), ήταν επηρεασμένος από τη νεστοριανή διδασκαλία, όταν στάλθηκε από το βασιλιά των Περσών, στους οποίους υπαγόταν η Μεσοποταμία, ως πρέσβης στον αυτοκράτορα *Ζήνωνα*, αποκήρυξε το Βαρσουμά και δήλωσε ότι δεν δεχόταν το νεστοριανισμό. Έγραψε ομιλία κατά Μονοφυσιτών, 3 ομιλίες περί νηστείας και μετέφρασε από τα περσικά στα συριακά μια πραγματεία κάποιου Ελισαίου περί πίστεως, απ' τα οποία δε σώθηκε τίποτα. Ο Βαρσουμάς του έγραψε έξι σύντομες επιστολές στα συριακά, που σώζονται.

ΒΙΒΛ.: J. Labourt, Le Christianisme dans l' Empire Perse (Παρίσι 1904), 143 εξ. -W. Bardenhewer, Geschichte d. All. Literatur, Δ΄ (Φράιμπουργκ 1924), 411. -DHGE 1, 248. -Δ. Μπαλάνος, ΜΕΕ 3, 39. -ΘΗΕ 1, στήλ. 1171.

Γ.Μ.

Ακάκιος ο εν Κλίμακι (6ος αι., εορτ. 26 Νοεμ). Ασιάτης όσιος. Η μοναδική πηγή πληροφορίας μας γι' αυτόν είναι ο *Ιωάννης Σαββαΐτης*, ο συγγραφέας της Κλίμακος. Ήταν μοναχός μεγάλης αρετής και τυπικό παράδειγμα υπομονής, αγαθότητας και ανεξικακίας. Διετέλεσε, σ' ένα μοναστήρι στη Μικρά Ασία, υποτακτικός ενός γέροντα μοναχού, που τον βασάνιζε υπερβολικά· μετά από 9χρονη εξαιρετικά δύσκολη διαβίωση πέθανε. Κατά την επίσκεψη στον τάφο του, μετά από θαύμα που έγινε, ο γέροντάς του μετάνιωσε για τη συμπεριφορά του και έχτισε κελί κοντά στον τάφο του πρώην υποτακτικού του, όπου πέρασε «εν προσευχή και μετανοία» το υπόλοιπο της ζωής του. Ακολουθία του Οσίου βρίσκεται σε κώδικα του Αγίου Όρους (Παντελεήμονος 866).

ΒΙΒΛ.: H. Delehaye, Synax. EC e codice Sirmondiano (Βρυξέλλες 1902), 261. -Δουκάκης, Συναξαριστής Νοέμ., σσ. 575-7. -S. Lampros, Catalogue of the Greek Manuscripts on Mount Athos (Καίμπριτζ 1900), Β΄, 449. -Σωφρ. Ευστρατιάδης, Αγιολόγιον Ορθοδ. Εκκλησ., Αθήνα[1], 20. -ΘΗΕ 1, 1171-2. -ΜΓΕ 5, 8-9.

Γ.Μ.

Ακάκιος ο Αρκτοτρόφος (4ος - 5ος αι.). Στα χρόνια του αυτοκράτορα *Αναστασίου Α΄* (491-518) ήταν επιμελητής στα θηρία που συντηρούσαν οι Πράσινοι του ιπποδρόμου της Κων/πολης. Καταγόταν από την Κύπρο και ανήκε σε μια ομάδα, όχι απλώς χαμηλής κοινωνικής τάξης, αλλά τελείως περιθωριοποιημένη. Είχε τρεις κόρες, την Κομιτώ, τη *Θεοδώρα*, σύζυγο του *Ιουστινιανού Α΄* και την Αναστασία. Πέθανε όταν ακόμη τα παιδιά του ήταν μικρά (R. Browning, ΙΕΕ 7, 1978, 153).

Γ.Μ.

Ακάκιος, ανθύπατος Αρμενίας (6ος αι.). Αναφέρεται στις «Νεαρές», του *Ιουστινιανού Α΄*. Με διάφορα τεχνάσματα κατάφερε να εκτοπίσει τον προκάτοχό του και να πάρει το αξίωμά του. Ως ανθύπατος Αρμενίας επέβαλε σκληρή φορολογία που ξεσήκωσε την αγανάκτηση του λαού και οδήγησε, το 538 περίπου, σε μια επανάσταση και αργότερα στη δολοφονία του από τον Αρτάβανο (E. Stein, Hist. du Bas - Empire, Β΄, 1949, 364, 470-1).

Γ.Μ.

Ακάκιος (14ος αι.), Μητροπολίτης Τραπεζούντας (c. 1339 - c. 1351). Η αρχιερατεία του συνδέεται με την κρίση που ξέσπασε στις σχέσεις με τον αυτοκράτορα *Βασίλειο Μ. Κομνηνό*, λόγω του διαζυγίου του τελευταίου με την *Ειρήνη Παλαιολογίνα* και του γάμου του με την *Ειρήνη εκ Τραπεζούντος*, γάμος που θεωρήθηκε από τον Πατριάρχη *Ιωάννη ΙΔ΄ Καλέκα* (1331-47) σκάνδαλο και μοιχεία και προκάλεσε την επιστολή δυσαρέσκειάς του, που έστειλε προς τον Α. Ο Καλέκας εξέφραζε τον φόβο, ότι αν ο μητροπολίτης και οι άλλοι αρχιερείς δεν θα έπαιρναν μέτρα, θα κατέρρεε το κύρος της Εκκλησίας. Φαίνεται, ότι ο Α. απάντησε ότι οι κατηγορίες της Εκκλησίας ήταν υπερβολικές. Τα αίτια της διάλυσης του γάμου του δεν υπήρξαν μόνο προσωπικά, αλλά και πολιτικά. Την Ειρήνη είχαν επιβάλει στον Βασίλειο ως σύζυγοι οι *Σχολάριοι*, που αποτελούσαν τη φρουρά του παλατιού. Μ' αυτόν τον γάμο ήθελαν να συνδέσουν τα συμφέροντα της αυτοκρατορίας μ' εκείνα της αυλής του Βυζαντίου. Ο Α. δεν μπόρεσε να αντιληφθεί τα πολιτικά κυρίως αίτια του διαζυγίου. Μετά το θάνατο του Βασίλειου Μ.Κ. η Ειρήνη Παλαιολογίνα αναλαμβάνει την εξουσία και απομακρύνει την αντίπαλό της, εξορίζοντάς την στο Βυζάντιο, μαζί με τα δυό της παιδιά, τον Αλέξιο και τον Καλοϊωάννη. Ο κίνδυνος, όμως, για ξεσηκωμό των ντόπιων αρχόντων λόγω της καθυστέρησης τοποθέτησης άρρενος αυτοκράτορα, ανάγκασε την Ειρήνη να στείλει μια πρεσβεία στο Βυζάντιο, όπου συμμετείχε και ο Α. Γενικά προσπάθησε να κρατήσει την Εκκλησία μακριά από τις πολιτικές διαμάχες. Συνέδεσε το όνομά του με την ανακαίνιση εκ βάθρων του μητροπολιτικού ναού της Παναγίας της Χρυσοκεφάλου Τραπεζούντας· η τελετή που έγινε μ' αυτήν την ευκαιρία χρονολογείται μεταξύ 1349-51. Στην κοινωνικά ταραγμένη περίοδο που κατείχε το μητροπολιτικό αξίωμα, προσπάθησε να ηρεμήσει τα πλήθη, ενώ διακρίθηκε για τη φιλοξενία του. Ονομάστηκε «ο πολύς εν ελέει».

ΒΙΒΛ.: Κωνστ. Χαραλαμπίδης, ΘΗΕ 1(1962), στήλ. 1172. -Χρύσανθος, Η Εκκλησία Τραπεζούντος (ανατ. Αθήνα 1973), 231-46, 373, 381-4, 789. -A. Bryer, Peoples and Settlement in Anatolia and the Caucasus 800-1900, μελ. V (Λονδίνο 1988: VR), 216-34.

Φ.Μ.

Ακινάτης ή **Ακινάτος Θωμάς** (Saint Thomas Aquinas, 1224/5-74). Κορυφαίος θεολόγος, φιλόσοφος και άγιος της Καθολικής Εκκλησίας. Γεννήθηκε κοντά στο Aquinum, μεταξύ Ρώμης-Νεάπολης, από οικογένεια ευγενών. Το 1230 στάλθηκε στην κοντινή μονή του Μόντε Κασσίνο για τις πρώτες σπουδές. Το 1236 ή 1239 εγκατέλειψε τη μονή εξαιτίας της εχθρικής στάσης του αυτοκράτορα *Φρειδερίκου Β΄* προς το μοναχισμό. Αργότερα συνέχισε τις σπουδές του στο Πανεπιστήμιο της Νεάπολης. Μετά το θάνατο του πατέρα του, το 1243, αποφάσισε να καταταγεί στο τάγμα των δομηνικανών μοναχών. Την απόφαση αυτή διατήρησε παρά τη σφοδρή αντίδραση της οικογένειάς του που τον συνέλαβε και τον κράτησε περιορισμένο επί ένα χρόνο. Μετά την απελευθέρωσή του ταξίδεψε στην Κολωνία, όπου σπούδασε Θεολογία και Φιλοσοφία κοντά στον Αλβέρτο το Μεγάλο. Το 1245 ακολουθεί τον Αλβέρτο στο Παρίσι και το 1248 και πάλι στην Κολωνία, όπου συνεχίζει τις σπουδές του και πιθανόν διδάσκει και ο ίδιος. Αυτή την περίοδο στρέφεται στη μελέτη της αριστοτελικής φιλοσοφίας. Το 1252 ξαναπηγαίνει στο Παρίσι και από το 1256 ή 1257 διδάσκει Θεολογία και Φιλοσοφία στη μια από τις δύο πανεπιστημιακές σχολές της πόλης. Το 1259 επιστρέφει στην Ιταλία μέχρι το 1268 ή 1269 και διδάσκει Θεολογία ή μελετά στην αυλή των Παπών. Στο διάστημα μέχρι το 1271 ή 1272 έμεινε και πάλι στο Παρίσι. Στη συνέχεια επανέρχεται στη Νεάπολη για να διδάξει στο εκεί Πανεπιστήμιο. Τον Ιανουάριο του 1271 αναχωρεί για να συμμετάσχει στη σύνοδο της Λυών. Στο δρόμο αρρωσταίνει και πεθαίνει στη μονή της Ροσσανόβα. Οι μεγάλες συγγραφικές και διανοητικές του ικανότητες σε συνδυασμό με τα προτερήματα του χαρακτήρα του οδήγησαν πολλούς Πάπες να του προσφέρουν διάφορα εκκλησιαστικά αξιώματα τα οποία αρνήθηκε. Στις 13 Ιουλίου 1323 αναγορεύθηκε άγιος. Η Δυτική Εκκλησία του απένειμε μετά θάνατον διάφορους τίτλους με σημαντικότερο αυτόν του πάτρονα όλων των Καθολικών σχολών (1880).

Τα έργα του Α. διακρίνονται σε τρεις βασικές κατηγορίες: εξηγητικά (δηλ. ερμηνείες σε έργα της Παλαιάς και Καινής Διαθήκης), φιλοσοφικά (δηλ. υπομνήματα σε έργα του Αριστοτέλη) και συστηματικά (δογματικά, απολογητικά και ηθικά). Τα σημαντικότερα έργα του είναι η Summa catholicae fidei contra Gentiles («Σύνοψη της καθολικής πίστης κατά των εθνικών») και η Summa Theologica («Σύνοψη Θεολογίας») που έμεινε ημιτελής λόγω του θανάτου του. Ο Α. υπήρξε εξαιρετικός θεολόγος και φιλόσοφος. Στη σκέψη του όμως η φιλοσοφία αποτελούσε «θεραπαινίδα της θεολογίας». Η θεολογία του αποτελεί εξέλιξη και συμπλήρωση της θεολογίας του ιερού *Αυγουστίνου*. Η γνωσιολογία του θεωρεί την εμπειρία και τις αισθήσεις πηγή των γνώσεων. Η ψυχή είναι άυλη και αθάνατη και αποτελεί το κατώτερο άυλο δημιούργημα του Θεού. Οι κυριότερες δυνάμεις της είναι η διάνοια και η ελεύθερη βούληση. Η μεταφυσική του εξετάζει τη φύση και ύπαρξη του Θεού με βάση την αριστοτελική διάκριση των όντων σε «δυνάμει» και «ενεργεία». Θεωρεί τον Θεό το ύψιστο «ενεργεία» ον του οποίου η ύπαρξη είναι δυνατόν να αποδειχθεί με την ανθρώπινη λογική αλλά η φύση του μόνον αναλογικά. Το έργο του Α. είχε απήχηση και στη Βυζαντινή Αυτοκρατορία όπου με επίκεντρο τους αδελφούς *Κυδώνη* και το Μανουήλ *Καλέκα* δημιουργήθηκε κύκλος σχολαστικών (φιλοθωμιστών) λογίων. Υπήρξε όμως και σφοδρή αντίδραση από ευρύτερο κύκλο αντιθωμιστών με κυριότερους εκπρόσωπους το Νείλο *Καβάσιλα*, Ιωσήφ *Βρυέννιο*, Μάρκο *Ευγενικό*, Κάλλιστο *Αγγελικούδη* κ.ά.

ΒΙΒΛ.:Ενδεικτικά της πλούσιας (κυρίως ξενόγλωσσης) βιβλιογρ. για τον Α. είναι τα παρακάτω: Δ. Κυδώνης, Θωμά Α., Σούμμα Θεολογική εξελληνισθείσα (Αθήνα 1976-9: Corpus Philosophorum Graecorum Recentiorum, II, 15/16). -Σ. Παπαδόπουλος, Ελληνικαί μεταφράσεις θωμιστικών έργων (Αθήνα 1967). -Marie-Dominique Chenu, Introduction à l' étude de S. Thomas d' A. (Μοντρεάλ - Παρίσι 1974[3]). -της ιδ., Thomas A., EBr 18 (1980[15]), 345-8 με άλλη βιβλιογρ. -Κ. Δυοβουνιώτης, Α. Θωμάς, ΜΕΕ 3, 102. -G. Chesterton, S. Thomas A. (Λονδίνο 1933). -A. Regis (έκδ.), Basics of St. Thomas A. (Ν. Υόρκη 1915). -A. Waltz, St. Thomas A. (Ουέστμινστερ Μασ. 1951). - Ζ. Τσιρπανλής, Η Δ. Ευρώπη στους μέσους χρόνους, 5ος - 15ος αι. (Θεσ/νίκη 1985[3]), 198 - 200, 201 εξ. Βλ. επίσης βιβλιογρ. στους F. Beeretz - K. Allgaier, Θωμάς ο Α., ΠΒΛ/ΕΕΕ 4(1985), 96-7. -F. Kianka, ODB, 146. -F. Copleston, Aquinas (Penguin, ανατ. 1970) με βιβλιογρ. σσ. 265-7.

Ν.Ν.

Ακίνδυνος Γρηγόριος (c. 1290 - † μετά το 1351). Κορυφαίος Βυζαντινός θεολόγος του 14ου αι. Γεννήθηκε στην Πρίλαπο της Μακεδονίας και σπούδασε στη Θεσσαλονίκη κοντά στο *Θωμά Μάγιστρο* και τον μοναχό *Βρυέννιο*. Στη Θεσσαλονίκη επίσης, υπήρξε μαθητής του *Γρηγορίου Παλαμά*, αρχηγού των ησυχαστών μοναχών, και του μοναχού θεολόγου *Βαρλαάμ του Καλαβρού*, που υποκίνησε την ησυχαστική έριδα. Η στάση του Α. όσον αφορά στην εκκλησιαστική έριδα των μέσων του 14ου αι., δεν έχει ακόμα απόλυτα διαλευκανθεί. Πήρε μέρος στην ησυχαστική έριδα, αρχικά τηρώντας μια συμβιβαστική στάση ανάμεσα στους πρωταγωνιστές της, ενώ, μετά από την καταδίκη του Βαρλαάμ από τη Σύνοδο του 1341, πέρασε με το μέρος των αντιπαλαμιστών. Από τον Αύγ. του 1341 οι θεολογικές έριδες άρχισαν να παίρνουν πολιτικό χαρακτήρα· την καθεμιά από τις δυο ομάδες υποστήριζαν εκπρόσωποι της βυζαντινής αριστοκρατίας, που μετά από τον θάνατο του *Ανδρόνικου Γ΄ Παλαιολόγου* βρίσκονταν σε διαμάχη για την εξουσία. Υπερασπιστές του Α. ήταν η αυτοκράτειρα *Άννα της Σαβοΐας* και ο πατριάρχης *Ιωάννης ΙΔ΄ Καλέκας*. Υποστηρικτής του Γρηγορίου Παλαμά ήταν ο *Ιωάννης ΣΤ΄ Καντακουζηνός*. Στη Σύνοδο του 1345 καταδικάστηκε ο Παλαμάς και αναγνωρίστηκε ως ορθόδοξη η διδασκαλία των *Βαρλαάμ* και Α. Το 1347 η Άννα της Σαβοΐας, πρόθυμη να συμφιλιωθεί με τον Καντακουζηνό, αναθεώρησε τη στάση της απέναντι στον παλαμισμό. Έτσι, η Σύνοδος του 1347 καταδίκασε τον Α., αναγνώρισε τη διδασκαλία του Παλαμά ως ορθόδοξη, καθαιρώντας τον πατριάρχη Ιωάννη Καλέκα. Η τελική καταδίκη του Α. ήρθε με τη Σύνοδο της 27ης Μαΐου 1351. Ο Α. συνέγραψε πολλά έργα θεολογικού περιεχομένου καθώς και πλήθος επιστολών σε σύγχρονές του εκκλησιαστικές προσωπικότητες. Τα έργα του, που κυρίως αναφέρονται στην έριδα του ησυχασμού, παραμένουν σε μεγάλο ποσοστό ανέκδοτα.

ΒΙΒΛ.: Εκδ. επιστολών: R.-J. Loenertz, ΕΕΒΣ 27(1957), 89-109. -του ιδ., OCP 23(1957), 114-44. -V. Laurent, REB 18(1960), 145-62. -A. Karpozilos, OCA 204 (= Collectanea Byzantina, Ρώμη 1977), 65-117. -Νέα πλήρης έκδ. - αγγλ. μετ. - σχόλ. Angela Constantinides - Hero, Letters of Gregory Akindynos (Ουάσιγκτον 1983: CF, 21). -Βλ. επίσης Κρουμβάχερ, Α΄, 195 εξ. -Beck, 716 εξ. -Β. Δεντάκης, ΘΗΕ 1(1962), 1207-8. -A. Prinzing - Monchizadeh, LM 1, 251. -Κ. Βαρζός, ΜΓΕ 5(1978), 62. -Καραγιαννόπουλος, 389-90, αρ. 538. -Karayannopulos - Weiss, 506-7, αρ. 523. -Alice-Mary Talbot και Angela Constantinides-Hero, ODB, 45-6 με τη βιβλιογρ. -TL[3], ελλην. μετ., 48. -Nicol, ΒΛ, 40.

Ε.Μ.

Ακ - κογιουνλού βλ. Ασπροπροβατάδες.

Ακριβιτζιώτης. Όνομα ευγενών τραπεζουντιακής καταγωγής με χρόνους ακμής το 1ο μισό του 13ου αι. Τα 2 γνωστά μέλη του οίκου των Α. είναι:

1. *Γεώργιος Α.* Έδρασε κατά τη διάρκεια της μεγάλης σελτζουκικής επίθεσης κατά της Τραπεζούντας το χειμώνα του 1222/3. Στις αρχές της σελτζουκικής επιχείρησης και ενώ η εμπροσθοφυλακή των επιτιθεμένων είχε υποστεί σημαντικές απώλειες από τις δυνάμεις του Τραπεζούντιου «πολέμαρχου» Θεόδωρου, ο Α. διατάχτηκε από τον αυτοκράτορα *Ανδρόνικο Α΄ Γίδωνα* να μεταβεί στον «δύσληπτον χώρον του αγίου Μερκουρίου», καθώς μαρτυρεί η αφήγηση του Ιωάννη-Ιωσήφ *Λαζαρόπουλου* για τα θαύματα του Αγ. *Ευγενίου*.

ΒΙΒΛ.: Εκδ. FHIT, 118-19 και αγγλ. μετ. A. Savvides, ΑΠ 43 (1990 - 91), 105 - 6. - Χρύσανθος, Εκκλησ. Τραπεζούντος (ανατ. Αθήνα 1973), 399 εξ. -A. Savvides, Byzantium in the Near East, A.D. c. 1192-1237 (Θεσ/νίκη 1981: ΒΚΜ, 17), 158. -του ιδ., ΕΠΕ 1 (1992[2]), 61.

2. *Θεόδωρος Α.* Πιθανώς συγγενής του προηγ. Σκοτώθηκε κατά τη διάρκεια της πολιορκίας της ποντιακής πρωτεύουσας από τους Σελτζούκους του Ικονίου (1222/3) μαζί με άλλους σημαντικούς αξιωματούχους του *Ανδρόνικου Α΄*.

ΒΙΒΛ.: FHIT, 122 και αγγλ. μετ. Savvides, ΑΠ 43, 109 σημ. 1 - Χρύσανθος, ό. π., 402. -Savvides, ό. π., 161. -του ιδ., ΕΠΕ 1(1992[2]), 61.

Α.Σ.

Ακρίτες. Φύλακες των «άκρων», δηλαδή των συνόρων της Βυζαντινής Αυτοκρατορίας, που αντικατέστησαν τους milites limitaneos των αυτοκρατορικών ρωμαϊκών χρόνων. Πληροφορίες γι' αυτούς μας δίνουν τα ακριτικά δημοτικά τραγούδια και το έπος - μυθιστόρημα του Βασιλείου *Διγενή Ακρίτα*.

Ι) *Ακρίτες αναφερόμενοι στα Δημοτικά Ακριτικά Τραγούδια*

Αλέξης: Πολεμοχαρής και ισχυρός άρχοντας που συνδιασκεδάζει με το μικρό Βλαχόπουλο.

Ανδρόνικος: 1) Ήρωας που μετά από υπερφυσική ανάπτυξη συνάπτει ερωτικές σχέσεις με την θυγατέρα του Ρήγα, την οποία και νυμφεύεται. Έχει ταυτιστεί με τον Ανδρόνικο *Δούκα,* στρατηγό του *Λέοντα ΣΤ΄*, αν και η καταγωγή του θέματος απ' τον Ερωτόκριτο έχει επίσης υποστηριχθεί.
2) Ήρωας που ζει ηρωικά με τους συντρόφους του, έχοντας

στενό ψυχολογικό δεσμό με το άλογό του.

Γιός (γιοί) του Ανδρόνικου: 1) Ο ήρωας γεννιέται ενώ η μητέρα του είναι αιχμάλωτη του Εμίρη Αλή. Μετά από υπερφυσική ανάπτυξη φεύγει για τις ελληνικές χώρες, συναντά τυχαία τον πατέρα και τον αδελφό του, συγκρούονται και αναγνωρίζονται πάνω στη μάχη. Έχει ταυτιστεί με τον γιο του Ανδρονίκου Δούκα, Κωνσταντίνο, που διεκδίκησε το θρόνο μετά το θάνατο του αυτοκράτορα *Αλεξάνδρου* (913).

2) Ο ήρωας προκαλεί τον ήλιο σε αγώνα δρόμου. Νικιέται και μένει νύχτα σε έρημο τόπο, όπου του επιτίθενται Σαρακηνοί ή απελάτες και αφού τους εξολοθρεύει όλους τραυματίζεται, αιχμαλωτίζεται ή σκοτώνεται από έναν που διασώθηκε.

3) Τρεις ή εννέα αδελφοί που παλεύουν με το στοιχειό Συγρόπουλο, το νικούν ή τους καταβάλλει. Σε μερικές παραλλαγές ο Ανδρόνικος έρχεται, σκοτώνει το θεριό και σώζει μερικούς απ' τους γιούς του.

Αρμούρης - Αρμουρόπουλο (επίσης Αζγουρής, Αντζουλής, Αρέστης - του Καλομοίρη ο γιός, του Καλομούρου ο καλογιός): Ο ήρωας μετά από υπερφυσική ανάπτυξη παίρνει τα πατρικά άρματα, περνά τον Ευφράτη, νικά μια εχθρική στρατιά, κόβει τα χέρια ενός Σαρακηνού που του έκλεψε το άλογο και απελευθερώνει τον πατέρα του Αρμούρη απ' τον αμιρά της Συρίας. Ο γιος του Αρμούρης ταυτίζεται με τον *Μιχαήλ Γ΄* απ' τον H. Grégoire και με τον Διγενή απ' τον Π. Καλονάρο. Ο κοψοχέρης ταυτίζεται με τον εμίρη Omar - al - Aqta απ' τον Grégoire, τον οποίο ο Βελουδής ταυτίζει με τον Αρμούρη. Ο Grégoire συνδέει επίσης τον τύπο Αζγουρής με τον Λέοντα *Αργυρό* των χρόνων του Μιχαήλ Γ΄ και τον τύπο Αρέστης με τον στρατηγό του θέματος Μεσοποταμίας Ορέστη *Χαρσιανίτη* (ειδικά για τον *Αρμούρη* βλ. λ.).

Βάρδας Φωκάς (επίσης Γιάννης Φ., Μπάρμπα Φ., παπα Φ., Βάγιας Φ., Άρχοντας Φ., Μαύρος Φ., Ρήγας Φ., Δούκας Φ.,

Άντρας Φ., Λούκας Φ., Κόντε Φλωριάς): Ανίκητος ήρωας τον οποίον ο Πορφύρης καυχιέται πως δεν φοβάται. Το όνομα, κατά τον Grégoire, είναι παραφθορά του Βάρδας *Φωκάς* και προσετέθη στο τραγούδι γύρω στον 10ο αι.

Βαρυτράχηλος: (επίσης Αξετράχηλος, Ασπροτράχηλος, Ασπροτρίχαλος, Γεροτράχηλος, Εξετράχηλος, Μακροτράχηλος, Μαυροτράχηλος, Παρατράχηλος, Πεντατράχηλος, Περιτράχηλος, Πετροτράχηλος, Πολυτρίχηλος, Πυρροτράχηλος, Στραβολαίμης, Τρεμαντάχειλος, Τρεμοτράχηλος, Τριμματόχειλος): Γενναίος άρχοντας που ο Πορφύρης καυχιέται πως δεν φοβάται. Στη βιβλιογραφία συχνά συνδέεται με την οικογένεια των Φωκάδων και μάλιστα με τον *Νικηφόρο Β΄ Φωκά.*

Βλαχόπουλο: Νεαρός ήρωας που καθώς ξεκουράζεται μαθαίνει ότι άρπαξαν την αρραβωνιαστικιά του. Φτάνει με το αγαπημένο του άλογο, εξολοθρεύει τους εχθρούς και ανακτά την καλή του. Ο Ν.Γ. Πολίτης συσχέτισε τον ήρωα με τον αιχμάλωτο γιο του Ανδρόνικου.

Γιάννης (επίσης Γιάννες, Γιαννακ(τσ)ής, Γιαννιός, Γιαννάκης, Γιάννος, Μονόγιαννες): 1) Ο ήρωας ξυπνά με το τραγούδι του δράκου και της δρακόντισσας. Τους πείθει να τον αφήσουν για να πάει στο γάμο του γιου του βασιλιά, υποσχόμενος να ξαναγυρίσει. Γυρίζει καβαλλάρης μαζί με όμορφο κορίτσι. Ο δράκος εμφανίζεται ξανά και υποχωρεί είτε λόγω της αγωνιστικότητας του Γιάννη είτε για την ένδοξη καταγωγή της κόρης.

2) Τούρκοι και Σαρακηνοί καταδιώκουν τον ήρωα. Προσπαθούν να αποσπάσουν πληροφορίες απ' την καλή του, εμφανίζεται όμως ο ίδιος και τους κατατροπώνει.

3) Γενναίος άρχοντας που διασκεδάζει μαζί με το Βλαχόπουλο.

Θεοφύλακτος: Ο βασιλιάς αναθέτει στον ήρωα δύσκολη αποστολή την οποία παρά τις αρχικές αντιρρήσεις του εκτελεί με προθυμία και νικά τους αντιπάλους. Ο Grégoire τον ταυτίζει με τον Θεοφύλακτο Αβάστακτο, πατέρα του *Ρωμανού Α΄ Λεκαπηνού*.

Κωνσταντίνος (επίσης Κω(ου)σταντής, Κω(ου)σταντάς, Κώστας, Κωστάντσινος, Μικροκω(ου)σταντίνος, Μικροκωσταντάκης):

1) Ο μικρότερος απ' τα εννιά αδέλφια. Κατεβαίνει στο πηγάδι και τον τρώει το στοιχειό ή παλεύει μαζί με τους άλλους το θεριό, το νικούν και πεθαίνουν δηλητηριασμένοι απ' το κρασί που τους προσφέρει ο Μαυρήγιαννης.

2) Πατέρας των εννέα αδελφών που σκοτώνει το δράκο και γλιτώνει τους τέσσερεις απ' αυτούς.

3) Ο ήρωας, αν και νυμφευμένος, επιδίδεται σε ερωτικές περιπέτειες. Τα σχέδιά του όμως ναυαγούν με παρέμβαση του αλόγου του ή η γυναίκα του δολοφονεί την ερωμένη του.

4) Συμμετέχει σε κυνήγι, όπου σκοτώνει λιοντάρι. Τον συκοφαντούν οι άλλοι άρχοντες και τον ελευθερώνει ο πατέρας του που έρχεται απ' την Βαβυλώνα και απειλεί το βασιλιά.

5) Γενναίος άρχοντας που διασκεδάζει μαζί με το Βλαχόπουλο.

6) Ήρωας που οπλίζεται και νικά τον Σκληρόπουλο, παίρνοντας πίσω τη γυναίκα του.

7) Ο γιος του Τσαμαδού και της χήρας (βλ. παρακάτω).

Ταύτιση με τον Κωνσταντίνο Ε΄ έχει προταθεί, χωρίς να φαίνεται πιθανή.

Νικηφόρος (επίσης Δικηφόρος, Διοφόρος, Ηλιοφόρος, Νικιοφόρος, Νιτσεφόρος): Γενναίος άρχοντας τον οποίο όλοι φοβούνται εκτός απ' τον Πορφύρη. Ο Grégoire τον τοποθετεί στην οικογένεια των Φωκάδων.

Ξάντινον (επίσης Ξάνθινος): Ο ήρωας, με αγώνες, ελευθερώνει τον Βασίλειο που ήταν ζεμένος με το βουβάλι, για να κουβαλά λιθάρια. Ο Grégoire τον ταυτίζει με τον Κωνσταντίνο *Δούκα* ή τον στρατηγό του *Βασιλείου Α΄*, Μαξέντιο. Ο Κυριακίδης υποθέτει πως ο αιχμάλωτος Βασίλειος είναι ο Βασίλειος Διγενής Ακρίτης.

Πορφύρης (επίσης Πόρφυρας, Π(Μπ)ροσφύρης, Πρόσφυρος, Προσφύρκας, Ποσσύρκας και Κωνσταντίνος, Κωνσταντάς, Κωσταντάκης): Ο ήρωας καυχιέται πως δεν φοβάται κανένα. Απεσταλμένοι του βασιλιά όμως τον πιάνουν ενώ κοιμάται ή μεταμφιεσμένο σε βοσκό και τον δένουν με αλυσίδες. Στον δρόμο σπάει τα δεσμά, εξολοθρεύει τους φύλακες και ελευθερώνεται. Οι Dieterich και Grégoire τον ταυτίζουν με τον Κωνσταντίνο Δούκα, ενώ ο Κ. Σάθας με τον Πανθέριο που αναφέρει ο Μιχαήλ Ψελλός.

Σιρβιτάνη ο γιός: Γενναίος και δυνατός πολεμιστής που βασανίζεται από μεγάλο πόνο και δεν βρίσκει ησυχία. Μόνο σε Καρπαθιακές παραλλαγές.

Σκληρόπουλος (επίσης Αζγουρόπουλος, Ζουρόπουλος, Ξερόπουλος, Σερόπουλος, Στερόπουλος, Συγκρόπουλος, Σιναδινόπουλος, Συναφινόπουλος, Συρόπουλος, Φτερόπουλος):

1) Γενναίος ήρωας που πεθαίνει δηλητηριασμένος από τη γυναίκα του, μέσα σε γενική θλίψη.

2) Ο ήρωας που αρπάζει τη γυναίκα του Διγενή - Κωσταντά και αναγκάζεται να την δώσει πίσω στο σύζυγό της (βλ. παρακάτω).

3) Το στοιχειό του πηγαδιού, που κατασπαράζει τον μικρότερο απ' τα εννέα αδέλφια.

Ο Κυριακίδης τον ταυτίζει με τον Ρωμανό *Σκληρό* των χρόνων του *Κωνσταντίνου Θ΄ Μονομάχου*, συνδέοντας την αρπαγή με την προσβολή του στρατηγού Γεωργίου *Μανιάκη*, όπως την αφηγούνται οι Σκυλίτζης και Κεδρηνός.

Τσαμαδός: Ο ήρωας πηγαίνει απρόσκλητος σε γλέντια και γάμους, όπου προκαλεί καταστροφές με την ανάρμοστη συμπεριφορά του. Σε μια παρόμοια περίπτωση τον αντιμετωπίζει ο γιος της χήρας (Κωσταντής, Μικροκωσταντάκης κ.τ.ο.). Οι δυο αντίπαλοι αναγνωρίζονται πριν τη μάχη, ή ο νεός δηλητηριάζεται από την χήρα για να σωθεί ο Τσαμαδός ή ο αγώνας καταλήγει στο θάνατο του Τσαμαδού. Ο Grégoire τον ταυτίζει με επώνυμο ήρωα του μικρασιαστικού Θέματος Τσαμανδού.

II) *Ακρίτες αναφερόμενοι στο Έπος - Μυθιστόρημα*

Ιωάννης: Γενναίος απελάτης που νικιέται απ' τον Διγενή στα αγωνίσματα και στην μάχη, ο Διγενής όμως τον ελευθερώνει. Ο ίδιος σκοτώνει με θαυμαστό τρόπο λιοντάρι. Ο Grégoire τον ταυτίζει με τον υπουργό του Ιουστινιανού Α΄, Ιωάννη *Καππαδόκη*.

Κίνναμος: Γενναίος απελάτης τον οποίο νικά ο Διγενής στην μάχη, χαρίζοντάς του μετά την ελευθερία του. Ο Gregoire τον ταυτίζει με Πάρθο βασιλιά που τον 4ο μ.Χ. αι. παραιτήθηκε υπέρ του νομίμου διαδόχου του θρόνου.

III) *Ακρίτες αναφερόμενοι στα Δημοτικά τραγούδια και το Επος - Μυθιστόρημα Διγενής - Βασίλειος Διγενής Ακρίτας* (επίσης Διγιανής, Διγιανός):

Α) Στα Δημοτικά Τραγούδια

Ο Διγενής, γενναίος με υπερφυσική δύναμη, σκοτώνει δικέφαλο θηρίο και με βασιλική διαταγή παλεύει και νικά τον υπερφυσικό κάβουρα στον καλαμιώνα. Κατά κρητικές παραλλαγές μοιάζει με Τιτάνα, δρασκελίζει βουνά αφήνοντας ίχνη στους βράχους, ρίχνει τεράστιες πέτρες και συλλαμβάνει ζώα. Μαθαίνει πως άξια για γυναίκα του είναι η κόρη του Λεβάντη (Λεβέντη, Αλιάντρου), και στέλνει τον Φιλοπαππού για προξενητή. Το αίτημα απορρίπτεται και ο Διγενής την αρπάζει. Αρπάζει την νύφη σε γάμο που είχε πάει, σκοτώνοντας τον γαμπρό ή μαγεύοντάς την με το λαούτο. Ο Σκληρόπουλος ή ένας δράκος ή κάποιος εχθρός αρπάζει τη γυναίκα του και ο Διγενής τον καταδιώκει και την παίρνει πίσω. Αρρωσταίνει, μετά από σθεναρή αντίσταση στο Χάρο, αποχαιρετά τους φίλους του, πνίγει από ζήλεια τη γυναίκα του και πεθαίνει, ή πολεμά με το Χάρο και νικιέται.

Β) Στο Έπος - Μυθιστόρημα

Ο Διγενής είναι γιος εκχριστιανισμένου Άραβα εμίρη και της κόρης του στρατηγού του Θέματος Καππαδοκίας. Τελικά εκχριστιανίζεται όλη η οικογένεια του εμίρη, στη Ρωμανία, όπου ο ήρωας μεγαλώνει με υπερφυσικό τρόπο. Στα δώδεκα χρόνια του πηγαίνει μαζί με τον πατέρα του στο κυνήγι, όπου ανδραγαθεί. Συναντά τους απελάτες, οι οποίοι τον δέχονται χωρίς δοκιμασία, παρά τις αρχικές αντιρρήσεις τους. Ζητά σε γάμο την Ευδοκία, αλλά ο στρατηγός πατέρας της αρνείται. Ο Διγενής την κλέβει και φεύγουν μαζί, να ζήσουν στα σύνορα. Ο αυτοκράτορας Βασίλειος έρχεται να τον συναντήσει, δίνοντάς του τίτλους και την προγονική του περιουσία. Οι απελάτες προσπαθούν μάταια να αρπάξουν τη γυναίκα του. Εκστρατεύει στη Συρία, όπου συναντά την κόρη του εμίρη Μερφεκέ Απλορράβδη, εγκαταλελειμμένη από τον ερωμένο της. Την παρηγορεί, και την παίρνει μαζί του, στον δρόμο όμως τη βιάζει και αναγκάζει τον ερωμένο της να την νυμφευτεί. Εξολοθρεύει τον δράκο που προσπαθεί να αρπάξει την γυναίκα του και αντιμετωπίζει την αμαζόνα Μαξιμώ, την οποία νικά, την κάνει δική του ερωτικά και στη συνέχεια, βασανιζόμενος από τύψεις τη σκοτώνει. Χτίζει παλάτι με κήπο κοντά στον Ευφράτη, όπου και θάβει τους γονείς του. Αρρωσταίνει βαριά, η γυναίκα του απ' την θλίψη πεθαίνει πρώτη και ο Διγενής την ακολουθεί. Ενταφιάζεται σε μνημειακό τάφο πάνω σε αψίδα, κοντά στην Τρώση.

Φιλοπαππούς Α) Στα Δημοτικά Τραγούδια

Στέλνεται απ' τον Διγενή σαν προξενητής στο Λεβάντη, και όταν παίρνει αρνητική απάντηση, συμβουλεύει το Διγενή να φτιάξει μαγικό λαούτο, και να αρπάξει την κόρη μαγεύοντάς την.

Β) Στο Έπος - Μυθιστόρημα

Περίφημος απελάτης που νικιέται από το Διγενή τόσο στα αγωνίσματα, όσο και στον πόλεμο. Στο τέλος καλεί για ενίσχυση την αμαζόνα Μαξιμώ, στην οποία δίνει συμβουλές πολεμικής τακτικής.

ΒΙΒΛ.: TL[3], ελλην. μετ., 148-9. - A. Cappel, λ. Akritai, ODB, 47. - A. Cutler, λ. Akritic imagery, ODB, 47 - 8. - Eliz. Jeffreys, λ. Akritic songs, ODB, 48. - E. και M. Jeffreys, λ.

Digenis Akritas, ODB, 622-3 με τη βιβλιογρ.

1) Για τα Δημοτικά Ακριτικά τραγούδια

Ν.Γ. Πολίτης, Ακριτικά άσματα. Ο θάνατος του Διγενή, Λαογρ. 1(1909), 169-275. Του ίδιου, Το άσμα των υιών του Ανδρόνικου, Ακρίτας 1(1904), 98- 125. Κ. Ρωμαίος, Τραγούδια του Ακριτικού κύκλου (Αθήνα 1979). Του ίδιου, Τα Ακριτικά τραγούδια του Πόντου, ΑΠ 17(1952), 155-71. Του ίδιου, Το τραγούδι της Αντρειωμένης Λυγερής, Προσφορά εις Στίλπωνα Κυριακίδη (Θεσσαλονίκη 1953), 581-95. Του ιδ., Η κρητική παραλλαγή του θανάτου του Διγενή, ΚρΧ 7 (1953), 394 - 404. Του ίδιου, Τρεις βυζαντινοί άρχοντες, ΠΔΒΣ 9ου (Θεσσαλονίκη 1953), 3, 25-45. Του ίδιου, Το τραγούδι της Απαρνημένης, Mélanges Octave et Melpo Merlier 3 (1957), 137-72. Του ίδιου, Η πάλη του Διγενή και του Χάρου, ΑΠ 22(1958), 167-78. Του ίδιου, Διγενής, ΑΠ 26(1964), 197-230. Του ίδιου, Ο Ξάντινον, ΑΠ 27(1965), 150-206. Γ.Κ. Σπυριδάκης, Το δημώδες άσμα «Ο ύπνος του αγούρου και η λυγερή». Επετηρίς Λαογραφικού Αρχείου (ΕΛΑ) 11-12 (1958-9), 229-48. Του ίδιου, Το δημώδες άσμα «Του κάστρου της Ωριάς», ΕΛΑ 13-14 (1960-1), 229-48. Στίλπ. Κυριακίδης, Διγενής και το τουρκικόν λαϊκόν μυθιστόρημα του Κιόρογλου, Ελληνικά 17(1960), 252-61. Του ίδιου, Forschungsbericht zum Akritas Epos, AICBS 11ου (Μόναχο 1958), 5. G. Veludis, Das Armurislied und Omar - al - Aqtan, BZ 58(1965), 313-19. G. Megas, Die Sage von Alkestis, Archiv fur Religionswissenschaft 30(1933), 1-33. K. Dieterich, Eine Gruppe neugriechischer Lieder aus dem Akritencyklus, BZ 13(1904). 53-72. Γ. Παπαχαραλάμπους, Akritic and Homeric poetry, ΚυπρΣ 27(1963), 25-65. S. Baud - Bovy, La chanson d' Armouris et sa tradition orale, Byz 13 (1938), 249-51. H. Grégoire - H. Lüdeke, Nouvelles chansons épiques des IXe et Xe siècles, Byz 14 (1939), 235-49. Του ίδιου, Nicéphore au col roid, Byz 8 (1933), 203-12. Του ίδιου Autour de Digénis Akritas, Byz 7 (1932), 291-2. Του ίδιου, Notes on the Byzantine epic, Byz 15(1940-1), 92-103. Του ίδιου, L' âge héroique de Byzance, Mélanges N. Jorga (Παρίσι 1933), 383-97. Του ίδιου, Notules. Le fleuve Bagjanica, Byz 8 (1933), 569-70. S. Impellizzeri, Un episodio del «Digenis Akritas» e un canto serbo, Annali Scuola Normale Super. di Pisa 2/11 (1942), 221-8. Του ίδιου, La morte di Digenis Akritas, Atti del Museo Pitré 1 (Παλέρμο - Μπολώνια 1950), 5-42. Γ. Σουμελίδου, Ακριτικά Ασματα, ΑΠ 1 (1928), 47-96. Γ. Δεστούνη Του Ξανθίνου άσμα δημοτικόν Τραπεζούντος της βυζαντινής εποχής (Πετρούπολις 1881). Ν. Κονομής. Πόθεν και πώς μεταφέρθη η ακριτική ποίησις εν Κύπρω, Κυπριακά Γράμματα 19 (1954), 247-50. Δ. Πετροπούλου, Ακριτικά τραγούδια στην Πελοπόννησο, Πελ 2 (1957), 335-68. Του ίδιου, Der Kampf zwischen Vater und Sohn im griechischen Heldenlied, Intern. Kongr. f. Volkskundeforschung, Vorträge und Referate (Βερολίνο 1961), 265-70. Στ. Ήμελλος, Το δημώδες άσμα «Ο Ανδρόνικος και η Ρήγισσα», ΕΛΑ 11-12 (1958-9), 43-9. K. Dieterich, Sprache und Volksüberlieferung der südlichen Sporaden (Βιέννη 1908), 360-1. J. Notopoulos, Originality in Homeric and Akritan formulae, Λαογρ. 18(1959), 423-31 Κ. Προύσης, Ο Διγενής Ακρίτας στην Κύπρο, Παρν 14 (1972), 192-214.

2) Για το Έπος - Μυθιστόρημα

E. Legrand, Les Exploits de Basile Digénis Akritas (Παρίσι 1892). K.Krumbacher, Eine neue Handschrift des Digenis (Βιέννη 1904). Ν. Βέης, Νέο χειρόγραφο του Διγενή, Νουμάς 15 Αυγ. 1904. J. Mavrogordato, Digenes Akrites (Οξφόρδη 1956). Er. Trapp,

Digenis Akrites (Βιέννη 1971). I. Καραγιάννη, Ο Διγενής Ακρίτας του Εσκοριάλ (Ιωάννινα 1976). Στ. Αλεξίου, Ακριτικά (Ηράκλειο 1979). Του ίδιου, Παρατηρήσεις στο Διγενή, Αρ 1 (1983), 41-57. Του ίδιου, Ο Διγενής Ακρίτας του Εσκοριάλ, ΠΑΑ 58 (1983), 68-83. Π. Καλονάρος, Βασίλειος Διγενής Ακρίτας 1-2 (Αθήνα 1941-2). D. Hesseling, Le roman de Digenis Akritas d' après le ms de Madrid, Λαογρ. 3 (1911), 357-604. S. Impellizzeri, Il Digenis Akritas (Φλωρεντία 1940). M. Büdinger, Mittelgriechisches Volksepos (Λειψία 1866). G. Wartenberg, Digenis Akritas (Αθήνα 1936). H. Grégoire, Ο Διγενής Ακρίτας (Νέα Υόρκη 1942). Του ίδιου, Autour de Digenis Akritas, Byz 7(1932), 291-2. Του ίδιου, Le geste d' Amorium, une épopée byzantine de l' an 860, Prace Polskiego Towarzystwadla Badan Europu Wschodneij i Bliskiego Wschodu 4 (1933-4), 150-61. Του ιδ., Études sur l' épopée byzantine, REG 46 (1933), 29 - 69. Του ιδ., Nouvelles notes épiques, Byz 25/27 (1955-7), 779 - 81. Του ίδιου, Le tombeau et la date de Digénis Akritas, Byz 6 (1931), 481-508. Του ίδιου, L' Amazone Maximo, Mélanges Franz Cumont (Βρυξέλλες 1936), 723-30. G. Wartenberg, Das mittelgriechische Heldenlied von Basileios Digenis Akritas (Βερολίνο 1897). A. Syrkin Poema o Digenise Akrite (Μόσχα 1964). E. Trapp, Specimen eines Lexikons zum Akritasepos, JOB 13 (1964) 13-27. Του ίδιου, Pontische Elementeim Wortschatz des Digenisepos, JÖB 13 (1964), 13-27. Του ιδ., Pontische Elemente im Wortschatz des Digenisepos, RESEE 9 (1971), 601-5. G. Huxley, Antecedents and context of Digenes Akritas, GRBS 15 (1974), 317-38, H. Graham, Digenis Akritas as a source for frontier history, AICBS 14ου (Βουκουρέστι 1975), 312-29. A. Pertusi, Tra storia leggenda: Akritai e Ghâzi sulla frontiera orientale di Bisanzio, ό. π., 237-83. G. Lanera, Contributi della critica storico - letteraria russa all' epica bizantina, Aev 46 (1972), 299-311. R. Fletcher, The Epic of Digenis Akritas and the Akritic songs: a short guide to bibliography, Μαντατοφόρος 11 (1977), 8-12. M. Jeffreys, The astrological prologue of Digenis Akritas, Byz 46 (1976), 375-97. N. Eideneier Λαογραφικά στο Διγενή της Κρυπτοφέρρης, Ελλ 20 (1967), 157-60. Της ίδιας, Διορθωτικά στο κείμενο του Διγενή της Κρυπτοφέρρης, Ελλ 23 (1970), 299-319. R. Wünsch, Zur Escorial - Handschrift Ψ-IV-22, BZ 6 (1897), 158-63. K.I. Βογιατζίδης, Ακριτικαί Μελέται, BZ 24 (1923-4), 61-78. H.Letocart, Trente cinq corrections au texte du Digénis Akritas, Byz 14 (1939), 211-26. R. Goosens, Sur trois passages de Digenis Akritas, Byz 22 (1952-3), 257-63. V. Tiftixoglu, Digenes, das «Sophrosyne» - Gedicht des Meliteniotes und der byzantinische Fünfzehnilber, BZ 67 (1974), 1-63. M. Jeffreys, Digenis Akritas Manuscript Z, Δωδ. 1 (1975), 161-201. K. Danguitsis, Le problème de la version originale de l' épopée byzantine de Digenis Akritas, REB 5 (1946), 185-205. A. Heisenberg, Ein angeblicher byzantinischer Roman, Silvae Monacenses (Μόναχο 1926), σ.30. L. Politis, Das byzantinische Epos des Digenis Akritas, Geistesgeschichtliche Perspektiven (Βόννη 1969), 113-19, H. Bartikian, Sur quelques questions relatives à l' épopée byzantine de Digenis Akritas, REA 5 (1968), 295-305. M. Letocart, Ευτυχία προς ήλιον. L' invocation au soleil vengeur dans l' épopée byzantine, Revue des Etudes Anciennes 42 (1940), 161-4. S. Kyriakides, Elements historiques byzantins dans le roman épique turque de Sayyid Battal, Byz 11 (1936), 563-70. V. Christides, An Arabobyzantine novel - Umar b. al-Numan compared with Digenes Akritas, Byz 32 (1962), 549-604. Του ίδιου, Arabic infleunce on the acritic cycle, Byz 49 (1977), 94-109. H. Grégoire, Echanges épiques arabo-grecs, Byz

7 (1932), 371-82. Του ίδιου, Héros épiques méconnus, Annuaire 2 (1934), 451-63. Του ίδιου Digénis, notes complémentaires, Byz 7 (1932), 317-20. Του ίδιου The historical element in western and eastern epics, Byz 16 (1944), 527-44. Του ίδιου, L' image d' Edesse, Byz 6 (1931), 486-90. Του ίδιου Devgenij ou Digenij, Byz 22 (1952), 148-50. Α. Ξυγγόπουλος, Ο τάφος του Διγενή, Ελλ 20 (1967), 24-8. Μ. Ανδρόνικος Το παλάτι του Διγενή Ακρίτα, ΕΕΦΣΠΘ 11 (1970), 7-15. Ε. Κριαράς, Ακριτικά. Ο τάφος του Διγενή και ο βυζαντινός μονόκερως, Προσφορά εις Στ. Κυριακίδην (Θεσσαλονίκη 1953), 383-8. G. Manganaro, L amazone Maximo e una epigrafe pontica, AICBS 11ου (Μόναχο 1960), 325-30. G. Saunier, Le combat avec Charos dans les chansons populaires grecques, Ελλ 25 (1972), 119-370. O Schissel, Digenis Akrites und Achilleus Tatios, Neophilologus 27 (1942), 143-5. D. Hesseling, Eine Digenisübersetzung aus dem 13. Jahrhundert, BZ 22 (1913), 370-1 Του ίδιου, Une nouvelle version du roman de Digenis Akritas, Byz 4 (1927-8), 171-8. Τέλος πρόσφατα κυκλοφόρησε ο συλλογ. τόμος με επιμ. των R. Beaton - D. Ricks, Digenis Akrites: new approaches to Byzantine heroic poetry (Λονδίνο - Aldershot 1993: Variorum), με καλή βιβλιογρ. στις σσ. 171 - 85.

Μ.Β.

Ακροπολίτης, Γεώργιος (1217-82). Βυζ. ανώτατος κρατικός υπάλληλος, διπλωμάτης και ιστοριογράφος κων/πολίτικης καταγωγής, υπήρξε μια από τις σημαντικότερες πολιτικές προσωπικότητες της εποχής του, ενώ το ιστορικό του έργο αποτελεί την κυριότερη πηγή για την ιστορία της Αυτοκρατορίας της Νίκαιας (1204-61). Οι εύποροι γονείς του τον έστειλαν στην αυλή του αυτοκράτορα *Ιωάννη Γ΄ Δούκα Βατάτζη* στη Νίκαια, όπου σπούδασε υπό την επίβλεψη του πολυμαθούς Νικηφόρου *Βλεμμύδη*. Την περίοδο 1244/6 ο Βατάτζης του απένειμε τα υψηλά αξιώματα του Λογοθέτη του Γενικού και του Μεγάλου Λογοθέτη και του ανέθεσε την εκπαίδευση του νεαρού πρίγκιπα και μετέπειτα αυτοκράτορα, *Θεόδωρου Β΄ Δούκα Λάσκαρι*, με τον οποίο ο Α. είχε συμφοιτήσει στον Βλεμμύδη (G. Ostrogorsky, Ιστορ. βυζ. κράτ., Γ΄, Αθήνα 1981, 93). Περί το 1256 οι σχέσεις του Α. με τον πρώην μαθητή του και - τώρα - αυτοκράτορα, Θεόδωρο Β΄, ψυχράνθηκαν, αλλά λίγο αργότερα (1257) διορίστηκε διοικητής των βυζ. Δ. επαρχιών και στάλθηκε εναντίον του δεσπότη της Ηπείρου *Μιχαήλ Β΄*, από τον οποίο συνελήφθη και φυλακίστηκε στη διάρκεια μιας διπλωματικής του αποστολής (1259/60). Μετά από σύντομη φυλάκιση επέστρεψε στην Κων/πολη μετά την ανακατάληψη του 1261, και έκτοτε χρησιμοποιήθηκε σε πολλές κρατικές υποθέσεις από τον προσωπικό του φίλο και υποστηρικτή, *Μιχαήλ Η΄ Παλαιολόγο*. Μέχρι το 1267 διακρίνεται ως καθηγητής της φιλοσοφίας και των μαθηματικών στο Παν/μιο της Κων/πολης, οπότε αντικαθίσταται από το λόγιο Μανουήλ *Ολόβωλο*, για να ξαναχρησιμοποιηθεί σε κρατικά ζητήματα. Το 1273/4 υπήρξε ο επίσημος διαπραγματευτής του Μιχαήλ Η΄ με τους Λατίνους για το ζήτημα της Ένωσης των 2 Εκκλησιών και στη Σύνοδο της Λυών (1274) ως πληρεξούσιος του αυτοκράτορα αναγνώρισε την υπεροχή της Δ. Εκκλησίας αποδεχόμενος το filioque, αν και η «Ένωση» της Λυών ποτέ δεν εφαρμόστηκε στην πράξη. Παρά την παραπάνω στάση του, ο Α. χαρακτηρίζεται από αντι-λατινικά αισθήματα (όπως αποδεικνυέται από τα έργα του), παρόλα αυτά, όμως, ο Μιχαήλ Η΄ τον χρησιμοποίησε εκτενώς και τον εμπιστευόταν. Το 1282 στάλθηκε στην τελευταία διπλωματική του αποστολή στην Τραπεζούντα για να πείσει το Μεγαλοκομνηνό ηγεμόνα *Ιωάννη Β΄* να παραιτηθεί από τον τίτλο του «βασιλέως Ρωμαίων» και να παντρευτεί την κόρη του Μιχαήλ Η΄, Ευδοκία Παλαιολογίνα. Πρέπει να πέθανε λίγο μετά την επιστροφή του στην Κων/πολη.

Η «Χρονική Συγγραφή» του Α. είναι το σημαντικότερο, ίσως, ιστοριογραφικό έργο της εποχής, με πλήθος πληροφοριών για τις εσωτερικές και εξωτερικές υποθέσεις των *Λασκαριδών* της Νίκαιας (Ενωση Εκκλησιών - σχέσεις με Λατίνους Κων/πολης, Σελτζούκους, Αρμένιους κλπ.), αν και φανερή είναι η περιφρονητική στάση του προς το αντίζηλο βυζ. κράτος της Ηπείρου καθώς και η συστηματική του παρασιώπηση σχετικά τους *Μεγάλους Κομνηνούς* του Πόντου. Η περιόδος που εξετάζεται στη «Χρονική Συγγραφή» (1203-61) γίνεται αντικείμενο εξέτασης και στην συντομευμένη διασκευή που συνέγραψε ο Α. με τίτλο «Ποίημα Χρονικόν Ημιτελές», ενώ ακόμη διακρίθηκε και ως συγγραφέας ρητορικών, θεολογικών-αντιρρητικών και φιλοσοφικών έργων, διαφόρων λόγων, όπως ο «Επιτάφιος» του Βατάτζη (που γράφτηκε το 1254-5 και αποτελεί αξιόλογη πηγή για τον Ιωάννη Γ΄ και την εποχή του), ερμηνευτικών σχολίων και διαφόρων στιχουργημάτων. Ως ιστοριογράφος ο Α. θεωρείται συνεχιστής του Νικήτα *Χωνιάτη*, ενώ το έργο του χρησιμοποιήθηκε από το Θεόδωρο *Σκουταριώτη*, το μοναχό - χρονικογράφο *Εφραίμ*, το Νικηφόρο *Γρηγορά* και το Γεώργιο *Σφραντζή*.

ΒΙΒΛ.: Εκδ. Χρονικής Συγγραφής: I.M. Bekker (CS, 1836). -PG 140, στήλ. 969-1220. -A.Heisenberg, G. Acropolitae Opera, Α΄ (Λειψία 1903, ανατ. με διορθ. - προσθ. P. Wirth, Στουττγάρδη 1978), 1-189 (τα συμπληρώματα του Σκουταριώτη στον ίδ. τόμ., 275-302). -Ρωσ. μετ. (1893). -Γερμ. μετ. αποσπασμάτων περί Σελτζούκων - Τουρκομάνων B. Lehmann, Die Nachrichten des N. Choniates, G.A. und Pachymeres über die Seltschuken, 1180-1280 (Λειψία 1939). Η έκδ. της σχολιασμένης αγγλ. μετ. της Ruth Macrides, The History of G.A. Transl. and Hist. Commentary (Παν/νιο Λονδίνου 1976: διδακτορ. διατρ.) παραμένει desideratum. Έκδ. Χρον. Ποιήματος A. Heisenberg, Α΄, 191-274, Έκδ. Επιτάφιου Βατάτζη Heisenberg, Β΄, 12-29. - Έκδ. Λόγων κατά Λατίνων στο ίδ., Β΄, 30-66. - Έκδ. διαφόρων στίχων στο ίδ., 3-11. - Έκδ. ερμηνευτ. λόγων (στους Γρηγόριο Θεολόγο και Αποστόλους Πέτρο και Παύλο) στο ίδ., 70-111. Γραμματολογικά: A. Heisenberg, Studie zur Textgeschichte der G.A. (Λαντάου 1894, διατρ.). -Κρουμβάχερ, Α΄, 578 εξ. -Δ. Μπαλάνος, ΜΕΕ 3, 235-6. -του ιδ., Βυζ. εκκλ. συγγραφείς, 800-1453 (Αθήνα 1951), 129 εξ. -Moravcsik, Α΄, 266 εξ. -Beck, 674 εξ. -Τωμαδάκης, Σύλλαβος, 463 εξ. -Σ. Παπαδόπουλος, ΘΗΕ 1, 1232-4. -Hunger, Α΄, 442 εξ. = ελλην. μετ., Β΄ (1992), 282 εξ. -Κ. Βαρζός, ΜΓΕ 5 (1978), 156. -TL^3, 25-6 και ελλην. μετ., 49. - Karayannopulos - Weiss, 461-2, αρ. 442. -J. Mossay, DHGE τεύχ. 115/16 (1983), 581-2. -A. Fourlas, LM 1, 254-5. Βλ. επίσης D. Polemis, Doukai (Λονδίνο 1968), 82 εξ. (γενεαλογικά), C. Constantinides, Higher Education in Byzantium in the 13th and early 14th cent., 1204-c. 1310 (Λευκωσία 1982), 9 εξ., 17 εξ., 32 εξ., 118 εξ., 150 εξ., P. Zhavoronkov, Ορισμένες Πτυχές της Κοσμοθεωρίας του Γ.Α., VV 47 (1986), 125-33 (ρωσ.) και τη βιβλιογρ. στον Α. Σαββίδη, Βυζ. στασιαστικά και αυτονομιστικά κινήματα στα Δωδεκάνησα και στη Μ. Ασία, 1189 -c. 1240 (Αθήνα 1987: διδακτορ. διατρ. Παν/μιου Θεσ/νίκης), 69-70. Ruth Macrides, ODB, 49. Για τον οίκο Ακροπολίτη βλ. A. Kazhdan, ODB, 48-9. -Nicol, ΒΛ, 41.

Α.Σ.

Ακροπολίτης, Κωνσταντίνος († c. 1321). Λόγιος, πολιτικός και αξιόλογος συγγραφέας των πρώιμων παλαιολόγειων χρόνων, γιος του ιστοριογράφου και Μ. Λογοθέτη Γεώργιου Α. Επί *Ανδρόνικου Β΄ Παλαιολόγου* έγινε Λογοθέτης του Γενικού (1282/3) και Μ. Λογοθέτης (όπως και ο πατέρας του παλαιότερα) το 1296 ή το 1306. Τον Απρ. 1321, λίγο πριν από το θάνατό του, διορίστηκε από τον Ανδρόνικο Β΄ μέλος της επιτροπής που δίκασε το νεαρό *Ανδρόνικο Γ΄ Παλαιολόγο*, και με την ευκαιρία αυτή ο Α. έκανε ζοφερές προγνώσεις για το μέλλον της αυτοκρατορίας λόγω των εμφυλίων διενέξεων που έμελλαν να συνεχιστούν για αρκετές ακόμη 10ετίες. Τη συγγραφική του φήμη οφείλει ο Α. στο ογκώδες έργο του, που περιλαμβάνει κυρίως Βίους Αγίων (Συναξάρια, Μαρτυρολόγια) αλλά και άλλα έργα θρησκευτικού περιεχομένου. Η πλούσια παραγωγή του σε Βίους (29) συντέλεσε στο να αποκληθεί ο Α. «νέος Μεταφραστής». Ξεχωρίζουν οι Βίοι του Αγ. *Δημητρίου* Θεσ/νίκης, του Αγ. Βάρβαρου Βουλγαρίας, της εικονολάτρισσας μάρτυρος Θεοδοσίας († 726) και του *Ιωάννη Δαμασκηνού*, ενώ κατά πάσα πιθανότητα ο Α. είναι συγγραφέας και της 2ης παραλλαγής του Βίου Ευδοκίμου του Δικαίου (Καραγιαννόπουλος). Εγραψε ακόμη Εγκώμιο στην πόλη της Νίκαιας, Διαθητικό Λόγο «Εις την Ανακαίνησιν του Ναού της Κυρίου ημών Αναστάσεως», Ομιλία περί του Ιωάννη Ελεήμονα του Νεώτερου, και επίτομη «Σύνοψιν Ρωμαϊκής Ιστορίας», που καλύπτει την περίοδο από τον Αινεία έως το 1323. Πιστεύεται (Κρουμβάχερ) ότι η αφήγηση για την περίοδο 1321-3 αποτελεί πιθανότατα προσθήκη άλλου συγγρ. Στο έργο αυτό παρατίθενται με λεπτομέρειες τα γεγονότα έως το 1118 (στο έτος αυτό τελειώνουν οι αφηγήσεις των *Άννας Κομνηνής* και Ιωάν. *Ζωναρά*), ενώ η περίοδος 1118-1323 παρουσιάζεται πολύ περιληπτικά, με απλή αναγραφή των ηγεμόνων και με διάφορες σποραδικές ιστορικές παρατηρήσεις και σχόλια. Τέλος, ο Α. επεξεργάστηκε το κείμενο των «Θαυμάτων Αγ. Δημητρίου» («Λόγος εις τον μεγαλομάρτυρα και μυροβλήτην Δημήτριον»), έγραψε σημαντικά σχόλια σε βυζ. θρύλους και μύθους, καθώς και παρατηρήσεις και κρίσεις για το βυζ. λογοτεχνικό έργο του 12ου αι. «Τιμαρίων». Ο Α. βρισκόταν σε συχνή επικοινωνία με τον πατριάρχη *Γρηγόριο Β΄* - Γεώργιο Κύπριο, το λόγιο Νικηφόρο *Μοσχόπουλο* κ.ά. ονομαστούς ανθρώπους του πνεύματος του καιρού του. Έχει διασωθεί τμήμα της αλληλογραφίας του με το Μοσχόπουλο, ενώ ακόμη αναφέρεται και σε επιστολή του Μάξιμου *Πλανούδη* (αρ. 94).

ΒΙΒΛ.: Η Ιστορία παραμένει ανέκδοτη. Έκδ. άλλων έργων του Κ.Α. στην PG 140. Έκδ. Εγκώμ. Νίκαιας F. Winkelmann, Studia Balcanica 1 (Σόφια 1970), 113-15. - Έκδ. Διαθ. Λόγου Κ. Μανάφης, ΕΕΒΣ 37 (1969-70), 459-65. - Έκδ. Ομιλ. Ιωάν. Ελεήμ. D. Polemis, AB 91 (1973), 31-54. - Έκδ. Λόγου Αγ. Δημητρ., ΑΙΣ 1 (1891), 160-215. - Έκδ Μύθων Α. Παπαδόπουλος-Κεραμεύς, ΔΙΕΕΕ 3(1891), 445-51. Ειδική μελέτη D. Nicol, C.A. A Prosopographical Note, DOP 19 (1965), 249-56. -του ιδ., Church and Society in the Last Centuries of Byzantium (Καίμπριτζ 1979), 53. Γραμματολογικά: Κρουμβάχερ, Α΄, 410, 787-8 και Β΄, 123-4, 140. -Δ. Μπαλάνος, ΜΕΕ 3, 236. -του ιδ., Βυζ. εκκλ. συγγραφείς, 800-1453 (Αθήνα 1951), 131. -Beck, 698-9. -Hunger, Α΄, 477, Β΄, 154 = ελλην. μετ., Β΄, 571-2 -Κ. Βαρζός, ΜΓΕ 5 (1978), 156. -TL[3], 26-7 και ελλην. μετ., 49-50. -PLP, αρ. 520. -Βλ. επίσης C. Constantinides, Higher Education in Byzantium... 1204 -c.1310 (Λευκωσία 1982), 37 εξ., 56 εξ., 118 εξ., 140 εξ. και τη βιβλιογρ. στον Α. Σαββίδη, ΜΓΕ 35 (1984), 310-11. Επίσης βλ. τώρα G. Dennis και T. Miller, Constantine Akropolites: The Obligation of Monks to care for the sick, OCP 56/2 (1990), 413-29 (κείμ. - αγγλ. μετ. - σχόλια). Alice-Mary Talbot, ODB, 49.

Α.Σ.

Ακτουάριος, Ιωάννης Ζαχαρίας (τέλος 13ου - 1ο μισό 14ου αι). Βυζαντινός γιατρός στην αυλή του *Ανδρόνικου Γ΄ Παλαιολόγου*. Ονομαζόταν Ακτουάριος γιατί, εκτός από γιατρός, ήταν και επίσημος γραμματέας και πρακτικογράφος, δηλαδή «ακτουάριος» (γραμματικός της αυλής) (βλ. A. Kazhdan, λ. Aktouarios, ODB, 50). Έγινε γνωστός και ως λόγιος και φιλόσοφος. Έγραψε πολλά συγγράμματα με το πραγματικό του όνομα «Ιωάννης, υιός Ζαχαρίου, ακτουάριος». Τα σημαντικότερα ήταν: «Θεραπευτική μέθοδος» (6 βιβλία). -«Περί ενεργειών και παθών του ψυχικού πνεύματος και της κατ' αυτό διαίτης». - «Ιατρική μέθοδος». - «Εις Γαληνόν, περί θεραπευτικής μεθόδου». - «Περί υγιεινής» κ.ά. Η μελέτη του «Περί ούρων» είχε μεγάλη απήχηση στη Δ. Ευρώπη, όπως φανερώνουν οι δώδεκα περίπου επανεκδόσεις ως το 16ο αι. της μετάφρασής της στα λατινικά.

ΒΙΒΛ.: Α. Γκιάλας, ΜΓΕ 5, 207. -K. Vogel, CHM 4/2 (1967), 291 (για το αξίωμα του "ακτουάριου"). - A. Hohlweg, BZ 76 (1983), 302-21 και DOP 38 (1984), 121 - 33. Βλ. τώρα την εκτενή πραγματεία του Σταύρου Ιω. Κουρούση, Το επιστολάριον Γεωργίου Λακαπηνού-Ανδρόνικου Ζαρίδου (1299 -c.1315) και ο ιατρός-ακτουάριος Ιωάννης Ζαχαρίας (c. 1275-1328/;). Μελέτη Φιλολογική (Αθήνα 1984-88), ιδιαίτερα το 2ο μέρος (σσ. 101-525). -Βλ. επίσης TL[3], ελλην. μετ., 256. -Ι. Λασκαράτος, Δηλητηριάσεις βυζ. περιόδου (Αθήνα 1994), 80. - J. Scarborough - A. - M. Talbot, λ.John Aktouarios, ODB, 1056.

Γ.Μ.-Α.Σ.

Αλάβιβος (Olaph, β΄ μισό 4ου - αρχές 5ου αι.). Βησιγότθος αξιωματούχος με εποχή δράσης τις τελευταίες 10ετίες του 4ου αι. και πιθανόν, την 1η 10ετία του 5ου. Ανέλαβε πρωτοβουλίες για τη συνθήκη του 376 περί εγκατάστασης ομοφύλων του στα εδάφη της Αυτοκρατορίας, ενώ δυο χρόνια αργότερα (378) είχε αποφασιστικό ρόλο στη βησιγοτθική νίκη κατά του αυτοκράτορα *Βάλη* στη μάχη της Αδριανούπολης. Το τέχνασμα των πυρκαϊών που επινόησε ο Α. δημιούργησε σύγχυση στο βυζ. στρατό, του οποίου μεγάλο τμήμα κατακάηκε (9 Αυγ. 378). Πιθανόν ο Α. να κατευθύνθηκε στην Ιταλία στα τέλη του 4ου αι., συνοδεύοντας τον *Αλάριχο Α΄*. Ορισμένοι μελετητές τον ταυτίζουν με τον *Αλλόβιχο*.

ΒΙΒΛ.: Stein, Histoire, Α΄ 1 (1959), 188. -Γ. Καψάλης, ΜΕΕ 3, 361. -Πολύμνια Αθανασιάδη - Fowden, ΙΕΕ 7 (1978), 76.

Α.Σ.

Αλαεδδίν Πασάς/Μπέης († c. 1333). Ο 1ος Οθωμανός μέγας βεζύρης την περ. c. 1326 -c. 1333, ήταν πρωτότοκος ή δευτερότοκος γιος του 1ου σουλτάνου *Οσμάν Α΄* και αδελφός του 2ου σουλτάνου, *Ορχάν*, του οποίου αρνήθηκε την προσφορά να αναλάβει ο ίδιος το σουλτανάτο μετά το θάνατο του πατέρα τους. Αποδέχτηκε πάντως να γίνει Μ. Βεζύρης και ουσιαστικός διοικητής του σουλτανάτου, ενώ ο Ορχάν ασχολήθηκε αποκλειστικά με τις στρατ. κατακτήσεις. Καθιέρωσε με σειρά μεταρρυθμίσεων νέα στολή και εξάρτυση του οθωμ. στρατού (π.χ. το κωνοειδές σαρίκι από άσπρη τσόχα), και, μαζί με το στρατιωτικό αξιωματούχο Καρά Χαλίλ Τζεντερλί-Ζαδέ, οργάνωσε σε νέες βάσεις το οθωμ. πεζικό ("γυάγυα") και ιππικό ("ακιντζί") υιοθετώντας βυζ. πρότυπα, ενώ ορισμένοι μεταγενέστεροι Οθωμ. χρονικογράφοι του αποδίδουν και την κοπή των πρώτων οθωμ. αργυρών και χαλκών νομισμάτων ("άσπρων") στο όνομα του αδελφού του. Συμμετέσχε στην οθωμ. νίκη επί των Βυζαντινών στη μάχη του Πελεκάνου (10 Ιουν. 1329) (Εύη Μαλάμογλου, ΜΓΕ 43, 1987, 239). Μετά το θάνατό του τον διαδέχτηκε ως 2ος Μ. Βεζύρης ο γιος του Ορχάν, *Σουλεϋμάν*. Ο τάφος του Α. βρίσκεται στο μαυσωλείο του Οσμάν Α΄ στην Προύσα.

ΒΙΒΛ.: K. Süssheim, EI[1], 246-8. -Ν. Μοσχόπουλος, ΜΕΕ 3, 363-4. -Κ. Άμαντος, Σχέσεις Ελλήνων-Τούρκων, Α΄ (Αθήνα 1955), 68. -S. Stern, EI[2], 1, 358-9. -Irène Beldiceanu-Steinherr, Recherches sur les Actes des Règnes des Sultans Osman, Orkhan et Murad I (Μόναχο 1967), 81, αρ. 19, 94 εξ. -της ιδ., LM 1, 262. -S. Shaw, Hist. of Ottom. Emp., Α΄ (Καίμπριτζ 1976), 24 (δε δέχεται τη συγγένεια των Α. - Ορχάν). Οι πηγές: Χαλκοκονδύλης, Ασίκ-Πασά-Ζαδέ, Νεσρί, Ουρούτζ, Σεαδεδδίν και Γιαχσί-Φακίχ (ελλην. μετ. στην Ε. Ζαχαριάδου, Ιστορία και θρύλοι των παλαιών σουλτάνων 1300-1400, Αθήνα 1991, 169-70).

Α.Σ.

Αλακασσεύς ή **Αλακάς**. Όνομα βυζ. αξιωματούχων με περιόδους δράσης το 2ο μισό του 10ου και τον 11ο αι. (βλ. τώρα γενικά Α. Σαββίδης, Ο βυζαντικός οίκος των Α., Βυζκ 11, 1991, 231-8 και βιβλιογρ. στον ίδιο, ΜΡ 13.1, 1992, 83).

1. *Ιωάννης Α.* (β΄ μισό 10ου αι.). Είναι ο μόνος που αναφέρεται και με τα 2 ονόματα. Είχε το αξίωμα του πατρίκιου και συμμετέσχε υπό το στρατηγό Βάρδα *Σκληρό* στις επιχειρήσεις για αντιμετώπιση των Ρώσων εισβολέων του *Σβιατοσλάβου* στη Βουλγαρία και τη Θράκη στο 2ο έτος της βασιλείας του *Ιωάννη Α΄ Τζιμισκή*. Με το μικρό σώμα των ανιχνευτών ιππέων του κατόρθωσε να παρασύρει τις δυνάμεις του εχθρού σε ενέδρα κοντά στην Αρκαδιούπολη προσποιούμενος υποχώρηση, και έτσι έδωσε την ευκαιρία στις δυνάμεις του Σκληρού να αποδεκατίσουν τους εισβολείς (970 μ.Χ.)

ΒΙΒΛ.: Σκυλίτζης, CF, 289 εξ. = Κεδρηνός, CS, Β΄, 385 εξ. -G. Schlumberger, Βυζ. εποποιΐα, Β΄ (Αθήνα 1904, ανατ. 1977), 66-7. -Ν. Καλομενόπουλος, ΜΕΕ 3, 367. Ι. Καραγιαννόπουλος Ιστορ. βυζ. κράτ., Β΄ (Θεσ/νίκη 1981[2]), 419. -J. Cl. Cheynet, Pouvoir et contestations à Byzance, 963-1210 (Παρίσι 1990), 228.

2. *Ιωάννης Α.* (α΄ μισό 11ου αι.). Στρατηγός του θέματος Ελλάδος, το 1041 αντιμετώπισε την κάθοδο στον ελλαδικό χώρο των ανταρτών του Πέτρου *Δελεάνου*, τους οποίους αντιμετώπισε ανεπιτυχώς στη Θήβα (ή κατ' άλλους στις Φθιώτιδες Θήβες), χάνοντας πολλούς από τους άνδρες του.

ΒΙΒΛ.: Σκυλ., 411 = Κεδρ., Β΄, 530. -Β. Βλυσίδου - Ε. Κουντούρα - Σ. Λαμπάκης - Τ. Λουγγής - Α. Σαββίδης, Boeotia Mechanographica Medioevalis, ΕΕΒοιΜ Α΄ 1 (1988), 410, σημ. 17. -Α. Σαββίδης, Η βυζ. Θήβα, 996/7-1204, Ιστ Γεωγρ 2 (1988), 37, σημ. 15-16.

3. *Α.* (β΄ μισό 11ου αι.). Δε σώζεται το μικρό του όνομα. Διακρί-

θηκε ως αξιωματούχος του *Αλέξιου Α΄ Κομνηνού* το 1094 όταν συνέβαλε αποφασιστικά στην εξουδετέρωση του επικίνδυνου στασιαστή Λέοντα ή Νικηφόρου (Ψευδο-) *Διογένη*, ο οποίος είχε αποκλείσει την Αδριανούπολη σε επώδυνη πολιορκία με τους τουρκόφωνους Κομάνους μισθοφόρους του. Ο Α. κατόρθωσε να περάσει μεταμφιεσμένος στο στρατόπεδο του αντάρτη και να πείσει τον τελευταίο να πάει στο φρούριο του Πούτζη, κοντά στην Αδριανούπολη, του οποίου ο φρούραρχος είχε δήθεν δεχτεί να του παραδοθεί. Ο Ψευδο-Διογένης παρασύρθηκε στην παγίδα και έπεσε σε λήθαργο μετά από γερή οινοποσία στο φρούριο εκείνο, όπου τελικά συνελήφθη από τις δυνάμεις του αυτοκράτορα.

ΒΙΒΛ.: Αννα Κομνηνή, Β΄, 198 εξ. -Marguerite Mathieu, Les Faux Diogènes, Byz 22(1952), 135. -B. Skoulatos, Les Personnages Byzantins de l' Alexiade (Λουβαίν 1980), 8-9. -Α. Σαββίδης, Μελέτ. βυζ. ιστορ. 11ου-13ου αι. (Αθήνα 1995²), 37-8. -Cheynet, ό. π., 228, 374.

Α.Σ.

Αλαμούνδαρος/αλ-Μουνδίρ. Όνομα 2 ηγεμόνων (φυλάρχων) των Νεστοριανών Λαχμιδών (πελατικών μισθοφόρων των Σασανιδών Περσών κατά του Βυζαντίου) στους 5ο και 6ο αι.

1. (c. 418-62). Φύλαρχος των Αράβων («Σαρακηνών») των βυζαντινοπερσικών συνόρων στη Συρία, συμμάχησε με το Σασανίδη ηγεμόνα, *Βαχράν Ε΄*, και το 421 οδήγησε μεγάλες δυνάμεις κατά των εδαφών του *Θεοδοσίου Β΄ Μικρού*, αλλά οι 100 χιλ. στρατιώτες του νικήθηκαν και πνίγηκαν στον Ευφράτη (οι πηγές: Σωκράτης, Θεοφάνης, Μπαρ Εβραίος, Μιχαήλ Σύρος).

   ΒΙΒΛ.: J. Bury, Later Roman Empire, 395-565, Β΄, Ν. Υόρκη 1958, 4. -PLRE, Β΄, 40. -I. Shahid, Lakhmids, DMA 7 (1986), 320-21. -του ιδ., Byzantium and the Arabs in the 5th Century (Ουάσιγκτον 1989), 28 εξ.

2. (c. 505-54). Ο «Σκηνιτών βαρβάρων ηγούμενος» των βυζ. πηγών, επί του οποίου σημειώθηκε ακμή των γραμμάτων και τεχνών (προϊσλαμικής ποίησης) στην επικράτεια των Λαχμιδών, που υπήρξαν σταθεροί σύμμαχοι των Περσών κατά του Βυζαντίου, ιδιαίτ. επί *Ιουστινιανού Α΄*, ο οποίος επανειλημ-

μένα προσπάθησε να τον εξουδετερώσει, άλλοτε με πόλεμο και άλλοτε με τη διπλωματία. Κατά πληροφορία (ελεγχόμενη) του πολύ μεταγενέστερου χρονικογράφου Ζωναρά, περί το 513 ο Α. βαφτίστηκε Χριστιανός (Νεστοριανός) και παντρεύτηκε Χριστιανή γυναίκα, και - προτού ξαναγυρίσει στις παλιές ειδωλολατρικές του συνήθειες - απέρριψε την προσπάθεια απεσταλμένων του πατριάρχη Αντιόχειας *Σεβήρου* να τον προσυλητίσουν στο Μονοφυσιτισμό (Δ. Κόκκινος, ΜΕΕ, 3, 373. -ΘΗΕ, 2, 6. -Σοφία Πατούρα, Η διάδοση του Χριστιανισμού στα πλαίσια της εξωτ. πολιτικής του βυζ. κράτους, Συμμ 7, 1987, 232). Το 505/9 και το 519/20 έκανε 2 μεγάλες εισβολές στην Αραβία και Παλαιστίνη, ενώ το 523 συνέλαβε τους βυζ. στρατηγούς Τιμόστρατο και Ιωάννη, τους οποίους απελευθέρωσε το 524 [βλ. λ. *Αβράμης*]. Το 527 εισέβαλε στην Έμεσα και Απάμεια, συλλαμβάνοντας πολλούς αιχμαλώτους, και το 528 νίκησε και σκότωσε το Γασσανίδη (Μονοφυσίτη) φύλαρχο και σύμμαχο του Βυζαντίου, *Αρέθα*, τον οποίο είχε στρέψει εναντίον του ο Ιουστινιανός. Το 529 εισέβαλε στη Β. Συρία φθάνοντας μέχρι την Αντιόχεια (21 Μαρτ.), από όπου απήγαγε χιλιάδες αιχμαλώτων (G. Downey, Hist. of Antioch in Syria, Πρίνστον 1961, 532), ενώ λίγο αργότερα στην ίδια χρονιά εξάπλωσε τις επιδρομές του μέχρι τη μικρασιατική Βιθυνία. Ενώνοντας όλους σχεδόν τους «Σαρακηνούς» της Περσίας υπό την αρχηγία του ο Α. έγινε μεγάλη απειλή για το *Βελισάριο*. Το 531 συνώδευσε μεγάλο περσικό στρατό υπό τον Αζάρεθο σε εκτενή εισβολή στην Ευφρατησία, νίκησε το Βελισάριο στο Καλλίνικο και συμφώνησε ξεχωριστή ειρήνη με το Βυζάντιο, μέχρι το 537, οπότε ξανάρχισαν οι συγκρούσεις. Το 540 ο Α. έπεισε το Σασανίδη ηγεμόνα *Χοσρόη Α´* να επαναλάβει τις επιχειρήσεις του κατά των Βυζαντινών, πληροφορώντας τον ότι οι τελευταίοι είχαν επιχειρήσει να τον εξαγοράσουν, και το 541/2 συνόδευσε νέα περσική εκστρατεία στη Σεργιόπολη. Την περ. 544/54 συγκρούστηκε σε μακρόχρονο αγώνα με το Γασσανίδη φύλαρχο *Αρέθα* [αρ.2], από τον οποίο τελικά εξοντώθηκε σε μάχη κοντά στη Χαλκίδα της Συρίας. Τον διαδέχτηκε ο Χριστιανός γιος του Αμβρος/Αμρ.

ΒΙΒΛ.: Οι πηγές (Ευάγριος, Προκόπιος, Θεοφάνης, Μαλάλας, Μαρκελλίνος κόμης Ζωναράς, Ζαχαρίας Ρήτωρ, Κύριλλος Σκυθοπολίτης, Νόννοσος, Ηλίας Νίσιβης, Μένανδρος, Τάμπαρι κ.ά.) στους J. Bury, Later Roman Empire, 395-565, Β΄ (Ν. Υόρκη 1958), 81, 91, 92, 324, -E. Stein, Hist. Bas-Empire, Β΄ (Παρίσι-Βρυξέλλες-Αμστερνταμ 1949), 99, 265 εξ., 284 εξ., 292 εξ. -PLRE, Β΄, 40-3. -R. Browning, ΙΕΕ 7 (1978), 179. -Ι. Καραγιαννόπουλος, Ιστορ. βυζ. κρ., Α΄ (Θεσ/νίκη 1978, ανατ. 1991), 397, 402 εξ., 478, 502, 512, 592. Βλ. επίσης H. Lammens, Lakhmids, EI^1, 5 (ανατ. 1987), 11-12 και I. Shahid, EI^2, 5 (1982), 636-8. -του ιδ., ODB, 51 (Alamundarus) και 1170-71 (Lakhmids).

Α.Σ.

Αλαμούνδαρος/αλ-Μουνδίρ († μετά το 582). Φύλαρχος των Μονοφυσιτών Γασσανιδών (πελατικών μισθοφόρων του Βυζαντίου κατά των Σασανιδών Περσών), διαδέχτηκε τον *Αρέθα* [αρ. 2] μετά το 569. Το 580 του έγινε τιμητική υποδοχή από τον *Τιβέριο Α΄ - Κωνσταντίνο* στην Κων/πολη, το 581/2, όμως, κρίθηκε ένοχος αποφυγής συνεργασίας με το *Μαυρίκιο* στο Α. μέτωπο κατά των Περσών, και, όταν ο Μαυρίκιος ανέβηκε στο θρόνο, τον εξόρισε με την οικογένειά του στη Σικελία (582/3). Ο γιος του Α., Νααμάνης, επαναστάτησε κατά του Βυζαντίου και τα γεγονότα αυτά σήμαναν το τέλος της βυζαντινο-γασσανιδικής συμμαχίας. Μετά από καταστροφές που προξένησε στη Φοινίκη και την Παλαιστίνη ο Νααμάνης συνελήφθη τελικά από το Μαυρίκιο.

ΒΙΒΛ.: Ευάγριος, Β΄, 216, 223. -R. Browning, ΙΕΕ 7 (1978), 212. -G. Tate, ό. π., 461. -I. Shahid, ODB, 51 και 850 (Ghassanids).

Α.Σ.

Αλάριχος Α΄ (c. 370-410). Ο 1ος ηγεμόνας των *Βησιγότθων* (395-410) καταγόμενος από την αριστοκρ. οικογένεια των Βάλθων, Αρειανιστής στο θρήσκευμα. Υπηρέτησε ως επικεφαλής των βησιγοτθ. δυνάμεων (φοιδεράτων) του ρωμαϊκού στρατού και, μετά το θάνατο του *Θεοδόσιου Α΄* (395), εκλέχτηκε ηγεμόνας των Βησιγότθων. Τον ίδιο χρόνο εισέβαλε στη Δ. Ελλάδα και, χωρίς να επιτεθεί στην Κων/πολη χάρη στην προσωπική επέμβαση του Γαλάτη επίτροπου του *Αρκάδιου*, του *Ρουφίνου*, πολιόρκησε το λιμάνι του Πειραιά και λεηλάτησε την Αθήνα, τα Μέγαρα, την Κόρινθο, το Άργος και τη Σπάρτη (βλ. Ε. Χρυσός, Οι Βησιγότθοι στην Πελοπόννησο, ΠΔΣ Β΄ Πελοποννησιακού, Αθήνα 1980, 181 εξ.). Τελικά οι βησιγοτθ. επιδρομές διακόπηκαν με την ανακήρυξη του Α. από τον ηγεμόνα της Α. Αυτοκρατορίας, Αρκάδιο, σε magister militum per Illyricum, και την εγκατάσταση των Βησιγότθων στην Ήπειρο (399). Το 401 ο Α. εισέβαλε στην Ιταλία και αποκρούστηκε από τον βανδαλικής καταγωγής στρατηγό *Στηλίχωνα* στην Πολλεντία (402) και στη Βερόνα (403). Μετά τη δολοφονία του τελευταίου (408) ο Α. διεκδίκησε την αρχιστρατηγία του. Η άρνηση του Δ. αυτοκράτορα *Ονώριου* να ικανοποιήσει τα αιτήματα του Α. προκάλεσε την εισβολή του τελευταίου στην Ιταλία και την πολιορκία της Ρώμης (408), γεγονός που είχε ως αποτέλεσμα την μερική υποχώρηση της Συγκλήτου και την απομάκρυνση του Ονώριου στη Ραβέννα. Ο Α. με τη βοήθεια του γυναικαδέλφου του, *Ατάουλφου,* ξαναπολιόρκησε τη Ρώμη (409). Υπό την πίεση των περιστάσεων αυτοκράτορας της Δ. Αυτοκρατορίας ανακηρύχθηκε ο Πρίσκος Άτταλος, ενώ ο Α. ονομάστηκε αρχιστράτηγος και ο Ατάουλφος κόμης των Δομεστίκων. Αποτυγχάνοντας να καταλάβει την Αφρική, ο Α. καθαίρεσε τον Άτταλο, πολιόρκησε τη Ρώμη για 3η φορά και την κατέλαβε στις 24 Αυγ. 410. Ακολούθησε λεηλασία 3 ημερών χωρίς όμως να πειραχθούν τα μνημεία και τα ιστορικά κτίσματα της πόλης. Φεύγοντας ο Α. πήρε μαζί του ως όμηρο την αδελφή του Ονώριου, *Γάλλα Πλακιδία.* Στη συνέχεια βάδισε προς το Ρήγιο σκοπεύοντας να εκστρατεύσει στην Αφρική, αλλά ο στόλος του καταστράφηκε σε καταιγίδα. Αναγκασμένος να εγκαταλήψει την κατακτητική του προσπάθεια, πέθανε τον ίδιο χρόνο στην Κονσέντια και τάφηκε στην κοίτη του ποταμού Βουσέντου.

ΒΙΒΛ.: Οι πηγές (Ζώσιμος, Ολυμπιόδωρος, Φιλοστόργιος, Σωκράτης, Σωζομενός, Ορόσιος, Ιορδάνης, Γρηγόριος Τουρ, Υδάτιος κ.ά.) στους O. Seeck, RE 1/1 (1893), 1286-91. -J. Bury, Later Roman Empire, 395-565, Α΄ (Ν. Υόρκη 1958), 109 εξ., 119 εξ., 160 εξ., 169 εξ., 174 εξ., 183 εξ. -του ιδ., Invasion of Europe by the Barbarians (Λονδίνο

1928), 63 εξ., 75 εξ., 91 εξ. -Th. Hodgkin, Italy and her Invaders, Β΄ (Οξφόρδη 1898[2]). -E. Stein, Hist. Bas-Empire, Α΄ (1949), 228 εξ., 248 εξ. -L. Varady, Letzte Jahr. Pannoniens (Αμστερνταμ 1969), 79 εξ., 126 εξ., 179 εξ., 241 εξ., 254 εξ. -D. Claude, Gesch. der Westgoten (Στουττγάρδη 1970). -PLRE, Β΄, 43-8. - Ε. Χρυσός, Βυζάντιον και Γότθοι (Θεσ/νίκη 1972), 158 εξ. και ευρετ. - H. Wolfram, Gesch. der Goten (Μόναχο 1980), 27 εξ., 160 εξ., 164 εξ., 174 εξ., 196 εξ. -E. Thompson, OCD[2], 33. -G. Wirth, LM 1, 271. -B. Bachrach, DMA 1 (1982), 122. -Τ. Λουγγής, ΜΓΕ 5 (1978), 240 και ΙΕΕ 7 (1978), 93 εξ., 102 εξ. Επίσης Γ. Κορομηλάς, ΜΕΕ, 3, 385-8. -Κ. Παπαρρηγόπουλος, Ιστ. Ελλην. Έθν., Γ΄, 2 (Αθήνα 1932[6]), 204 εξ. -Α. Vasiliev, Ιστ. Βυζ. Αυτ. (Αθήνα 1954, ανατ. 1973), 120 εξ., 128. -Κ. Αμαντος, Ιστ. βυζ. κρ., Α΄ (Αθήνα 1963[3]), 71 εξ., 77-8. -G. Ostrogorsky, Ιστ. βυζ. κρ., Α΄ (Αθήνα 1978), 116-17. -Δ. Ζακυθηνός, Βυζ. ιστ., Α΄ (Αθήνα 1977[2], ανατ. 1989), 53. -Αικ. Χριστοφιλοπούλου, Βυζ. ιστ., Α΄ (Θεσ/νίκη 1992[2]), 186 εξ., 189 εξ. -Ι. Καραγιαννόπουλος, Ιστ. βυζ. κρ., Α΄ (Θεσ/νίκη 1978, ανατ. 1991), 196 εξ., 200 εξ., 232 εξ. -Α. Σαββίδης, Χρόνια σχηματοποίησης Βυζαντίου (Αθήνα 1983), 96 εξ. -M. Milani, Α.: ο βάρβαρος που κατέκτησε τη Ρώμη, Ιστορ. Εικονογραφημένη Παπύρου 71 (Αθήνα 1974), 92-9 (εκλαϊκευτ.). -Τ. Λουγγής, Βυζ. κυριαρχία στην Ιταλία... 395-1071 (Αθήνα 1989), 56 εξ. -T. Gregory, ODB, 52.

Φ.Β.

Αλάριχος Β΄ (ηγεμ. 484-507 †). Βησιγότθος βασιλιάς της Ισπανίας, γιος του *Εύριχου*. Παντρεύτηκε την κόρη του Οστρογότθου ηγεμόνα, *Θεοδώριχου* Αμαλού, Θεοδεγόθα. Το κράτος του περιελάμβανε, πλην της Ισπανίας, τις περιοχές της Ακουϊτανίας, του Languedoc και των Δ. Επαρχιών, εκτός της Γαλικίας. Επιδιώκοντας τη συμφιλίωση των υπηκόων του, επέβλεψε τη σύνταξη σημαντικού κώδικα νόμων γνωστού ως Lex Romana Visigothorum ή Breviarium Alarici (έκδ. Haenel, Λειψία 1848), που ολοκληρώθηκε το 506. Ηρθε σε σύγκρουση με τον ηγεμόνα των Φράγκων, βασιλιά *Κλόβη Α΄*, και σκοτώθηκε σε μάχη κοντά στο Πουατιέ (στην τοποθεσία Βουϊγιέ). Τον διαδέχτηκε ο γιος του *Αμαλάριχος*, μετά το θάνατο του οποίου έλαβε χώρα η υπαγωγή των βησιγοτθ. κτήσεων στο οστρογοτθ. βασίλειο.

ΒΙΒΛ.: Οι πηγές (Ιορδάνης, Κασσιόδωρος, Προκόπιος, Παύλος Διάκονος, Ισίδωρος Σεβίλλης, Γρηγόριος Τουρ κ.ά.) στους Claude, ό.π. -Bury, Α΄ 346, 461-2. -του ιδ., Invasion, 204, 232, 248. -E. Thompson, The Goths in Spain (Οξφόρδη 1969). -H. Wolfram, Gesch. der Goten (Μόναχο 1980), 27 εξ., 231 εξ., 247 εξ., 260 εξ., 272 εξ., 302 εξ., 384 εξ., 389 εξ. - Επίσης Γ. Κορομηλάς, ΜΕΕ, 3, 388. -Vasiliev, ό.π., 133. -Τ. Λουγγής, ΜΓΕ 5, 240 και ΙΕΕ 7, 135 εξ., 145. -J. Gruber, LM 1, 271. -Καραγιαννόπουλος, Α΄, 274. -Σαββίδης, ό.π., 95-6. -Λουγγής, ό.π., 78, 86.

Φ.Β.

Αλβέρτος του Αιξ (**Άαχεν**), λατ. Albertus Aquensis (2ο μισό 11ου αι. - † μετά το 1130). Δυτικός ιστοριογράφος της Α΄ Σταυροφορίας, του οποίου το χρονικό με τίτλο Liber Christianae Expeditionis... Sanctae Hierosolymitanae Ecclesiae (γράφτηκε μεταξύ 1119 - 1130) συγκαταλέγεται στις κυριότερες αφηγήσεις της Α΄ Σταυροφορίας (η σημαντικότερη κατά τον Gibbon), αν και στο 2ο μισό του 19ου αι. ο H. von Sybel (Geschichte des Ersten Kreuzzuges, Λειψία 1881², 62 εξ.) αμφισβήτησε σοβαρά το κύρος του κειμένου ως αυθεντικής πηγής, κύρος που επανήλθε μετά τις συμβολές του B. Kügler (A. von A., Στουττγάρδη 1885). Το κείμενο καλύπτει την περίοδο από το 1095/6 ως το 1120/21 και, εκτός από την Α΄ Σταυροφορία, δίνει σημαντικές πληροφορίες για το Λατινικό Βασίλειο της Ιερουσαλήμ, τις κομητείες της Αντιόχειας και Έδεσσας (βλ. γενικά E. Kühne, Zur Gesch. d. Fürstentums Antiochien, 1098 - 1130, Βερολίνο 1897. - A. Beaumont, A. of Aix and the County of Edessa, στον τόμ. The Crusades and other Hist. Essays to D. Munro, N. Υόρκη 1928. - J. Richard, Royaume latin de Jérusalem, Παρίσι 1953 και αγγλ. μετ. Άμστερνταμ 1979 σε 2 τόμ. με συνεχή σελιδοαρίθμ. - J. Prawer, Hist. du Royaume latin de Jérusalem, 2 τόμ., Παρίσι 1969 - 70), αλλά επίσης και ενδιαφέροντα στοιχεία για τις βυζαντινο-ουγγρικές σχέσεις στα τέλη του 11ου αι. (βλ. J. Kalić, ZFF 10/1, 1968, 183-91). Αν και ο ίδιος ο συγγρ. δεν επισκέφτηκε ποτέ τη Μ. Ανατολή ή τους Αγ. Τόπους, εν τούτοις το έργο του, που αποτελεί συμπίλημα συγκέντρωσης προφορικών παραδόσεων και θρύλων από αυτόπτες μάρτυρες της σταυροφορίας, περιέχει εντυπωσιακά ακριβείς περιγραφές της πορείας των σταυροφόρων και των χρονικών τους περιόδων. Ιδιαίτερα χρήσιμα είναι τα τμήματα σχετικά με την εκστρατεία του *Πέτρου Ερημίτη* (βλ. B. Kügler, Peter der Eremite und A. von A., HZ 44, 1880. - B. Hagenmeyer, Le vrai et le faut sur Pierre l' Hermite, Παρίσι 1883, ιδιαίτ. 9 εξ.), καθώς και με την άφιξη στην Κων/πολη του *Γοδεφρείδου ντε Μπουγιόν* στα τέλη του 1096 (βλ. S.

Runciman, στον K. Setton, Hist. Crusades, A΄, Μάντισον 1962[2], 284 εξ.). Τον Α. χρησιμοποίησε εκτενώς ως πηγή ο μεγάλος ιστοριογράφος των σταυροφοριών, *Γουλιέλμος της Τύρου*.

ΒΙΒΛ.: Έκδ. RHC, Hist, Occid. IV (1879, ανατ. 1967), 265 - 713. PL 166, στήλ. 388 - 716. Γερμ. μετ. H. Hefele, A. von A., Geschichte des ersten Kreuzzuges, 2 τόμ., Ιένα 1923. Γραμματολογικά: Ράνσιμαν, Ιστ. Σταυροφοριών, Α΄ (1977), 307 - 8. - P. Jacobsen, LM I, στήλ. 286 - 7. - Karayannopulos - Weiss, 435 - 6, αρ. 390. - βλ. και E. Barker - R. C. Smail, Crusades, EBr 6 (1957), 794 - 5. Ειδικές μελέτες: F. Krebs, Zur Kritik Albrechts von A., Μύνστερ 1881. - Kügler, ό.π. - P. Knoch, Studien zu A. von A. (Στουττγάρδη 1966). - M. McCormick, ODB, 54.

Α. Σ.

Αλβίνος (τέλη 5ου - αρχές 6ου αι. μ.Χ.). Ρωμαίος συγκλητικός, γόνος της οικογένειας των Δεκίων, με δράση στην Ιταλία μετά την πτώση του Δ. ρωμαϊκού κράτους (476). Ως γνωστόν, την εποχή αυτή η ιταλική χερσόνησος ήταν υποδουλωμένη στους Οστρογότθους. Βασιλιάς των τελευταίων ήταν ο *Θεοδώριχος* ο Αμαλός (ο Νεότερος). Το μόνο που είναι γνωστό για τον Α. είναι ότι στις αρχές της γ΄ δεκαετίας του 6ου αι. κατηγορήθηκε για έσχατη προδοσία. Σύμφωνα με το κατηγορητήριο ο Α. είχε στείλει ένα γράμμα στο Βυζαντινό αυτοκράτορα, καλώντας τον να ελευθερώσει την Ιταλία απ' τους Οστρογότθους. Έτσι το φθινόπωρο του 523 φυλακίστηκε στο Τίκινο, μαζί μ' έναν πολύ γνωστό συγκλητικό, τον *Βοήθιο*, που θέλησε να τον υπερασπιστεί. Ο Βοήθιος υποστήριξε ότι ο Α., αν προέβη στην πράξη αυτή, δεν ενήργησε ως άτομο αλλ' ως μέλος της Συγκλήτου, και επομένως ή έπρεπε να αθωωθεί ή να καταδικαστούν όλοι οι συγκλητικοί! Παίρνοντας όμως μια τέτοια θέση, το μόνο που κατάφερε ο Βοήθιος ήταν να επιβαρύνει τη δική του θέση. Απ' εδώ και πέρα οι πηγές αφήνουν τον Α., του οποίου σε πρώτη φάση δημεύτηκε η περιουσία, και ασχολούνται πιο πολύ με τον Βοήθιο. Φαίνεται ότι οι δυο άντρες εκτελέστηκαν μαζί, σχεδόν αναπολόγητοι, το 524 μ.Χ.

ΒΙΒΛ.:E. Gibbon, A History of the Decline and Fall of the Roman Empire, I-VIII, έκδ. J. B. Bury (Λονδίνο 1923), τόμ. IV, 214. - J. Bury, A History of the Later Roman Empire from Arcadius to Irene, 395 - 800 (Λονδίνο 1889, ανατ. Άμστερνταμ 1966), Β΄, 153 - 5.

Η. Ν.

Αλβοΐνος († 578 μ.Χ.). Λογγοβάρδος βασιλιάς, γιος του Αουδοΐνου. Πριν ακόμα διαδεχθεί τον πατέρα του στο λογγοβαρδικό θρόνο, είχε διακριθεί στο πεδίο της μάχης εναντίον των Γεπιδών, οπόταν σκότωσε έναν αντίπαλο πρίγκιπα. Στη συνέχεια, όντας βασιλιάς, συμμάχησε με τους Αβάρους (566) και κατέστρεψε ολοσχερώς το κράτος των Γεπιδών, όταν βασιλιάς των τελευταίων ήταν ο Κουνιμούνδος (567). Όπως ήταν επόμενο, η επιτυχία του αυτή καλλιέργησε τις παραπέρα φιλοδοξίες του Α. και τις έστρεψε προς τη Βόρεια Ιταλία, που ήταν βυζαντινή απ' το 554. Στη νέα του αυτή επιχείρηση πολύτιμη συμμετοχή φαίνεται να είχε και ένα τμήμα 20.000 Σαξόνων, παλιών συμμάχων των Λομβαρδών. Αξίζει να ειπωθεί ότι ο μέχρι τότε Βυζαντινός έξαρχος της Ιταλίας, ευνούχος *Ναρσής* (ο νικητής των Οστρογότθων), είχε ανακληθεί στην Κωνσταντινούπολη, ο δε διάδοχός του Λογγίνος μικρή μόνο αντίσταση κατά των Λομβαρδών μπόρεσε να προβάλει περισώζοντας τη Ραβέννα. Το Μιλάνο ήταν απ' τις πρώτες πόλεις που έπεσαν σε λογγοβαρδικά χέρια. Ακόμα σήμερα ένα κομμάτι της Β. Ιταλίας ονομάζεται Λομβαρδία. Αξιοσημείωτο είναι επίσης το ότι η επιχείρηση αυτή των *Λογγοβάρδων* είχε περισσότερο τα χαρακτηριστικά μετανάστευσης παρά εκστρατείας. Κινήθηκαν δηλαδή προς Νότον μαζί με τις οικογένειές τους. Ο ίδιος ο Α. δε φαίνεται να προχώρησε νοτιότερα της Τοσκάνης· οι ευγενείς του ωστόσο έφτασαν μέχρι το Σπολέτο και το Βενεβέντο. Ο Α. σκοτώθηκε το 578, μάλλον απ' τη δεύτερη σύζυγό του Ροζαμούνδη, που ήταν κόρη του βασιλιά των Γεπιδών Κουνιμούνδου.

ΒΙΒΛ.: Παύλος Διάκονος (Paul. Diacre HL II 7, MGH/SSRL 76. - Ισίδωρος Σεβίλλης, Χρονικό 402, MGH/AA, XI, 476. - Μένανδρος Προτήκτωρ, έκδ. Müller, FH G IV, 230. - E. Gibbon, A History of the Decline and Fall of the Roman Empire I - VII έκδ. J. B. Bury (Λονδίνο 1923), τόμ. IV, 441 και V, 5 - 6, 8 - 9. - J. Bury, a. History of the Later Roman Empire from Arcadius to Irene 395 - 802 (Λονδίνο 1889, ανατ. Άμστερνταμ 1966), Β΄, 115, 146 - 7, - K. Chrestou, Byzanz und die Langobarden... 500 - 680 (Αθήνα 1991). - W. E. Kaegi, ODB, 54.

Π. Ν.

Αλδεβραντίνος (λατ. Aldebrantinus, ιταλ. Aldobrandini) (β΄

μισό 12ου - α΄ μισό 13ου αι.). Τοσκανικής καταγωγής Πιζανός αριστοκράτης και τυχοδιώκτης, που σύμφωνα με το Νικήτα *Χωνιάτη* ήταν κάτοχος καλής ελληνικής μόρφωσης. Στις αρχές του 13ου αι. συναντάται ως κυβερνήτης για λογαριασμό του Βυζαντινού αυτοκράτορα της ΝΔ μικρασιατικής πόλης της Αττάλειας, όπου είχε κυριαρχήσει με την υποστήριξη της πιζανικής παροικίας. Στα τέλη του 1206 η ενέργειά του να λεηλατήσει τα αγαθά Αλεξανδρινών εμπόρων είχε σαν αποτέλεσμα τη διαμαρτυρία των τελευταίων προς το Σελτζούκο σουλτάνο του Ικονίου, *Καϊχοσρόη Α΄*, ο οποίος αποφάσισε να επέμβει και να πραγματοποιήσει την επιθυμία του ενσωμάτωσης του σημαντικού λιμανιού της Αττάλειας. Ο Α. βρέθηκε πολιορκημένος σε μια πολύ δυσχερή κατάσταση, αφού ήταν παράλληλα υποχρεωμένος να διατηρεί την ισορροπία ανάμεσα στους διαρκώς ερίζοντες Έλληνες και Λατίνους της πόλης. Στα πρώτα στάδια της πολιορκίας κατέφθασε μικρή βοήθεια στον Α. εκ μέρους των *Λουζινιανών* της Κύπρου (G. Hill, Hist. of Cyprus, Β΄, Καίμπριτζ ανατ. 1972, 74 εξ. - Savvides, Byz. - Near East, 87 εξ. - Σαββίδης, ΒΔ 3, 1989, 141 εξ.), τελικά όμως οι Σελτζούκοι έγιναν κύριοι της Αττάλειας στις 5 Μαρ. 1207. Η μετέπειτα σταδιοδρομία του Α. ατυχώς δεν είναι γνωστή, αφού ο μόνος αναφερόμενος σ' αυτόν Ν. Χωνιάτης σταματά την αφήγησή του ακριβώς με τα γεγονότα της κατάληψης της Αττάλειας.

ΒΙΒΛ.: Ν. Χωνιάτης, CF, 639 - 40. - J. Hoffmann, Rudimente von Territorialstaaten im byzant. Reich... 1071 - 1210, Μόναχο 1974, 69 εξ. 139 εξ., 149 εξ. - A. Savvides, Byzantium in the Near East... 1192 - 1237, Θεσ/νίκη 1981, 62, 87 εξ. - R. - J. Lilie, Handel und Politik zwischen dem byzantinischen Reich und den italienischen Kommunen... 1081 - 1204 (Άμστερνταμ 1984), 150 - 153. - Α. Σαββίδης, Αττάλεια 11ος - αρχές 14ου αι.: η μετάβαση από τη χριστιανική στη μουσουλμανική εξουσία, ΒΔ 3, 1989, 134, 135 εξ. με τις παραπ. (ιδιαίτ. σημ. 73-4). - J. - Cl. Cheynet, Pouvoir et contestations à Byzance, 963 - 1210 (Παρίσι 1990), 147 - 8 αρ. 210. - P. Edbury, The Kingdom of Cyprus and the Crusades 1191 - 1374 (Παν/μιο Καίμπριτζ 1991), 42.

Α. Σ.

Αλδουίνος ή **Αδουίνος** (Audoinus), ηγεμόνας των *Λογγοβάρδων* της Ιταλίας την περ. 540-60 και ετεροθαλής αδελφός του πρώτου Λογγοβάρδου βασιλιά, Wacho.Το 547 δέχτηκε βυζαντινή πρεσβεία από τον *Ιουστινιανό Α΄* (Lounghis, 72, 466 πίν.), με την οποία κανονίστηκε ο γάμος του με την αδελφή του ηγεμόνα των Θουριγγιανών (Bury, Β΄ 302 σημ. 2. - Lounghis, 72 σημ. 6), καθώς επίσης η παραχώρηση σ' αυτόν ως «ομοσπόνδου» της Αυτοκρατορίας εδαφών στην Παννονία, για να αντιμετωπίσει αποτελεσματικά τους αντιπάλους του Βυζαντίου γερμανοφώνους Γεπίδες, οι οποίοι είχαν συμμαχήσει με τους τουρκοφώνους Κοτριγούρους. Τελικά με διπλωματικό ελιγμό ο Ιουστινιανός κατόρθωσε να θέσει στο πλευρό των Λογγοβάρδων τους τουρκοφώνους Ουτιγούρους, με τους οποίους το Βυζάντιο τελικά απαλλάχτηκε από τους Γεπίδες (Bury, Β΄, 302 εξ. - Α. Σαββίδης, λ. Τούρκοι, ΠΙ Β΄, 358). Το 552 κατά τη διάρκεια του βυζαντινο-οστρογοτθικού πολέμου, ο Α. έστειλε στο στρατηγό *Ναρσή* ενισχύσεις 5.000 ανδρών (Bury, Β΄, 261. - Lounghis, 79 εξ.).

ΒΙΒΛ.: J. Bury, Later Roman Empire, 395-565 (Ν. Υόρκη 1958), Β΄. - Τ. Lounghis, Les ambassades byzantines en Occident... 407-1096 (Αθήνα 1980). - Τ. Λουγγής, Η βυζαντινή κυριαρχία στην Ιταλία... 395-1071 (Αθήνα 1989), 112. - Κ. Chrestou, Byzanz und die Langobarden... 500-680 (Αθήνα 1991).

Α.Σ.

Αλδουίνος ή **Αλκουίνος Κόντος** (12ος αι.). Χαμηλής καταγωγής αλλά αξιολόγων στρατιωτικών προσόντων Νορμανδός αξιωματούχος («κόμης»), που διαδραμάτισε πρωταγωνιστικό ρόλο στις επιχειρήσεις του Νορμανδού βασιλιά της Σικελίας, *Γουλιέλμου Β΄ του «Αγαθού»*, κατά του Βυζαντίου το 1185. Ως ένας από τους αρχηγούς της νορμανδικής εκστρατείας, ο Α. συμμετέσχε στην κατάληψη του Δυρραχίου και της Θεσσαλονίκης (24 Αυγούστου 1185) και, ενώ ετοιμαζόταν να βαδίσει κατά της Κων/πολης, ανατράπηκε ο Βυζ. ηγεμόνας, *Ανδρόνικος Α΄ Κομνηνός* (12 Σεπτ.). Λίγο αργότερα, στις 7 Νοεμβρίου, ο νορμανδικός στρατός νικήθηκε από το στρατό του νέου αυτοκράτορα, *Ισαάκιου Β΄ Άγγελου*, στο Δημητρίτζι κοντά στις Σέρρες (βλ. λ. *Αλέξιος Βρανάς-Κομνηνός*). Ο Α. συνελήφθη και αναγνώρισε την επικυριαρχία του Βυζ. ηγεμόνα.

ΒΙΒΛ.: Ευστάθιος, Opuscula, έκδ. Tafel, Φραγκφούρτη 1832, 126. - Νικήτας Χωνιάτης, CF, 359 εξ., 364 εξ. - Θεόδ. Σκουταριώτης, έκδ. Σάθας, MB 7 (1894), 366, 368 - 9. Πβ. Κορδάτος, Ιστορ., Α΄, 581. - Α. Σαββίδης, Βυζαντινά Επτάνησα (Αθήνα 1986), 60 εξ. - Καραγιαννόπουλος, Ιστορ., Γ΄ (1990), 287. - Ο. Ταφραλής, Η Θεσσαλονίκη από τις αρχές έως τον 14ο αι. (Αθήνα 1994), 131, 137.

Α. Σ.

Αλεξάνδρα ή **Αλεξανδρία**, η αγία και βασίλισσα (3ος αι.). Πρόκειται μάλλον για θρυλικό πρόσωπο, αναφερόμενο στα αγιολογικά κείμενα του αγίου Γεωργίου. Κατά τη συναξαριστική παράδοση υπήρξε σύζυγος του αυτοκράτορα *Διοκλητιανού*, η οποία, βλέποντας την αντοχή του αγίου Γεωργίου στα βασανιστήρια, διακήρυξε την πίστη της στο Χριστιανισμό, καταδικάστηκε από το Διοκλητιανό να αποκεφαλιστεί μαζί με τον άγιο, και πέθανε στη φυλακή αποφεύγοντας το μαρτύριο. Η μνήμη της εορτάζεται την 21 Απριλίου, μαζί με τη μνήμη των δούλων της Απολλώ, Ισαακίου και Κοδράτου, οι οποίοι φυλακίστηκαν, επειδή επετίμησαν τον αυτοκράτορα για τη συμπεριφορά του. Έχει διατυπωθεί η βάσιμη υπόθεση ότι πρώτη ύλη για τη δημιουργία του παραπάνω μύθου προσέφεραν οι μη απίθανες εικασίες των πηγών γύρω από τις χριστιανικές πεποιθήσεις της συζύγου του Διοκλητιανού Πρίσκας και της κόρης του Βαλερίας, αν και η δημιουργία επεισοδίων ή και προσώπων χωρίς ιστορική υπόσταση δεν είναι φαινόμενο ασύνηθες στα αγιολογικά κείμενα.

ΒΙΒΛ.: PG 20, 752 και 145, 1213.- H. Delehaye, Synaxarium Ecclesiae Constantinopolitanis (Bruxelles 1902) 19. P. Allard, La persécution de Dioclétien, A΄ (Paris 1908), 53. - H. Delehaye, Les légendes grecques des saints militaires (Paris 1909), κεφ. 3. Ch. Astruc, S. Georges à Beyrouth, AB 77 (1959), 54 - 62. - ΘΗΕ 2 (1963), στ. 44.

Μ. Β.

Αλέξανδρος (γεν. c. 870, ηγεμ. 12 Μαΐου 912 - 6 Ιουν. 913). Βυζ. αυτοκράτορας, τριτότοκος γιος του *Βασίλειου Α΄ Μακεδόνα* (από την *Ευδοκία Ιγγερίνα*), ετεροθαλής αδελφός του πρωτότοκου Κωνσταντίνου και αμφιθαλής του δευτερότοκου *Λέοντα ΣΤ΄ Σοφού*, με τον οποιό τυπικά συμβασίλευσε μετά το θάνατο του πατέρα τους (30 Αυγ. 886), αν και στην πραγματικότητα ο Λέων άσκησε την αυτοκρ. εξουσία. Οι 2 συμβασιλείς έτρεφαν μεγάλη αντιπάθεια ο ένας για τον άλλο και οι σύγχρονες και μεταγενέστερες πηγές δίνουν ύποπτα αμαυρωμένη εικόνα του «τρυφηλού» Α. σε υπερβολικούς μάλλον τόνους, όπως έχει παρατηρηθεί από την P. Karlin - Hayter. Επανειλημμένα πάντως την περ. 900-903 ο Λέων ΣΤ΄ θεώρησε τον Α. ύποπτο συνωμοσίας και στάσης και προσπάθησε να τον περιορίσει, χωρίς όμως αυτό να σημαίνει ότι του στέρησε ποτέ το βασιλικό του αξίωμα, όπως εσφαλμένα υποστηρίχτηκε. Λίγο πριν πεθάνει ο Λέων ένοιωσε να απειλείται η ασφάλεια του διαδόχου του, *Κωνσταντίνου Ζ΄ Πορφυρογέννητου*, και επιδίωξε να συμφιλιωθεί με τον αδελφό του, τον οποίο όρισε βασιλέα - επίτροπο του νεαρού πρίγκιπα Κων/νου. Όταν έμεινε μόνος ηγεμόνας ο Α. φρόντισε να ανατρέψει σε αρκετά σημεία την πολιτική του αδελφού του. Αυτοαποκλήθηκε «αυτοκράτωρ πιστός ευσεβής βασιλεύς Ρωμαίων» σε νομίσματα, παλινόρθωσε τον πατριάρχη *Νικόλαο Α΄ Μυστικό*, περιόρισε σε μοναστήρι τη δυναμική χήρα του Λέοντα, *Ζωή Καρβονοψίνα*, και καθαίρεσε τους έμπιστους αξιωματούχους του αδελφού του, αντικαθιστώντας τους με δικούς του, ανάμεσα στους οποίους ξεχωρίζουν ο πρωτοσπαθάριος μουσουλμανικής καταγωγής Χασέ, ο αδελφός του τελευταίου Νικήτας, στρατηγός του θέματος των Κιβυρραιωτών, και ο γιος του τελευταίου, Αβέρκιος, «κατεπάνω» Μαρδαϊτών της Αττάλειας. Στους 13 μήνες της μονοκρατορίας του ο Α. κατασπατάλησε την ενεργητικότητά του σε συμπόσια και τρυφηλή ζωή, οπότε και κόλλησε το αφροδίσιο νόσημα που τον έστειλε τελικά στον τάφο στα 43 του χρόνια. Η απρονοησία του να αρνηθεί να καταβάλει τα ετήσια «πάκτα» (από το 896) στο Βούλγαρο τσάρο *Συμεών*, έδωσε στον τελευταίο την ευκαιρία που επιζητούσε για να επιτεθεί και πάλι στην αυτοκρατορία, φαίνεται δε ότι οι εχθροπαξίες άρχισαν ενώ ακόμη ζούσε ο Α., που επιπλέον δημιούργησε προβλήματα και με το μουσουλμανικό Χαλιφάτο της Βαγδάτης. Ο ξαφνικός όμως θάνατός του τον απάλλαξε από την οδύνη του να δει τα ολέθρια αποτελέσματα της απερίσκεπτης πολιτικής του. Στην Αγ. Σοφία Κων/πολης σώζεται εντυπωσιακή ολόσωμη ψηφιδωτή παράστασή του κατά τα άλλα ελάσσονος αυτού ηγεμόνα.

ΒΙΒΛ.: Πηγές: Συνεχιστές Θεοφάνη, CS, 337 εξ. - Συνεχ. Γεωργ. Μοναχού, CS, 871 εξ. - (Ψευδο) Συμεών Μάγιστρος, CS, 715 εξ. - Βίος Ευθυμίου, 113 εξ. - Σκυλίτζης/Thurn, 193 εξ. = Κεδρηνός, CS, Β΄ 274 εξ. - Ζωναράς, CS, Γ΄, 455 εξ. Πβ. R. Jenkins, The Emperor A. and the Saracen prisoners, SBN 7 (1953), 389 - 93 = Studies on Byz. Hist. of the 9th - 10th cent. (Λονδίνο 1970: VR), μελ. XV. - του ιδ., Byzantium: the Imperial Centuries, 610 - 1071 (Λονδίνο 1966, ανατ. 1969), 227 εξ. - Patricia Karlin - Hayter, The Emp. A's bad name, Spec 45 (1969), 585 - 96. P. Underwood - E. Hawkins, The Mosaics of Hag. Sophia.... The Portrait of the emp. A., DOP 15 (1961), 187 - 220 (με πίν.). - Κ. Βαρζός, ΜΓΕ 5 (1978), 389 - 90. Επίσης Κ. Άμαντος, Ιστ. βυζ. κρ., Β΄ (Αθήνα 1957[2], ανατ. 1977), 93. - G. Ostrogorsky, Ιστ. βυζ. κρ., Β΄ (Αθήνα 1979), 109, 117, σημ. 85, 137 - 8, σημ. 144 - 6. - Δ. Ζακυθηνός, Βυζ. ιστ., Α΄ (Αθήνα 1977[2], ανατ. 1989) 244 - 5, 291. - Ι. Καραγιαννόπουλος, Ιστ. βυζ. κρ., Β΄ (Θεσ/νίκη 1991[2] ανατ.), 342 εξ. - Καλλιόπη Μπουρδάρα, Καθοσίωσις και τυραννίς... 867 - 1056 (Αθήνα - Κομοτηνή 1981), 48 - 9, 55 - 6. - Αικατ. Χριστοφιλοπούλου, Εκλογή, αναγόρευσις και στέψις του Βυζ. αυτοκράτορος (Αθήνα 1956: ΠΑΑ, 22), 93 εξ. - της ιδ., Η αντιβασιλεία εις το Βυζάντιον, Συμμ 2 (1970), 43 εξ. - της ιδ., Βυζ. ιστορ., Β΄, 2 (Αθήνα 1988), 17 - 18 σημ. 1, 35 σημ. 3, 39 σημ. 1, 47 - 8, 71 - 3, 84 - 5, 273, 406 σημ. 1. - A. Kazhdan και A. Cutler, ODB, 56 - 7. - Nicol, ΒΛ, 41 - 2.

Α. Σ.

Αλέξανδρος Μέγας Κομνηνός (c. 1406 - † προ 15 Αυγ. 1461), συμβασιλέας του θρόνου της Τραπεζούντας (βλ. λ. *Μεγάλοι Κομνηνοί*) την περ. 1426 - 9, ήταν ο δευτερότοκος γιος των *Αλέξιου Δ΄ Μ. Κομνηνού* και της Θεοδώρας Καντακουζηνής (βλ. λ. *Καντακουζηνοί* και D. Nicol, Family of Kantakouzenos, Ουάσιγκτον 1968, 169 - 70 με γενεαλ. πίν.). Αποκαλείται «Σκαντάριος» από τον *Χαλκοκονδύλη* (βλ. A. Bryer, Emp. of Trebizond and the Pontos, VR 1980, αρ. V. σ. 140 και Peoples and Settlement in Anatolia and the Caucasus, VR 1988, αρ. VI, σ. 318, 320) και το 1426, μετά την έκπτωση του συνωμοτικού αδελφού του Ιωάννη (βλ. *Ιωάννης Δ΄ Μ. Κομνηνός*), που κατέφυγε προσωρινά στην Ιβηρία (Γεωργία), ο πατέρας του Αλέξιος Δ΄ ονόμασε τον Α. «συμβασιλέα». Το 1429, όμως, ο Ιωάννης με τη βοήθεια των Γενουατών και του οίκου των *Καβαζιτών*, ανέτρεψε και δολοφόνησε τον πατέρα του (Bryer, VR 1988, σ. 318 εξ.) και ο Α.

κατέφυγε στην Κων/πολη, όπου σύντομα έμελλε να συνάψει αιμομικτικές σχέσεις με την όμορφη αδελφή του, Μαρία Μ. Κομνηνή, που είχε παντρευτεί τον Βυζ. αυτοκράτορα *Ιωάννη Η΄ Παλαιολόγο* (Bryer, ό.π., 314).. Το 1437 ο Α. παντρεύτηκε την κόρη του Λατίνου ηγεμόνα της Λέσβου, Ντορίνο Α΄ *Γκατιλούσιο*, και άρχισε να ετοιμάζει με τον πεθερό του (1438) την παλινόρθωσή του στον τραπεζουντιακό θρόνο. Το 1446/7 ή κατ' άλλους το 1453 οι Α. και Μαρία Γκατιλούζιο (Γατελούζου) απέκτησαν τον γιο τους *Αλέξιο Μ. Κ.* (Χρύσανθος σ. 536 και Βαρζός, ΜΓΕ 5, 1978, 453 με αξιόλογη βιβλιογρ.), ενώ περί το 1453, επίσης, ο Α. αναγκάστηκε τελικά να έλθει σε συνεννόηση με τον αδελφό του, Ιωάννη Δ΄, και να εγκατασταθεί οριστικά στην Τραπεζούντα ως το τέλος του. Η χήρα του με το μικρό τους γιο μπήκαν στο χαρέμι του κατακτητή *Μεχμέτ Β΄* μετά την κατάκτηση του 1461.

ΒΙΒΛ.: Χαλκοκονδύλης, CS, 437, 462 - 3, 527. - Pero Tafur, αγγλ. μετ. M. Letts (Λονδίνο 1926), 130. - πβ. Κ. Βαρζός, ΜΓΕ 5 (1978), 405 - 6. του ιδ., Η μοίρα των τελευταίων Μ. Κομνηνών της Τραπεζούντας, Βυζ 12 (1983), 272. - Επίσης βλ. W. Miller, Trebizond (ανατ. Σικάγο 1969), 93 - 4, 105 - 6. - του ιδ., στο BZ 22 (1913), 421 - 2. - Χρύσανθος, Εκκλησία Τραπεζούντος (ανατ. Αθήνα 1973), 434, 518, 522. - J.- Ph. Fallmereyer, Ιστ. Αυτοκρ. Τραπεζ. (Θεσ/νίκη 1984, ανατ. 1992), 232 - 3, 263. M. Kurshanskis, στο BK 34 (1976), 124, 132 και στη REB 37 (1979), 239 εξ. E. Janssens, Trébizonde en Colchide (Βρυξέλλες 1969), 140. - S. Karpov, Impero di Trebisonda (Ρώμη 1986), 160 - 1, 173.

Α. Σ.

Αλέξανδρος Νέφσκυ (c. 1219 - 14 Νοεμβρ. 1263). Ηγεμόνας του Νοβγορόντ (1236 - 52), μέγας ηγεμόνας του Βλαντίμιρ (1252 - 63), διακεκριμένος στρατηγός και άγιος της Ρωσικής Εκκλησίας. Ο πατέρας του, Γιαροσλάβ Βσεβολόντοβιτς (†1246), πρώτα ήταν τοπικός κυρίαρχος της περιοχής της πόλης Περεγιασλάβλ - Ζαλέσσκυ και ύστερα μέγας ηγεμόνας του Βλαντίμιρ. Ο Α. πολέμησε με επιτυχία εναντίον των εχθρών της Ρωσίας. Την 15η Ιουλ. 1240 νίκησε τους Σουηδούς στον ποταμό Νέβα και έλαβε το επώνυμο «Νέφσκυ». Την 5η Απρ. 1242 πέτυχε δεύτερη μεγάλη νίκη κατά των Τευτόνων Ιπποτών επί των οχθών της λίμνης Τσουντ (η Πεϊπούς), όπου σταμάτησε τη γερμανική διείσδυση στην Ανατολή. Επίσης ο Α. προστάτευσε τη χώρα του από τους *Μογγόλους*, που τότε αποτελούσαν το μεγαλύτερο κίνδυνο, και αυτό το πέτυχε όχι με τα όπλα, αλλά με λεπτή διπλωματία, επισκεπτόμενος αρκετές φορές τη «Χρυσή Ορδή». Το 1239 ο Α. παντρεύτηκε την Αλεξάνδρα, κόρη τοπικού ηγεμόνα, από την οποία απέκτησε εννέα παιδιά. Πέθανε την 14 Νοεμβρ. 1263, έχοντας ασπαστεί το μέγα μοναχικό σχήμα και λάβει το όνομα Αλέξιος. Τον έθαψαν την 23η Νοεμβ. 1263 στο Βλαντίμιρ, στο ναό της Γένεσης της Θεοτόκου. Η Ρωσική Εκκλησία τον αγιοποίησε το 1547. Η εορτή του εορτάζεται την 23η Νοεμβρ., ημέρα του ενταφιασμού του στο Βλαντίμιρ. Σήμερα πολλές ορθόδοξες εκκλησίες ανά τον κόσμο φέρουν το όνομά του.

ΒΙΒΛ.: Πηγές: Polnoe sobranie russkieh letopisej (=Πλήρης συλλογή των ρωσικών χρονικών) (St. Petersburg 1841), 1. εξ. - Βίος του Αλεξάνδρου Νέφσκυ έκδ. J. Begunov, Pamjatnik russkoj literatury XIII reka (=Μνημεία της ρωσικής λογοτεχνίας) (1965). - Βοηθήματα: N. Sutt, Aleksandr Nevskij (Jarosslav 1940, ρωσ.). - G. Vernadsky, The Mongols and Russia (New Haven 1953), 55 εξ. - S. Soloviev, Istorija Russii, II (1960), 151 - 61 (ρωσ.). - ΘΗΕ 2 (1963), 117 - 20. - V. Kargalov, Vnešnepolitičeskie faktori razvitija feodalnoj Rusi (=Οι παράγοντες της εξωτερικής πολιτικής στην ανάπτυξη της φεουδαλικής Ρωσίας) (1967), 133 - 54 (ρωσ.). - Β. Πασούτο, Αλεξάντερ Νέφσκι. Ο Ρώσος στρατηλάτης που συνέτριψε τους Γερμανούς εισβολείς τον 13ο αι., ελλην. μετ. Β. Καπετανίδης (Αθήνα χ. χ.).

Ρ. Ρ.

Αλέξανδρος Ιβάν, Βούλγαρος τσάρος από το 1331 ως το 1371 († 17 Φεβρ. 1371). Γιος του δεσπότη Στρατσιμίρου και της Κεράτσα Πετρίτσα, η οποία ήταν δισέγγονη του *Ιβάν Ασάν Β΄*. Ως συγγενής της Ειρήνης, συζύγου του *Ιωάννη ΣΤ΄ Καντακουζηνού,* ο Α. είχε συγγενικές σχέσεις και με τον οίκο των *Παλαιολόγων* και με τον οίκο των *Καντακουζηνών*. Γεννήθηκε στα πρώτα χρόνια του 14ου αι. και παντρεύτηκε (c. 1321 - 2) τη Θεοδώρα, κόρη του *Μπασαράμπ* (1310 - 52), 1ου ηγεμόνα της Βλαχίας. Από αυτό το γάμο προήλθαν τέσσερα παιδιά: Μιχαήλ Ασάν, Ιβάν Σρατσιμίρ, Ιβάν Ασάν και Κέρα Θάμαρ. Ο Α. πήρε τον τίτλο του δεσπότη πριν τον Ιούλιο του 1330, από το θείο του *Μιχαήλ Σισμάν*. Ανήλθε στο βουλγαρικό θρόνο σε μία στιγμή που το κράτος βρισκόταν σε δύσκολη κατάσταση μετά την ήττα από τους Σέρβους κοντά στο Velbuzhd (28 Ιουλ. 1330). Παρόλα αυτά ο Α. τακτοποίησε τις σχέσεις με το Βυζάντιο και με τη Σερβία. Κατά την εξουσία του, που διήρκεσε 40 χρόνια, είχε κάποιες επιτυχίες στην εξωτερική πολιτική (τις περισσότερες στις πρώτες δύο δεκαετίες), αλλά προσέφερε και πολλά για τον πολιτισμό και την πνευματική ζωή της Βουλγαρίας. Ο Α. πρόσφερε τη φιλοξενία του στο *Γρηγόριο Σιναΐτη*, τον ιδρυτή του ησυχασμού, κάτι που είχε μεγάλη σημασία για την πνευματική ανάπτυξη όχι μόνο των Βουλγάρων, αλλά και των άλλων σλαβικών λαών. Ο Βούλγαρος τσάρος χώρισε την πρώτη σύζυγό του, την οποία περιόρισε σε μοναστήρι, και ξαναπαντρεύτηκε μία Εβραία, που έγινε ορθόδοξη και ονομάστηκε επίσης Θεοδώρα. Αυτό έγινε στην περίοδο από το 1337 ως το 1345. Απέκτησαν πέντε παιδιά: Κεράτσα Μαρία, Ιβάν Σισμάν, Ιβάν Ασάν, Ντεσισλάβα και Βασιλίσσα.

ΒΙΒΛ.: Πηγές: Γρηγοράς, CS, Α´, 458 εξ., Β´, 596 εξ., Γ´, 149 εξ. - Καντακουζηνός, CS, Α´, 394 εξ., Β´, 19 εξ., Γ´, 162 εξ. - Χαλκοκονδύλης, έκδ. Darkò, Α´, 20 εξ. - ΜΜ Α´, 432 - 3. I. Pomjalovskij, Zhitije Grigorija Sinaita (=Βίος του Γρηγορίου Σιναΐτη) (Πετρούπολη 1894). Βοηθήματα: A. Burmov, Izabrani proizvedenija (=Διαλεκτικά έργα) Α´ (Σόφια 1968), 287 - 96 (βουλγ.). - Istorija na Bulgarija (=Ιστορία της Βουλγαρίας), Γ´ (Σόφια 1982), 191 εξ. (βουλγ.). - D. Nicol The Last Centuries of Byzantium 1261 - 1453 (Λονδίνο 1972), 180 εξ. - I. Bozhilov, Familijata na Asenevci (1186 - 1460). Genealogija i prosopografija (=Οικογένεια των Ασενιδών 1186 - 1460. Γενεαλογία και προσωπογραφία) (Σόφια 1985), 149 - 78 (βουλγ.). - J. Andrejev, Bulgarskite hanove i care VII - XIV vek (=Βούλγαροι χάνοι και τσάροι 7ου - 14ου αι.) (Σόφια 1988), 194 - 202 (βουλγ.). - PLP Α´ (1976) αρ. 1500. - U. Mattejiet, LM V.3 (1990), στήλ. 834-5.

P. P.

Αλέξανδρος Α´ Μέγας (γεν. 1390 - † 1446) βασιλιάς της Γεωργίας (1412 - 42). Ως ο μεγαλύτερος γιος του *Κωνσταντίνου Α´* και της Νάτια, ο Α. έγινε συμβασιλεύς το 1408. Στον πόλεμο εναντίον των Τουρκομάνων, το 1411, ο πατέρας του έπεσε στα χέρια των εχθρών, που τον σκότωσαν· ο Α. στην αρχή του επομένου έτους πήρε την εξουσία. Η χώρα που κληρονόμησε βρισκόταν σε παρακμή και ήταν πολύ μικρότερη απ' ό,τι στα χρόνια του *Μπαγράτ Ε´* (1360 - 95), του παππού του. Όμως, ο

Α. με μεγάλη δραστηριότητα πέτυχε να ανακαταλάβει ορισμένες περιοχές, μεταξύ άλλων την Σονία (σημ. Καραμπάχ) και (το 1431) την Λόρε, η οποία είχε όχι μόνο πολιτική και στρατηγική, αλλά και οικονομική σημασία. Ταυτόχρονα στη Γεωργία έφθασαν και πολυάριθμοι Αρμένιοι πρόσφυγες από τις μουσουλμανικές χώρες. Παράλληλα με τις στρατιωτικές επιτυχίες, όταν εξασφάλισε τα σύνορα, ο Α. οργάνωσε και ανανέωσε το κράτος του: τις πόλεις, τις εκκλησίες, τα μοναστήρια και τα παλάτια. Γι' αυτό, από το 1425 ως το 1440, επέβαλε ειδικό φόρο. Ο Α. παντρεύτηκε πρώτα τη Ντουλαντούκχτ, κόρη του Μπεσχκέν Β΄ Ορβελιάνι από τη Σιουνία (1410/11). Μερικά χρόνια αργότερα (1414/15) ο Α. παντρεύτηκε τη Θάμαρ, κόρη του Αλεξάνδρου της Ιμεριτίας. Απ' αυτό το γάμο προήλθαν οι βασιλείς Βαχτάνγ Δ΄, Δημήτριος Γ΄ και Γεώργιος Η΄. Όταν όμως παρουσιάστηκαν ασυμφωνίες ανάμεσα σε μερικά μέλη της βασιλικής οικογένειας, ο Α. αναγκάστηκε να παραιτηθεί και να γίνει μοναχός με το όνομα Αθανάσιος (1442). Μερικά χρόνια αργότερα πέθανε (1446).

ΒΙΒΛ.: Βοηθήματα: N. Berdzenishvili - I. Dzhavahishvili - S. Dzhanashia, Istorija Gruzii, I, S drevnejshih vremen do nachala XIX veka (=Ιστορία της Γεωργίας από τα παλαιότερα χρόνια μέχρι την αρχή του 19ου αι.) (ρωσ.), (Tbilisi 1950^2), 302 - 4. - CMH, IV/1 (1966^2), 627 - 8. C. Toumanoff, The Fifteenth - Century Bagratids and the Institution of Collegial Sovereignty in Georgia, Trad 7 (1949 - 51), 169 - 221. Βλ. γενικά το λ. *Βαγρατίδες* (Γεωργίας).

Ρ. Ρ.

Αλέξανδρος ο «Καλός», ηγεμόνας της Μολδαβίας (1400 - 32). Γιος του Ρόμαν Α΄. Στα χρόνια της εξουσίας του το πριγκιπάτο είχε εσωτερική γαλήνη και ισορροπία. Έδωσε μεγάλη σημασία στην ανάπτυξη της οικονομικής ζωής, προσφέροντας στους Πολωνούς εμπόρους της πόλης Λβοβ και στους κατοίκους τους Μπρασόβ ειδικά προνόμοια. Μεγάλη υπήρξε επίσης η νομισματική κυκλοφορία, τόσο η ντόπια, όσο και η ξένη. Στον εξωτερικό τομέα ο Α. επιδίωξε στενές σχέσεις με την Πολωνία και παντρεύτηκε την εξαδέλφη του Βλάδισλαβ Jagiellon, Ρηγμάιλα. Στις 12 Μαρτ. 1402 ο Α. αναγνωρίζει ως επικυρίαρχό του τον

Πολωνό ηγέτη, όπως αναγκάστηκε να κάνει και το 1404, 1407 και 1411, πράξη αναγκαία για τη στερέωση του θρόνου του, ενώ ο ίδιος υποχρεωνόταν να στέλνει στον Βλάδισλαβ βοήθεια εναντίον οποιουδήποτε εχθρού. Το 1414 και το 1422 έστειλε στρατεύματα ενάντια στους Τεύτονες ιππότες. Κυρίως η νίκη της μικρής στρατιάς του στο Α. στο Μαρίενμπαδ (1422) προκάλεσε αίσθηση. Μετά το 1418 εμφανίζεται ο τουρκικός κίνδυνος. Το 1420, χωρίς εξωτερική βοήθεια, ο Α. αποκρούει επίθεση εναντίον του κάστρου Τσετάτεα Άλμπα (Ασπρόκαστρου). Μια εκστρατεία με τους Πολωνούς και τους Ούγγρους, προγραμματισμένη για το 1426, δεν υλοποιείται εξ αιτίας αποχής των τελευταίων. Με τη Βλαχία οι σχέσεις του ηγεμόνα υπήρξαν καλές, με μόνη εξαίρεση την περίοδο που στο θρόνο της ηγέτης βρισκόταν ο Νταν Β΄ (1422 - 31 με διαλείμματα). Δύο προσπάθειές του να καταλάβει το κάστρο της Κυλίας απέτυχαν. Ο Α. κατάφερε να αναθερμάνει τις σχέσεις με το Πατριαρχείο της Κωνσταντινούπολης, οι οποίες κατά την ηγεμονία του Ρόμαν Α΄ ήσαν τεταμένες. Στα τέλη του 1401/αρχές του 1402, ο Πατριάρχης *Ματθαίος Α΄* αναγνωρίζει τον αμφισβητούμενο για πολλά χρόνια Ιωσήφ ως επίσημο μητροπολίτη της Μολδαβίας. Ο Α. ίδρυσε δύο επισκοπές, στο Ραδαούτσι και στο Ρόμαν, ανήγειρε δύο μεγάλα μοναστήρια, τη Μπίστριτσα και τη Μολδοβίτσα και ενίσχυσε πολλά άλλα.

ΒΙΒΛ.: Π. Π. Παναϊτέσκου, Ο Αλέξανδρος ο Καλός, 500 χρόνια από το θάνατό του (Βουκουρέστι 1932, ρουμ.). - Κ. Ρακόβιτσα, Οι αρχές της πολωνικής επικυριαρχίας στη Μολδαβία, 1387 - 1432, Revista Istorica Romana 10 (1940, ρουμ.), 237 - 332. - Κ.Τσιχοδάρου, Ο Αλέξανδρος ο Καλός (Ιάσιο 1984, ρουμ.). - D. Nastase, Le débuts de l' église moldave et le siège de Cple par Bajaret I, Συμμ 7 (1987), 205 - 13. - Κ. Κ. και Δ. Κ. Τζιουρέσκου, Ιστορία των Ρουμανών, 2 (Βουκουρέστι 1976, ρουμ.), 94 - 110. - ΠΒΛ/ΕΕΕ 2 (1984), 154 - 5. - Ş. Papacostea, LM 2, 370. - N. Iorga, Histoire des Roumains et de la Romanité orientale, 3 (Βουκουρέστι 1937), 371 - 8, 390 - 8 και 4 (1937), 15 - 6, 33 - 44.

Φ. Μ.

Αλέξανδρος Α΄ Άλδεα, ηγεμόνας της Βλαχίας (1431 - 6). Γιος του Μίρτσεα του «Πρεσβύτερου». Ανέλαβε το θρόνο με τη βοήθεια του ηγεμόνα της Μολδαβίας, *Αλέξανδρου του «Καλού»*. Το καλοκαίρι του 1431 ο Οθωμανός σουλτάνος *Μουράτ Β΄*

διέταξε εκστρατεία εναντίον των ρουμανικών χωρών και ο Α. υποχρεώθηκε να αναγνωρίσει την τουρκική επικυριαρχία, να πληρώσει φόρο και - για πρώτη φορά - να παραδώσει περίπου 20 γιους βογιάρων αιχμαλώτους στους Τούρκους. Τα σχέδιά του για αντίσταση ενάντια στους τελευταίους δεν καρποφόρησαν. Το 1436 ανατράπηκε και, ήδη στις αρχές του 1437, κυβερνούσε ο *Βλαδ Δράκουλ*. Ενίσχυσε την Εκκλησία του πριγκιπάτου του και προσέφερε δωρεές, τόσο σε μονές της Βλαχίας, όσο και του Αγίου Όρους, συγκεκριμένα στις μονές Ζωγράφου και Ξηροποτάμου.

ΒΙΒΛ.: Στόικα Νικολαέσκου, Η Ηγεμονία του Αλεξάνδρου βόδα Άλδεα, γιου του Μίρτσεα βόδα του Πρεσβύτερου, 1431 - 1435... (Βουκουρέστι 1922, ρουμ.). - Κ. Κ. και Δ. Κ. Τζιουρέσκου, Ιστορία των Ρουμάνων, 2 (Βουκουρέστι 1976, ρουμ.), 115 - 17. - Ş. Papacostea, LM 1,371. - N. Iorga, Historie des Roumains et de la Romanité orientale, 4 (Βουκουρέστι 1937), 41, 47 - 52.

Φ. Μ.

Αλέξανδρος, ηγεμόνας της Μολδαβίας (1449, 1452 - 4, 1455). Γιος του Ιλιάς. Προερχόμενος από την Πολωνία, ανέβηκε στο θρόνο για 1η φορά το 1449, για 8 μήνες περίπου, με πραγματικούς ηγέτες - λόγω ηλικίας του ηγεμόνα - τους Μανουήλ, «παρκαλάμπο» (υπεύθυνο ενός φρουρίου) του Χοτήν και τη μητέρα του Μαρίνκα. Ηττήθηκε (Οκτ. 1449) από ένα νόθο γιο του *Αλέξανδρου του «Καλού»* και αποσύρθηκε στην Πολωνία, απ' όπου επανήλθε το 1452. Το 1453 υποτάχθηκε στο Γιάνκου / Ιωάννη *Ουννάδη,* βοεβόδα της Τρανσυλβανίας, με αντάλλαγμα τη βοήθεια του τελευταίου εναντίον όλων των εχθρών του. Στις αρχές του 1454 χάνει το θρόνο από τον Πέτρο Αρόν και επανέρχεται για λίγους μήνες, το 1455. Το Μάιο, στη μάχη του Μοβήλε ο Α. χάνει οριστικά την ηγεμονία. Αποσύρθηκε στο Τσετάτεα Άλμπα («Ασπρόκαστρο») και πέθανε στις 26 Αυγ.

ΒΙΒΛ.: Β. Παρβάν, Αλεξανδρέλ βόδα και Μπογκδάν βόδα (Βουκουρέστι 1945, ρουμ.). - Ι. Μπογκδάν, Συμβολές στην ιστορία της Μολδαβίας, 1448 - 1458, Analele Academiei Romane, Memorii Sectiei Istorice 29 (1906 - 7, ρουμ.), 629 - 43. - Κ. Κ. και Δ. Κ. Τζιουρέσκου, Ιστορία των Ρουμάνων, 2 (Βουκουρέστι 1976, ρουμ.), 136 - 9. - ΠΒΛ/ΕΕΕ 2 (1984), 155.

Φ. Μ.

Αλέξανδρος, πατριάρχης Κωνσταντινουπόλεως (325/7 - 336/7). Διάδοχος του Μητροφάνους περί το 325. Υπήρξε διώκτης του αιρετικού *Αρείου* που πέθανε το 336. Οι απευθυνόμενες σ' αυτόν, κατά το Θεοδώρητο, επιστολές του *Αλεξάνδρου* Αλεξανδρείας περί Αρείου (324) και της εν Αντιοχεία συνόδου (325), εστάλησαν μάλλον στον *Αλέξανδρο*, επίσκοπο Θεσσαλονίκης. Πέθανε το 336 ή 337 και τιμάται ως άγιος την 30η Αυγούστου από την Ανατολική και την 28η Αυγούστου από τη Δυτική Εκκλησία, ενώ σ' άλλους κώδικες κατά την 2α Ιουνίου. Ακολουθία του Αγίου εξεδόθη στη Βενετία το 1771 από το Ν. Γλυκύ.

ΒΙΒΛ.: Σωκράτους, Εκκλ. Ιστορία, Α, 27. Β, 6. - Σωζομενού, Εκκλ. Ιστορ., Α, 18 Β, 29. 30. - Θεοδώρητου, Εκκλ. Ιστορ., Α, 2, 13. - Νικηφόρου Καλλίστου, Εκκλ. Ιστ., Η, 51. - AASS, VII (1741), 71 - 84. VI (1743), 195 - 8. DHGE 2, 184. - ΘΧΕ 1, 793 - 4. - LTK 1, 314. - ΘΗΕ 2, 1078. - Μέγας Συναξαριστής, Η΄, 532 - 4.

Σ. Μ.

Αλέξανδρος πατριάρχης Αλεξανδρείας (312/13 - 326/8), επί των ημερών του οποίου εμφανίστηκε και καταδικάστηκε η αρειανική αίρεση. Επέδειξε πολύπλευρη πνευματική και κοινωνική δραστηριότητα και έγινε γνωστός στη Χριστιανοσύνη. Ο αφορισθείς για τις ιδέες του το 306 σχισματικός επίσκοπος Μελέτιος, έφερε τις πρώτες αντιδράσεις στο έργο του. Όμως η μεγάλη αντίδραση προήλθε από το Λίβυο πρεσβύτερο *Άρειο,* ικανό γνώστη της διαλεκτικής τέχνης, ο οποίος σε σύναξη κληρικών της Αλεξανδρείας, πιθανώς το 318, μιλώντας παρεξέκλινε της Ορθοδοξίας. Ο Α., αν και το κατάλαβε, δεν έλαβε μέτρα κατά του Αρείου. Αργότερα μόνον έδρασε μετά τις καταγγελίες του Μελετίου και του Κόλλουθου, οι οποίες είχαν ως αποτέλεσμα να διαδοθούν οι γνώμες του Αρείου αφενός, και αφετέρου να επεκταθεί η εκκλησία των Μελετιανών. Οι λόγοι αυτοί ανάγκασαν τον Α. να καθαιρέσει τον Άρειο. Προσπάθεια συμβιβασμού απέβη άκαρπος και σε σύνοδο που έγινε επικυρώθηκε η απόφασή του. Ο Άρειος συνέχισε να διαδίδει τις γνώμες του, μάλιστα προσηλυτίζοντας. Για αντιμετώπιση του παγχριστιανικού αυτού προβλήματος συνεστήθη η Α΄ Οικουμενική Σύνοδος με ηγέτη τον Α., του οποίου δέχθηκε τις διατυπώσεις, τον επέβαλε και αναγνωρίσθηκε η εξουσία του στην περιοχή. Ακόμη, ο Α. διευθέτησε και το ζήτημα του εορτασμού του Πάσχα. Ο Άρειος καταδικάστηκε και εξορίστηκε από την εν Νικαία Σύνοδο, όμως προσέφυγε στον αυτοκράτορα *Κωνσταντίνο Α΄*, ο οποίος ζήτησε, αλλά μάταια, από τον Α. να δεχθεί τον Άρειο. Στην προσπάθεια αυτή εντάσσεται και η ενδημούσα Σύνοδος του 327 στη Νίκαια. Στις 17 Απριλίου 328 πέθανε ο Α., η δε μνήμη του εορτάζεται στις 29 Μαΐου. Συνέταξε πλήθος επιστολές και εγκυκλίους περί της αρειανικής αίρεσης, από τις οποίες σώζονται μόνο δύο. Η διδασκαλία του διαμορφώθηκε σύμφωνα με τις αντιρρήσεις και τις σκέψεις του για την αρειανική απόκλιση.

ΒΙΒΛ.: Σωκράτους, Εκκλ. Ιστορ. 1, 6. - Γελασίου Κυζικηνού, Σύνταγμα 2, 3. - PG 91, 280. - PG 18, 547 - 78. - ΒΕΠΕΣ 18, 261 -78. - Σωζομενού, Εκκλ. Ιστορ. 1, 15. - Επιφάνιου, Πανάριον 68, 4 - 69, 3. - Θεοδώρητου, Εκκλ. Ιστορ. 1, 1. - Π. Χρήστου, Ελληνική Πατρολογία (Θεσ/νίκη 1987), Γ΄, 439 - 45 και 463 όπου όλη η βιβλιογραφία. - ΘΗΕ, 2, 101 - 6. ΕΛΕ, 2, 746. A. Papadakes, ODB, 56 με τη βιβλιογρ. - Δ. Τσάμης, Εκκλησ. γραμματολογία (Θεσ/νίκη 1985), 121 - 2. - Π. Χρήστου, Εκκλησ. γραμματολογία, Α΄ (Θεσ/νίκη 1989), 158 -9.

Σ. Μ.

Αλέξανδρος. Όνομα δυο (2) πατριαρχών (επισκόπων) Αντιοχείας κατά τους 5ο και 7ο αι.

1. *Α. ο Α΄* (413 - 20/21). Διάδοχος του Πορφυρίου. Υπήρξε ασκητής, φιλόσοφος, χαρισματικός δεξιοτέχνης της γλώσσας, άριστος κατά το βίο και τους λόγους. Κατάφερε να σταματήσει τις έριδες στην εκκλησία της Αντιοχείας και αντικατέστησε τους διωχθέντες «Ιωαννίτας» επισκόπους, Ελπίδιο Λαοδικείας και Πάππον. Μετά το θάνατο του Ευσταθιανού επισκόπου Ευαγρίου το 415, κατάφερε να τους συμφιλιώσει πετυχαίνοντας έτσι την άρση του Μελετιανού σχίσματος, γεγονός, που χαροποίησε ιδιαίτερα τον πάπα *Ιννοκέντιο Α΄* (401- 17) της Ρώμης και τους επισκόπους Ιταλίας. Μετέβη στην Κωνσταντινούπολη, όπου αποκατέστησε τον *Ιωάννη Α΄ Χρυσόστομο*· ο Κωνσταντινουπόλεως *Αττικός* αποδέχθηκε

να μνημονεύονται ο Ιωάννης και οι άλλοι επίσκοποι, όπως και ο Αλέξανδρος, διασφαλίζοντας με τον τρόπο αυτό την ειρήνη στην Εκκλησία. Τον διαδέχθηκε ο Θεόδοτος.

ΒΙΒΛ.: Θεοδώρητος, Εκκλ. Ιστορ., Ε΄, 35. - Νικηφ. Κάλλιστος, Εκκλ. Ιστορ. ΙΔ, 25. - PL 20, 540 - 2. - Σωκράτους, Εκκλ. Ιστορ. Ζ, 25. - Χρυσ. Παπαδόπουλος, Ιστορία της Εκκλησίας Αντιοχείας, (Αλεξάνδρεια 1951), 322 - 3. - ΜΕΕ 1, 675 - 6. - ΘΗΕ 2, 109 - 10. - CIG 1, 61. - ΕΛΕ 2, 746. - ΕΛΗ 2, 265.

2.*Α. ο Β΄* (τέλη 7ου - αρχές 8ου αι.;). Το πιθανότερο ανύπαρκτος επίσκοπος, που τοποθετείτο κατά το 695 - 702, ως διάδοχος του Γεωργίου Β΄, ή, σωστότερα, το 684/5 - 701/2. Αμέσως μετά ο θρόνος χήρεψε για 40 χρόνια. Ανύπαρκτος φαίνεται ότι είναι και ο φερόμενος επίσης την περίοδο αυτή επίσκοπος Θωμάς.

ΒΙΒΛ.: Χρυσ. Παπαδόπουλος, Ιστορία Εκκλησίας Αντιοχείας (Αλεξάνδρεια 1951), 749 σημ. 22. - DHGE 3, 595, λήμμα Antioche. - ΘΗΕ 2, 110 - 11.

Σ.Μ

Αλέξανδρος. Όνομα πέντε (5) παπών κατά τους αιώνες 11ο, 12ο, 13ο και 15ο.

1.*Α. ο Β΄* (1061 - 73), πρώην Άνσελμος, επίσκοπος Λουκκής (γεν. 1010/15). Κατεδίκασε τους μεταξύ συγγενών γάμους και επανέφερε τα διατάγματα κατά της σιμωνίας και του γάμου των ιερέων. Επίσης, υπήρξε ικανότατος διπλωμάτης, διατηρώντας φιλικές σχέσεις με ξένα κράτη. Εξελέγη μόνο από τους Καρδιναλίους, χωρίς τη συμμετοχή του λαού, και η παπική εξουσία στην εποχή του απέκτησε μεγάλη δύναμη.

ΒΙΒΛ.: T. Schmidt, Alexander II (1061 - 73) und die römische Reformgruppe seiner Zeit (1977). - R. Somerville, DMA 1 (1982), 146. - ΕΛΕ 2, 746. - ΕΛΗ 2, 265. - G. Schwaiger, LM 1, στήλ. 371- 2.

2.*Α. ο Γ΄* (γεν. c. 1105, πάπας 1159 - 81), πρώην καρδινάλιος Ρολάνδος, από τους διαπρεπέστερους Πάπες. Διαδέχθηκε τον *Αδριανό Δ΄*, του οποίου ήταν γραμματέας. Η εκλογή του αμφισβητήθηκε από τους αντιπάπες που τους υποστήριζε ο Γερμανός αυτοκράτορας *Φρειδερίκος Α΄ Βαρβαρόσσας*. Η αντιδικία αυτή, που διήρκεσε 17 χρόνια, ανάγκασε τον Α. να φύγει από τη Ρώμη το 1177, οπότε υποχρεώθηκε ο Βαρβαρόσσας να γονατίσει μπροστά του. Συνεκάλεσε τη Γ΄ Σύνοδο του Λατερανού και προσπάθησε να επιτύχει την ένωση των Εκκλησιών, απέτυχε όμως γιατί ο *Μανουήλ Α΄ Κομνηνός* φοβόταν τις Σταυροφορίες. Τέλος, εξορίστηκε στην Καστέλλανα όπου και πέθανε. Σώζεται επιστολή προς τον Α. Γ΄ εκ μέρους του Μανουήλ Α΄ (1175 - 6), όπου γίνεται λόγος για την επιθυμία του Βυζ. αυτοκράτορα να πολεμήσει τους *Σελτζούκους* του Ικονίου και να ανοίξει την οδό για τους Αγ. Τόπους (R. -J. Lilie Byzantium and the Crusader States, Οξφόρδη 1993, 212 σημ. 290).

ΒΙΒΛ.: M. Baldwin, Alexander III and the 12 th century (1968). - M. Rampolla, DMA 1 (1982), 146 - 7. - Χ. Ανδρεάδης, ΜΓΕ 5 (1978), 388. - J. Powel, EBr 1 (1980[15]), 466 - 7 με τη βιβλιογρ. - G. Schwaiger, LM 1, στήλ. 372 - 3 με τη βιβλιογρ. - A. Kazhdan, ODB, 57. - P. Magdalino, Empire of Manuel I Komnenos (1993), 83 εξ. και ευρετ.

3.*Α. ο Δ΄* (1254 - 61), πρώην επίσκοπος Οστίας. Πολέμησε το *Μαμφρέδο* της Σικελίας αλλά, επειδή εγκαταλείφθηκε από τους επισκόπους, δραπέτευσε στη Ρώμη, όπου και πέθανε. Υπέβαλε προτάσεις προς τον αυτοκράτορα του Βυζαντίου (στη Νίκαια) *Θεόδωρο Β΄ Λάσκαρι* για την ένωση των Εκκλησιών, και κανόνισε τις σχέσεις Ελλήνων και Λατίνων στην Κύπρο με την έκδοση της ιστορικής Κυπριακής Διάταξης (Bulla Cypria) το 1260.

ΒΙΒΛ.: Α. Παπαγεωργίου, ΜΚΕ 1 (1984), 357. - G. Schwaiger, LM 1, στήλ. 373 με τη βιβλιογρ. - C. Cyrres, Hist. of Cyprus (Nicosia 1985), 215. - A. Kazhdan, ODB, 57 - 8.

4.*Α. ο Ε΄* (γεν. c. 1340, αντιπάπας 1409 - 10). Γεννήθηκε στη Νεάπολη της επαρχίας Μεραμπέλλου Κρήτης, και ονομάζετο Πέτρος Φίλαργος (Φιλαργής ή Φιλάρετος). Το 1350 καταφεύγει στη μονή Αγ. Αντωνίου και το 1357 στη μονή Αγ. Φραγκίσκου στο Χάνδακα, όπου εκάρη μοναχός. Έκανε ευρύτερες θεολογικές σπουδές στο Παρίσι, όπου και διακρίθηκε. Δίδαξε μάλιστα και στο Πανεπιστήμιο, προτού φύγει ως ιεραπόστολος στη Βοημία, Λεχία (Πολωνία) και Λιθουανία. Μετά την επιστροφή του χειροτονήθηκε επίσκοπος και το 1402 αρχιεπίσκοπος Μεδιολάνων. Το 1405 έγινε καρδινάλιος. Υπήρξε ο διοργανωτής της εν Πίζη συνόδου για τη λύση του παπικού προβλήματος, η οποία, αφού καθήρεσε τους αλληλομαχόμενους Πάπες *Γρηγόριο ΙΒ΄* και *Βενέδικτο ΙΓ΄*, ανεκήρυξε τον Πέτρο Φίλαργο ως Πάπα με την επωνυμία *Αλέξανδρος ο Ε΄* τον Ιούνιο του 1409. Όμως, στις 4 Μαΐου 1410 ο Α. πέθανε και ετάφη σε μαυσωλείο στη μονή του Αγ. Φραγκίσκου.

ΒΙΒΛ.: Cornelii, Creta Sacra, Β΄, 14, 138, 385. - N. Papadopoli, Historia gymnasii Patavini, Β΄, 161. - Μάρκος Ρενιέρης, Ιστορικαί Μελέται (Αθήνα 1881), όπου η φωτογραφία του και το οικόσημό του. ΕΛΕ 2, 746 - 7. ΘΧΕ 1, 802 - 5. EC I, 787 - 805. ΘΗΕ 2, 123 - 4. ΕΛΗ 2, 265 - 6. G. Schwaiger, LM 1, στήλ. 373 - 4. - M. Zier, DMA 1 (1982), 147 - 8 με τις βιβλιογρ. - Θεοχ. Δετοράκης, Ιστ. Κρήτης (Αθήνα 1986), 233.

5.*Α. ο ΣΤ΄* (γεν. 1430, πάπας 1492 - 1503), μέλος της ονομαστής οικογένειας των Βοργία, γεννήθηκε στη Χατίνα της Βαλένθιας στην Ισπανία. Ονομάζετο Ροδρίγος Βοργίας και, λόγω της συγγένειάς του με τον πάπα *Κάλλιστο Γ΄*, έγινε επίσκοπος, καρδινάλιος και υποκαγκελλάριος της παπικής αυλής, μόλις 27 χρόνων. Στη θέση αυτή διακρίθηκε για τα διοικητικά χαρίσματά του και υπηρέτησε πέντε πάπες, όμως κατάφερε με δωροδοκία να εκλεγεί και να ανέλθει στο θρόνο μετά τον *Ιννοκέντιο Η΄*. Αρχικά υπήρξε δραστήριος, η φιλοχρηματία όμως και η φιληδονία του τον ανάγκασαν να παραβεί τις αρχές του, χριστιανικές και ηθικές, ιδιαίτερα όταν σύναψε ύποπτες σχέσεις με το γιο του, Καίσαρα, και την κόρη του, Λουκρητία. Έτσι, το όνομά του συνδέθηκε με τη χειρότερη παπική περίοδο. Στις 18 Αυγούστου 1503 πέθανε, πιθανόν δηλητηριασμένος από το γιο του, αν και αυτό αμφισβητείται από τους ιστορικούς.

ΒΙΒΛ.: L. Pastor, Geschichte der Papste, Β΄ και Γ΄ με τη σχετική βιβλιογρ. - EC I, 707 - 805. - ΕΛΕ 2, 747. - ΘΗΕ 2, 124. - G. Schwaiger, LM 1, στήλ. 374 με βιβλιογρ. - F. Murphy, EBr (1980[15]), 467 - 8 με βιβλιογρ.

Σ. Μ. - Α. Σ.

Αλέξανδρος. Όνομα δυο (2) οσιομαρτύρων των 3ου - 4ου αι.
1.Μάρτυρας από την Κάλυτο της Πισιδίας, της εποχής του *Διοκλητιανού*. Μαρτύρησε μαζί με τους αδελφούς του Αλφειό και Ζώσιμο, επειδή ομολόγησαν τη χριστιανική τους πίστη

στην Κλαυδιούπολη, όπου είχαν κληθεί από τον ηγεμόνα της Πισιδίας Μάγνο ως σιδηρουργοί, για να κατασκευάσουν δεσμά για το μάρτυρα Μάρκο τον ποιμένα. Η μνήμη τους τιμάται στις 28 Σεπτ.

2. Μάρτυρας από την Πέργη ή τη Σίδη της Παμφυλίας, που μαζί με τον «τέκτονα» Μηναίο και τους γεωργούς Λεόντιο, Άττο, Κινδαίο (Κινδέο), Μνησίθεο, Κυριακό, Κατούνο (Κοτγούνο) και Ευκλέο πήγαν νύχτα στο ναό της Άρτεμης και κατέστρεψαν τα είδωλα, πράξη για την οποία συνελήφθηκαν, βασανίστηκαν και αποκεφαλίστηκαν. Η μνήμη τους τιμάται την 1η Αυγ.

ΒΙΒΛ.: ΘΗΕ 2 (1963), 94 - 5.

Γ. Μ.

Αλέξανδρος ο Λυκοπολίτης (3ος - αρχές 4ου αι.). Βυζαντινός νεοπλατωνικός φιλόσοφος, συγγραφέας του έργου «Προς τας Μανιχαίων δόξας», όπου στρέφεται κατά της δυαλιστικής περσικής διδασκαλίας περί του καλού και του κακού (έκδ. A. Brinkmann, Alexandri Lycopolitani contra Manichaei opiniones disputatio, Λειψία 1895, βλ. και Ν. Πολίτης, Η φιλοσοφία εις το Βυζάντιον, Α΄, 1992, 235 - 6.). Η πληροφορία του Φώτιου (Κατά Μανιχαίων, PG 102, στήλ. 33) ότι ο Α. ήταν επίσκοπος των Λύκων στη Θηβαΐδα της Αιγύπτου είναι μάλλον ανακριβής (βλ. Δ. Μπαλάνος, ΜΕΕ 3, 671).

Α. Σ.

Αλέξανδρος (1ο μισό 4ου αι.), επίσκοπος Θεσσαλονίκης. Συμμετείχε στην Α΄ Οικουμενική Σύνοδο στη Νίκαια το 325. Σ' αυτόν αποδίδονται δύο επιστολές που περιέχονται στο έργο του *Μ. Αθανασίου* «Απολογία κατά Αρειανών». Η πρώτη απευθύνεται προς το Μ. Αθανάσιο, γράφτηκε το 322 και εκφράζει τα συναισθήματά του για την απαλλαγή του Αθανασίου από άδικη κατηγορία. Η δεύτερη, που απευθύνεται στον κόμητα Διονύσιο, γράφτηκε το 335 για να καταγγείλει τις κατά του Μ. Αθανασίου διαβουλεύσεις της συνόδου της Τύρου. Τελικά, ο Α. εμφανίζεται συμπαθών τους Αρειανούς.

ΒΙΒΛ.: PG 25, στήλ. 368, 393. - PG 25, στήλ. 273 - ΘΗΕ 2 (1963), στήλ. 107. - ΕΛΗ 2, 270. - Ο. Ταφραλής, Η Θεσσαλονίκη από τις απαρχές έως τον 14ο αι. (Αθήνα 1994), 190 - 91.

Σ.Μ.

Αλέξανδρος, Όσιος ο «ακοίμητος» (μέσα 4ου - αρχές 5ου αι.). Γεννήθηκε στα παράλια της Μ. Ασίας και σπούδασε στην Κων/πολη. Ακολούθησε το στρατιωτικό βίο. Όμως η βαθειά ενασχόλησή του με την Π. και Κ. Διαθήκη τον ώθησε να μοιράσει την περιουσία του και να φύγει στη Συρία, στη μονή του Αρχιμανδρίτη Ηλία. Η ανήσυχη θρησκευτική φύση του τον ωθεί να αρχίσει με επιτυχία το ιεραποστολικό έργο. Έτσι, σε λίγο με 400 μοναχούς ιδρύει ιδιόρρυθμη μονή. Σ' αυτή οι μοναχοί, Ρωμαίοι, Έλληνες, Αιγύπτιοι, Σύροι, απόλυτα πτωχοί, χωρίζονται σε οκτώ χορούς, δύο για κάθε γλώσσα λατρεύοντας ακατάπαυστα και ακοίμητα δια διαιρέσεως του ημερονυκτίου σε 24 λειτουργικούς σταθμούς, εκπληρώνοντας με τον τρόπο αυτό τις παρορμήσεις του. Για να συνεχίσει το ιεραποστολικό έργο εγκατέλειψε μετά 20 χρόνια τη μονή και έφθασε κηρύττοντας στην Αντιόχεια. Ο επίσκοπος Θεόδοτος τον εξόρισε στη Χαλκίδα της Συρίας, απ' όπου δραπέτευσε και το 425 έφθασε στην Κων/πολη, όπου οργάνωσε πάλι την ιδιόρρυθμη μονή του με 6 χορούς και 3 γλώσσες. Όμως, οι αντιδράσεις των ηγουμένων άλλων μονών, η κατάσταση της εκκλησίας (αίρεση Μεσσαλιανών) και η παρουσία του Θεοδότου στην κατά των Ευχιτών σύνοδο του 426, κατεδίκασαν τον Α. και εξορίστηκε. Πάλι δραπέτευσε και πήγε στη Χαλκηδόνα, όπου, καταδιωκόμενος και εδώ, φιλοξενήθηκε με αγάπη στη μονή του Αγίου Υπατίου, με τη βοήθεια του οποίου ίδρυσε νέα μονή στην ασιατική ακτή του Βοσπόρου κατά το ιδιόρρυθμο σύστημά του. Περί το 430 ο πολυπαθέστατος Α. πέθανε και τιμήθηκε ως άγιος (2 ή 23 Φεβρ. ή 3 Ιουλ.).

ΒΙΒΛ.: ΘΗΕ 2 (1963), 88 - 9. - A. Kazhdan, ODB, 59 με τη βιβλιογρ.

Σ. Μ.

Αλέξανδρος (τέλος 4ου - αρχές 5ου αι.), επίσκοπος Βασιλινουπόλεως. Καταγόταν από τη Λιβύη από οικογένεια συγκλητικών της Κυρήνης. Εισήλθε νεαρός στη μοναχική ζωή και χειροτονήθηκε από τον *Ιωάννη Α΄ Χρυσόστομο* επίσκοπος στη Βασιλινούπολη, αμέσως μετά την ίδρυσή της από τον αυτοκράτορα *Ιουλιανό*. Αργότερα αναγκάστηκε να την εγκαταλείψει και να επιστρέψει στη Λιβύη. Το 410 συναντήθηκε με το *Συνέσιο*, επίσκοπο Κυρηναϊκής, κρυφά, λόγω της φιλίας του με το Χρυσόστομο, αφού ο κλήρος της περιοχής επηρεαζόταν από τον πατριάρχη Αλεξανδρείας *Θεόφιλο*, όπως φαίνεται από δύο επιστολές του Συνεσίου προς το Θεόφιλο. Μετά το θάνατο του Χρυσοστόμου και τη χορήγηση αμνηστίας, δεν επέστρεψε στην έδρα του, πιστεύοντας ότι δεν ήταν αληθινή.

ΒΙΒΛ.: Dictionary of Christian Biography I, 83. - ΘΧΕ 1, 797. - ΜΕΕ 1, 676. - ΘΗΕ 2, 107 - 8. - ΕΛΗ 2, 270.

Σ. Μ.

Αλέξανδρος (τέλη 4ου - αρχές 5ου αι.), επίσκοπος Κορίνθου. Προς αυτόν απευθύνεται επιστολή του *Ιωάννου Α΄ Χρυσοστόμου* από την περίοδο της εξορίας του (406), από την οποία φαίνεται ότι συνδέονταν φιλικώς. Ταυτόχρονα, εκφράζει και την απορία του, γιατί καθ' όλο αυτό το διάστημα δεν επικοινώνησε μαζί του.

ΒΙΒΛ.: ΘΗΕ 2, 109. - ΕΛΗ 2, 270. - PG 52, στήλ. 707.

Σ.Μ.

Αλέξανδρος (τέλη 4ου - μέσα 5ου αι.), επίσκοπος Ιεράπολης Συρίας. Νεστοριανός μέχρι το θάνατό του το 435 και αντίπαλος του Πατριάρχη *Κυρίλλου*, αναγκάστηκε να στραφεί και κατά των φίλων του, όταν αυτοί πλησίασαν τον Κύριλλο. Έλαβε μέρος στη Γ΄ Οικουμενική Σύνοδο της Εφέσου το 431, παρότι προσπάθησε να αναστείλει τις εργασίες της λαμβάνοντας κακώς, ως πρόσχημα, την απουσία του εκπροσώπου των λεγομένων Ανατολικών, *Ιωάννη Αντιοχείας*. Η Σύνοδος κατ' αρχή αναθεμάτισε το *Νεστόριο* και αμέσως μετά τον Α. και τους Ανατολικούς. Μετά την άφιξή του ο Ιωάννης δημιούργησε αντισύνοδο με τη βοήθεια του Α., που συνέχισε αργότερα στην Ταρσό, την Έφεσο και την Αντιόχεια. Όταν όμως το 433 ο Ιωάννης και οι επίσκοποι δέχθηκαν τη διδασκαλία του Κύριλλου, που επικυρώθηκε από την Γ΄ Οικουμενική Σύνοδο, ο Α. συγκέντρωσε κοντά του όλους τους Νεστοριανούς επισκόπους και συνέχισε τον αγώνα του. Αυτό είχε σαν αποτέλεσμα την εξορία του από τον αυτοκράτορα *Θεοδόσιο Β΄* στην Αίγυπτο, όπου και πέθανε. Σώζονται 27 επιστολές του.

ΒΙΒΛ.: Διακόνου Ρουστικού, Synodicon adversus tragoediam Irenaei, PG 84, στήλ. 659 - 798. Mansi, V, 830 - 960. - ΘΗΕ 2, 110. - ΕΛΗ 2, 270. - Π. Χρήστου, Ελληνική Πατρολογία, Δ΄, 444. CIG 1, 61.

Σ. Μ.

Αλέξανδρος (1ο μισό 5ου αι.), μητροπολίτης Απάμειας, Συρίας. Προσπάθησε μάταια μαζί με τον ομόφρονό του, *Αλέξανδρο* επίσκοπο Ιεράπολης, να αναστείλουν τις εργασίες της Γ΄ Οικουμενικής Συνόδου της Εφέσου (431), λόγω της απουσίας του *Ιωάννη Αντιοχείας*. Είναι πιθανόν να τον έστειλε ο Ιωάννης για μία από τις πολλές προσπάθειες συνδιαλλαγής μεταξύ Αντιοχειανών και Αλεξανδρινών. Σώζεται μικρή επιστολή του προς τον Αλέξανδρο Ιεράπολης, που έχει γραφεί το 434, όπου εκφράζει τη λύπη του, γιατί ορισμένα γεγονότα τον ανάγκασαν να μην συναντηθούν.

ΒΙΒΛ.: Dictionary of Christian Biography, I, 82 - 3. - ΘΧΕ 1, 797. - ΜΕΕ 3, 670. - ΘΗΕ 2, 109.- PG 84, 946.

Σ. Μ.

Αλέξανδρος (6ος αι.), επίσκοπος Αβίλης της Παλαιστίνης. Είναι γνωστός ως ο μόνος που δεν θέλησε να υπογράψει την απόφαση περί καταδίκης των συγγραμμάτων του *Θεοδώρου* του Μοψουεστίας, *Ίβα* του Εδέσσης και *Θεοδωρήτου* του Κύρου στην τοπική σύνοδο των Ιεροσολύμων, η οποία προκλήθηκε από τη σχετική καταδικαστική απόφαση της Ε΄ Οικουμενικής Συνόδου. Η άρνησή του είχε σαν αποτέλεσμα την καθαίρεσή του το 553.

ΒΙΒΛ.: Χρυσ. Παπαδόπουλος, Ιστορία Εκκλησίας Ιεροσολύμων, 223. - ΘΗΕ, 2, 110. ΕΛΗ, 2, 270.

Σ. Μ.

Αλέξανδρος (8ος αι.), επίσκοπος Αμαθούντος Κύπρου. Σώζεται η υπογραφή του στην πρώτη πράξη της Ζ΄ Οικουμενικής Συνόδου της Νίκαιας το 787. Μαζί του ως αντιπροσωπεία έλαβαν μέρος και οι Κύπριοι επίσκοποι Κωνσταντίνος Κωνσταντίας (Σαλαμίνας), Ευστάθιος Σόλων, Θεόδωρος Κιττίου, Γεώργιος Τριμιθούντος και Σπυρίδων Χύτρων με επικεφαλής τον Κωνσταντίνο, υποστηρίξαντες με δύναμη την ορθόδοξη άποψη για το θέμα των εικόνων μέσα από ιστορικά στοιχεία και της νήσου Κύπρου.

ΒΙΒΛ.: Mansi XII, 995. Ιωάν. Χάκκετ - Χαρίλ. Ι. Παπαϊωάννου, Ιστορία της Ορθόδοξης Εκκλησίας της Κύπρου, Β΄ (Πειραιάς 1927), 87. - Κ. Σπυριδάκις, Η Κυπριακή Εκκλησία και η αναστήλωση των εικόνων, ΚΣ 25 (1961), 83 - 8. - ΘΗΕ, 2, 111.

Σ. Μ.

Αλέξανδρος (1ο μισό 10ου αι.), μητροπολίτης Νίκαιας. Προς αυτόν απευθύνεται επιστολή του πατριάρχη *Νικολάου Α΄ Μυστικού* κατά την 2η πατριαρχία του (912 - 25). Διετέλεσε και καθηγητής, κατά το διάστημα που ήταν μητροπολίτης, της ρητορικής στο αυτοκρατορικό Πανεπιστήμιο της Κων/πολης, προ του 944. Υπήρξε από τους ανθρωπιστές της εποχής του *Κωνσταντίνου Ζ΄ Πορφυρογέννητου*, σχολιαστής του Λουκιανού, και ονομάστηκε σε επίγραμμα που περιέχεται στην Ανθολογία του Μάξιμου *Πλανούδη* ως αστέρας γνώσεων. Για άγνωστο λόγο, πιθανώς όμως για οικονομικές ατασθαλίες, επί εποχής Πατριάρχη Κων/πολης *Θεοφύλακτου* συνελήφθη, εκτοπίστηκε στο μοναστήρι των Μονοβάτων, καθαιρέθηκε και κλείστηκε σε σπήλαιο για μήνες. Στη θέση του ενθρονίστηκε άμεσα νέος μητροπολίτης, ο Λαζάρου. Στο διάστημα της φυλάκισής του έστειλε επιστολές προς τους φίλους του αλλά και προς τον ίδιο το Θεοφύλακτο, όπου παραθέτει τα δεινά της εξορίας του και ζητά την απελευθέρωσή του. Είναι άγνωστο αν εισακούστηκε. Στον κώδικα 706 της μονής Πάτμου σώζονται 20 από τις επιστολές του.

ΒΙΒΛ.: Συνεχ. Θεοφάνη, CS, 446. - Antholog. Palatin., έκδ. Dübmer, 16, 281. - J. Darrouzès, Epistoliers byzantins du 10e s. (Paris 1960), 67 - 98. - Π. Maas, Alexandros von Nikaia, BNJ 3 (1922), 333 - 6. - ΘΗΕ 2, 111. - ΕΛΗ 2, 270.

Σ. Μ.

Αλέξανδρος ο «Ψαλίδιος» (6ος αι.), Βυζαντινός αξιωματούχος («λογοθέτης»), που έζησε την εποχή του *Ιουστινιανού Α΄*. Σύμφωνα με τον E. Gibbon το επώνυμο Ψαλίδιος ήταν παρωνύμιο που δόθηκε στον Αλέξανδρο, επειδή ο τελευταίος κατόρθωσε να «ψαλιδίσει» το χρυσό βυζαντινό νόμισμα («υπέρπυρον»)· μ' άλλα λόγια, ο Α. εμίκρυνε το μέγεθος αλλά και το βάρος του νομίσματος, χωρίς ωστόσο να αλλοιώσει τη μορφή του. Αλλά ο χώρος και ο χρόνος της κατ' εξοχήν δράσης του Α. είναι η Ιταλία, αμέσως μετά το πέρασμά της απ' τα οστρογοτθικά στα βυζαντινά χέρια (554). Το έτος αυτό ο Α., αφού εγκαταστάθηκε στη Ραβέννα, ζήτησε απ' όσους αξιωματούχους είχαν υπηρετήσει το οστρογοτθικό κράτος, να λογοδοτήσουν για τα χρήματα που τυχόν είχαν διαχειριστεί. Η εξέταση αυτή που αναδρομικά κάλυπτε περιόδους 20, 30 ακόμα και 40 ετών, έφερε στο βυζαντινό θησαυροφυλάκιο αρκετά χρήματα αλλά ταυτόχρονα και τη μεγάλη δυσαρέσκεια όλων όσοι φορολογήθηκαν κατ' αυτόν τον τρόπο. Εάν πιστέψουμε τον ιστοριογράφο της περιόδου *Προκόπιο*, η δημοσιονομική πολιτική του Α. ήταν τόσο σκληρή, ώστε έφτασε το σημείο να καταργήσει τόσο τη δωρεάν χορήγηση 3000 μεδίμνων σίτου, που το κράτος συνήθιζε να δίνει κάθε χρόνο στους επαίτες του ναού του Αγ. Πέτρου στη Ρώμη, όσο και τις δωρεάν σιτήσεις γιατρών και δασκάλων στην Κων/πολη.

ΒΙΒΛ.: Προκόπιος, Ανέκδοτα, έκδ. M. Isambert (Paris 1856), κεφ. ΚΔ΄, 4 - ΚΣΤ΄, 2, 8 - 9. - νεοελλην. απόδ. Αλόη Σιδέρη (Αθήνα 1989), 160 -61. - E. Gibbon, History of the Decline and Fall of the Roman Empire, IV, έκδ., J. B. Bury (Λονδίνο 1923), 424. - J. B. Bury, Hist of the Later Roman Empire from Arcadius to Irene, Β΄ (Λονδίνο 1889, ανατ. Άμστερνταμ 1966), 227. - T.S. Brown, Gentlemen and Officers... in Byz. Italy A. D. 554 - 800 (1984), 7.

Π. Ν.

Αλέξανδρος ο Τραλλιανός (6ος αι.). Διάσημος γιατρός του πρώιμου Μεσαίωνα. Γεννήθηκε στις Τράλλεις της Μικράς Ασίας. Ήταν ο νεώτερος γιος του γιατρού Στεφάνου και αδελφός του περίφημου αρχιτέκτονα της Αγίας Σοφίας, *Ανθέμιου*. Άκμασε στην Κωνσταντινούπολη στην περίοδο 525 - 605/6. Περιηγήθηκε πολλές χώρες και μελέτησε επιμελώς τους αρχαίους γιατρούς ώστε δίκαια να θεωρείται ως ο πιο διάσημος γιατρός, μετά τους Γαληνό, Ιπποκράτη και Αρεταίο. Σε μεγάλη ηλικία συνέγραψε το πολύτιμο «Βιβλίον θεραπευτικόν», που αποτελείται από 12 βιβλία και αναφέρεται στην παθολογία και τη θεραπευτική. Δημιουργεί ιδιαίτερο ιατρικό επιστημονικό έργο, τόσο ως προς τη μορφή και τη μέθοδο κατατάξεως των νοσημάτων και θεραπειών, όσο και ως προς τις ιατρικές του αντιλήψεις, χαρακτηριζόμενο από πρωτοτυπία. Δεν επηρεάστηκε σημαντικά από το Γαληνό. Ακολουθεί απόψεις των *Ορειβασίου*, Θεοδοσίου, Μάγνου, Σευήρου, Φιλαγρίου, Ψυχριστού και *Αετίου*. Επηρέασε μεταγενεστέρους γιατρούς, όπως τους Μητροδώρα, Δημήτριο Πεπαγωμένο, *Θεοφάνη το Νόννο*, Νικόλαο Μυρεψό και Ιωάννη *Ακτουάριο*. Αναφέρεται στην έννοια και θεραπεία της υπερτάσεως, τονίζοντας τη στέρηση άλατος, τις διαταραχές του καρδιακού ρυθμού και το καρδιακό «σοκ», τις αιμορραγίες του οφθαλμού, την παρουσία λίθων στη χοληδόχο κύστη, τους ικτέρους, τις ηπατικές αντιδότους, την έρευνα της κράσεως του σώματος του γέροντος, την επιληψία, τη φρενίτιδα, το διαβήτη και ιδιαίτερα το άποιον. Ως δικές του, επίσης αντιλήψεις σημειώνονται: η μέθοδος των υπατμισμών επί παρέσεως του απευθυσμένου, η θεραπεία της φαλακρώσεως, ο επιπωματισμός και η εμφύσηση κόνεως επί ρινορραγίας, η εισαγωγή οδοντοτριμμάτων, η καθιέρωση της ειδικότητας του μικροβιολόγου, «τεχνίτου γιατρού», η χρήση του ερμοδακτύλου, ήτοι κολχικού, επί ουρικής αρθρίτιδος, η περιγραφή ταινιών μήκους μέτρων στο έντερο, η παροχέτευση του πλευριτικού υγρού δια παρακεντήσεως θώρακος. Άλλο έργο είναι η προς το φίλο του Θεόδωρο επιστολή «Περί σκωλήκων», που έχει επανειλημμένα εκδοθεί, στην οποία μιλάει για τις ασκαρίδες, τις ελμίνθους και τις ταινίες. Ακόμη, πολλοί θεωρούν ότι και το αποδιδόμενο στον Αλέξανδρο τον Αφροδισέα έργο «Ιατρικά και φυσικά προβλήματα» είναι δικό του.

ΒΙΒΛ.: Alexandri Tralliani, Therapeutica, Medici libri duodecim graeci et latini, (Βασιλεία 1556). - Alexander von Tralles, έκδ. Th. Puschmann (Βιέννη 1878 - 79). - Oeuvres Medicales d' Alexandre de Tralles, 4 τόμ. έκδ. F. Brunet (Παρίσι 1933 - 7). - Αλέξανδρος Τραλλιανός, Περί ελμίνθων, στο Physici et Medici Graeci Minores, έκδ. Julius Ludovicus Ideler, 1 (Βερολίνο 1841),305 - 11. - Περί οφθαλμών, έκδ. T. Puschmann, Nachträge zu Alexander Trallianus, Berliner Studien für Classische Philologie und Archäologie 5/2 (Βερολίνο 1887), 134 - 79. - E. Monzlinger, Zahn heilkundliches bei Alexander von Tralles und späteren Ärzten der Byzantinerzeit (Λειψία 1922, διατριβή). - Α. Ευτυχιάδης, Εισαγωγή εις την βυζ. θεραπευτικήν (Αθήνα 1983), 287 - 8. - Κ. Άμαντος, Ιστορ. βυζ. κράτ., Α΄ (Αθήνα 1963[3]), 160. - CMH IV/2, 1967, 289, 291 εξ. 296. - ΕΛΕ 1, 761. - J. Scarborough και Alice - Mary Talbot, ODB, 58. - TL[3], ελλην. μετ., 52. - Ι. Λασκαράτος, Δηλητηριάσεις βυζ. περιόδου (Αθήνα 1994), 75 - 6. - Hunger, ελλην. μετ., Γ΄, Αθήνα 1994,121 - 4, 127 - 9 και ευρετήριο.

Σ. Μ.

Αλέξιοι (Ψευδο-) (τέλη 12ου αι.). Όνομα που υιοθέτησαν 4 περιβόητοι στασιαστές και ανταπαιτητές του βυζ. θρόνου (επί *Ισαάκιου Β΄ Άγγελου* και *Αλέξιου Γ΄ Άγγελου*), αυτοπαρουσιαζόμενοι ως *Αλέξιος Β΄ Κομνηνός*, που ως γνωστόν είχε μυστικά δολοφονηθεί με διαταγές του θείου του, *Ανδρόνικου Α΄ Κομνηνού*, στα τέλη του 1183.

1. *Α. ο Α΄* (c. 1185/6). Καταγόταν από γεωργική οικογένεια του Ιλλυρικού και είχε μεγάλες ικανότητες, με τις οποίες έπεισε το Νορμανδό ηγεμόνα της Σικελίας, *Ρογήρο Β΄*, να τον ενισχύσει στην προσπάθεια «αποκατάστασής» του στο βυζ. θρόνο. Η μόρφωση και γλωσσομάθειά του εντυπωσίασαν και τους Γάλλους της αυλής του «κουνιάδου» του Α., *Φίλιππου Β΄ Αύγουστου*, σύντομα όμως η απάτη αποκαλύφτηκε και ο Α. αναγκάστηκε να καταφύγει στο Νόβγκοροντ, όπου παρουσιάστηκε και πάλι ως γιος και διάδοχος του Μανουήλ Α΄ Κομνηνού, αυτοαποκαλούμενος «τσάρος» κατά το Χρονικό του Νόβγκοροντ (έκδ. Μόσχας 1950, 38). Το τέλος του είναι άγνωστο.
2. *Α. ο Β΄* (c. 1192 - c. 1195), ο επονομαζόμενος *«Καυσαλώνης»*. Κων/πολιτικής καταγωγής αντάρτης κατά της εξουσίας του *Ισαάκιου Β΄*. Με έγγραφο μήνυμα («μουσούριον» κατά Νικ. Χωνιάτη)τουΣελτζούκου σουλτάνου του Ικονίου, *Καϊχοσρόη*

Α΄, ο Α., που είχε πρωτοεμφανιστεί στη φρυγική πόλη Άρμαλα, πήρε από τον Τουρκομάνο φύλαρχο της ίδιας περιοχής, *Αρσλάν,* πλήθος 8.000 Τουρκομάνων μισθοφόρων, με τους οποίους προξένησε φοβερές καταστροφές στους φρυγικούς κάμπους, μένοντας έτσι γνωστός με το χαρακτηριστικό παρωνύμιο «Καυσαλώνης». Σε κάποια από τις επιδρομές του ο Α. λεηλάτησε τις Χώνες, πατρίδα των λογίων αδελφών *Χωνιάτη,* και κατέστρεψε τα ονομαστά ψηφιδωτά της τοπικής εκκλησίας του Αρχάγγελου Μιχαήλ. Γύρω στο 1195, πάντως, ο επικίνδυνος αυτός κινηματίας δολοφονήθηκε από κάποιο κληρικό στο φρούριο της Πίσσης, κοντά στα Άρμαλα.

3. *Α. ο Γ΄* (c. 1195). Εμφανίζεται στο προσκήνιο στη ΒΔ. Μ. Ασία λίγο μετά το θάνατο του Α. του Β΄, και πάντως πριν τον Απρίλιο του 1195, όταν ο *Ισαάκιος Β΄* ανατράπηκε από τον αδελφό του, *Αλέξιο Γ΄.* Ο Α. ο Γ΄ έδρασε στις περιοχές του μικρασιατικού θέματος Παφλαγονίας, όπου κυριάρχησε σε εκτενή τμήματα, τελικά όμως εξοντώθηκε από τον αξιωματούχο Θεόδωρο *Χούμνο.*

4. *Α. ο Δ΄* (1195-6). Νεαρής ηλικίας επαναστάτης με πλούσια δράση στα πρώτα χρόνια εξουσίας του *Αλέξιου Γ΄ Άγγελου.* Ήταν κιλικιακής καταγωγής και οι επιχειρήσεις του στράφηκαν κυρίως κατά της Παφλαγονίας (ΒΔ. Μ. Ασία). Περί το 1195 πήρε βοήθεια από το Σελτζούκο εμίρη της Άγκυρας, *Μουχιεδδίν Μασούτ* (έναν από τους αδελφούς του σουλτάνου του Ικονίου, *Καϊχοσρόη Α΄*), και σε σύντομο χρονικό διάστημα κατέλαβε τις πόλεις Κράτεια και Κλαυδιούπολη. Οι προσπάθειες του Αλέξιου Γ΄ να πείσει το σουλτάνο με τον απεσταλμένο του Ιωάννη Ηνοπολίτη να πάψει να βοηθεί τον αντάρτη δεν είχαν αποτέλεσμα, όπως επίσης και οι αγωνιώδεις εκκλήσεις του στους μικρασιατικούς πληθυσμούς της αυτοκρατορίας να μην ενισχύουν τον Α., που ήταν απατεώνας. Τελικά ο αυτοκράτορας επέστρεψε άπρακτος στην Κων/πολη, ενώ η θέση του Α. στην Παφλαγονία ενισχύθηκε σημαντικά, μέχρις

ότου είχε και αυτός άδοξο τέλος, δολοφονημένος από πράκτορα - κατά πάσα πιθανότητα του Αλέξιου Γ΄ στο φρούριο της Τζούγγρας. Πάντως, τα εδάφη που είχε οικειοποιηθεί, δεν ανακαταλήφθηκαν ποτέ από το Βυζάντιο.

ΒΙΒΛ.: Οι κύριες πηγές (Νικ. Χωνιάτης, Σκουταριώτης, Εφραίμ) και όλη η σχετική βιβλιογρ. στον Α. Σαββίδη, Βυζαντινά στασιαστικά και αυτονομιστικά κινήματα στα Δωδεκάνησα και στη Μικρά Ασία, 1189 - c. 1240 μ.Χ. (Αθήνα 1987), κεφ. Γ΄. - Πβ. Κ. Βαρζός, ΜΣΕ 34 (1983), 594 - 5. - Φωτεινή Βλαχοπούλου ΜΓΕ 55 (1988), 214 - 15. - J. - Cl. Cheynet, Pouvoir et contestaions à Byzance, 963 - 1210 (Παρίσι 1990), 118 (αρ. 161), 123 - 4 (αρ. 169), 124 (αρ. 170), 130 (αρ. 182).

Α. Σ.

Αλέξιος Α΄ Κομνηνός (γεν. μεταξύ 1048 και 1057, αυτοκράτορας 4 Απρ. 1081 - 18 Αυγ. 1118), τριτότοκος γιος του Ιωάννη *Κομνηνού* και της Άννας *Δαλασσηνής*, ανεψιός του αυτοκράτορα *Ισαάκιου Α΄ Κομνηνού*. Στρατιωτική καριέρα άρχισε νωρίς, το 1071, με τον πρεσβύτερο αδελφό του Ισαάκιο, ενώ κατόπιν έγινε στρατηγός των *Μιχαήλ Ζ΄* και *Νικηφόρου Γ΄*. Με τη βοήθεια της στρατιωτικής αριστοκρατίας, ειδικά της οικογένειας των *Δουκών*, στις 14 Φεβρ. 1081 ξεκίνησε την επανάσταση εναντίον του Νικηφόρου Γ΄ και σύντομα (1 Απρ. 1081) με το στρατό μπήκε στην Κων/πολη. Ανήλθε στο θρόνο ενώ η αυτοκρατορία βρισκόταν σε δυσχερή κατάσταση, αλλά αρχικά κατόρθωσε να έχει μεγάλες επιτυχίες. Με πολλές προσπάθειες εξουδετέρωσε (1081 - 5) τον κίνδυνο των Νορμανδών του *Ροβέρτου Γυισκάρδου*, όμως η βοήθεια της Βενετίας είχε υψηλό τίμημα: Η συνθήκη που υπόγραψε με το δόγη το Μάιο 1082 έδωσε στους Βενετούς εξαιρετικά εμπορικά προνόμια, αφού μπορούσαν στο εξής να ασκούν εμπόριο παντού στη Βυζαντινή Αυτοκρατορία, χωρίς την υποχρέωση να καταβάλλουν οποιοδήποτε φόρο· από τότε η Βενετία (βλ. λ. *Βενετίας Δημοκρατία*) θα έπαιζε αποφασιστικό ρόλο στις τύχες του Βυζαντίου (βλ. R. -J. Lilie, Handel und Politik zwischen dem byzantinischen Reich und den italienischen Kommunen... 1081 - 1204, Άμστερνταμ 1984, 8 εξ., 50 εξ.). Στις 29 Απρ. 1091, με τη βοήθεια των Κουμάνων, συνέτριψε αποφασιστικά τους Πατζινάκους στους πρόποδες του όρους Λεβουνίου.

Ταυτόχρονα, επίσης, στη θάλασσα ο Α. Α΄ νίκησε το Σελτζούκο εμίρη της Σμύρνης *Τζαχά*, αυτή τη φορά χρησιμοποιώντας εναντίον τόυ εμίρη το γαμπρό του τελευταίου, εμίρη της Νίκαιας, *Αμπούλ Κασίμ*, με τον οποίο έκλεισε συνθήκη, όπως και αργότερα με το διάδοχό του, *Κιλίτζ Αρσλάν Α΄*, το γιο του *Σουλεϋμάν Α΄*. Όμως τότε, όταν η κατάσταση στην αυτοκρατορία είχε αρχίσει να βελτιώνεται ουσιαστικά και ο Α. ετοιμαζόταν να αναλάβει πολεμικές επιχειρήσεις κατά των Σελτζούκων Τούρκων στη Μικρά Ασία, στο Βυζάντιο έφθασαν οι ιππότες της Α΄ Σταυροφορίας, που επεσώρευσαν στην Αυτοκρατορία, όπως είναι γνωστό, πολλά προβλήματα. Παρά το γεγονός ότι οι αρχηγοί των σταυροφόρων, σύμφωνα με τα δυτικά έθιμα, έδωσαν όρκο πίστης στον αυτοκράτορα και υποσχέθηκαν να παραδώσουν σ' αυτόν όλες τις πόλεις που θα κυρίευαν (και που προηγουμένως ανήκαν στη Βυζαντινή Αυτοκρατορία), οι Βυζαντινοί αντιμετώπισαν πολλά προβλήματα με τα νέα σταυροφορικά κρατίδια στην Ανατολή (βλ. R. -J. Lilie, Byzantium and the Crusader states 1096 - 1204, Oxford C.P. 1993, 1εξ., 61 εξ. - Handel und Politik, ό. π., 338 εξ., 616 εξ.).

Κατά τη διάρκεια της βασιλείας του Α. στη βαλκανική χερσόνησο εμφανιζόταν ένας νέος και ισχυρός παράγοντας, η Ουγγαρία. Στην εσωτερική πολιτική, από την άλλη πλευρά, ο Α. είχε επιτυχίες, βασιζόμενος σε μερικά διακεκριμένα γένη που απάρτιζαν την οικογενειακή «κλίκα» των Κομνηνών. Ο Α. περιόρισε την επίδραση των συγκλητικών και των ευνούχων και κατέπνιξε ορισμένες επαναστάσεις. Γύρω στο 1092 ο Α. άρχισε τις κοινωνικο - οικονομικές του μεταρρυθμίσεις, ενώ κατά τη βασιλεία του ο θεσμός της «προνοίας» απέκτησε το στρατιωτικό του χαρακτήρα, τον οποίο διατήρησε από τότε και ως την πτώση του Βυζαντίου. Ο Α. επέφερε επίσης και ορισμένες τροποποιήσεις στο λεγόμενο «χαριστίκιον», που αφορούσε στη μεταβίβαση της διοίκησης μοναστηρίων και μοναστηριακών περιουσιών σε λαϊκούς. Παρά τις ορισμένες συγκρούσεις με την Εκκλησία, όταν ο Α. αναγκάστηκε να εκποιήσει τα ιερά εκκλησιαστικά σκεύη κατά τη διάρκεια του νορμανδικού κινδύνου (1082), μεταξύ της κοσμικής και της εκκλησιαστικής ηγεσίας επικράτησε αμοιβαία κατανόηση και συνεργασία, που στηριζόταν στα μεγάλα κοινά συμφέροντα. Πάντως, ο αυτοκράτορας πρωτοστάτησε στους αγώνες εναντίον των αιρετικών κινημάτων· έτσι ο ηγέτης των Βογομίλων, *Βασίλειος* και οι μαθητές του κάηκαν πάνω στην πυρά. Ο Α., επίσης, πήρε δραστήρια μέρος στις διαβουλεύσεις εναντίον του *Ιωάννη Ιταλού*, ενώ στα χρόνια του σταθεροποιήθηκε όχι μόνο η αυτοκρατορία, αλλά και η αυθεντία του αυτοκράτορα. Όμως, ο μεγάλος πολιτικός και ο ενεργητικός στρατηγός ήταν εύκαμπτος στην επιρροή πρώτα του αδελφού του Ισαάκιου, για τον οποίο δημιούργησε το νέο τίτλο του «σεβαστοκράτορα» (τον οποίο απένειμε κατά προτίμηση αντί του τίτλου του «καίσαρα») και επίσης στην επίδραση μερικών γυναικών, της *Μαρίας Δούκαινας* (συζύγου του Μιχαήλ Ζ΄ και του Νικηφόρου Γ΄), της *Ειρήνης Δούκαινας* (της γυναίκας του), της *Άννας Δαλασσηνής* (της μητέρας του). Περί το 1076 ο Α. παντρεύτηκε την κόρη του *Αργυρού*, ισχυρού και πλούσιου χωροδεσπότη της Ιταλίας, η οποία πέθανε τον επόμενο του γάμου τους χρόνο χωρίς να του αφήσει διάδοχο. Το 1078 παντρεύτηκε για δεύτερη φορά την Ειρήνη Δούκαινα, κόρη του Ανδρόνικου *Δούκα*· από αυτόν τον πολιτικό γάμο προήλθαν εννέα παιδιά, πέντε κόρες (Άννα, Μαρία, Ευδοκία, Θεοδώρα και Ζωή) και τέσσερις γιοι (Ιωάννης, Ανδρόνικος, Ισαάκιος και Μανουήλ). Κατά την επιθυμία του Α., που είχε βασανιστικό τέλος, στο βυζαντινό θρόνο τον κληρονόμησε ο πρωτότοκός του γιος *Ιωάννης (Β΄)*, το καλοκαίρι του 1118, παρά την αντίσταση της *Άννας Κομνηνής*, πρωτότοκης κόρης του, και της Ειρήνης Δούκαινας, μητέρας της φιλόδοξης βυζαντινής πριγκίπισσας.

ΒΙΒΛ.: Πηγές: Ατταλειάτης, Ιστορία, CS, 199 εξ. - Άννα Κομνηνή, Αλεξιάς, έκδ. Β. Leib, τόμ. Α΄ - Γ΄ (Παρίσι, ανατ. 1967). - Βρυέννιος, Ιστορία, CF, 55 εξ. - Ζωναράς, Χρονικόν, CS, Γ΄, 717 εξ. - Θεοφύλακτος Αχρίδος, CF, Α΄, 215 εξ. Βραχέα Χρονικά, έκδ. Schreiner, Α΄, 145 έξ. - Συνεχιστής Σκυλίτζη, έκδ. Θ. Τσολάκης, 161 έξ. - Ευθύμιος Ζιγαβηνός (μοναχός), Δογματική Πανοπλία, PG 130, στήλ. 19 εξ. - P.Gautier, Le dossier d' un haut fonctionaire byzantin d' Alexis Ier Comnène, Manuel Straboromanos, REB 23 (1965), 178 - 204. - W. Wroth, Catalogue of the Imperial Byzantine Coins in the British

Museum (Λονδίνο 1908), Β΄, 540 - 54. - G. Zacos - A. Veglery, Byzantine Lead Seals (Βασιλεία 1972), Α΄, 90 εξ. - Ph. Grierson, Byzantine Coins (Λονδίνο 1982), 211 εξ. Βοηθήματα: F. Chalandon, Essai sur le règne d' Alexis I Comnène, 1081 - 1118 (Παρίσι 1900, ανατύπ. Νέα Υόρκη 1960), 1 - 336. - Ch. Diehl, La société byzantine a l' époque des Comnènes, RHSEE 6 (1929), 198 - 280 (αυτοτελής έκδοση, Παρίσι 1929). - Κ. Άμαντος, Ιστορία βυζαντινού κράτους, τ. Β΄ (Αθήνα 1957[2]), 253 εξ. - B. Leib, Complots à Byzance contre Alexis I Comnène, 1081 - 1118, BSl 23 (1962), 250 - 75. - Α. Γλαβίνας. Η επί Αλεξίου (Α΄) Κομνηνού περί ιερών σκευών κειμηλίων και αγίων εικόνων έρις, 1081 - 95 (Θεσ/νίκη 1972). - Α. Σαββίδης, Μελέτες βυζ. ιστορ. 11ου - 13ου αι. (Αθήνα 1995[2]), 35 - 8. - P. Gautier, L' édit d' Alexis Ier Comnène sur la réforme du clergé, REB 31 (1973), 165 - 201. - Ostrogorsky, Ιστορία, Β΄, 238 - 40, Γ΄, 19 εξ. - C. Morrisson, La logarikè: réforme fiscale sous Alexis Ier Comnène, TM 7 (1979), 419 - 64. - TC. Lounghis, The failure of the German - Byzantine alliance on the eve of the First Crusade, Δίπτυχα 1 (1979), 158 - 67. - B. Skoulatos, Les premières réactions hostiles à Alexis I Comnène (1081 - 83), Byz 49 (1979), 385 - 94. - M. Angold, The Byzantine Empire 1025 - 1204. A political history (Λονδίνο - Νέα Υόρκη 1984), 114 - 49. - Βαρζός, Γενεαλογία, Α΄ (1984), 87 - 113. - του ιδ., ΜΓΕ 5 (1978), 442 - 4. - L. Maksimović, LM I. 2 (1978), 384 - 6. - Ε. Βρανούση, ΠΒΛ/ΕΕΕ 1 (1983), 162 - 3. - C. Brand, DMA 1 (1982), 157 - 9. - Joan Hussey, EBr 1 (1980[15]), 482 - 3. - C. Brand, Ph. Grierson και A. Cutler, ODB, 63. - Nicol, ΒΛ, 42 - 4. Η προσωπογραφία της εποχής στους Βαρζό, ό.π. και B. Skoulatos, Les personnages byzantins de l' Alexiade (Λουβαίν 1980) με πλούσια βιβλιογραφία. Βλ. τέλος Ι. Καραγιαννόπουλος, Ιστορ. βυζ. κράτους, Γ΄ (Θεσ/νίκη 1990), 19 - 95.

Ρ. Ρ.

Αλέξιος Β΄ Κομνηνός (γεν. 14 Σεπτ. 1169, αυτοκράτορας 24 Σεπτ. 1180 - Σεπτ./Οκτ. 1183), μόνος νόμιμος γιος του *Μανουήλ Α΄* και της δεύτερης γυναίκας του, *Μαρίας* της Αντιοχείας. Ήδη το 1171 είχε στεφθεί συναυτοκράτορας και το 1175 συμμετέσχε με τον πατέρα του σε εκστρατεία στη Μικρά Ασία. Στις 2 Μαρτ. 1180 παντρεύτηκε την *Αγνή - Άννα* της Γαλλίας, δεύτερη κόρη του *Λουδοβίκου Ζ΄*. Μετά το θάνατο του πατέρα του, ο Α. Β΄, που τότε ήταν σε παιδική ηλικία και ακόμη ανεπαρκώς μορφωμένος, αναγορεύτηκε αυτοκράτορας υπό την επιτροπεία της μητέρας του, η οποία κατόπιν έγινε μοναχή με το όνομα Ξένη· σημαντικό ρόλο στις εξελίξεις έπαιξε και ο «πρωτοσεβαστός» Αλέξιος *Κομνηνός*, σε μια περίοδο μεγάλης επίδρασης των Λατίνων στις βυζαντινές υποθέσεις, από την οποία προήλθε έντονη πολιτική αντίδραση. Όμως, η προσπάθεια για επανάσταση της Μαρίας Κομνηνής δεν είχε αποτελέσματα και ο δραστήριος *Ανδρόνικος (Α΄) Κομνηνός* τον Απρ. 1182 ανέτρεψε την επιτροπεία, προβαίνοντας με σφαγές των Λατίνων στη βυζ. πρωτεύουσα (2 Μαΐου 1182). Με πρωτοβουλία του *Ανδρονίκου (Α΄)* στις 16 Μαΐου 1182 ο Α. Β΄ ξαναστέφθηκε αυτοκράτορας, αλλά στην Κων/πολη δεν είχε καθόλου δημοτικότητα και ζούσε εκεί στην ουσία εξόριστος, συνεχίζοντας να ασχολείται με διασκεδάσεις και κυνήγια, απομακρύνοντας τους ικανούς του συμβούλους. Επιπλέον εξαναγκάστηκε να υπογράψει θανατική ποινή για τη μητέρα του (Αύγ. 1182), ενώ στις αρχές Σεπτ. 1182 έλαβε χώρα η αναγόρευση του *Ανδρόνικου (Α΄)* ως συναυτοκράτορα, γεγονός που επιτάχυνε το τέλος του Α. Β΄. Έτσι, κάποια νύχτα στο β΄ μισό του Σεπτ. ή κατά τον Οκτ. του 1183, στραγγάλισαν τον άτυχο νεαρό αυτοκράτορα και έριξαν το σώμα του στη θάλασσα. Ο γέρος *Ανδρόνικος Α΄* έμεινε μόνος ηγεμόνας και παντρεύτηκε τη νεαρή χήρα *Αγνή - Άννα*.

ΒΙΒΛ.: Πηγές: Ν. Χωνιάτης, Χρονική διήγησις, CF, 168 εξ. - Ιω. Κίνναμος, CS, 257. - Θεόδ. Σκουταριώτης, Σύνοψις, 279 εξ. - Μιχ. Χωνιάτης, Σωζόμενα, Α΄, 319 εξ. - Βραχέα Χρονικά, έκδ. Schreiner, Α΄, 146 εξ. - Ευστάθιος, Άλωσις Θεσσαλονίκης (1185), έκδ. Στ. Κυριακίδης, Παλέρμο 1961, 20 εξ. - Βοηθήματα: N. Radojčić, Οι δυο τελευταίοι Κομνηνοί στο θρόνο της Κων/πολης (Ζάγκρεμπ 1907, σερβοκρ.), 13 εξ. - Gy. Moravcsik, Pour une alliance byzantino - hongroise Byz 8 (1933), 555 - 68. - Κ. Άμαντος, Ιστορία βυζαντινού κράτους, Β΄ (Αθήνα 1957[2]), 321. O. Jurewicz, Andronikos I. Komnenos (Wroclaw 1962 πολωνικά), 91 εξ. (= Άμστερνταμ 1970, γερμαν.), 100 εξ. - W. Hecht, Die byzantinische Aussenpolitik zur Zeit der letzten Komnenenkaiser, 1180 - 85 (Neustadt an der Aisch 1967), 12 - 29. - Ch. Brand, Byzantium confronts the West 1180 - 1204 (Καίμπριτζ Μασσ. 1968), 14 εξ. - Ostrogorsky, Ιστορία, Γ΄, 63, 65. - Βαρζός, Γενεαλογία, Β΄, 454 - 71. - G. Day, Genoa's response to Byzantium, 1155 - 1204. Commercial expansion and factionalism in a medieval city (Παν/μιο Illinois, Ουρμπάνα - Σικάγο 1988), 28 εξ. Βλ. επίσης Βαρζός, ΜΓΕ 5 (1978), 444. - Lj. Maksimović, LM I. 2 (1978), στήλ. 486. - C. Brand και A. Culter, ODB, 54, καθώς και τη βιβλ. στα λ. *Αγνή - Άννα* και *Ανδρόνικος Α΄ Κομνηνός*. Τέλος, βλ. Καραγιαννόπουλος, Ιστορία, Γ΄ 265 - 72.

Ρ. Ρ.

Αλέξιος Γ΄ Άγγελος (γεν. c. 1153, † καλοκαίρι του 1211, αυτοκράτορας 8 Απρ. 1195 - 17 Ιουλ. 1203), τριτότοκος γιος του Ανδρόνικου Δούκα *Αγγέλου* (αρ. 2) και της Ευφροσύνης Καστασμονίτισσας, πρεσβύτερος αδελφός του *Ισαάκιου Β΄*. Το 1182 με τον πατέρα του και τους αδελφούς του συμμετέσχε στην επανάσταση του *Ανδρόνικου Α΄*, αλλά κατόπιν (Ιούλ. 1182 ή άνοιξη του 1183) συνωμότησαν εναντίον του τελευταίου, αλλά, με την αποκάλυψη της συνωμοσίας, διέφυγαν στην Άκρα της Συρίας. Έκτοτε ο Α. παρέμεινε για μερικά χρόνια στις αυλές και στις χώρες Μουσουλμάνων ηγεμόνων, όπως του *Σαλαδίνου*. Στην Τρίπολη παρέμεινε την περίοδο 1185 - 87, όταν όμως ανήλθε στο θρόνο της Κων/πολης ως νέος αυτοκράτορας ο αδελφός του, Ισαάκιος Β΄, του απένειμε τον πρώτο τίτλο της αυλικής ιεραρχίας, εκείνον του «σεβαστοκράτορα». Πάντως, στις εκστρατείες εναντίον του στασιαστή Ψευδο-*Αλέξιου* του «Καυσαλώνη» (1192) καθώς και εναντίον των Βουλγάρων (1190), ο Α. δεν επέδειξε καμιά στρατιωτική ικανότητα. Στις 8 Απρ. 1195, την παραμονή νέας ανάληψης επιχείρησης εναντίον των Βουλγάρων, στα Κύψελλα, ο Α. άρπαξε το αυτοκρατορικό στέμμα και τύφλωσε το μικρότερο αδελφό του, Ισαάκιο Β΄. Άφησε τη φήμη τιποτένιου ανθρώπου, διψασμένου για εξουσία, αντιπροσωπευτικού γόνου μιας εποχής παρακμής. Κατά τη διάρκεια της βασιλείας του οι ήδη κακές συνθήκες στην αυτοκρατορία έγιναν ακόμη χειρότερες. Ο πληθυσμός των επαρχιών λιμοκτονούσε κάτω από το βάρος της φορολογίας, αφού πολλαπλασιάστηκαν οι καταχρήσεις των εφοριακών υπαλλήλων και αυξήθηκαν οι φορολογικές απαιτήσεις της κυβέρνησης. Τεράστια ποσά απορροφούσαν αφενός η μανία για επίδειξη της αδιάφορης αυλής και αφετέρου οι καταβολές φόρων σε ξένες δυνάμεις (π.χ. «αλαμανικόν»), τις οποίες η ανίκανη κυβέρνηση έβλεπε ως αμυντικό όπλο εναντίον των ισχυρών αντιπάλων. Ορισμένοι άρχοντες στις επαρχιακές περιφέρειες, όπως οι Ιωάννης *Σπυριδωνάκης*, Λέων *Σγουρός*, Μανουήλ *Καμμύτζης*, *Ιβάνκο* και Δοβρομηρός *Χρύσος*, ξεκίνησαν στασιαστικά και αυτονομιστικά κινήματα. Στην Κων/πολη επίσης ο Ιωάννης *Αξούχος Κομνηνός ο «Παχύς»* το καλοκαίρι του 1201 κίνησε επανάσταση εναντίον του αυτοκράτορα, χωρίς όμως αποτέλεσμα. Τον πλέον θανάσιμο κίνδυνο για το Βυζάντιο, όμως, αποτέλεσαν οι ιππότες της Δ΄ Σταυροφορίας, που εμφανίστηκαν μπροστά στη βυζαντινή πρωτεύουσα το καλοκαίρι του 1203. Σε τέτοια δύσκολη κατάσταση, στις 17 Ιουλ. 1203, ο Α. Γ΄ δραπέτευσε, παίρνοντας μαζί του τους βασιλικούς θησαυρούς και τα κοσμήματα του στέμματος, και, από τότε έως το θάνατό του, έζησε μία καταθλιπτική και επαίσχυντη ζωή, πηγαίνοντας απ' τη μία πόλη στην άλλη, μη χάνοντας, πάντως, την ελπίδα της επιστροφής του στο βασιλικό θρόνο. Κατά τη διαταγή του, το καλοκαίρι του 1204 στη Μοσυνόπολη οι υπηρέτες του τύφλωσαν με αγριότητα τον *Αλέξιο Ε΄*, το γαμπρό του, ενώ η κόρη του Α., η χήρα Ευδοκία Αγγελίνα, παντρεύτηκε στη Λάρισα το Λέοντα Σγουρό, του οποίου η πολιτική δύναμη βρισκόταν σε άνοδο. Τελικά ο Α. Γ΄ με τη γυναίκα του, Ευφροσύνη, έπεσε στα χέρια του *Βονιφάτιου Μομφερρατικού* και παρέμεινε για λίγο χρόνο αιχμάλωτός του, στον Αλμυρό και στη Θεσ/νίκη. Τον εξαγόρασε το 1209 ή το 1210, πληρώνοντας λύτρα, ο συγγενής του, *Μιχαήλ Α΄ Άγγελος*, πρώτος ηγεμόνας της Ηπείρου, ο οποίος τον έστειλε στο Σελτζούκο σουλτάνο *Καϊχοσρόη Α΄*, παλαιό γνώριμο του Α. Όταν ο *Θεόδωρος Α΄ Λάσκαρις* νίκησε τον ηγεμόνα του σελτζουκικού σουλτανάτου του «Ρουμ», την άνοιξη του 1211, ο Α. Γ΄ έπεσε αιχμάλωτος στα χέρια του αυτοκράτορα της Νίκαιας και λίγο αργότερα πέθανε (καλοκαίρι 1211) στη μονή του Υακίνθου. Ο Α. Γ΄ είχε παντρευτεί περί το 1169 την *Ευφροσύνη Δούκαινα Καματηρή*, η οποία είχε μεγάλη επίδραση στην πολιτική ζωή της αυτοκρατορίας· από αυτό το γάμο προήλθαν τρεις κόρες: η Ειρήνη, η Άννα και η Ευδοκία.

ΒΙΒΛ.: Πηγές: Ν. Χωνιάτης, CF, 245 εξ. - Σκουταριώτης, Σύνοψις, 318 εξ. -Βραχέα Χρονικά, έκδ. Schreiner, Α΄, 148 - 50. - Ακροπολίτης, έκδ. Λειψίας, Α΄, 12 εξ. - Ν. Χωνιάτης, Λόγοι, έκδ. J. - L. van Dieten, CF, 53 εξ. - Μιχ. Χωνιάτης, Υπομνηστικόν εις τον βασιλέα κυρ Αλέξιον τον Κομνηνόν, έκδ. Σ. Λάμπρος, Σωζόμενα, Α΄, 307 - 11. - M. Treu, Nicephori Chrysobergae ad Angelos orationes tres, Programm Friedrichs - Gymnasium (Breslau 1892), 1 - 50. - J. Darrouzès, Les discours d' Euthyme Tornikès (1200 - 1205), REB 26 (1968), 56 - 72. - Godef. Villehardouin, La conquête de Constantinople, έκδ. E. Faral (Παρίσι, ανατ. 1963), Α΄, 70 εξ. - Βοηθήματα: Κ. Ν. Juzbashjan, Ταξικοί αγώνες στο Βυζάντιο κατά την περίοδο 1180 - 1204 και η Δ΄ Σταυροφορία (Ερεβάν 1957, ρωσ.), 43 - 64. - Brand, Byzantium confronts the West, ό.π. 55 εξ., 111 εξ., 117 εξ., 234 εξ. - R. - J. Loenertz, Aux origines du despotat d' Epire et de la principauté d' Achaie, Byz 43 (1973), 370 - 76 (Michael Doucas et le rachat d' Alexis III). - Ostrogorsky, Ιστορία, Γ', 72 εξ. - D. E. Queller, The Fourth Crusade: the Conquest of Constantinople, 1201 - 1204 (Φιλαδέλφεια 1977). - Βαρζός, Γενεαλογία, Β', 726 - 801. Day, Genoa's response to Byzantium 1155 - 1204, ό.π., 30 εξ. Βαρζός, ΜΓΕ 5 (1978), 444. - Lj. Maksimović, LM I.2 (1978), στήλ. 386. - C. Brand, ODB, 64 - 5. Για τους αγώνες του Α. Γ' κατά των διαφόρων στασιαστών βλ. τα βιβλία των J. Hoffmann, Territorialstaaten (1974), A. Savvides, Byzantium in the Near East (1981) και Βυζαντινά στασιαστικά και αυτονομιστικά κινήματα (1987) και, πρόσφατα, J. - C. Cheynet, Pouvoir et contestations à Byzance (1990). Επίσης πολλές λεπτομέρειες στην πραγματεία του R. Radić, στο ZRVI 24 - 25 (1986), 151 - 289 (σερβοκρ. με αγγλ. περίληψη). Βλ. τέλος Nicol, ΒΛ, 44 - 5 και Καραγιαννόπουλος, Ιστορία, Γ', 311 - 49. Για το γάμο της Ευδοκίας με το Σγουρό στη Λάρισα το 1204 βλ. τώρα Α. Σαββίδης, Ο Λέων Σγουρός στη Λάρισα το 1204, ΠΣ Α' Λαρισαϊκών Σπουδών (Λάρισα 1992), 55 - 72. Πβ. πίν. στο λ. *Αγγέλων δυναστεία*.

Ρ. Ρ.

Αλέξιος Δ΄ Άγγελος (γεν. 1182 ή 1183, † 8 Φεβρ. 1204, αυτοκράτορας Αύγ. 1203 - 28 Ιαν. 1204), γιος του *Ισαάκιου Β΄* και της ανώνυμης πρώτης του γυναίκας. Μετά την επανάσταση του *Αλέξιου Γ΄* (Απρ. 1195), ο Α. (Δ΄) παρέμεινε φυλακισμένος μαζί με τον τυφλωμένο πατέρα του, αλλά στα τέλη καλοκαιριού ή στις αρχές φθινοπώρου του 1201, έφυγε στην Ιταλία και, ύστερα από μία ανεπιτυχή συνάντηση με τον πάπα *Ιννοκέντιο Γ΄*, έφθασε στην αυλή του *Φιλίππου* της Σουαβίας, που ήταν παντρεμένος με την Ειρήνη, κόρη του Ισαάκιου Β΄. Ο Φίλιππος υποστήριξε τις αξιώσεις του κουνιάδου του στο βυζαντινό θρόνο, αλλά εξαιτίας εσωτερικών ταραχών δεν μπόρεσε να συμμετάσχει ο ίδιος και ήρθε σε διαπραγματεύσεις με τους σταυροφόρους και τους Βενετούς. Το Δεκ. 1202/Ιαν. 1203 ο Α. Δ΄ ενώθηκε με τους σταυροφόρους στη Ζάρα (Ζαντάρ), όπου τους υποσχέθηκε τεράστια χρηματικά ποσά, ενώ κατεύνασε τον πάπα με την υπόσχεση ένωσης των Εκκλησιών, αναλαμβάνοντας την υποχρέωση να ενισχύσει τη σταυροφορία, ύστερα βέβαια από την αποκατάστασή του στον αυτοκρατορικό θρόνο. Το Μάιο του 1203 ο Α. Δ΄ υπέγραψε τη σχετική συνθήκη στην Κέρκυρα. Στις 17 Ιουλ. 1203, όταν οι σταυροφόροι εμφανίστηκαν μπροστά στην Κων/πολη, ο Αλέξιος Γ΄ δραπέτευσε και ο τυφλωμένος Ισαάκιος

Β΄ αποκαταστάθηκε στο θρόνο, ενώ ο γιος του, Α. Δ΄, έλαβε το στέμμα του συναυτοκράτορα. Τον Αύγ. - Νοέμ. 1203 ο Α. Δ΄συμμετέσχε με τους σταυροφόρους σε μία εκστρατεία στη Θράκη, μετά τη λήξη της οποίας έμεινε μόνος αυτοκράτορας. Ποτέ δεν κατόρθωσε να αποκτήσει μεγάλη δημοτικότητα στη βυζαντινή πρωτεύουσα· οι σχέσεις του με τους Λατίνους δυσαρεστούσαν το λαό του, αφού αναμφίβολα τελούσε υπό λατινική επίδραση· σύμφωνα με τις πηγές, ντυνόταν με λατινικά ρούχα, κάτι που προκαλούσε την αγανάκτηση των πολιτών της Κων/πολης, αν και είναι γνωστό ότι και η βυζαντινή κυβέρνηση τότε εξαρτιόταν από τις διαθέσεις των σταυροφόρων, που είχαν στρατοπεδεύσει μπροστά στα τείχη της Πόλης. Από την άλλη πλευρά, γρήγορα έγινε φανερό ότι ο Α. Δ΄ δεν θα ήταν σε θέση να εκπληρώσει τις υποσχέσεις που έδωσε στη Ζάρα και στην Κέρκυρα. Η υπομονή των σταυροφόρων άρχισε να εξαντλείται, ενώ ταυτόχρονα ο βυζαντινός πληθυσμός εξεγέρθηκε εναντίον του αυτοκράτορα, που είχε φέρει στη χώρα τους σταυροφόρους.

Στα τέλη Ιαν. 1204 ξέσπασε στην πρωτεύουσα επανάσταση και στον αυτοκρατορικό θρόνο ανέβηκε ο *Αλέξιος Ε΄*, ενώ ο Α. Δ΄ στραγγαλίστηκε στη φυλακή (8 Φεβρ. 1204).

ΒΙΒΛ.: Πηγές: Ν. Χωνιάτης, CF, 419 εξ. - Βραχέα Χρονικά, έκδ. Schreiner, Α΄, 62, 150. - Σκουταριώτης, Σύνοψις, 431 εξ. - Villehardouin, La conquête de Constantinople, ό.π., Α΄, 70 εξ. - Βοηθήματα: Juzbashjan, Ταξικοί αγώνες, ό.π., 49 - 64 - Ostrogorsky, Ιστορία, Γ΄, 87 - 9. - Brand, Byzantium confronts the West, 96 εξ., 228 εξ. - Queller, Fourth Crusade, ό.π., 30 - 136. - του ιδ., The Fourth Crusade: some recent interpretations, MH ν. σ. 12 (1984), 33 - 45. - Day, Genoa's response to Byzantium 1155 - 1204, 33 εξ. - Βαρζός, Γενεαλογία, Β΄, 832 - 3. - του ιδ. ΜΓΕ 5 (1978), 444 - 5. - Lj. Maksimović, LM I.2 (1978), στήλ. 386 - 7. - C. Brand, ODB, 65 - 6. Nicol, ΒΛ, 45 - 6. - Καραγιαννόπουλος, Ιστορία, Γ΄, 350 - 53.

Ρ. Ρ.

Αλέξιος Ε΄ Δούκας «Μούρτζουφλος», αυτοκράτορας (28 Ιαν. - 12 Απρ. 1204). Πολύ λίγα είναι γνωστά για την πολιτική σταδιοδρομία του πριν από το καλοκαίρι του 1203. Θεωρείται ότι μέχρι τότε (από το 1201) ήταν στη φυλακή, διότι είχε συμμετάσχει στη συνωμοσία του Ιωάννη *Αξούχου Κομνηνού* του «Παχέος» κατά του *Αλεξίου Γ΄*. Μετά από την επανάσταση του Ιουλ. του 1203 απελευθερώθηκε και έλαβε τον τίτλο του «πρωτοβεστιαρίου», αποκτώντας σημαντική δύναμη στην αυλή των *Αλεξίου Δ΄* και *Ισαακίου Β΄*, με αποφασιστικό ρόλο στους επόμενους μήνες, όταν μπροστά στα τείχη της Κων/πολης εμφανίστηκαν οι σταυροφόροι. Τον Ιαν. του 1204, όταν εκθρονίστηκε ο *Αλέξιος Δ΄*, ο Α. Ε΄ εξουδετέρωσε τον προσωρινά ανακηρυγμένο (παρά τη θέλησή του) αυτοκράτορα Νικόλαο *Καναβό* (βλ. σχετικά Α. Σαββίδης, Ναυπακτιακά 5, 1990 - 91, 133 - 42. - Μελέτες βυζ. ιστορ. 11ου - 13ου αι. Αθήνα 1995[2], 49 με τις σημ. 160 - 6), έγινε ο ίδιος αυτοκράτορας και στέφθηκε στις 5 Φεβρ. Όμως στις 12 Απρ. 1204, λίγο πριν από την πτώση της Κων/πολης στη Δ΄ Σταυροφορία, αναγκάστηκε να δραπετεύσει από τη βυζ. πρωτεύουσα. Πριν το 1201 είχε παντρευτεί την κόρη κάποιου Φιλοκαλίου, ενώ δεύτερη σύζυγός του έγινε η Ευδοκία Αγγελίνα, κόρη του Αλέξιου Γ΄. Μετά τη φυγή του, ο Α. Ε΄ έφθασε στη Μοσυνόπολη, όπου βρισκόταν ο πεθερός του, που δε δίστασε να διατάξει την τύφλωση του γαμπρού του (μεταξύ 16 Μαΐου και 12 Αυγ.). Τον «Μούρτζουφλο» (=έχοντα συνοφρυωμένο βλέμμα) συνέλαβαν τελικά οι Λατίνοι, και, λίγο πριν από τις 11 Νοεμβρ., τον εκτέλεσαν άγρια, ρίχνοντάς τον στο κενό από το στύλο του Θεοδοσίου στην Κων/πολη.

ΒΙΒΛ.: Πηγές: Ν. Χωνιάτης, CF, 561 εξ. - Ακροπολίτης, έκδ. Λειψίας, Α΄, 7 εξ. - Βραχέα Χρονικά, έκδ. Schreiner, Α΄, 150. - Villehardouin, La conquête de Constantinople, Β΄, 20 εξ. - Σκουταριώτης, Σύνοψις, 443 εξ. - Βοηθήματα: Ostrogorsky, Ιστορία, Γ΄, 89. - D. Polemis, The Doukai. A contribution to Byzantine prosopography (Λονδίνο 1968), αρ. 126 σσ. 145 - 7. - Brand, Byzantium confronts the West, 120 εξ., 248 εξ. - B. Hendrickx - C. Matzukis, Alexios V Doukas Mourtzouphlos: his life, reign and death (? - 1204), Ελληνικά 31 (1979), 108 - 32. Βλ. επίσης Βαρζός, ΜΓΕ 5 (1978), 445. - Lj. Maksimović, LM I.2 (1978), στήλ. 387. - Brand, ODB, 66. - Queller, Fourth Grusade, 123 εξ., 129 εξ., 140 εξ. - Nicol, ΒΛ, 46. - Καραγιαννόπουλος, Ιστορία, Γ΄, 354 εξ.

Ρ. Ρ. - Α. Σ.

Αλέξιος Α΄ Μέγας Κομνηνός. Ιδρυτής και πρώτος αυτοκράτορας του κράτους των *Μεγαλοκομνηνών* της Τραπεζούντας. (1204 - 22). Υπήρξε γιος του Μανουήλ *Κομνηνού* και εγγονός του βυζαντινού αυτοκράτορα *Ανδρόνικου Α΄*. Γεννήθηκε περί το

1180/82. Μετά την εκθρόνιση και το θάνατο του παππού του και του πατέρα του (1185), φυγαδεύτηκε με τον τετραετή αδελφό του, *Δαβίδ*, στη θεία τους *Θάμαρ* στην Ιβηρία (Γεωργία), όπου ο πατέρας του είχε κτήματα. Το 1204 με τη βοήθεια του αδελφού του και στρατευμάτων της θείας του κατέλαβε αμαχητί την Τραπεζούντα και πήρε τους τίτλους «βασιλεύς Ρωμαίων» και «Μέγας Κομνηνός», ως απευθείας απόγονος των Κομνηνών του Βυζαντίου (τον τίτλο αυτό διατήρησαν όλοι οι απόγονοί του). Η εξουσία του αναγνωρίστηκε από τους περισσότερους τοπικούς Βυζαντινούς διοικητές και σταδιακά επεκτάθηκε δυτικά μέχρι την Ποντοηράκλεια (με την εξαίρεση της Αμισού), ανατολικά μέχρι τον ποταμό Φάση, ενώ στα νότια συμπεριέλαβε τη Χαλδία και στα βόρεια περιοχές της Κριμαίας. Στην προσπάθειά τους για την ανακατάληψη της Βυζαντινής Αυτοκρατορίας (1204 - 7), οι Α. και Δαβίδ αναχαιτίστηκαν από το *Θεόδωρο Α΄ Λάσκαρι*, αυτοκράτορα της Νίκαιας. Το 1214 ο Αλέξιος υπέστη σοβαρή ήττα στη Σινώπη από το σουλτάνο του «Ρουμ», *Καϊκαούση Α΄*, και αιχμαλωτίστηκε. Απελευθερώθηκε, αφού αναγκάστηκε να αναγνωρίσει την επικυριαρχία του σουλτάνου και να καταβάλει φόρο 12.000 χρυσά νομίσματα και πλούσια δώρα. Στα τελευταία χρόνια της ζωής του το κράτος του Α. αναγνωρίστηκε από την αυτοκρατορία της Νίκαιας και τη φραγκική αυτοκρατορία της Κων/πολης. Ο ίδιος πέθανε το Φεβρουάριο του 1222.

ΒΙΒΛ.: Πανάρετος, έκδ. Λαμψίδης, 61. - Χαλκοκονδύλης, έκδ. Darkò, 218 - 19. - A. Vasiliev, The Foundation of the Empire of Trebizond, Spec 11 (1936), 3 - 37 ιδιαίτ. 27 εξ. - Fallmerayer, Ιστορ. Αυτοκρ. Τραπεζούντας (Θεσ/νίκης 1984, ανατύπ. 1992), 67 εξ., 82 εξ., 99 εξ., 106 εξ. - Ο. Λαμψίδης, Ο ανταγωνισμός μεταξύ των κρατών της Νικαίας και των Μ. Κομνηνών δια την κληρονομίαν της βυζ. ιδέας, ΑΠ 34 (1977 - 78), 1 - 19. - Ε. Αρβελέρ, ΙΕΕ 9 (1979), 325 - 6, 332. - Βαρζός, ΜΓΕ 5 (1978), 445. - Α. Σαββίδης, Οι Μ. Κομνηνοί του Πόντου και οι Σελτζούκοι του Ρουμ (Ικονίου) την περίοδο 1205/6 - 22, ΑΠ 39 (1984), 169 - 93. - του ιδ. Βυζαντινά στασιαστικά και αυτονομιστικά κινήματα στα Δωδεκάνησα και στη Μ. Ασία, 1189- c. 1240 μ.Χ. (Αθήνα 1987), 260 - 300 - C. Brand, ODB, 63 - 4. - Nicol, ΒΛ, 46 - 7.

Ν. Ν.

Αλέξιος Β΄ Μέγας Κομνηνός, ο 9ος αυτοκράτορας της Τραπεζούντας την περίοδο 1297 - 1330. Γεννήθηκε το 1283 και ήταν γιος του *Ιωάννη Β΄ Μ. Κομνηνού* και της Ευδοκίας Παλαιολογίνας, κόρης του Βυζαντινού αυτοκράτορα *Μιχαήλ Η΄*. Ανέβηκε στο θρόνο στις 16 Αυγούστου 1297 σε ηλικία 11 ετών, υπό την επιτροπεία στου θείου του, Βυζαντινού αυτοκράτορα *Ανδρόνικου Β΄*. Το 1300 παντρεύτηκε Γεωγιανή πριγκίπισσα, παρά την αντίδραση του Ανδρόνικου Β΄, που προσπάθησε χωρίς επιτυχία να ακυρώσει το γάμο. Αργότερα συγκρούστηκε με τους Τουρκομάνους από τους οποίους ανακατέλαβε την Κερασούντα συλλαμβάνοντας και τον αρχηγό τους, Κουστογάννη, το 1302. Στη συνέχεια στράφηκε κατά των Γενουατών εμπόρων της Τραπεζούντας, στους οποίους αρνήθηκε απαλλαγή δασμών. Η σύγκρουση πήρε ευρύτερες διαστάσεις και, παρά τις προσωρινές του επιτυχίες, ο Α. αναγκάστηκε να δεχτεί τα προνόμια των Γενουατών και να υπογράψει δύο συνθήκες μαζί τους, το 1314 και 1316. Το 1319 υπόγραψε παρόμοια συνθήκη και με τους Βενετούς για αντιπερισπασμό. Έδωσε μεγάλη έμφαση στην άμυνα του κράτους του: ενίσχυσε τα τείχη της Τραπεζούντας, οργάνωσε σώμα νυχτοφυλάκων και αναδιοργάνωσε το στρατό και το ναυτικό. Παράλληλα ενίσχυσε τις τέχνες και επιστήμες και δημιούργησε γύρω του αυλή λογίων. Το κύρος του οδήγησε τον πάπα *Ιωάννη ΚΒ΄* να του ζητήσει να συμμετάσχει στην προσπάθεια για την ένωση των εκκλησιών. Επί της βασιλείας του η αυτοκρατορία της Τραπεζούντας έφτασε στη μεγαλύτερη ακμή της και ο ίδιος πήρε μυθικές διαστάσεις στη φαντασία του λαού του. Μετά το θάνατο της πρώτης γυναίκας του παντρεύτηκε ακόμα δυο φορές και απέκτησε έξι παιδιά. Το θάνατό του ακολούθησαν εμφύλιοι πόλεμοι για 39 χρόνια.

ΒΙΒΛ.: Πανάρετος, έκδ. Λαμψίδης, 62 - 4. - Παχυμέρης, CS, Β΄, 287 - 90, 448 - 50. - Στέφ. Σγουρόπουλος, «Στίχοι εγκωμιαστικοί προς το βασιλέα κυρόν Αλέξιον τον Κομνηνόν», έκδ. Α. Παπαδόπουλος - Κεραμεύς, ΑΙΣ (1891), 431 - 7. Βλ. επίσης Miller, Trebizond, 31 εξ., 120. - Fallmerayer, Ιστορία, 160 εξ. - E. Janssens Trébizonde en Colchide (Βρυξέλλες 1969), 98 - 9. - Βαρζός, ΜΓΕ 5 (1978), 445 - 6. - Αρβελέρ, ΙΕΕ 9, 333. - W. Heyd, Histoire du commerce du Levant au Moyen Age, Β΄ (Λειψία 1886), 100 εξ. - PLP, αρ. 12.084. - Alice May Talbot, ODB, 64.

Ν. Ν.

Αλέξιος Γ΄ Μέγας Κομνηνός, αυτοκράτορας της Τραπεζούντας την περίοδο 1349 - 90. Γιος του αυτοκράτορα *Βασιλείου Μ. Κομνηνού* και της Ειρήνης Παλαιολογίνας, νόθου κόρης του Βυζαντινού αυτοκράτορα *Ανδρόνικου Γ΄*. Γεννήθηκε το 1338, αλλά μέχρι την εκλογή του από το λαό της Τραπεζούντας και την άνοδό του στο θρόνο (Δεκ. 1349/Ιαν. 1350) ζούσε εξόριστος στην Κων/πολη. Το πραγματικό του όνομα ήταν Ιωάννης, αλλά κατά την ανάρρησή του το άλλαξε σε Α. προς τιμήν του παππού του, αυτοκράτορα *Αλέξιου Β΄ Μ. Κομνηνού*. Παντρεύτηκε την ανιψιά του Βυζαντινού αυτοκράτορα *Ιωάννη ΣΤ΄ Καντακουζηνού*, Θεοδώρα (1351). Η αρχή της βασιλείας του χαρακτηρίζεται από στάσεις και εμφυλίους πολέμους, κυρίως εναντίον του «μεγάλου δούκα» Νικήτα *Σχολάριου*. Η τελική ήττα του τελευταίου (1356) κλείνει την περίοδο ταραχών που είχαν αρχίσει με το θάνατο του Αλέξιου Β΄. Εξωτερικούς κινδύνους αντιμετώπισε ο Α. από τον ανταγωνισμό Γενουατών - Βενετών και τις εισβολές των Τουρκομάνων. Οι πρώτοι βρίσκονταν σε εμπόλεμη κατάσταση και δε δίστασαν να μεταφέρουν τις εχθροπραξίες τους ακόμα και μέσα στην Τραπεζούντα. Για να εξομαλύνει την κατάσταση ο Α. αναγκάστηκε να παραχωρήσει προνόμια στους Βενετούς (1364). Τους Τουρκομάνους, που απειλούσαν με τις εισβολές τους την αυτοκρατορία, κράτησε σε απόσταση με επιτυχημένη πολιτική επιγαμιών Τραπεζουντιών πριγκιπισσών με αρχηγούς τους (δύο αδελφές του και δύο κόρες του παντρεύτηκαν Τουρκομάνους ηγεμόνες). Την ίδια πολιτική άσκησε και προς το κράτος της Γεωργίας: ένας γιος του παντρεύτηκε Γεωργιανή πριγκίπισσα, ενώ μια τρίτη κόρη του το Γεωργιανό βασιλιά *Μπαγράτ Ε΄* (ο Α. απόκτησε συνολικά τρεις γιους και πέντε κόρες). Μ' αυτό τον τρόπο ο Α. πέτυχε να διατηρήσει την ειρήνη και να οδηγήσει το κράτος του σε μεγάλη ακμή. Κατά τη διάρκεια της βασιλείας του αναπτύχθηκε το εμπόριο με τη Μέση και Άπω Ανατολή, μέχρι το Θιβέτ και την Ινδία. Ο ίδιος ο Α. επισκεύασε τα τείχη της Τραπεζούντας και πολλών επαρχιακών φρουρίων, προστάτεψε και βοήθησε την Ακαδημία Θετικών Επιστημών της Τραπεζούντας και ίδρυσε τη μονή Διονυσίου στο Άγιο Όρος, καθώς και πολλούς ναούς στην περιοχή της Τραπεζούντας. Ο Α. πέθανε σε ηλικία 51 ετών στις 20 Μαρτίου 1330.

ΒΙΒΛ.: Πανάρετος, έκδ. Λαμψίδης, 65, 67 - 81. - Χαλκοκονδύλης, έκδ. Darkò, Β΄, 219. - Δ. Ζακυθηνός, Le chrysobulle d' Alexis III Comnène, empereur de Trébizonde en faveur des Vénitiens (Παρίσι 1932). - D. Nicol, The Byzantine family of Kantakouzenos (Ουάσιγκτον 1968), αρ. 35, σσ. 143, 145 - 6. - του ιδ. ΒΛ, 48. - Βαρζός, ΜΓΕ 5 (1978), 446 - 7. - Αρβελέρ, ΙΕΕ 9, σ. 334. - Α. Παπαδόπουλος, ΜΕΕ 14 (1964^2), 784. - Miller, Trebizond, 55 εξ. - Fallmerayer, Ιστορία, 188 εξ. 197 εξ. - R. J. Loenertz, Une erreur singulière de Laonic Chalcocandyle, REB 15 (1957), 176 - 81. - S. Karpov, Η Αυτοκρ. της Τραπεζούντας... (Μόσχα 1981, ρωσ.), 57 - 72. - PLP, αρ. 12.083. - A. M. Tabbot και A. Kazhdan, ODB, 65.

Ν. Ν.

Αλέξιος Δ΄ Μέγας Κομνηνός, αυτοκράτορας της Τραπεζούντας την περίοδο 1416/17-1429. Εγγονός του Μεγαλοκομνηνού *Αλέξιου Γ΄* και γιος του *Μανουήλ Γ΄*, τον οποίο διαδέχθηκε στο θρόνο. Γεννήθηκε στις 19 Ιανουαρίου 1382 και ανέβηκε στο θρόνο το 1417. Η βασιλεία του χαρακτηρίστηκε από έντονα προβλήματα. Αρχικά αντιμετώπισε απειλή επίθεσης από τους Γενουάτες, στους οποίους υποχρεώθηκε να καταβάλει αποζημίωση για καταστροφές που είχαν υποστεί στη διάρκεια της βασιλείας του πατέρα του. Παράλληλα αναγκάστηκε να συνθηκολογήσει με επαχθείς όρους με τους Τουρκομάνους *Μαυροπροβατάδες*, που είχαν εισβάλει στην αυτοκρατορία της Τραπεζούντας και απειλούσαν την ίδια την ύπαρξή της. Για να επισφραγιστεί η ειρήνη ο Α. αναγκάστηκε να παντρέψει την κόρη του, Αικατερίνη, με το γιο του Τουρκομάνου εμίρη Καρά Γιουσούφ (η δεύτερη κόρη του, Μαρία, παντρεύτηκε το Βυζαντινό αυτοκράτορα *Ιωάννη Η΄*). Το 1420 ο Α. πέτυχε με τη βοήθεια των Τουρκομάνων *Ασπροπροβατάδων*, φυλής αντίπαλης προς τους Μαυροπροβατάδες, να αποσείσει τους όρους της συνθήκης, χωρίς όμως να μπορέσει να ξαναδώσει στο κράτος του την προηγούμενη αίγλη του. Προβλήματα αντιμετώπισε ο Α. και με τον πρωτότοκο γιο του Ιωάννη («Καλογιάννη») που, αν και συμβασιλέας, επαναστάτησε δύο φορές εναντίον του με στρατιωτική υποστήριξη του πεθερού του, βασιλιά της Γεωργίας, και συγκαλυμμένη βοήθεια από τους Γενουάτες. Κατά τη διάρκεια της εκστρατείας εναντίον του Ιωάννη, ο Α. δολοφονήθηκε στη σκηνή του στο Αχάντι, κοντά στην Τραπεζούντα, από βασιλικούς φρουρούς, υποστηρικτές του γιου του (1429). Μετά τη Μικρασιατική Καταστροφή του 1922 τα οστά του μεταφέρθηκαν στην Ελλάδα και σήμερα βρίσκονται στη μονή Παναγίας Σουμελά (Βέρμιο).

ΒΙΒΛ.: Πανάρετος, έκδ. Λαμψίδης, 80 - 1. - Χαλκοκονδύλης, έκδ. Darkò, Β΄, 219 - 20 (κείμενο του παρεμβολέα του Λ.Χ.). - Χρύσανθος, Εκκλησία Τραπεζούντος (ανατ. 1973), 386 - 9.- V. Laurent, L' assassinat d' Alexis IV, empereur de Trébizonde, † 1429, ΑΠ 20 (1955), 138 - 43. - M. Kurshanskis, La descendance d' Alexis IV, empereur de Trébizonde, REB 37 (1979), 239 - 47. - A. Bryer, The faithless Kabazitai and Scholarioi, αρ. VII στον τόμο: Peoples and settlement in Anatolia and the Caucasus (Λονδίνο 1988: VR). - D. Nicol, Family of Kantakouzenos, αρ. 62, σσ. 169 - 70. - του ιδ., ΒΛ, 48. Βλ. επίσης Miller, 79 - 83. - Fallmerayer, 230 εξ. - Παπαδόπουλος, ΜΕΕ 14, σ. 784. - Βαρζός, ΜΓΕ 5 (1978), 447- 8. - PLP, αρ. 12.082. - A.M. Talbot, ODB, 66.

Ν. Ν.

Αλέξιος (Ε΄) Μέγας Κομνηνός (15ος αι.), για πολύ σύντομο χρονικό διάστημα αυτοκράτορας της Τραπεζούντας το 1458. Γεννήθηκε το 1454 και ήταν γιος του *Ιωάννη Δ΄ Μ. Κομνηνού* από τη δεύτερη Τουρκομάνα συζυγό του (Pero Tafur, μετ. Letts, 131 - 2). Σε ηλικία μόλις 4 χρονών διαδέχτηκε τον πατέρα του (Χαλκοκονδύλης, CS, 494), γρήγορα όμως παραγκωνίστηκε από το θείο του, *Δαβίδ Α΄ Μ. Κομνηνό*, που με την υποστήριξη του οίκου των *Καβαζιτών* έγινε ο τελευταίος Μεγαλοκομνηνός ηγεμόνας. Μετά την άλωση της Τραπεζούντας από τους Οθωμανούς (Αύγ. 1461) ο Α. Ε΄ μεταφέρθηκε, μαζί με την ποντιακή βασιλική οικογένεια, στην Αδριανούπολη και, από εκεί, στην Κων/πολη (Μάρτ. 1463), όπου όλοι τους εκτελέστηκαν με διαταγή του σουλτάνου *Μεχμέτ Β΄* στις φυλακές του Επταπυργίου (1 Νοε.) (Χαλκοκονδύλης, CS, 498, 527. - Δούκας, CS, 342 - 3).

ΒΙΒΛ.: Παραπομπές σε άλλες πηγές από το Βαρζό, ΜΓΕ 5 (1978), 448. Βλ. επίσης J. Enoch Powel, BZ 37 (1937), 359 - 60. - Miller, 108 - 10.

Α. Σ.

Αλέξιος (Μέγας) Κομνηνός (15ος αι.), αινιγματικός γιος του *Αλέξανδρου Μ. Κομνηνού* και της Μαρίας Γατελούζου (*Γκαττιλούσιο)*. Γεννήθηκε γύρω στο 1446/47 και μετά την άλωση της Τραπεζούντας (Αύγ. 1461) κατέληξε, με την όμορφη μητέρα του, προστατευόμενος του «Πορθητή» σουλτάνουν *Μεχμέτ Β΄* (Χαλκοκονδύλης, CS, 527), τελικά όμως κατόρθωσε να διαφύγει στην εξαδέλφη του, *Θεοδώρα Μ. Κομνηνή*, κόρη του *Ιωάννη Δ΄ Μ. Κομνηνού* και σύζυγο του μεγάλου ανταγωνιστή των Οθωμανών, του εμίρη των *Ασπροπροβατάδων* Τουρκομάνων, *Ουζούν Χασάν*, παίρνοντας μάλιστα, όπως μερικώς πιστεύεται μέρος και στην απέλπιδα προσπάθεια για ανακατάληψη της Τραπεζούντας το 1472· η συμμετοχή του, πάντως, στην επιχείρηση αυτή αμφισβητείται λόγω έλλειψης συγκεκριμένων τεκμηρίων και, ιδιαίτερα, λόγω του ότι έρχεται σε αντίθεση με τις σχετικές μαρτυρίες του Χαλκοκονδύλη (CS, 497 εξ.), κατά τον οποίο είχε και αυτός το ίδιο άγριο τέλος με τα υπόλοιπα μέλη της ποντιακής αυτοκρατορικής οικογένειας στις 1 Νοε. 1463 (η σχετική βιβλιογρ. στο Βαρζό, ΜΓΕ 5, 1978, 453. πρβλ. του ιδ., Βυζ. 12, 1983, 272, 282 σημ. 74, 283 - 4 σημ. 81).

Α. Σ.

Αλέξιος (β΄ μισό 11ου - αρχές 12ου αι.), ο «δουξ Κερκύρας» (διοικητής του θέματος Κεφαλληνίας) το έτος 1104, όταν, σύμφωνα με την «Αλεξιάδα» της *Άννας Κομνηνής* (έκδ. Leib, Γ΄, 51 εξ.) έφθασε εκεί ο Νορμανδός ηγεμόνας *Βοημούνδος*, ο οποίος είχε σκηνοθετήσει το θάνατό του κρυμμένος σε νεκρική λάρνακα, για να αποφύγει τη σύλληψη από το στόλο του αυτοκράτορα *Αλέξιου Α΄ Κομνηνού*. Ο Βοημούνδος, που πέρασε από εκεί προερχόμενος από την Αντιόχεια και μεταβαίνοντας στη Δύση, για να ανακινήσει νέες νορμανδικές επιχειρήσεις κατά του Βυζαντίου, τελικά αποκαλύφθηκε και συνάντησε τον Α., με τον οποίο μάλιστα τόλμησε να στείλει απειλητικό γράμμα στο Βυζαντινό αυτοκράτορα (έκδ. Leib, Γ΄, 52). Χαρακτηριστικό είναι ότι ο Α. αυτός καταγόταν από το μικρασιατικό θέμα των Αρμενιάκων.

ΒΙΒΛ.:F. Chalandon, Alexis I Comnène (Παρίσι 1900, ανατύπ. Ν. Υόρκη 1960), 236 - 7. - Βαρζός, ΜΓΕ 5 (1978), 457. - B. Skoulatos, Personnages byzantins de l' Alexiade (Λουβαίν 1980), 14 - 15, αρ. 8. - Α. Σαββίδης, Βυζαντινά Επτάνησα (Αθήνα 1986), 32 - 3 με τη σχετική βιβλιογρ.

Α. Σ.

Αλέξιος Απόκαυκος βλ. Απόκαυκος.

Αλέξιος Αξούχος βλ. Αξούχος.

Αλέξιος Αριστηνός βλ. Αριστηνός.

Αλέξιος Βατάτζης Κομνηνός βλ. Βατάτζης.

Αλέξιος Βρανάς - Κομνηνός (c. 1130 - καλοκαίρι 1187). Σημαντικός Βυζ. αξιωματούχος, επίλεκτο μέλος της οικογένειας των *Βρανάδων* της Αδριανουπόλεως, που διακρίθηκε στους πολέμους της Αυτοκρατορίας επί βασιλείας *Ανδρόνικου Α΄ Κομνηνού* και *Ισαάκιου Β΄ Άγγελου*, αλλά είχε άδοξο τέλος μετά την εξουδετέρωση του στασιαστικού του κινήματος το 1187 (ή 1186 κατά G. Ostrogorsky, Ιστ. βυζ. κρ., Γ΄ 1981, 74 και Σαββίδη, Μελέτες[2], 42 και 179, πίνακας). Ήταν γιός του άρχοντα Μιχαήλ Βρανά και της Μαρίας Κομνηνής (βλ. λ. *Βρανάδες, Κομνηνοί*) και περί το 1167 παντρεύτηκε την Άννα Κομνηνή Βατατζίνα. Το 1182 (Μάιος) η κυβέρνηση του *Αλέξιου Β΄ Κομνηνού* τον έκανε «πρωτοσέβαστο» και «πρωτοβεστιάριο», ενώ ο Ανδρόνικος Α΄ τον Σεπτ. 1183 τον έκανε «πανυπερσέβαστο» και του εμπιστεύθηκε την κατάπνιξη διαφόρων επικίνδυνων κινημάτων στη Μ. Ασία. Το 1184 ο Α. επανέφερε στους κόλπους της Αυτοκρατορίας το Λοπάδιο, τη Νίκαια και την Προύσα (Σαββίδης, Μελέτες[2], 41-2. -Κ. Μπουρδάρα, Αφιέρ. Ν. Σβορώνου 1, 1986, 221-2). Μετά την ανατροπή του Ανδρόνικου (12 Σεπτ. 1185), ο Α. υπήρξε από τους ελάχιστους αξιωματούχους που διατήρησε την εξουσία και τα προνόμιά του από το νέο ηγεμόνα Ισαάκιο Β΄, ο οποίος μάλιστα τον έστειλε κατά των Νορμανδών κατακτητών της Θεσσαλονίκης (24 Αυγ. 1185), οι οποίοι βάδιζαν κατά της βυζ. πρωτεύουσας. Σε δυο μάχες, πρώτα στη Μοσυνόπολη και κατόπιν στο Δημητρίτζι, παρά τον ποτ. Στρυμόνα κοντά στις Σέρρες, ο Α. επέφερε βαρύ πλήγμα κατά των Νορμανδών, των οποίων οι αρχηγοί *Ριχάρδος* και *Αλδουΐνος* συνελήφθησαν· στο Δημητρίτζι (7 Νοεμβρίου 1185) έπεσαν περί τις 10.000 Νορμανδοί, ενώ 4.000 συνελήφθησαν και η επιτυχία αυτή δημιούργησε υπερβολική αυτοπεποίθηση στο θριαμβευτή Α., που αργότερα τον ίδιο μήνα προσπάθησε ανεπιτυχώς επικεφαλής της γερμανικής μισθοφορικής φρουράς να καταλάβει την Αγ. Σοφία και να επιβάλει τους όρους του στον Ισαάκιο, που όμως τον συγχώρεσε. Όταν, πάντως, ο Α. διατάχθηκε το 1186 να βαδίσει κατά των επαναστατημένων Βουλγάρων (βλ. λ. *Ασενίδες*), στο δρόμο του προς τη Βουλγαρία αναγορεύτηκε «βασιλεύς» στην περιοχή Μέλας Βουνός και στη συνέχεια στην Αδριανούπολη (Απρ. 1187), απ' όπου βάδισε για να καταλάβει την Κων/πολη. Ο έγκλειστος Ισαάκιος Β΄ κινδύνεψε σοβαρά και, για να εξουδετερώσει τον στασιαστή, φυλάκισε στις Βλαχέρνες τη σύζυγο του τελευταίου, την Βατατζίνα, ενώ ενισχύθηκε σημαντικά στην αντίστασή του από τον συγγενή του, μαρκήσιο *Κορράδο Μομφερρατικό* (σύζυγο της Θεοδώρας Αγγελίνας, αδελφής του Ισαάκιου: βλ. Βαρζός, Γενεαλογία, Β΄412, 843 εξ.), καθώς επίσης και από τον αξιωματούχο Μανουήλ *Καμμύτζη*, που έθεσε στη διάθεση του αυτοκράτορα όλη του την περιουσία (βλ. Βαρζός, Β΄, 691, R. Radić, στο ZRVI 24 - 25, 1986, 207 - 8, Σαββίδης, στο ΘΗ 12, 1987, 148). Τελικά ο Α. σκοτώθηκε σε μονομαχία έξω από τα τείχη της Βασιλεύουσας από τον Κορράδο, ο οποίος με τους Λατίνους ιππείς του διέλυσε τις δυνάμεις του στασιαστή. Το κομμένο κεφάλι του μόλις προ ολίγου θριαμβευτή του νορμανδικού πολέμου κόσμησε το μακάβριο αυλικό πανηγύρι του Ισαάκιου, που μάλιστα δε δίστασε να βάλει να παρουσιάσουν επιδεικτικά το άθλιο θέαμα και στην άτυχη Βατατζίνα.

ΒΙΒΛ.: Πηγές: Νικήτας Χωνιάτης, CF, 358 εξ., 374 εξ. 379 εξ., 385 εξ. - Θεόδ. Σκουταριώτης, έκδ. Σάθας, ΜΒ 7 (1984), 374 εξ., 382 εξ. - Εφραίμ, έκδ. Λαμψίδης, Β΄ (Αθήνα 1985), στίχ. 5712 εξ., 5839 εξ. - Πβ. Παπαρρηγόπουλος, Δ΄ 2, 184 - 5, 186 εξ. - Ch. Brand, Byzantium confronts the West, 1180 - 1204 (Καίμπριτζ Μασσ. 1968), 80 εξ.,

180 εξ., 273 εξ. - Th. Vlachos, στα Βυζ. 6 (1974), 157, 160 - 61. - M. Angold, The Byzantine Empire, 1025 - 1204 (Λονδίνο - Ν. Υόρκη 1984), 271 εξ. - Κ. Βαρζός στη ΜΓΕ 5 (1978), 460. - του ιδ., Γενεαλογία Κομνηνών, Β΄ (Θεσ/νίκη 1984), 395 εξ., 401 εξ., 407 εξ., 416-417 και Α΄403. - Ι. Καραγιαννόπουλος, Ιστ. βυζ. κρ., Γ΄ (Θεσ/νίκη 1990), 287, 292 - 3. - J. - C. Cheynet, Pouvoir et contestations à Byzance, 963 - 1210 (Παρίσι 1990), 121 εξ., 437 εξ. Άλλη βιβλιογρ. στον Α. Σαββίδη, Μελέτες βυζ. ιστορ. 11ου - 13ου αι. (Αθήνα 1995^2), 42 σημ. 120 - 22.

Α. Σ.

Αλέξιος Γίδος, διακεκριμένο μέλος της γνωστής βυζαντινής οικογένειας, που θεωρείτο ότι προερχόταν από τον Γυίδο (Guy), γιό του Νορμανδού δούκα *Ροβέρτου Γυϊσκάρδου*, που δραπέτευσε στο Βυζάντιο και έγινε στρατιωτικός σύμβουλος του *Αλέξιου Α΄*. Ο οίκος αυτός πάντως κατά το β΄ μισό του 12ου αιώνα δεν ήταν πια λατινικός, ενώ ο Α. Γ. στα τέλη του 12ου αι. υπήρξε ένας από τους σημαντικότερους στρατηγούς στην αυτοκρατορία, στην υπηρεσία πρώτα του *Ανδρόνικου Α΄* και έπειτα του *Ισαάκιου Β΄*, υπό τον τίτλο «ο των ανατολικών μέγας δομέστικος». Το 1185, όταν οι Νορμανδοί πολιόρκησαν τη Θεσ/νίκη, ένας από τους στρατηγούς που έστειλε ο Ανδρόνικος Α΄ για να ενισχύσει τη δεύτερη πόλη του Βυζαντίου ήταν και ο Α. που συνετέλεσε αποφασιστικά στην απόκρουση της νορμανδικής εισβολής στη Μακεδονία (1185 - 86). Το καλοκαίρι του 1189, όταν οι σταυροφόροι του *Φρειδερίκου Α΄ Βαρβαρόσσα* έφθασαν στα βυζ. εδάφη, ο Ισαάκιος Β΄ έστειλε τον Α. Γ. και τον Μανουήλ *Καμμύτζη* με στρατό για να επιτηρούν τη διάβαση και τις κινήσεις των δυτικών, καθώς και να διενεργούν κρυφές επιθέσεις. Το 1194, κοντά στη θρακική πόλη Αρκαδιόπολη, βυζαντινό στράτευμα υπό τους Α. Γ. και Βασίλειο *Βατάτζη* ως «δομεστίκων της Ανατολής και της Δύσεως» υπέστη συντριπτική ήττα από τις δυνάμεις του Βούλγαρου τσάρου *Ασάν Β΄*. Ο Βατάτζης βρήκε το θάνατο, ενώ ο Α. Γ. μετά βίας διασώθηκε, για να μην ξαναεμφανιστεί ποτέ πιά στις πηγές. ΄Ετσι, η σταδιοδρομία του έληξε με άδοξο τρόπο.

ΒΙΒΛ.: Πηγές: Ν. Χωνιάτης, CF 403, 446, Σκουταριώτης, Σύνοψις, 390, 411. - Ευστάθιος, Άλωση Θεσ/νίκης (1185), εκδ. Στ. Κυριακίδης, Παλέρμο 1961, 72. Βοηθήματα: F. Cognasso, Un imperatore bizantino della decadenza: Isacco II Angelo, Bes 31/3 -

4 (1915), 285. - R. Guilland, Recherches sur les institutions byzantines, Α΄ (Άμστερνταμ - Βερολίνο 1967 : BBA, 35) 408 - 9. - Brand, Byzantium confronts the West, 96, 164, 179. - A. Kazhdan, Gidos, ODB, 850 - I. Καραγιαννόπουλος, Ιστορ. βυζ. κράτ., Γ΄ (Θεσ/νίκη 1990) , 309. - Βαρζός ΜΓΕ 5 (1978), 455.

P. P. - N. N.

Αλέξιος Γιφάρδος βλ. Γιφάρδος.

Αλέξιος - Ιβαγκός βλ. Ιβαγκός.

Αλέξιος Δούκας (Κομνηνός Άγγελος) βλ. Δούκας.

Αλέξιος Δούκας Κοντοστέφανος βλ. Κοντοστέφανος.

Αλέξιος Δούκας Νεστόγγος βλ. Νεστόγγος.

Αλέξιος Δούκας Φιλανθρωπηνός βλ. Φιλανθρωπηνός.

Αλέξιος Μουσελέ ή Μωσηλέ (τέλη 8ου - α΄ μισό 9ου αι., † μετά το 840). Αρμενικής προέλευσης Βυζαντινός αξιωματούχος και γαμπρός του αυτοκράτορα *Θεόφιλου* (σύζυγος της πριγκίπισσας Μαρίας από το 836 και εξής). Αναφέρεται στις πηγές ως πατρίκιος και μάγιστρος (από το 831) και καίσαρ (από το 837) και διακρίθηκε στους αγώνες κατά των Αράβων της Σικελίας την περίοδο 837 - 9. Το 838 ανάγκασε τους Άραβες να λύσουν την πολιορκία του Κεφαλουδίου (Cefalù), αλλά το έργο του υπονομεύτηκε και τελικά ανακλήθηκε στην Κων/πολη, όπου περιέπεσε σε δυσμένεια (839), αφού κατηγορήθηκε από τους αντιπάλους του στη βυζαντινή αυλή ότι σχεδίαζε βίαιη κατάληψη του θρόνου. Ο φιλύποπτος Θεόφιλος, με καταβεβλημένη υγεία, φυλάκισε και δήμευσε την περιουσία του Α., όταν ο τελευταίος έχασε την προστασία της γυναίκας του († 839). Με παρέμβαση του πατριάρχη ανακλήθηκε η ποινή του Α., ο οποίος όμως, απογοητευμένος από τις μηχανορραφίες εναντίον του, έγινε ιδρυτής μονής και μοναχός ο ίδιος. Έτσι, η αποχώρησή του από το μέτωπο της Ν. Ιταλίας και Σικελίας είχε σαν αποτέλεσμα την αναθάρρηση των Μουσουλμάνων, που το 840, έτος κατά το οποίο ο Α. αναφέρεται πλέον ως μοναχός, κατέλαβαν σχεδόν όλη τη Δ. Σικελία, κάνοντας επιπλέον επιδρομές στην Απουλία και την Καλαβρία.

ΒΙΒΛ.: Συνεχ. Θεοφάνη, CS, 107. - Συμεών Μάγιστρος (Ψευδοσυμεών), CS, 630. - A. Vasiliev, Byzance et les Arabes, Α΄ (Βρυξέλλες 1935), 131 εξ., 187. - J. Bury, Eastern Roman Empire, 802 - 67 (Λονδίνο 1912), 126, 305. - Ι. Καραγιαννόπουλος, Ιστ. βυζ. κράτους, Β΄ (Θεσ/νίκη 1991[2], ανατ.), 251, 254. - Αικ. Χριστοφιλοπούλου, Βυζαντινή ιστορία, Β΄1 (Θεσ/νίκη 1993[2]), 203. - W. Treadgold, Byzantine revival, 780 - 842 (Παν/μιο Καλιφόρνιας 1988), 289 εξ., 305 εξ.

Φ. Β.

Αλέξιος, Μωσηλέ ή Μουσουλέμ/Μουσελέμ (8ος αι., † μετά το 792). Αρμενικής καταγωγής Βυζαντινός σπαθάριος και δρουγγάριος της βίγλας, με χρόνους ακμής τα τέλη του 8ου αι. Η τότε φίλαρχη βασιλομήτωρ, *Ειρήνη η Αθηναία*, καταπατούσε τα επί του θρόνου νόμιμα δικαιώματα του γιου της, *Κωνσταντίνου ΣΤ΄*. Και ενώ τα άλλα «θέματα» ανέχονταν την κατάσταση αυτή, το θέμα Αρμενιάκων στασίασε το 790. Για την κατάπνιξη του κινήματος στάλθηκε ο Α., ο οποίος όμως ενώθηκε με τους στασιαστές. Όταν με τον τρόπο αυτό η Ειρήνη αναγκάστηκε να υποχωρήσει και ο Κωνσταντίνος ΣΤ΄ έμεινε μόνος κύριος του θρόνου, ο τελευταίος αντάμειψε τον Α. κάνοντάς τον πατρίκιο και διορίζοντάς τον στρατηγό των Αρμενιάκων. Δυο χρόνια αργότερα (792), όμως, μητέρα και γιος συμφιλιώθηκαν και ο Κων/νος επέτρεψε στην Ειρήνη να επιστρέψει στα ανάκτορα, αλλά και στις ραδιουργίες. Οι Αρμενιάκοι στασίασαν και πάλι, οπότε ο Κων/νος ανέλαβε εναντίον τους μια ταπεινωτική γι' αυτόν εκστρατεία, που κατέληξε στη σύλληψη και τύφλωση του Α. Την όλη επιχείρηση κατηύθυνε παρασκηνιακά η Ειρήνη.

ΒΙΒΛ.: Θεοφάνης/de Boor, 465 εξ. - J. Bury, Later Roman Empire, Β΄ (Λονδίνο 1889, ανατ. Άμστερνταμ 1966), 484, 486. - G. Ostrogorsky, Ιστορ. βυζ. κράτ. Β΄ (Αθήνα 1979), 49. - Ι. Καραγιαννόπουλος, Ιστορ. βυζ. κράτ., Β΄ (Θεσ/νίκη 1991[2] ανατ.), 176 εξ. - Αικ. Χριστοφιλοπούλου, Βυζ. ιστορ., Β΄, 1 (Θεσνίκη 1993[3]), 134 - 5. - J. Haldon, Byzantine praetorians: an administrative, institutional and social survey of the Opsikion and Tagmata c. 580 - 900 (Βόννη 1984: Ποικίλα Βυζαντινά, 3), 236 και ευρετ. - Ελεωνόρα Κουντούρα

- Γαλάκη, Κοινωνικές ανακατατάξεις και στρατός στα τέλη του 8ου αι., Συμμ 6 (1985), 133. - Τηλ. Λουγγής, Δοκίμιο για την κοινωνική εξέλιξη στη διάρκεια των λεγόμενων «Σκοτεινών αιώνων», 602 - 867 (Αθήνα 1985), 58. - P. Νιavis, The Reign of... Nicephorus I, 802 - 11 (Αθήνα 1987: Ιστορ. Μονογραφίες, 3), 25 - 6. - Βαρζός, ΜΓΕ 5 (1978), 459. - W. Treadgold, Byzantine revival, 780 - 842 (Παν/μιο Καλιφόρνιας 1988), 96 εξ.

Π. Ν.

Αλέξιος Καβαλλάριος βλ. Καβαλλάριος.

Αλέξιος Κασιανός βλ. Κασιανός.

Αλέξιος Κομνηνός βλ. Κομνηνός.

Αλέξιος Κοντοστέφανος Κομνηνός βλ. Κοντοστέφανος.

Αλέξιος Λάσκαρις Φιλανθρωπηνός βλ. Φιλανθρωπηνός.

Αλέξιος Μελισσηνός Στρατηγόπουλος βλ. Στρατηγόπουλος.

Αλέξιος Ραούλ (- Ράλλης) βλ. Ραούλ.

Αλέξιος Παλαιολόγος βλ. Παλαιολόγος.

Αλέξιος Πετραλείφας βλ. Πετραλείφας.

Αλέξιος Σ(θ)λάβος, ανιψιός του Βουλγάρου τσάρου *Καλογιάν* - Ιωαννίτζη και τοπικός ηγεμόνας στη Ροδόπη στις πρώτες 10ετίες του 13ου αι. Πριν το 1207 πιθανώς ήταν κυβερνήτης στην Τζέπαινα. Μετά το θάνατο του Καλογιάν (8 Οκτ. 1207) και την άνοδο του *Βορίλου*, επίσης ανιψιού του Καλογιάν, στο θρόνο του Τυρνόβου, ο Α. Σ. αυτοανακηρύχτηκε σε ανεξάρτητο ηγεμόνα. Το 1208 ήλθε σε επαφή με το Λατίνο αυτοκράτορα της Κων/πολης, *Ερρίκο της Φλάνδρας*, έγινε σύμμαχός του και, κατά κάποιο τρόπο, υποτελής του. Ταυτόχρονα κατέλαβε την περιοχή δυτικά της Φιλιππούπολης, μέχρι το Κρύτζιμο. Στα τέλη Νοεμβρ. 1208 ο Α. Σ. παντρεύτηκε τη νόθα κόρη του Ερρίκου στην

Κων/πολη και ο Λατίνος αυτοκράτορας του απένειμε τον τίτλο του «δεσπότη». Στη συνέχεια ο Α. Σ. διεύρυνε την περιοχή του καταλαμβάνοντας το σπουδαίο φρούριο του Μελενίκου. Μετά το θάνατο του Ερρίκου (1216) και την ταχεία άνοδο του *Θεοδώρου Αγγέλου* του αυτόνομου ηπειρωτικού κράτους (βλ. λ. *Άγγελοι* και *Ηπείρου Κράτος*), ιδιαίτερα δε μετά το 1217, ο Α. Σ. συνήψε στενές συμμαχικές σχέσεις με το διοικητή της Ηπείρου (που έγινε το 1224 αυτοκράτορας της Θεσ/νίκης). Όταν ο Α. Σ. χήρεψε, παντρεύτηκε την κόρη του Ιωάννη *Πετραλείφα*, κουνιάδου του Θεοδώρου Αγγέλου. Για τελευταία φορά τον Α. Σ. συναντάμε στις πηγές τον Δεκ. του 1228.

ΒΙΒΛ.: Πηγές: Ακροπολίτης, έκδ. Heisenberg, Α΄, 38 - 39. - Henri de Valenciennes, Histoire de l' empereur Henri de Constantinople, έκδ. J. Longnon (Παρίσι 1948), 29 εξ. - J. Papadopoulos - P. Vatopédinos, Un acte officiel du despote Alexios Sthlavos au sujet de Spéléotissa près de Mélénicon, Spisanie na Bălg. Akad. Nauk 45 (1933), 1 - 6. - Sh. Ljubić, Έγγραφα για τις σχέσεις μεταξύ των Νοτίων Σλάβων και της Βενετικής Δημοκρατίας (Ζάγκρεμπ 1872), Γ΄, 402. - M. Popruzhenko, Το Συνοδικόν του τσάρου Βορίλου (Σόφια 1928, βουλγ.), 87. Βοηθήματα: V. Zlatarski, Ιστορία του βουλγαρικού κράτους κατά το μεσαίωνα (βουλγ.), Γ΄ (Σόφια 1940), 272 εξ.- J. Longnon, L' Empire latin de Constantinople et la principauté de Morée (Παρίσι 1949), 101 εξ. - I. Dujčev, Melnik au Moyen Age, Byz 38 (1968), 28 - 41. - K. Adzhievski, Ο δεσπότης Αλέξιος Σθλάβος - ανεξάρτητος φεουδάρχης ηγεμόνας στη Μακεδονία (σλαβ.), Godishen zbornik Filoz. fak. Skopje 3/29 (1977), 77 - 92. - I. Bozhilov, Η οικογένεια των Ασενιδών, 1186 - 1460. Γενεαλογία και προσωπογραφία (βουλγ.) (Σόφια 1985), 95 - 8 εξ. - R. Radić, Τοπικοί ηγεμόνες στο Βυζάντιο κατά τα τέλη του 12ου και τις πρώτες 10ετίες του 13ου αι. (σερβοκρ. αγγλ. περίλ.), ZRVI 24/25 (1986), 235 - 45.

Ρ. Ρ.

Αλέξιος Φιλής βλ. Φιλής.

Αλέξιος όσιος (4ος - 5ος αι.), ο «άνθρωπος του Θεού». Λαοφιλής άγιος, που εορτάζεται στις 17 Μαρτ. από την Ορθόδοξη και στις 17 Ιουλ. από τη Ρωμαιοκαθολική Εκκλησία. Η αρχαιότερη σχετική πηγή είναι ο συριακής προέλευσης βίος του, του 5ου αι., κατά την οποία ήταν γόνος αριστοκρατικής οικογένειας της Ρώμης, που εγκατέλειψε τα εγκόσμια τη μέρα του γάμου του και ασκήτευσε στην Έδεσσα της Συρίας, όπου πέθανε επί επισκόπου Ραβουλά (412 - 35). Κατά το βυζαντινό σκέλος της ίδιας παράδοσης, ο Α. επέστρεψε στη Ρώμη και διέμενε, ως άγνωστος ζητιάνος, μπροστά στο πατρικό του σπίτι. Τέλος το δυτικό σκέλος της παράδοσης γύρω από τον Α. μάλλον ανάγεται στο β΄ μισό του 10ου αι., αφού τότε η λατρεία του οσίου έγινε γνωστή στη Ρωμαιοκαθολική Εκκλησία, από τον αρχιεπίσκοπο Δαμασκού Σέργιο (977 εξ.). Κατά την παράδοση, η κάρα του φυλάσσεται στη μονή αγίας Λαύρας Καλαβρύτων, δώρο του αυτοκράτορα Μανουήλ Β΄ Παλαιολόγου, το 1414· το 1773 Αλβανοί που λεηλάτησαν τη μονή πούλησαν το λείψανο στη Λάρισα, όπου αναγνωρίστηκε και επιστράφηκε στη μονή. Ο άγιος τιμάται ως θαυματουργός, ιδιαίτερα μάλιστα στην κάρα του αποδίδονται από το λαό θαυματουργικές ιδιότητες αποτροπής επιδημιών, κάτι που συμβαίνει με λείψανα διαφόρων αγίων (βλ. άγιο Σεραφείμ, αρχιεπίσκοπο Φαναρίου, κ. ά.), φαινόμενο σχετιζόμενο με τη γενική τάση της χριστιανικής λειψανολατρείας.

Διασκευή των στοιχείων της αγιολογικής του παράδοσης, υπό μορφή παραμυθιού, έχει καταγραφεί στην Κερασούντα του Πόντου, γεγονός που ίσως αποτελεί ένδειξη για την παραμυθιακή καταγωγή των βασικών θεμάτων, που αναφέρονται στο συναξάρι του αγίου. Η υπόθεση αυτή υποστηρίζεται και από το γεγονός της ύπαρξης της διήγησης για τον άγιο που, φτωχός πια, μένει μπροστά στο πατρικό του σπίτι, χωρίς να αναγνωρίζεται, και σε άλλα αγιολογικά κείμενα, όπως το βίο του αγίου Ιωάννη του Καλυβίτη.

ΒΙΒΛ.: AASS 4 (1735), 238 - 70. - AB 65 (1947), 157 - 95. - Encyclopaedia Cattolica 1 (1949), 817 - 19. - LTK 1 (1959), 327. - BHG 1 (1957[3]), 51 - 56. - Ιω. Ράμφος, Αγιολογικά Μελετήματα. Αλέξιος, ο άνθρωπος του Θεού (Αθήνα 1949). - ΜΕΕ 3, 713. - ΘΗΕ 2 (1963), στήλ. 131 - 3. - Σωφ. Ευστρατιάδης, Αγιολόγιον της Ορθοδόξου Εκκλησίας (Αθήνα χ. χ.), 28 - 9. - R. M. Dawkins, Modern Greek Folktales (Οξφόρδη 1953), 384 - 8. Βλ. επίσης τη βιβλιογρ. στους A. Kazhdan και Nancy Ševčenko, Alexios homo Dei, ODB, 66 - 7.

Μ. Β.

Αλέξιος (γεν. c. 1293, † 12 Φεβρ. 1278), μητροπολίτης Ρωσίας (1354 - 78) και άγιος, λογοτέχνης και μεταφραστής. Γεννήθηκε στη Μόσχα και καταγόταν από τον αριστοκρατικό οίκο του βογιάρου Θεόδωρου Μπακόντου και της Μαρίας, και έλαβε στην παιδική του ηλικία πολύ καλή μόρφωση. Το Δεκ. 1352 έγινε επίσκοπος του Βλαντίμιρ και, δύο χρόνια αργότερα (30 Ιουν. 1354), μητροπολίτης πάσης Ρωσίας σύμφωνα με την επιθυμία του μητροπολίτη *Θεόγνωστου* († 11 Μαρτ. 1353) και του Μεγάλου Δούκα Συμεών († 26 Απρ. 1353), καθώς επίσης του πατριάρχη *Φιλόθεου Κόκκινου* της Κων/πολης. Πάντως, σύντομα ξέσπασε μεγάλη διαμάχη στη ρωσική εκκλησία, όταν ο πατριάρχης *Κάλλιστος* χειροτόνησε το Ρωμανό, τον υποψήφιο του Όλγερδ της Λιθουανίας, ως μητροπολίτη πάσης Ρωσίας και, μέχρι το θάνατο του Ρωμανού (1362), υπήρξε μεγάλη διαμάχη. Ο Α. διαδραμάτισε σημαντικό ρόλο κατά τη διάρκεια της παιδικής ηλικίας του ηγεμόνα Δημητρίου Donski και ήταν οπαδός της συνεννόησης με τους *Μογγόλους* της Χρυσής Ορδής. Περί το 1360 ο Α. ίδρυσε στη Μόσχα το περίφημο μοναστήρι του Ανδρονίκου.

ΒΙΒΛ.: Πηγές: Γρηγοράς, CS, Γ΄, 519. - ΜΜ, Α΄, 336 εξ. Βοηθήματα: E. Golubinskij, Ιστορία της ρωσικής εκκλησίας, Β΄- 1 (Μόσχα 1900, ρωσ.), 171 - 225. - A. Ammann, Abriss der ostslavischen Kirchengeschichte (Βιέννη 1950), 82 έξ. - D. Obolensky, Byzantium, Kiev and Moscow: A study in ecclesiastical relations, DOP 11 (1957), 37 εξ. - J. Meyendorff, Alexis and Roman: A study in Byzantinorussian relations 1352 - 54, BSl 28 (1967), 278 - 88. F. Tinnefeld, Byzantinisch - russische Kirchenpolitik im 14. Jahrhundert, BZ 67 (1974), 367 - 76. - Λεξικό των λογοτεχνών και της λογοτεχνίας της παλαιάς Ρωσίας, Β΄ - 1 (Λένινγκραντ 1988, ρωσ.), 25 - 34. - PLP 1 (1976), αρ. 613. Βλ. Επίσης Βλαδ. Βόντωφ, ΘΗΕ 2 (1963), στήλ. 136 - 9 και J. Meyendorff, Βυζάντιο και Ρωσία (Αθήνα 1988), 127 εξ., 160 εξ., 183 εξ. 223 εξ., 246 εξ., 258 εξ. και ευρετήριο.

Ρ. Ρ.

Αλέξιος Στουδίτης, πατριάρχης Κων/πολης (15 Δεκ. 1025 - 20 Φεβρ. 1043), πρώην ηγούμενος της μονής Στουδίου (εξ ου και το επώνυμό του). Έγινε πατριάρχης με άμεση διαταγή του *Βασιλείου Β΄* - την ίδια ημέρα που πέθανε ο πολέμαρχος αυτοκράτορας, ο οποίος πήρε την παραπάνω απόφαση χωρίς τη σύγκληση συμβουλίου των επισκόπων. Στη διάρκεια είκοσι περίπου ετών ο Α. έκανε πολλά για την ενίσχυση της εξουσίας του πατριάρχη, αν και το γεγονός ότι ανήλθε στο θρόνο αντικανονικά, του δημιούργησε σοβαρά προβλήματα, που έσπευσαν να εκμεταλλευθούν οι αντίπαλοί του. Έτσι, μεταξύ άλλων, ο *Μιχαήλ Ε΄* προσπάθησε να τον απομακρύνει, κατηγορώντας τον για συνωμοσία, αλλά ο Α. βρήκε τρόπο να εξουδετερώσει τους αντιπάλους του, αποδεχόμενος μεν να παραιτηθεί, αφού όμως παραιτηθούν προηγουμένως όλοι όσοι είχαν χειροτονηθεί από αυτόν ως μητροπολίτες και αφού αφορισθούν οι αυτοκράτορες, τους οποίους είχε ο ίδιος στέψει. Επειδή κάτι τέτοιο δεν ήταν δυνατόν, ο Α. διέφυγε τον κίνδυνο. Στη συνέχεια πολέμησε κατά των αιρετικών της Αυτοκρατορίας με ζήλο, ιδιαίτερα μάλιστα εναντίον των Μεσσαλιανών στην Παφλαγονία. Έγραψε μερικά έργα σχετικά με το κανονικό δίκαιο (π.χ. «Περί γάμου του ζ΄ βαθμού»). Λέγεται πως, όταν πέθανε, άφησε μεγάλη περιουσία σε χρυσό, την οποία οικειοποιήθηκε ο αυτοκράτορας *Κωνσταντίνος Θ΄ Μονομάχος*.

ΒΙΒΛ.: Πηγές: PG 119, 744 - 8, 828 - 50 και VV 12 (1906), 515 - 17 (έργα του). - V. Grumel, Les regestes des actes du Patriarcat de Constantinople, Β΄ (1936), αρ. 829 - 55. - Βοηθήματα: Μ. Γεδεών, Πατριαρχικοί Πίνακες (Κων/πολη 1890), 317 - 22.- G. Ficker, Erlasse des Patriarchen von Konstantinopel Alexios Studites (Κίελο 1911). - Beck, Kirche, 40 εξ., 599. - Στ. Παπαδόπουλος, ΘΗΕ 2 (1963), 133 - 4. - M. Angold, The Byzantine Empire 1025 - 1204. A Political history (Λονδίνο - Ν. Υόρκη 1984), 34 εξ. - Βλ. επίσης A. Fourlas, LM I. 2 (1978), στήλ. 387. - A. Kazhdan, ODB, 67. - Αικ. Χριστοφιλοπούλου, Βυζ. ιστορ., Β΄ 2 (Αθήνα 1988), 200, 208, 431. - J. - C. Cheynet, Pouvoir et contestations à Byzance, 963 - 1210 (Παρίσι 1990), 314 εξ. και ευρετήριο.

Ρ. Ρ.

Αλή Μπουμίκο (Μπουμίτο) († c. 1483). Ούγγρος αρνησίθρησκος το πραγματικό όνομα του οποίου ήταν Ανδρέας Μπούμιτς. Το 1475 διορίστηκε μπεκλέρμπεης της Ρούμελης (Δ. Στερεάς). Στις αρχές του 1481 εκστράτευσε στη Μάνη μαζί με το σαντζάκμπεη του Μοριά, Σουλεϋμάν πασά, επικεφαλής 2.200 ανδρών για να καταπνίξει εξέγερση του Κροκόδειλου *Κλαδά*. Ηττήθηκε όμως στα περάσματα του Οίτυλου, έχασε 700 άνδρες και υποχώρησε στη Σπάρτη (19 Ιαν. 1481), όπου και αντικαταστάθηκε από τον Αχμέτ πασά. Θανατώθηκε λίγα χρόνια αργότερα με διαταγή του σουλτάνου *Βαγιαζίτ Β΄*.

ΒΙΒΛ.: Γ. Καψάλης, ΜΕΕ 3, 731 .- Ι. Πασάς, ΕΛΗ 2, 290. - Ι. Χασιώτης, ΙΕΕ 10, 1974, 278 εξ. - Β. Σφυρόερας, Οι Έλληνες επί Τουρκοκρατίας, Παν/μιο Αθηνών 1975,

123 - 4. - Δ. Μέξης, Η Μάνη και οι Μανιάτες... (Αθήνα 1977, 311 - 12. - Α. Σαββίδης, Σελίδες από τη βαλκανική αντίδραση στην οθωμανική επέκταση κατά τους 14ο - 15ο αι. (Αθήνα 1991), 94 - 5.

Ν. Ν.

Αλή Πασάς Τζανταρλί - Ζαδέ († Ιαν. 1407). Οθωμανός Μ. Βεζύρης την περ. 1389 - 1407 επί σουλτάνων *Βαγιαζίτ Α΄* και *Σουλεϋμάν Α΄*. Καταγόμενος από τον επιφανή οίκο των Τζανταρλήδων, ο Α. έγινε αρχικά στρατ. δικαστής («καδής») και πήρε μέρος στις επιχειρήσεις του *Μουράτ Α΄* κατά του Τουρκομάνου εμίρη της *Καραμανίας* (Μ. Ασία), Αλαεδδίν, καθώς και κατά των Βουλγάρων, πρωτοστατώντας μάλιστα ο ίδιος στην άλωση του Τιρνόβου. Μετά την οθωμ. νίκη στο Κοσσυφοπέδιο το 1389 (Α. Σαββίδης, ΜΓΕ 34, 1984, 267), όπου φαίνεται ότι σκοτώθηκε ο πατέρας του, Χαϊρεδδίν Πασάς, ο Α. διορίστηκε από το νέο σουλτάνο, Βαγιαζίτ Α΄, Μ. Βεζύρης και συμμετέσχε στις εκστρατείες στη Μακεδονία και Βοσνία. Παραβρέθηκε για πολλά χρόνια στη μεγάλη πολιορκία της Κων/πολης (1391 - 1402), που εγκαταλείφθηκε μόνο μετά την ήττα και σύλληψη του σουλτάνου στην Άγκυρα (βλ. λ. *Βαγιαζίτ Α΄, Ταμερλάνος*), από όπου ο Α. διέφυγε φυγαδεύοντας τον πρεσβύτερο γιο και διάδοχό τουΒαγιαζίτ, τον «τσελεμπί» (πρίγκιπα) Σουλεϋμάν (Α΄), στην Προύσα και την Αδριανούπολη. Η συμβολή του Α. και του πατέρα του στην οργάνωση της οθωμ. διοίκησης (κωδικοποίηση καθηκόντων καδήδων, δημιουργία στρατ. σώματος «ιτζ - ογλάν», πρώην Χριστιανοπούλων στρατολογουμένων με τη μέθοδο του Παιδομαζώματος/Ντεβσιρμέ και εκπαιδευομένων στη σουλταν. αυλή) υπήρξε πολύ μεγάλη, αν και αρκετοί Οθωμ. χρονικογράφοι στιγματίζουν τις σαρκικές αδυναμίες του Α., μειονέκτημα που μοιραζόταν με το Βαγιαζίτ Α΄. Πέθανε μισητός ανάμεσα στους υφισταμένους του υπαλλήλους και στους υπηκόους του σουλτανάτου στην Αδριανούπολη και θάφτηκε στο μαυσωλείο του πατέρα του στη Νίκαια. Μετά το θάνατο του προστάτη του ο *Σουλεϋμάν Α΄* στερήθηκε των υπηρεσιών ενός σπουδαίου διπλωμάτη και μοιραία έχασε το θρόνο του από το μικρότερο αδελφό του, *Μούσα*, που και εκείνος έμελλε τελικά να παραγκωνιστεί από τον οριστικό νικητή ανάμεσα στους γιους του Βαγιαζίτ, τον *Μωάμεθ Α΄*.

ΒΙΒΛ.: Οι πηγές (Ασίκ - Πασά - Ζαδέ, Σεαδεδδίν) στους H. Gibbons, The Foundation of the Ottom. Empire... 1300 - 1403 (Οξφόρδη 1916), 171 εξ., 199 εξ., 234. - C. Huart, EI[1]. - R. Mantran, EI[2]. - Ν. Μοσχόπουλος, ΜΕΕ 3,736. - Ελισάβ. Ζαχαριάδου, ΙΕΕ 9 1979, 193 εξ. - Α. Σαββίδης, ΜΓΕ 50 (1988), 295. - C. Imber, The Ottoman Empire 1300 - 1481 (Κων/πολη 1990), 30 εξ., 57 εξ., 65 εξ. - Irène Beldiceanu - Steinherr, LM 1, στήλ. 412.

Α. Σ.

Αλής - Αλί (7ος αι.) (αραβ. Άλι μπν Αμπί Θάλεμπ, κυριολεκτικά Αλί, ο γιος του πατέρα Θάλεμπ). Τίτλοι: αλ - Μορτεζά, Αμίρ αλ - Μονουμινίν. Πρώτος Ιμάμης του Ισλάμ και μόνο τέταρτος στη διαδοχή του αρχικού ισλαμικού χαλιφάτου, γιος του Αμπού Θάλεμπ και της Φατίμαχ μπιντ Άσαντ, ο Αλί, γαμπρός του *Μωάμεθ*, σύζυγος της κόρης του Προφήτη, Φατίμαχ αζ - Ζαχρά και πατέρας του δεύτερου και του τρίτου Ιμάμη, γεννήθηκε την 13η Ρατζάμπ 23 π. Ε. (= c. 600 μ.Χ.) και πέθανε, σε ηλικία 63 ετών, δολοφονημένος στην Κούφα της Ν. Μεσοποταμίας την 21η Ραμαζάν 40 μ. Ε. (= 661 μ.Χ.).

Μοναδικό άτομο μέσα στην παγκόσμια ιστορία, το οποίο γεννήθηκε μέσα στο κτίριο του Κααμπά, ο Α., εξάδελφος του *Μωάμεθ* από άλλο συγγενικό κλάδο, παρουσιάζεται από όλες τις πρώιμες ιστορικές ισλαμικές πηγές ως άτομο υπερφυσικών ικανοτήτων. Μόλις εξήλθε μαζί με τη μητέρα του από τον Κααμπά και σε ηλικία 3 ημερών ανεγνώρισε την Προφητεία στο Μωάμεθ και τον χαιρέτισε με τα λόγια «Ας Σαλάμου αλάυκα για Ρασούλ Αλλάχ». Στα παιδικά και νεανικά του χρόνια υπήρξε ο μόνιμος ακόλουθος του Μωάμεθ, ο οποίος με την άφιξή του στη Γιαθρίμπ (ελλ. Αιθρίβη, μεταγενέστερα αλ-Μαντίνα: η - κατ' εξοχήν - Πόλη) τον αποκάλεσε «αδελφό» (κατά την αναλογία αδελφοποίησης μεταξύ των Μουχατζιρίν - εμιγκρέδων από τη Μέκκα και Ανσάρι - φιλικών προς τους πρώτους κατοίκων της Γιαθρίμπ). Από το γάμο του με τη Φατίμα απέκτησε το Χασάν (2ο Ιμάμη), το Χουσεΐν (3ο Ιμάμη), τη Ζεϋνάμπ και την Ουμ

Κουλθούμ, ενώ από το δεύτερο γάμο του, μετά το θάνατο της Φατίμα, με την Ουμού αλ - Μπανίν, απέκτησε τον Αμπάς.

Η βοήθεια του Α. προς το Μωάμεθ για την πραγματοποίηση της Εγίρας ήταν καθοριστική, καθώς ο ίδιος κοιμήθηκε στο κρεβάτι αντί του Προφήτη, προκαλώντας σύγχυση στους παραμονεύοντες εχθρούς του Μωάμεθ. Ήδη ο Α. εθεωρείτο ως ο «πρώτος εν Ισλάμ», καθώς είχε δεχθεί τη διαδραματισμένη μέσα στο Σπήλαιο Χιρά ενόραση του Μωάμεθ. Ο Α. ήταν ο αναμενόμενος διάδοχος του Μωάμεθ στην πρώιμη και περιορισμένη μορφή του τότε ισλαμικού κράτους. Όχι μόνο είχε τα απαραίτητα ενορατικά και πνευματικά προσόντα για να αναλάβει ως Ιμάμης (πνευματικός καθοδηγητής, διάδοχος του Προφήτη και συνεπώς ανώτατος άρχων του ισλαμικού του χώρου), αλλά και διέθετε την εκφρασμένη επιλογή του Μωάμεθ προς το πρόσωπό του, εφόσον ο τελευταίος επιστρέφοντας στη Μεδίνα από το Χατζ (= ιερό προσκύνημα) στη Μέκκα το 11 μ. Ε. (= 632/33 μ.Χ.) ενώπιον 124.000 παρόντων Μουσουλμάνων τον είχε ανακηρύξει ως διάδοχό του και «χαλίφη» (πολιτικο - στρατιωτικού χαρακτήρα ηγεμόνας ευρισκόμενος εν δικαίω σε αυτή τη θέση μόνο αν ταυτίζεται με το πρόσωπο του Ιμάμη, ή αποτελεί επιλογή του τελευταίου: βλ. εδώ το λ. *Χαλιφάτο*). Παρά την ενεργό συμμετοχή του στη διάδοση του Ισλάμ στο σύνολο της χερσονήσου, ο Α. δεν ήταν αποδεκτός από τους Ανσάρι (κατοίκους της Μέκκας), οι οποίοι, όταν ο Μωάμεθ ήταν ετοιμοθάνατος, συγκεντρώθηκαν στη Σακίφα και εξέλεγαν (κατά τελείως αντιισλαμικό ήδη τρόπο) ως χαλίφη τον *Αμπού Μπακρ*, απουσία του Α. και της φυλής Χασέμ και ενώ ο νεκρός του Μωάμεθ δεν είχε ενταφιασθεί. Σ' αυτό το γεγονός βρίσκει τη γένεσή της η διαίρεση του Ισλάμ σε σουνίτες (οπαδοί του *Αμπού Μπακρ*) και σιΐτες (οπαδοί του Α.), αν και βέβαια η ιδεολογική διαφορά, η οποία θα οδηγούσε σ' αυτή τη διάσπαση, προϋπήρχε.

Η αντιπαράθεση του Α. κατά των χαλιφών *Αμπού Μπακρ, Ουμάρ* και *Ουθμάν* υπήρξε σφοδρή και είναι σαφές ότι οι οπαδοί του μεταχειρίσθηκαν κάθε μέσο για να τον αναδείξουν το 656/7 μ.Χ. (35 μ.Ε.) τέταρτο χαλίφη. Η κυριαρχία του Α. διάρκεσε πέντε χρόνια και η «τζιχάντ» (=ιερός πόλεμος) πήρε στις ημέρες του μία ενδοσκοπική μορφή, καθώς η επέκταση του ισλαμικού χώρου είχε προσωρινά ανακοπεί, ώστε να επιτευχθεί η εσωτερική κάθαρση. Αυτό ήταν δύσκολο, αν όχι ακατόρθωτο, καθώς στη Δαμασκό διαμορφωνόταν ένας πόλος κατά της Μέκκας και της Μεδίνας υπό την ηγεσία του Μουαουΐγιε (*Μωαβία Α΄*). Ένα όργανο του τελευταίου, ο Ιμπν Μουλτζάμ, πέρασε στην ιστορία ως ο δολοφόνος του προσευχόμενου το πρωί της 21ης Ραμαζάν του 40 μ.Ε. Α. Ο «Λέων του Ισλάμ» τάφηκε στο αν - Νατζάφ αλ - Ασράφ της Ν. Μεσοποταμίας.

Η βασική ερμηνεία του Ισλάμ από τον Α. διασώθηκε στη συλλογή «Ναχζ ου αλ - Μπαλάγα», ενώ η πνευματική εσωτεριστική εξύψωσή του σε «Βαλί Αλλάχ» (=φίλο του Θεού) από τους περισσότερους σιίτες και η οιονεί θεοποίησή του από κάποια σιιτικά ρεύματα (υπό τη μορφή του εν Αλί ενανθρωπισμού του θείου: Χουλούλ) είναι γεγονότα μεταγενέστερα του 3ου ισλαμικού αι.

ΒΙΒΛ.: Παλαιότερες αναφορές στους Cl. Huart, EI[1] και Laura V. Vaglieri, EI[2]. Βλ. επίσης (χρονολογικά): W. Muir, The Capiphate (Εδιμβούργο 1915). - T. Arnold - A. Guillaume, The Legacy of Islam (Οξφόρδη 1931). - B. Lewis, The orgins of Ismailism (Καίμπριτζ 1940). - D. Donaldson, The Shiite religion (Λονδίνο 1933). - W. Ivanow, A guide to Ismaili literature (Λονδίνο 1933). - J. W. Sweetman, Islam and Christian theology, 2τ. (Λονδίνο 1945 - 7). - G. M. Hodgson, How did the carly Shia become sectarian, JAOS (1955).- S. Moscati, Per una storia dell' antica Sia, Riv Stud. Orient. 30 (1955). - E. Petersen, Ali and Muawiya in early Arab tradition (Κοπεγχάγη 1964). - W. Montgomery, Islamic political thought (Εδιμβούργο 1968). - A. Guillaume, Islam (Penguin, 1976). - M. Mutahhari, Polarisation around the character of Ali ibn Abi Taleb (Τεχεράνη 1981). - Ph. Hitti, History of the Arabs (Λονδίνο 1982[10]), 179 εξ., 247 εξ. και ευρετήριο. - E. Ibrahim, Sunni and Shia: a pitiful outcry (Τεχεράνη 1982). - J. Hussain, The occultation of the Twelfth Imam (Τεχεράνη 1982). - A. Ansarian (έκδ. - επιμ.), Imam Ali's epistle to Malek Ashtar considered as a source for framing constitutions (Τεχεράνη 1983). - A. Tabatabai, Chiisme dans l' Islam (Τεχεράνη 1983). - A. Adib, L' Imam Ali (Τεχεράνη 1984). - A. al - Askari, A probe into the history of Hadith (Τεχεράνη 1984). - I. al - Hadid Muqazzali, Ali (Τεχεράνη χ.χ. [1984]). M. Mutahhari, The end of Prophethood (Τεχεράνη 1985). - Τόμος «Islam and Shiaism» (Ρώμη 1985). - A. al - Ghita, History and principles of Shism (Ρώμη 1985). - H. Kennedy, The Prophet and the Age of the Caliphates (Λονδίνο - Ν. Υόρκη 1986), 75 - 81. Για τις σχέσεις Βυζαντίου - Αράβων την εποχή αυτή βλ. τα δημοσιεύματα των F. Donner και W. Kaegi (εδώ στο λ. *Άαμρ*).

Κ. Μ.

Αλθίας ή **Αλφίας** (6ος αι.). Θρακικής καταγωγής στρατιωτικός αξιωματούχος του *Ιουστινιανού Α΄*, με δράση και διακρίσεις στους πολέμους της Αυτοκρατορίας στη Β. Αφρική κατά των *Βανδάλων* και των Μαυρουσίων (Μαυριτανών). Η παρουσία του στο βανδαλικό πόλεμο (533 - 4) μαρτυρείται από τον *Προκόπιο*. Το 534 ήταν επικεφαλής της αριστερής φάλαγγας των Βυζαντινών, που υπό το στρατηγό *Βελισάριο* κατανίκησαν τους Βανδάλους στη μάχη του Τρικαμάρου, όπου συνελήφθη ο ηγεμόνας των τελευταίων, *Γελίμερος*. Στη συνέχεια ο Α. στάλθηκε στη Νουμιδία κατά των Μαυριτανών, τους οποίους πολιόρκησε στην πόλη Τίγιση, διακόπτοντας μάλιστα την προς αυτούς παροχή ύδρευσης και εξαναγκάζοντας το φύλαρχό τους, Ιαύδα (Ιαβδά) να μονομαχήσει μαζί του. Παρά το γεγονός ότι ο Α. ήταν βραχύσωμος, εν τούτοις κατανίκησε το γιγαντόσωμο Ιαύδα, τρέποντας στη συνέχεια τους Μαυρουσίους του τελευταίου σε άτακτη φυγή και αποκομίζοντας μεγάλη λεία (535).

ΒΙΒΛ.: Προκόπιος, Βανδαλ. πόλ, έκδ. Haury, II. 11 - Ν. Καλομενόπουλος, ΜΕΕ 3, 758. - Ι. Καραγιαννόπουλος, Ιστορ. βυζ. κράτ. Α΄ (Θεσ/νίκη 1978, ανατ. 1991), 451.

Α. Σ.

Αλίγερνος (6ος αι.). Οστρογότθος πρίγκιπας, γιος του Φρεδίγερνου και μικρότερος αδελφός του *Τέια*, με σημαντική στρατιωτική δράση στην τελευταία φάση των βυζαντινο - οστρογοτθικών συγκρούσεων στην Ιταλία το 554. Μετά το θάνατο του Τέια (553) ο Α. ανέλαβε να διαφυλάξει τους οστρογοτθικούς θησαυρούς του *Τωτίλα* (†552) στην οχυρή πόλη της Καμπανίας, Κύμη, κοντά στη Νεάπολη, την οποία υπερασπίστηκε αρχικά κατά των δυνάμεων του Αρμενίου στρατηγού των Βυζαντινών, *Ναρσή*, όταν όμως οι νικημένοι *Οστρογότθοι* αναζήτησαν ενισχύσεις από τους *Φράγκους*, αποφάσισε να αλλάξει στρατόπεδο. Όταν το 553 - 54 οι δυο Αλαμανοί (Γερμανοί) αρχηγοί των Φράγκων, Λεύθαρις και Βουτιλίνος, εισέβαλαν στην Ιταλία κατά των Βυζαντινών, ο Α. ήλθε σε συνεννόηση με το Ναρσή, στον οποίο τελικά παρέδωσε τα κλειδιά της Κύμης στις Κλασσές (επίνειο της Ραβέννας), προσχωρώντας οριστικά στους Βυζαντινούς και λαμβάνοντας σε αντάλλαγμα αξιώματα. Λίγο αργότερα (φθινόπ. 554) έλαβε μέρος στη φονική μάχη του ποτ. Κασουλίνου, κοντά στην Καπύη (Κάπουα, Β. της Νεάπολης), όπου οι Φράγκοι εισβολείς υπέστησαν συντριπτική ήττα· ο Βουτιλίνος σκοτώθηκε και ο Λεύθαρις δραπέτευσε από τα ιταλικά εδάφη.

ΒΙΒΛ.: Αγαθίας, CF, 19 εξ., 35 εξ., 42 εξ., 45 εξ. - J. Bury, Later Roman Empire, Β΄ (Ν. Υόρκη 1958), 271, 277. - R. Browning, ΙΕΕ 7, 1978, 186 - 7. - Ι. Καραγιαννόπουλος, Ιστορ. βυζ. κράτ., Α΄ (Θεσ/νίκη 1978, ανατ. 1991), 585 - 8. - Α. Σαββίδης, Το βυζ. οικουμ. κράτος και η εμφάνιση του Ισλάμ, 518 - 717 μ.Χ. (Αθήνα 1990^{2}), 56. - Ν. Καλομενόπουλος, ΜΕΕ 3, 763. - E. Stein, Histoire, Β΄ (1949), 603 εξ.

Α. Σ.

Αλιγκιέρι Μικαέλε (Alighieri, 15ος αι.). Ευγενής γόνος γνωστής φλωρεντινής οικογενείας, που στάλθηκε από τον τελευταίο αυτοκράτορα της Τραπεζούντας, *Δαβίδ Α΄ Μ. Κομνηνό*, σε διπλωματική αποστολή στην αυλή του Δούκα της Βουργουνδίας το 1461, με σκοπό τη συγκρότηση συμμαχίας κατά του Οθωμανού «Πορθητή» σουλτάνου *Μωάμεθ - Μεχμέτ Β΄*. Η οικογένεια και η περιουσία του βρίσκονταν στην Τραπεζούντα και στα τέλη του 1460 στάλθηκε από το Δαβίδ Α΄στη Φλωρεντία, όπου υπέγραψε εμπορική συμφωνία και έγινε μέλος της αποστολής του Φραγκισκακού *Λουδοβίκου της Βολονίας*, με την οποία τελικά έφθασε στην αυλή του Γάλλου μονάρχη Καρόλου Ζ΄ στο Παρίσι και, από εκεί, στο δούκα της Βουργουνδίας, Φίλιππο τον Καλό. Τελικά η αποστολή δεν καρποφόρησε, όπως, πάντως, είναι γνωστό, ο Α. λίγο μετά την άλωση της Τραπεζούντας (Αύγ. 1461) συνέχισε να βρίσκεται στην υπηρεσία της αυλής του Δουκάτου της Βουργουνδίας, τουλάχιστον ως τα τέλη του 1470.

ΒΙΒΛ.: Luise Michaelsen, Michael Alighieri, Gesandter Kaiser Davids von Trapezunt, am Hof der Herzöge von Burgund, 1461 - 70, ΑΠ 41, 1987, 175 - 200 (κείμ. 194 - 7).

Α. Σ.

Αλκουίνος Κόντος βλ. Αλδουίνος Κ.

Αλκουίνος (Alcuin[us]) Flaccus Albinus, Υόρκη Αγγλίας 732/35 - Τουρ Γαλλίας 804). Πολυγραφότατος Αγγλοσάξονας κληρικός, επιστήμονας και σοφός του β΄ μισού του 8ου αι. - αρχών του 9ου, με πλούσια και πολυδιάστατη δράση, η οποία συνδέεται με την «Αναγέννηση του *Καρλομάγνου*», αφού ο Α. διατέλεσε σύμβουλος του μεγάλου Φράγκου μονάρχη στην αυλή του τελευταίου στο Άαχεν κατά τις περιόδους 782 - 90 και 792 - 6, οπότε αποσύρθηκε για να αναλάβει τη διεύθυνση του αββαείου του Αγίου Μαρτίνου της Τουρ (Τουρώνης). Η πληθώρα των έργων του (λατινικά) πραγματεύεται θέματα θεολογίας, φιλοσοφίας, ρητορικής, γραμματικής, μαθηματικών κ. ά. επιστημών. Φαίνεται ότι ο Α. γνώριζε τα πράγματα στη Βυζαντινή Αυτοκρατορία, αφού στα γραπτά του αναφέρεται (με καταδικαστικούς τόνους μάλιστα) στις εκκλησιαστικές συνόδους του 754 (Ιερείας) και 787 (Ζ΄ Οικουμενική). Ιδιαίτερης ιστορικής αξίας είναι η επιστολή του υπ' αρ. 173 (Ιούν. 799) προς τον *Καρλομάγνο,* όπου ο Α. κάνει λόγο για τον αποτρόπαιο τρόπο με τον οποίο η Βυζαντινή αυτοκράτειρα, *Ειρήνη η Αθηναία*, καθαίρεσε και τύφλωσε τον ίδιο της το γιο, *Κωνσταντίνο ΣΤ,* το 797 (βλ. MGH, Epp. V, 288 - 9· πρβλ. Βασίλιεφ Ιστορία, 330. - Λουγγής, Βυζαντ. κυριαρχία στην Ιταλία, 1989, 160).

ΒΙΒΛ.: Τα έργα του Α. στην PL 90 (1862), 100 (1863) και 101 (1863), και οι επιστολές του στα MGH I (1895) και V (1899). Μονογραφίες: C. Gaskoin, A., his life and his work (Λονδίνο 1903). - F. Hamelin, Essai sur la vie et les ouvrages d' A. (Παρίσι 1973). - G. Leff, Medieval thought. St. Augustine to Ockham (Penguin, ανατ. 1970), 59 εξ. - Eleanor Duckett, A., friend of Charlemagne (Ν. Υόρκη, ανατ. 1965). - A. Kleinclausz, A. (Παρίσι 1948). Βλ. επίσης E. Almedinger, Charlemagne (Λονδίνο 1968), 196 - 7. - ΜΕΕ 3, 901 - 2. - M. Folkerts, LM I/2 (1978), στήλ. 417 - 20. - L. Shook, DMA 1 (1982), 142 - 3 όπου άλλη βιβλιογρ. Επίσης Π. Χρήστου, Εκκλησ. γραμματολογία, Α΄ (Θεσ/νίκη 1989), 397 - 8. Για τις σχέσεις Α. - Βυζαντίου βλ. επίσης Jenkins, Byzantium: the imperial centuries (ανατ. 1969), 101, 106. - Καραγιαννόπουλος, Ιστορία, Β΄ (ανατ. 1991^2), 186 σημ. 288. - P. Niaves, Nicephorus I... (Αθήνα 1987), 166.

Α. Σ.

Αλλόβιχος - ΄Ελβιχ (Hellebichus, Vallovicus, Elwigh, 4ος - 5ος αι.). Γερμανικής καταγωγής (πιθανότατα Βησιγότθος) στρατηγός στο Δ. Ρωμαϊκό κράτος, που στις πηγές αναφέρεται αρχικά ως συνεργάτης του Δ. αυτοκράτορα *Ονώριου*, τον οποίο, πάντως, προσπάθησε να ανατρέψει το 408 συνωμοτώντας με το στασιαστή αυτοκράτορα της Γαλατίας *Κωνσταντίνο (Γ΄)*, σε μια εποχή που ο Ονώριος αντιμετώπιζε πολλά προβλήματα με το Βησιγότθο ηγεμόνα *Αλάριχο Α΄*. Ο Α., εκμεταλλευόμενος το γεγονός του εγκλεισμού του Ονώριου στη Ραβέννα λόγω του βησιγοτθικού κινδύνου, συγκέντρωσε μεγάλο στρατό (408-9) για να αντιμετωπίσει δήθεν τον Αλάριχο, στην πραγματικότητα όμως σκοπεύοντας να γίνει κύριος του Δ. θρόνου. Τελικά, όμως, εξουδετερώθηκε με τέχνασμα του Ονώριου, που τον παρέσυρε να συμμετάσχει σε ιππικούς αγώνες στη Ραβέννα, απομακρύνοντάς τον έτσι από την πανίσχυρη σωματοφυλακή του. Ο Α. εκτελέστηκε με αποκεφαλισμό και οι στρατιώτες του προχώρησαν στις δυνάμεις του Αλάριχου, ενώ ο Κωνσταντίνος (Γ΄) αναγκάστηκε τελικά να αποσυρθεί από την Ιταλία (409). Η σχέση, αν όχι εξάρτηση, του Α. από τον Αλάριχο έχει κάνει ορισμένους ερευνητές να τον ταυτίσουν με τον *Αλάβιβο*, η ταύτιση αυτή όμως είναι αβέβαιη.

ΒΙΒΛ.: Πηγές: Ζώσιμος, έκδ. Mendelssohn, 276. - Ολυμπιόδωρος, FHG IV, 59. Βοηθήματα: Stein, Histoire, Α΄ 1 (1959), 256 εξ., 264 - 5. - PLRE. Β΄, 61. - Γ. Καψάλης, ΜΕΕ 3, 951. - Τ. Λουγγής, ΙΕΕ 7 (1978), 104, 105. - Καραγιαννόπουλος, Ιστορία, Α΄ (1978, ανατ. 1991), 234.

Α. Σ.

Αλμογάβαροι. Σώμα ελαφρά εξοπλισμένων πεζών μισθοφόρων αποτελούμενο κυρίως από Καταλανούς, Αραγωνέζους, Ναβαρραίους και Μαγιορκέζους. Η ονομασία του προέρχεται από τα αραβικά (al - Mughawir). Οι Α. πρωτοεμφανίζονται τον ύστερο Μεσαίωνα στα βουνά της Β. Ισπανίας απ' όπου έκαναν ληστρικές επιδρομές στις περιοχές των Μαυριτανών. Μετά την ένωση της Καστίλλης και Αραγωνίας χρησιμοποιήθηκαν στη Ν. Γαλλία (1285). Αργότερα μετονομάστηκαν σε *Καταλανική Εταιρεία* (Compaña Catalana) και λόγω της ανδρείας και εμπειρίας τους χρησιμοποιήθηκαν από τους Αραγωνέζους βασιλείς της Σικελίας στους πολέμους τους εναντίον του Κάρολου Α΄

Ανζού. Με τη συνθήκη της Caltabellota απολύθηκαν και δέχθηκαν πρόσκληση του Παλαιολόγου αυτοκράτορα *Ανδρόνικου Β΄*, που ήθελε να τους χρησιμοποιήσει εναντίον των Τούρκων στη Μ. Ασία. Το Σεπτ. του 1303 έφθασαν στην Κων/πολη 6.500 Καταλανοί υπό το *Ρογήρο ντε Φλορ*. Ο Ανδρόνικος για να τους κολακέψει πάντρεψε το Ρογήρο με την ανιψιά του και τον έκανε «δούκα» και αργότερα «καίσαρα». Οι Α. όμως ήλθαν σε ρήξη με τους Γενουάτες της Κων/πολης, στους οποίους όφειλαν 20.000 χρυσά νομίσματα, αναγκάζοντας τον Ανδρόνικο να παρέμβει και να καταβάλει ο ίδιος το ποσό. Μετά τη μεταφορά τους στην Κύζικο (1304), επιδόθηκαν σε λεηλασίες και συγκρούσεις με τους Αλανούς μισθοφόρους των βυζαντινών. Στις μάχες εναντίον των Τούρκων (=Τουρκομάνων των ναυτικών εμιράτων) είχαν αρκετές επιτυχίες με κυριότερη το ότι έσπασαν τον κλοιό της Φιλαδέλφειας, την οποία όμως στη συνέχεια λεηλάτησαν. Το ίδιο έγινε και με άλλες βυζ. πόλεις της Μ. Ασίας, ενώ παράλληλα στράφηκαν και στην πειρατεία. Στα τέλη του 1304 μεταφέρθηκαν στη Θράκη για να χρησιμοποιηθούν εναντίον των Βουλγάρων. Την ίδια περίοδο ενισχύθηκαν από νέο τμήμα υπό τον Βερεγγάριο - Μπερενγκουέρ d' Entença, στον οποίο επίσης προσφέρθηκε ο τίτλος του «μεγάλου δούκα». Η ληστρική όμως συμπεριφορά των Α., που τους είχε καταστήσει μάστιγα για το Βυζάντιο, οδήγησε στην παγίδευση του Ρογήρου ντε Φλορ στην Αδριανούπολη και στη σφαγή του ίδιου και 150 συντρόφων του (30 Απρ. 1305). Η είδηση προκάλσε την αντίδραση των Α., που έσφαξαν τους κατοίκους της Καλλίπολης και λεηλάτησαν τις περιοχές της Προποντίδας. Για αντεκδίκηση οι κάτοικοι της Κων/πολης έσφαξαν τους εκεί Καταλανούς, αλλά ο βυζ. στρατός ηττήθηκε από τους Α. (καλοκαίρι 1305) και δε μπόρεσε να διατηρήσει τον έλεγχο της θρακικής υπαίθρου, που επί 2 χρόνια έγινε έρμαιό τους. Το καλοκαίρι του 1307 οι Α. διέσχισαν τη Θράκη και εγκαταστάθηκαν στην Ποτίδαια της Χαλκιδικής. Από εκεί έκαναν επιδρομές επί 2 χρόνια στη Μακεδονία, Άγιο

Όρος και Θεσσαλία. Την άνοιξη του 1310 τους προσέλαβε ο Γάλλος δούκας της Αθήνας Βαλτέριος-Γκωτιέ ντε *Μπριέν*. Ένα χρόνο αργότερα, μετά από σοβαρή διαφωνία σχετικά με τη μισθοδοσία τους, ήλθαν σε σύγκρουση μαζί του και εξόντωσαν τον ίδιο και όλο το στρατό του σε μάχη που έγινε κοντά στον Αλμυρό (15 Μαρτ. 1311). Συνέπεια της μάχης ήταν να καταλάβουν το δουκάτο της Αθήνας, το οποίο κυβέρνησαν για τα επόμενα 70 περίπου χρόνια (1311 - 88), μέχρις ότου εκδιώχτηκαν από το Φλωρεντινό Νέριο (Α΄) *Ατζαγιόλι*.

ΒΙΒΛ.: Πηγές: Γ. Παχυμέρης, CS, 2 τ. (1835). - Ν. Γρηγοράς, CS, 3 τ. (1829 - 55). - Ramon Muntaner, The chronicle of Muntaner, αγγλ. μετ. L. Goodenough, 2 τ. (Λονδίνο 1920 - 21). - Συλλογή εγγράφων του A. Rubió y Lluch (έκδ.), Diplomatari de l' Orient Català , 1301 - 1409 (Βαρκελώνη 1947). - Φρανθίσκο ντε Μονκάδα, Εκστρατεία των Καταλανών και Αραγωνέζων κατά Τούρκων και Ελλήνων, νεοελλ. μετ. Ι. Ιατρίδου (Αθήνα 1984). Βοηθήματα Επ. Σταματιάδης, Οι Καταλανοί εν τη Ανατολή (Αθήνα 1869, ανατ. χ. χ.). - Α. Ρουβιό υ Λιουκ, Περί των Καταλανικών φρουρίων της ηπειρωτικής Ελλάδος, μετ. Γ. Μαυράκης, εισαγ. Κ. Κοτσίλης (Αθήνα, ανατ. 1991). - R. J. Loenertz, Athènes et Néopatras: Regestes et notices pour servir à l' histoire des duchés catalans, 1311 - 94, AFP 25 (1955), 100 - 212, 428 - 31. - Του ίδ., Athènes et Néopatras: Regestes et documents pour servir a l' histoire eclésiastique des duchés catalans, 1311 - 95, AFP 28 (1958), 5 - 91. Α Λαΐου, ΙΕΕ 9, 1979, 166 - 8. - Της ίδ., Constantinople and the Latins: The foreign policy of Andronicus II (Καίμπριτζ Μασσ. 1972). - K. Setton, Catalan Domination of Athens, 1311 - 88 (Λονδίνο 1975[2]). Του ίδ. The Papacy and the Levant, Α΄ (Φιλαδέλφεια 1976), 441 εξ. - Του ίδ., κεφ. IV και V στη συλλογή του (VR): Athens in the Middle Ages (Λονδίνο 1975). D. M. Nicol, The Last Centuries of Byzantium, 1261 - 1453 (Λονδίνο 1972), 136 εξ. - G. Ostrogorsky, Ιστορία βυζαντινού κράτους, Γ΄ (Αθήνα 1981), 183 εξ. - A. Vasiliev, Ιστορία Βυζαντινής Αυτοκρατορίας (Αθήνα 1954, ανατ. 1973), 750 εξ. Βλ. τέλος, Alice Mary Talbot, Catalan Grand Company, ODB, 389 και R. Hitchner, Catalans, ό.π. με άλλη βιβλιογρ. - T. Ruiz, Almogavares, DMA 1 91982), 190. - Α. Σαββίδης ΜΓΕ 31 (1984), 414. Πρβλ. και το εκλαϊκευτικό άρθρο του M. Lanza, Αλμογάβαροι, Ιστορ. Εικονογραφημ. Παπύρου 74 (Δεκ. 1974), 108 - 15.

Ν. Ν.

Αλούιθ (1ο μισό 6ου αι.). Γερμανόφωνος Έρουλος αξιωματούχος του Βυζαντίου στα χρόνια του *Ιουστινιανού Α΄* με δράση στις επιχειρήσεις κατά των *Οστρογότθων* στην Ιταλία. Τον Ιούν. 538 στάλθηκε επικεφαλής (μαζί με τους ομοφύλους του Ουίσανθο και Φανίθεο) σώματος 2.000 Ερούλων υποσπόνδων (φοιδεράτων) σε συνοδεία του κουβικουλάριου *Ναρσή* στην Ιταλία για να ενισχύσουν το *Βελισάριο*, αλλά η διχόνοια που ξέσπασε αργότερα ανάμεσα στους 2 τελευταίους είχε σαν αποτέλεσμα την ανάκληση του Ναρσή στην Κων/πολη το 539. Ο Α. αρνήθηκε να παραμείνει στο ιταλικό μέτωπο, παρά την επιμονή του Βελισάριου, και τελικά ήλθε σε συνεννόηση με τους Οστρογότθους, στους οποίους επέστρεψε τους αιχμαλώτους που είχαν συλλάβει οι άνδρες του, ενώ ο ίδιος αναχώρησε για τη βυζ. πρωτεύουσα (Προκόπιος, Β΄, 208, 248). Το 551/2 ο Ναρσής επέστρεψε παντοδύναμος στο ιταλ. μέτωπο συνοδευόμενος από Έρουλους μισθοφόρους υπό τον Φιλημούθ (Αγαθίας, CF, 23), δεν αποκλείεται όμως να συμμετέσχε στις επιχειρήσεις αυτές και ο Α. (Α. Σαββίδης, Το οικουμεν. βυζ. κράτ. και η εμφάνιση του Ισλάμ, Αθήνα 1990[2], 56).

ΒΙΒΛ.: J. Bury, Later Roman Empire, 395 - 565, Β΄ (Ν. Υόρκη 1958), 261, σημ. 2. - Ι. Καραγιαννόπουλος, Ιστορ. βυζ. Κράτ., Α΄ (Θεσ/νίκη 1978, ανατ. 1991), 475, 574. - Τ. Λουγγής, Ο «πρώτος αυτοκράτωρ Ρωμαίων» και ο «πρώτος Ρωμαίων απάντων». Η ανολοκλήρωτη reconquista, Συμμ 5 (1983), 224 εξ.

Α. Σ.

Αλουσιάνος (1ο μισό 11ου αι.). Δευτερότοκος γιος του τελευταίου Βούλγαρου τσάρου της αυτοκρατορίας του *Σαμουήλ*, του Ιωάννη *Βλαδισθλάβου*. Όταν μετά το 1018 ο «Βουλγαροκτόνος» αυτοκράτορας *Βασίλειος Β΄* ενσωμάτωσε το κράτος του πατέρα του, ο Α. ακολούθησε επιτυχημένη σταδιοδρομία στο Βυζάντιο. Αρχικά διορίστηκε στρατηγός του μικρασιατικού θέματος της Θεοδοσιούπολης στις αρμενικές επαρχίες, στη συνέχεια, όμως, περιέπεσε σε δυσμένεια και το Σεπτ. 1040 κατέφυγε στους κινηματίες του επικίνδυνου στασιαστή Πέτρου *Δελεάνου*, που επικεφαλής Βουλγάρων και Σλάβων εξαπλώθηκε σε μεγάλο τμήμα της Βαλκανικής. Εξαιτίας της καταγωγής του ο Α., όπως ήταν φυσικό, διαδραμάτισε σημαντικό ρόλο στην επανάσταση, αλλά από την αρχή δεν μπόρεσε να ομονοήσει με τον Δελεάνο, με τον οποίο βρέθηκε σε ασυμφωνία, ανταγωνισμό και παρανοήσεις. Μετά την ανεπιτυχή του προσπάθεια να καταλάβει από το Βυζάντιο τη Θεσσαλονίκη (βλ. Ι. Θεοχαρίδης, Ιστ. Μακεδονίας κατά τους μέσους χρόνους 285 - 1354, Θεσ/νίκη 1980, 279. - Ο. Ταφραλής, Η Θεσσαλονίκη... έως τον 14ο αι., Αθήνα 1994, 121 - 2), ο Α. τελικά συνέλαβε και τύφλωσε τον Δελεάνο, αναζητώντας καταφύγιο στη βυζ. αυλή, όπου ο αυτοκρ. *Μιχαήλ Δ΄ ο Παφλαγών* τον αποκατέστησε με τον τίτλο του «μάγιστρου». Το κίνημα του Δελεάνου τελικά καταπνίγηκε (1041). Δεν είναι γνωστή η μετέπειτα μοίρα του Α., που καθώς φαίνεται παρέμεινε στο Βυζάντιο ως το θάνατό του.

ΒΙΒΛ.: Πηγές Σκυλίτζης, CF, 412 - 14. - Ψελλός, έκδ. Renault, Β΄, 79 - 83. - Κεκαυμένος, έκδ. Litavrin, 160, 162 = έκδ. Δ. Τσουγκαράκης (Αθήνα 1993), 90, 92 - 3. - Ζωναράς, CS, Γ΄, 601 - 3. - Βίος Λαζάρου Γαλησιώτου, AASS, Νοέμβρ. III (Βρυξέλλες 1910), 578 - 9. Βοηθήματα: V. Zlatarski, Το μολυβδόβουλλο του Σαμουήλ Αλουσιάνου (βουλγ.), Izvestija na Bulgarskija Arheologičeski Institut 1 (1921 - 2, Σόφια 1922), 86 - 102. - Του ιδ., Ιστορία του βουλγαρικού κράτους στο Μεσαίωνα (βουλγ.), Β΄ (Σόφια 1934), 44 - 5 εξ., ιδιαίτ. 60 - 70, 127- 9, 485 - 9. - V. Laurent, Bulgarie et princes bulgares dans la sigillographie byzantine, EO 33 (1934), 413 - 27, ιδιαίτ. 419 - 24. - Moravcsik, Β΄, 64. - G. Litavrin, Η Βουλγαρία και το Βυζάντιο στον 11ο και 12ο αι. (Μόσχα 1960, ρωσ.), 388 - 96. - Καραγιαννόπουλος, Ιστορ., Β΄, 498. - Χριστοφιλοπούλου, Β΄ 2, 173 σημ. 3, 205. - Βυζαντινές πηγές για την ιστορία των λαών της Γιουγκοσλαβίας (σερβοκροατ.), Γ΄ (Βελιγράδι 1966), 50, 79 εξ. Ostrogorsky, Ιστορία, Β΄, 211. - Ζακυθηνός, Ιστορ., Α΄, 470 εξ. - Ιστορία της Βουλγαρίας (βουλγ.) (Σόφια 1982), τ. Γ΄, 25, 32, 34. Άλλη βιβλιογρ. στον A. Kazhdan, ODB, 70.

Ρ. Ρ. - Α.Σ.

Αλπ Αρσλάν (1029/30 - 1072/3) (τουρκικά: ο δυνατός/νικηφόρος/ατρόμητος λέων), σουλτάνος της δυναστείας των Μεγάλων Σελτζούκων (Σελτζουκιδών) της Μεσοποταμίας (1063 - 1072/3), γιος του Νταούντ Τζαγρί Μπεγ, ανεψιός του πρώτου Σελτζούκου σουλτάνου *Τογρούλ Μπεγ*. Ήδη γύρω στο 1050 οδήγησε τα στρατεύματα του πατέρα του κατά των υπολειμμάτων των ιρανόφωνων Γαζνεβιδών του Αφγανιστάν και το 1058 είχε μια μεγάλη επιτυχία, όταν έσωσε τον πατέρα του από επικίνδυνη εξέγερση του ισχυρού εμίρη *Ιμπραχίμ Ινάλ* στην Περσία. Μετά το θάνατο του πατέρα του (1059 ή 1061), που του κληροδότησε το περσικό Χορασάν, ο Α. αντιμετώπισε επίσης με επιτυχία δύο άλλες απειλητικές εξεγέρσεις, αυτή του θείου του Γκέπκο Μιχάλ στη Χέρατ, και εκείνη του ετεροθαλή αδελφού του Τογρούλ Μπεγ, δηλαδή του *Κουτλουμούς*, ανάμεσα στα χρόνια 1061 - 63.

Μετά το θάνατο του Τογρούλ Μπεγ (1063), που δεν είχε άρρενα κληρονόμο και διάδοχο, ο Α. κληρονόμησε από το θείο του ένα εκτεταμένο κράτος που απλωνόταν στην κεντρική Ασία από τα Δ. σύνορα της Κίνας και Ινδίας μέχρι τις Α. επαρχίες της Μικράς Ασίας και τα Β. - Α. σύνορα της Συρίας. Μετά το 1063 ο Αββασίδης χαλίφης της Βαγδάτης, αλ - Καΐμ (1031 - 75), αναγνώρισε τον Α. ως «σουλτάν» και επικυρίαρχό του (βλ. λ. *Αββασίδες, Σελτζούκοι, Χαλιφάτο*). Το 1064 ο Α. κατέκτησε το σπουδαίο αρμενικό φρούριο του Ανίου και το 1067 κατέστρεψε τη σημαντική βυζαντινή πόλη της Καισάρειας, ενώ οι ορδές του έκαναν συνεχείς επιδρομές την υπόλοιπη Μικρά Ασία. Τέλος, στις 26 Αυγ. 1071 κοντά στην αρμενική πόλη Μαντζικέρτ, ο Α. πέτυχε μεγάλη νίκη εναντίον των Βυζαντινών και ο αυτοκράτορας *Ρωμανός Δ΄ Διογένης* έπεσε αιχμάλωτος στα χέρια του Μουσουλμάνου ηγεμόνα. Έτσι, το Α. τμήμα της μικρασιατικής χερσονήσου χάθηκε αμετάκλητα για την αυτοκρατορία. Μετά το θάνατό του, κατά πάσα πιθανότητα τον Ιαν. του 1073, τον Α. διαδέχτηκε ο γιος του, *Μαλίκ Σαχ* (1072/3 - 92).

ΒΙΒΛ.: Πηγές: Βρυέννιος, Ιστορία, CF, 101 εξ. - Ατταλειάτης, Ιστορία, CS, 149 εξ. - Ζωναράς, Χρονικό, CS, Γ΄, 692 εξ. - Συνεχ. Σκυλίτζη, έκδ. Τσολάκης, 144 εξ. - Βραχέα Χρονικά, έκδ. Schreiner, Α΄, 144 εξ. - Βοηθήματα: Κ. Άμαντος, Ιστορία του βυζαντινού κράτους, Β΄ (Αθήνα 1957^2, ανατ. 1977), 213 εξ. - E. Janssens, La bataille de Mantzikert (1071) selon Michel Attaliate, AIPHOS 20 (1968 - 72), 291 - 304. - C. Cahen, Pre - Ottoman Turkey. A general survey of the material and spiritual culture and history c. 1071 - 1330 (Λονδίνο 1968), 19 εξ. - Του ιδ., στον K. Setton (επιμ. έκδ.), History of the Crusades, Α΄ (Μάντισον 1969^2), 146 εξ. - του ιδ. Turcobyzantina et Oriens Christianus (Λονδίνο 1974: VR), μελέτες I, II, III. - S. Vryonis, The Decline of Medieval Hellenism in Asia Minor and the process of Islamization from the 11th through the 15th century (Παν/μιο Καλιφόρνιας 1971, ανατ. 1986), 94 εξ. - Α. Σαββίδης, ο Σελτζούκος σουλτάνος Αλπ Αρσλάν και το Βυζάντιο, ΒΝΕΜ 7 (1985), 18 - 25 και τουρκ. μετάφρ. της Esin Ozansoy στο περιοδ. Tarih Dergisi 35 (Παν/μιο Κων/πολης 1994), 303 - 13. - του ιδ., Το Βυζάντιο και οι Σελτζούκοι Τούρκοι τον 11ο αι. (Αθήνα 1988^2), 29 εξ., 40 εξ. βλ. επίσης τις βιβλιογρ. στον C. Cahen, EI^2 και EBr 1 (1980^{15}), 617 - 18. - P. Golden, DMA 1 (1982), 203. - O. Turan, Selçuklular zamanĭnda Türkiye Tarihi... 1071 - 1318 (Κων/πολη 1984^2), 19 εξ., 32 εξ. - I. Kafesoğlu, History of the Seljuks, αγγλ. μετ. - επιμ. G. Leiser, Παν/μιο Ιλλινόι 1988, 44 εξ.

Ρ. Ρ.

Αλυάτης. Όνομα αριστοκρατικής βυζαντινής οικογένειας

που εμφανίζεται για πρώτη φορά το 10ο αι., αναδεικνύεται όμως κυρίως τον 11ο. Τα σημαντικότερα μέλη της υπήρξαν ο Λέων και ο Θεόδωρος. Ο *Λέων Α.* είναι κυρίως γνωστός από επιγραφή της Κριμαίας, στην οποία αναφέρεται ως «στρατηγός» της Χερσώνας και Σουγδαίας (πιθανότατα διοικητής του θέματος Χερσώνος) το έτος 1059. Ο *Θεόδωρος Α.* διετέλεσε κυβερνήτης της Καππαδοκίας, υποστηρικτής του αυτοκράτορα Ρωμανού Δ΄ Διογένη (Ατταλειάτης, CS, 170) και στρατηγός του στη μάχη του Μαντζικέρτ (1071). Μετά την ήττα του βυζαντινού στρατού, ο Θ. Α. αποσύρθηκε στην Καππαδοκία απ' όπου προσπάθησε να βοηθήσει με στρατεύματα το Ρωμανό να ανακαταλάβει το θρόνο. Ηττήθηκε όμως, αιχμαλωτίστηκε και τυφλώθηκε. Ο γιος του Θεοδώρου (άγνωστο το πρώτο του όνομα) εμφανίζεται στο πλευρό του Αλέξιου Α΄ Κομνηνού κατά των Νορμανδών (της Β΄ νορμανδικής επιδρομής), από τους οποίους σκοτώνεται το 1108 στη Γλαβινίτζα (Άννα Κομνηνή, Αλεξιάς, έκδ. Leib, Γ΄, 105. - A. Ducellier, La façade maritime de l' Albanie au Moyen Age: Durazzo et Valona du 11e au 15e s., Θεσ/νίκη 1981: ΙΜΧΑ, αρ. 177, 17 - 18, 22). Μέλη της οικογένειας εμφανίζονται να κατέχουν διάφορα στρατιωτικά και πολιτικά αξιώματα στη Βυζαντινή Αυτοκρατορία και σε μεταγενέστερες περιόδους (12ος αι. κ. εξ.), όπως ο «επί του Κανιηλείου» *Νικηφόρος Α.*, αξιωματούχος των αυτοκρατόρων Ιωάννη Γ΄ Βατάτζη, Θεόδωρου Β΄ Λάσκαρη και Μιχαήλ Η΄ Παλαιολόγου, και ο *Αλέξιος Α.*, βεστιάριος και διοικητής στολίσκου του Μιχαήλ Η΄.

ΒΙΒΛ.: Ν. Καλομενόπουλος, ΜΕΕ 4, 36. - A. Kazhdan, ODB, 72. - PLP Α΄, 68 - 9, αρ. 706 - 21 (οι τελευταίοι Α. στην παλαιολόγεια εποχή). - B. Skoulatos, Personnages byzantins de l' Alexiade (Λουβαίν 1980), 15, αρ. 10. - J. - C. Cheynet, Pouvoir et contestations à Byzance, 963 - 1210 (Παρίσι 1990), 77, 300 και ευρετήριο. - Άμαντος, Ιστορ., Β΄ (1957^2), 209, σημ. 3 - Χριστοφιλοπούλου, Β΄ 2 (1988), 247.

Ν. Ν. - Α. Σ.

Αλυάτης Γρηγόριος Μπούνης - (1ο μισό 15ου αι.). Βυζαντινός ιερομόναχος, μουσικός (υμνογράφος) και πρωτοψάλτης της Αγίας Σοφίας στην Κων/πολη την περίοδο έως την Άλωση του

1453, στην οποία ήταν παρών. Σημαντικά θεωρούνται τα σωζόμενα υμνογραφικά του έργα (συνθέσεις, μέθοδοι παραλλαγής και μετροφωνίας κ. ά.).

ΒΙΒΛ.: Βλ. στο PLP, αρ. 714 και στον Hunger, ελλην. μετ., Γ΄ (Αθήνα 1994), 420 με τις σημειώσεις 81 - 4 (κεφ. του Chr. Hannick).

Α. Σ.

Αλύπιος († μετά το 371/2). Έλληνας «εθνικός» (μη Χριστιανός) αξιωματούχος, καταγόμενος από την Αντιόχεια (Συρίας), υπήρξε στενός και έμπιστος συνεργάτης του αυτοκρ. *Ιουλιανού*. Περί το 355 (ή 358) διορίστηκε από τον *Κωνστάντιο Β΄* vicarius (τοποτηρητής) της αυτοκρατορίας στη Βρεταννία, ενώ γύρω στο 360 διακρίθηκε στη διοίκηση της Γαλατίας. Μετά το 361 στα πλαίσια της θρησκευτικής του πολιτικής ο Ιουλιανός ανέθεσε στον Α. να επιβλέψει την ανέγερσή του από αιώνων κατεστραμμένου Ναού του Σολομώντα στην Ιερουσαλήμ, θέλοντας έτσι συμβολικά να αποδείξει την ισχύ της αρχαίας θρησκείας και το άτοπο των λόγων του Ιησού ότι ο ναός θα παρέμενε γκρεμισμένος ανά τους αι. Ήταν πολύ καλλιεργημένος με αξιόλογες γνώσεις γεωγραφίας, ενώ επίσης διακρινόταν και στη στιχουργική. Το 371/2 επί βασιλείας *Βάλη* κατηγορήθηκε με το γιο του Ιεροκλή και δικάστηκε στην Αντιόχεια για «φαρμακεία», δηλ. ως δηλητηριαστής. Και οι δύο εξορίστηκαν και τα υπάρχοντά τους δημεύτηκαν.

ΒΙΒΛ.: Οι πηγές (Αμμιανός Μαρκελλίνος, επιστολές Ιουλιανού και Λιβάνιου, Φιλοστόργιος κ. ά.) στο PLRE, Α΄, 46 - 7. Βλ. και Α. Αρβανιτόπουλος, ΜΕΕ, 4, 93. - Πολύμν. Αθανασιάδη - Fowden, στην ΙΕΕ 7 (1978), 61. - R. Browning, Emperor Julian (Λονδίνο 1977), 176.

Α. Σ.

Αλύπιος (3ος - 4ος αι., ή 2ος αι. κατά τον Meibom). Συγγραφέας και μουσικός της ύστερης αρχαιότητας, για τη ζωή του οποίου ελάχιστα στοιχεία είναι γνωστά. Έγραψε μια πραγματεία με τίτλο «Εισαγωγή μουσική», στην οποία υπάρχει η μουσική σημειογραφία των αρχαίων και αποτελεί την πληρέστερη πηγή σχετικά με τις κλίμακες της αρχαίας ελληνικής μουσικής. Ονομαστικά αναφέρεται στον Α. ο *Κασσιόδωρος* στο έργο του

«De Musica» (κεφ. III), ενώ οι έρευνες διαφόρων μελετητών του 19ου αι. θεωρούν τον Α. σύγχρονο των Ιουλιανού, Λιβάνιου, Γρηγορίου Ναζιανζηνού, Συμμάχου και Αυγουστίνου. Οι πρώτες εκδόσεις των έργων του Α. έγιναν τον 17ο αι. από τον Meursius (Λυών 1616) και Meibom (Άμστερνταμ 1652), λίγα χρόνια πριν από την πρώτη έκδοση βυζαντινού ιστοριογραφικού κειμένου από τον Ιερώνυμο Βολφ.

ΒΙΒΛ.: C. Forlage, Das musikalische System des Alypius (Λειψία 1847). - Γ. Παπαδόπουλος, Συμβολαί εις την ιστορίαν της παρ' ημίν εκκλησιαστικής μουσικής (Αθήνα 1890). - Α. Αρβανιτόπουλος, ΜΕΕ 4, 93 (με την άλλη παλαιότερη βιβλιογρ.). - Hunger, ελλην. μετ., Γ΄ (Αθήνα 1994), 408 σημ. 31 (κεφ. του Chr. Hannick).

Γ. Μ. - Α. Σ.

Αλύπιος, επίσκοπος Ταγάστης (τέλη 4ου - 1ο μισό 5ου αι.). Συμπατριώτης, φίλος και μαθητής του *Αυγουστίνου*. Αφού έζησε αρχικά μια έντονη ζωή, βαπτίστηκε μαζί με τον Αυγουστίνο το 387 στο Μεδιόλανο, δέχθηκε την ιεροσύνη και έγινε επίσκοπος Ταγάστης (394/95). Διακρίθηκε για τα ποιμαντορικά του χαρίσματα καθώς και για τους αγώνες του κατά των Δονατιστών και των Πελαγιανών. Γνωρίστηκε και συνδέθηκε με τον *Ιερώνυμο.* Πέθανε το 430. Γιορτάζεται ως άγιος από τη Δυτική Εκκλησία στις 15 Αυγούστου.

ΒΙΒΛ.: Αυγουστίνος, Εξομολογήσεις (Confessiones, 6 και 9), Contra Academicos και Επιστολές. - Ιερωνύμου, Επιστολές. - Παυλίνου του Νόλης, Επιστολές. - V. Bardet, Un ami de S. Angustin, Revue Augustinienne 4 (1904), 52 - 62, 135 - 45, 228 - 43, 333 - 49. - Δ. Μπαλάνος, ΜΕΕ 4, 94. - ΘΗΕ 2 (1963), στήλ. 217 - 18.

Γ. Μ.

Αλύπιος. Όνομα ενός επισκόπου και ενός οσίου «στυλίτη» των αι. 5ου - 6ου.

1. Επίσκοπος της Καππαδοκικής Καισαρείας κατά τον 5ο αι., πιθανός διάδοχος του Θαλασσίου Α΄ (440 - 51). Υπήρξε αποδέκτης της γνωστής επιστολής του αυτοκράτορα *Λέοντα Α΄* (του 458) για τη σύνοδο της Χαλκηδόνας (451) (Mansi 7, 595 - 7). Το 459/60 ενεπλάκη στην υπόθεση του αιρετικού Λαμπετίου, τον οποίο είχε χειροτονήσει και μετά τις καταγγελίες του πρεσβυτέρου Γεροντίση τον καθήρεσε, μαζί με τους Αλφειό επίσκοπο Ρινοκοκούρων και Αλφειό πρεσβύτερο, που τον είχαν υποστηρίξει (βλ. PG 103, 89 - 92. - DHGE 2, 1912, 904. - ΘΧΕ 1, 1934, 836. - ΘΗΕ 2, 1963, 218. - Δ. Μπαλάνος, ΜΕΕ 4, 94).

2. Ο «Κιονίτης», όσιος εορταζόμενος την 26η Νοεμβρίου. Γεννήθηκε στις αρχές του 6ου αι. στην Αδριανούπολη της Παφλαγονίας, χειροτονήθηκε διάκονος από τον επίσκοπο της πόλης Θεόδωρο και εμόνασε «επί κίονος» για 67 χρόνια. Στη βάση του κίονος χτίστηκαν ένα ανδρικό και ένα γυναικείο μοναστήρι, τα οποία διηύθυνε ο όσιος. Η κάρα του βρίσκεται στη μονή Κουτλουμουσίου του Αγίου Όρους, ενώ μοναστήρια αφιερωμένα στη μνήμη του υπήρχαν στο Άγιο Όρος και την Κων/πολη. Στη λαϊκή παράδοση συνήθως συγχέεται με τον άγιο Στυλιανό τον Παφλαγόνα, γεγονός που ίσως εξηγεί τις ιδιότητες προστάτη των παιδιών που αποδίδονται στον τελευταίο.

ΒΙΒΛ.: Encyclopaedia Cattolica 1 (1949), 889. LTK 1 (1959), 410. - H. Delehaye, Les Saints Stylites (Βρυξέλλες 1932), 148 - 89. - ΘΗΕ 2 (1963), 218 - 20. AB 64 (1946), 309. Fr. Dölger, Aus dem Schatzkammern des Heiligen Berges (Μόναχο 1948), 21. - 223, 227 - 30. R. Janin, La Géographie Ecclésiastique de l' Empire Byzantin, Γ΄ (Παρίσι 1953), 23. Στ. Κυριακίδης, Παρατηρήσεις περι των νεοελληνικών βαπτιστικών ονομάτων, Λαογρ. 5 (1915), 339, σημ. 1. - Δ. Μπαλάνος, ΜΕΕ 4, 94.

Μ. Β.

Αλφανός (Alfanus, 1015/20- 1085). Αρχιεπίσκοπος του Σαλέρνο, γιατρός θεολόγος και ποιητής. Γεννήθηκε στο Σαλέρνο όπου και σπούδασε ιατρική. Το 1056 έγινε μοναχός στο Monte - Cassino ανήκοντας στην ίδια μοναχική κοινότητα με τους κατοπινούς πάπες Στέφανο Ι΄ (Θ΄) (1057 - 8) και Βίκτωρα Γ΄ (1086 - 7). Το 1058 ανήλθε στον αρχιεπισκοπικό θρόνο του Σαλέρνο. Συνόδευσε τον ηγεμόνα του Σαλέρνο, Γισούλφο Β΄, στην Κων/πολη το 1062 και αναμείχθηκε έντονα στην πολιτική, αλλάζοντας συχνά στρατόπεδα. Διακρίθηκε για τις μεταρρυθμιστικές του ιδέες. Πέθανε το 1085 και τάφηκε στη βασιλική του Αγίου Ματθαίου στο Σαλέρνο, την οποία ο ίδιος φρόντισε να αναγείρει. Άφησε σπουδαίο θεολογικό, φιλοσοφικό, ιατρικό και ποιητικό έργο, ενώ μετέφρασε στα λατινικά και το έργο του επισκόπου Εμέσης Νεμεσίου «Περί φύσεως ανθρώπου».

ΒΙΒΛ.: DBI 2, 253 - 7.- LTK^2 1, 366. - P. Delogu, LM 1, στήλ. 389 - 90 (Alfanus von Salerno). - Δ. Μπαλάνος, ΜΕΕ 4, 115. - ΘΗΕ 2, στήλ. 226. - Β. Γκουγιάνος, ΜΓΕ 6 (1978), 356.

Δ. Κ.

Άλφιος (4ος - 5ος αι.), θαυμαστής και φίλος του *Ιωάννη Α΄ Χρυσοστόμου*. Διακρινόταν για τη μεγάλη του αγάπη στους πάσχοντες και την τόλμη του. Με δικά του έξοδα έστειλε τον Ιωάννη στη Φοινίκη για τη διάδοση του Χριστιανισμού. Σώζονται τρεις επιστολές που του έγραψε ο Ιωάννης ο Χρυσόστομος από τον τόπο εξορίας του (404 - 5).

ΒΙΒΛ.: PG 52, στήλ. 624, 630, 648. - Δ. Μπαλάνος, ΜΕΕ 4, 119. - Χρυσόστομος Παπαδόπουλος (αρχιεπ.), Ο άγιος Ιωάννης Χρυσόστομος (Αθήνα 1970^2), 135. - ΘΧΕ 1, 840. - Βαρνάβας Τζωρτζάτος (μητροπ. Κίτρους), Ιωάννης ο Χρυσόστομος επί τη βάσει των επιστολών αυτού (Αθήνα 1952).

Γ. Μ.

ΠΕΡΙΕΧΟΜΕΝΑ

ΕΓΚΥΚΛΟΠΑΙΔΙΚΟ ΠΡΟΣΩΠΟΓΡΑΦΙΚΟ ΛΕΞΙΚΟ ΒΥΖΑΝΤΙΝΗΣ ΙΣΤΟΡΙΑΣ ΚΑΙ ΠΟΛΙΤΙΣΜΟΥ (ΕΠΛΒΙΠ)

Συλλογικό έργο, του οποίου οι προετοιμασίες άρχισαν το 1987. Θα καλύψει όλη τη βυζαντινή προσωπογραφία της περιόδου c. 300 - c. 1500 και υπολογίζεται ότι θα ολοκληρωθεί σε εννέα ή δέκα τόμους. Ο πρώτος τόμος περιέχει περίπου 300 λήμματα (*Ἀαμρ-Ἄλφιος*) και η έκδοσή του αναμένεται περί τα μέσα του 1996. Ο δεύτερος τόμος (*Ἄλφιος - Αψευδής*) τελεί υπό ετοιμασία. Επιμελητής έκδοσης του ΕΠΛΒΙΠ είναι ο δρ. Αλέξης Γ. Κ. Σαββίδης, επίκουρος ερευνητής στο Κέντρο Βυζαντινών Ερευνών του Εθνικού Ιδρύματος Ερευνών στην Αθήνα. Την έκδοση πραγματοποιούν σε συνεργασία οι εκδόσεις «Μέτρον» και «Ιωλκός» στην Αθήνα.

Αποτελεί συλλογικό έργο διεθνούς συνεργασίας: λήμματα έχουν σταλεί από επιστήμονες ευρέως φάσματος ειδικοτήτων, ανάμεσά τους βυζαντινολόγους, σλαβολόγους, ανατολιστές και μεσαιωνολόγους εν γένει, με έδρες τους διάφορες χώρες, όπως την Ελλάδα, την Αρμενία, τη Βουλγαρία, τη Μεγάλη Βρετανία, τη Νέα Γιουγκοσλαβία και τη Νότια Αφρική.

Όλες οι συμβολές δημοσιεύονται στα ελληνικά, ενώ λήμματα που υποβάλλονται σε άλλες γλώσσες (κατά προτίμηση στα αγγλικά) θα μεταφράζονται στα ελληνικά για την έκδοση. Οι συνεργάτες δεν αμείβονται για τη λημματογραφία τους, αλλά θα λαμβάνουν τιμής ένεκεν από ένα μέχρι τρία αντίτυπα του τόμου / των τόμων, όπου υπάρχουν οι συμβολές τους. Τα λήμματα - υπογεγραμμένα με τα αρχικά του ονόματος των λημματογράφων - συνήθως ακολουθούνται από αναλυτικές βιβλιογραφίες, για τις οποίες βλ. τους πίνακες βραχυγραφιών του περιοδικού *Βυζαντινός Δόμος* (Αθήνα, 1987 εξ.).

Σχετικοί πίνακες, επίσης, στα περιοδικά *Byzantinische Zeitschrift* (Στουττγάρδη), *Byzantine and Modern Greek Studies* (Birmingham), *Byzantinoslavica* (Πράγα), *Dumbarton Oaks Papers* (Ουάσιγκτον), *Επετηρίς Έταιρείας Βυζαντινών Σπουδών* (Αθήνα), *Jahrbuch der österreichischen Byzantinistik* (Βιέννη), *Revue des études byzantines* (Παρίσι) και *Rivista di studi bizantini e slavi* (Μπολόνια)· βλ., ακόμη, *The Oxford Dictionary of Byzantium* (Νέα Υόρκη - Οξφόρδη, 1991), τόμ. I, xxi εξ.

Για προοπτική μελλοντικής συνεργασίας, καθώς και για άλλα επιστημονικά ζητήματα, επικοινωνείστε με τον επιμελητή έκδοσης, δρα Α. Σαββίδη (δ/ση οικίας: Τράλλεων 7, Νέα Σμύρνη, Αθήνα 171 21, Ελλάς, Τηλ.: 01-9344.133 ή 9310.040). Επίσης με τους εκδότες Δημοσθένη Κούκουνα των εκδόσεων «Μέτρον» (Ιθάκης 24, Αθήνα 112 57, Ελλάς. Τηλ.: 01-8213.762) και Κώστα Κορίδη των εκδόσεων «Ιωλκός» (Βαλτετσίου 12 και Ιπποκράτους, Αθήνα 106 80, Ελλάς. Τηλ.: 01-3618.684).

ENCYCLOPAEDIC PROSOPOGRAPHICAL LEXICON OF BYZANTINE HISTORY AND CIVILISATION

This Lexicon is a long-term project started in 1987 which will encompass the whole of Byzantine prosopography for the period c. 300 to c. 1500 in an estimated nine or ten volumes. The first volume contains approximately 300 entries (*Aamr* to *Alphios*) and is due to be published in mid- 1996. The second volume (*Alphios* to *Apseudes*) is currently in preparation.

The Lexicon is edited by Dr Alexis G. C. Savvides, research assistant professor in the Centre for Byzantine Research, Hellenic National Research Foundation in Athens, and is published jointly by «Metron» and «Iolkos» Editions (Athens). It is a collaborative and international project: contributions have been received from scholars of a range of disciplines, including Byzantinists, Slavicists, Orientalists and medievalists, based in numerous countries including Greece, Armenia, Bulgaria, Great Britain, South Africa and New Yugoslavia.

All entries are published in Greek and entries submitted in other languages (preferably English) will be translated into Greek for publication.

Contributors will not be paid for their entries, but will instead receive between one and three free copies of the volume(s) in which their contributions appear. The entries - undersigned with the contributor's initials - are usually followed by detailed bibliographies, for which the abbreviation-lists of the journal *Byzantinos Domos*, edited by A. G. C. Savvides (Athens, 1987 -) are recommended. Other pertinent lists can be found in: *Byzantinishe Zeitschrift* (Stuttgart); *Byzantine and Modern Greek Studies* (Birmingham); *Byzantinoslavica* (Prague); *Dumbarton Oaks Papers* (Washington D.C.); *Epeteris Hetaireias Byzantinon Spoudon* (Athens); *Jahrbuch der österreichischen Byzantinistik* (Vienna); *Revue des études byzantines* (Paris); and, *Rivista di studi bizantini e slavi* (Bologna); see also *The Oxford Dictionary of Byzantium* (New York and Oxford, 1991), I, xxi ff.

For prospective contributions and other scholarly queries, please contact Dr A. Savvides (home address: 7, Tralleon Str., Nea Smyrne, Athens 171 21, Greece; Tel. 01-9310.040); or the publishers, Mr Demosthenes Koukounas of «Metron» Editions (24, Ithakis Str., Athens 112 57, Greece; Tel. 01-8213.762) and Mr Costas Korides of «Iolkos» Editions (12, Valtetsiou & Hippocratous Str., Athens 106 80; Tel. 01-3618.684).

Το Εγκυκλοπαιδικό
Προσωπογραφικό Λεξικό
Βυζαντινής Ιστορίας
και Πολιτισμού
Τόμος Α΄
ανατυπώθηκε στην Αθήνα
τον Μάρτιο του 2000
για λογαριασμό των εκδόσεων
«Ιωλκός», τηλ.: 3618684,
τηλ-fax: 3625019
&
«Μέτρον», τηλ-fax: 8219953